forschung zur bibel

Franzjosef Froitzheim

Christologie und
Eschatologie bei Paulus

Echter Verlag

© 1979 Echter Verlag
Gesamtherstellung: Echter Verlag
Fränkische Gesellschaftsdruckerei

Umschlag: Christoph Albrecht

ISBN 3 429 00626 0

Heinrich Schlier †

VORWORT

Die vorliegende Arbeit wurde im SS 1977 von der Theologischen Fakultät der Universität Freiburg i. Br. als Dissertation angenommen. Für den Druck wurde sie leicht überarbeitet. Dem Erzbistum Köln habe ich für die Gewährung eines Druckkostenzuschusses zu danken.

Herrn Prof. Dr. Rudolf Schnackenburg und Herrn Prof. Dr. Josef Schreiner danke ich für die Möglichkeit, die Untersuchung in der Reihe fzb zu veröffentlichen. An dieser Stelle sei auch die zuvorkommende und geduldige Betreuung seitens des Echter Verlages hervorgehoben.

Mein besonderer Dank gilt Herrn Prof. Dr. Anton Vögtle, der sich selbstlos der Mühe unterzogen hat, das Korreferat anzufertigen.

Ich widme die Arbeit dem Andenken meines inzwischen verstorbenen Lehrers Prof. D. Heinrich Schlier. In der Begegnung mit ihm wurde überzeugend deutlich, daß wissenschaftliche Theologie kirchlicher Verkündigung und gelebtem Glauben nicht im Wege steht, sondern sie entscheidend fördern . kann.

Bergisch Gladbach, im März 1979   Franzjosef Froitzheim

INHALTSVERZEICHNIS

Inhaltsverzeichnis

Inhaltsverzeichnis

EINLEITUNG

Die Eschatologie des Apostels Paulus — vor allem seit den Anfängen der dialektischen Theologie stets umstritten als der entscheidende Horizont seiner Botschaft[1] — hat in den letzten Jahren wieder verstärkt die Aufmerksamkeit der ntl. Exegese auf sich gezogen. Eine Reihe von Spezialuntersuchungen zu wesentlichen eschatologischen Themen[2], vor allem aber zu Haupttexten pln. Eschatologie wie Röm 8[3] legen Zeugnis davon ab. Von einer — längst überfälligen — Gesamtdarstellung scheint die Forschung freilich weit entfernt[4]. Die Debatte um den zentralen Gehalt und die Zielrichtung der Enderwartung des Apostels kommt erst zögernd und meist nur am Rande der Einzelanalysen in Gang. So wird man kaum behaupten können, daß etwa die heute vielleicht einflußreichste Position von E. Käsemann und seiner „Schule", welche pln. Theologie im Horizont der „Apokalyptik" verstehen möchte, schon einer umfassenden kritischen Auseinandersetzung unterzogen worden ist. Die traditions- und religionsgeschichtlichen Voraussetzungen dazu müßten erst noch bereitgestellt werden. Angesichts dieser von immer größerer methodischer wie thematischer Spezialisierung gekennzeichneten Forschungslage erscheint es vermessen, das Verhältnis von Christologie und Eschatologie im Denken des Paulus umfassend bestimmen zu wollen, zumal mit diesen beiden Begriffen nicht weniger als die bewegende Mitte der pln. Theologie überhaupt umrissen ist. Nun ist das Ziel, das unsere Arbeit verfolgt, ungleich bescheidener, als der Titel ahnen läßt. Es geht um einen, wenngleich wesentlichen Aspekt aus dem Gesamt pln. Eschatologie, um die Frage nämlich, ob und wie die Eschatologie in den Briefen des Apostels Paulus von dem ihm eigenen Verständnis der Person Jesu Christi und ihres „Heilswerkes" bestimmt ist. Die Begriffe „Eschatologie — eschatologisch" sind dabei in ihrem ursprünglichen Sinn konzipiert, beziehen sich also auf die „letzten Dinge", das künftige „Ende" und Ziel von Welt und Mensch[5]. Das soll im ersten Teil,

1 Vgl. W.G. Kümmel, Das Neue Testament. Geschichte der Erforschung seiner Probleme (OA), Freiburg/München 2. Auflg. 1970, 466ff; ders., Das Neue Testament im 20. Jahrhundert. Ein Forschungsbericht (SBS 50), Stuttgart 1970, 93–105.

2 Vgl. etwa G. Delling, Zur eschatologischen Bestimmtheit der Paulinischen Theologie, in: ders., Zeit und Endzeit 57–101; Dupont, L'union; Grabner-Haider, Paraklese; W. Grundmann, Überlieferung und Eigenaussage im eschatologischen Denken des Apostels Paulus, in: NTS 8 (1961/62), 12–26; Hoffmann, Die Toten in Christus; Luz, Geschichtsverständnis 268ff; Mattern, Verständnis; Schwantes, Schöpfung der Endzeit; Siber, Mit Christus leben; Stanley, Resurrection; Stuhlmacher, Gegenwart und Zukunft; H.-A. Wilcke, Das Problem eines messianischen Zwischenreichs bei Paulus (AThANT 51), Zürich/Stuttgart 1967.

3 Vgl. etwa Balz, Heilsvertrauen; Paulsen, Überlieferung; Osten-Sacken, Römer 8.

4 Zu den letzten Arbeiten im deutschen Sprachraum von R. Kabisch (1893) und F. Guntermann (1932) vgl. Luz, Geschichtsverständnis 301–303 (dort auch weitere Hinweise).

5 Zur Begriffsbestimmung in diesem Sinn vgl. etwa P. Althaus, Art. Eschatologie. VI. Religionsphilosophisch und dogmatisch, in: RGG[3] II 680–689.680f.

der die Traditionsgebundenheit pln. Zukunftserwartung exemplarisch untersucht, als der eigentliche Inhalt auch der Eschatologie des Apostels aufgezeigt werden.

Richtet sich unser Interesse demnach auf den eschatologischen Gedanken des Paulus, so weist die „offene" Formulierung des Themas andererseits den Weg zu seiner angemessenen Behandlung. Wir gehen unsere Frage also in doppelter Weise an und untersuchen zunächst, ob und wie von den zentralen christologischen Aussagen her das Eschaton in den Blick kommt und bestimmt wird (zweiter Teil); umgekehrt gehen wir dann (im vierten Teil) der Frage nach, inwiefern die spezifisch eschatologischen Themen und ihre pln. Sicht christologisch orientiert sind. Dabei wird sich herausstellen, daß für Paulus – schematisch gesprochen – die Christologie Grundlage und Prinzip der Eschatologie bildet. Entsprechend gestaltet sich der zweite Teil als Grundlegung für den vierten, „eschatologischen" Teil (im engeren Sinn) unserer Untersuchung. Verklammert werden beide Teile durch eine Analyse der vom gekreuzigten Herrn bestimmten „eschatologischen Existenz" der Glaubenden (dritter Teil), exemplarisch durchgeführt an dem wohl signifikantesten einschlägigen Text, Phil 3. Damit gewinnen wir nicht nur eine sozusagen „heilsgeschichtliche" Überleitung vom Christusereignis zur eschatologischen Vollendung, sondern tragen vor allem auch der Tatsache Rechnung, daß Paulus eschatologische Themen überwiegend in Beziehung zum christlichen Existenzvollzug behandelt.[6]

Als *textliche Basis* unserer Untersuchung wählen wir nur diejenigen Briefe des Apostels, deren original pln. Verfasserschaft in der gegenwärtigen Forschung nicht ernsthaft umstritten ist (Röm, 1/2Kor, Gal, Phil, 1Thess, Philm). Neben den Pastoralbriefen, die mit Recht fast allgemein als nachpln. angesehen werden[7], werden also ausgeklammert: a) Eph und Kol, b) 2Thess[8]. Da diese Schriften freilich in der lebendigen Tradition („Schule") pln. Denkens stehen, müssen sie – unter Berücksichtigung ihres spezifischen theologischen Gedankens und ohne vorschnelle Harmonisierung – zur Interpretation „echter" Paulustexte herangezogen werden, wenn es sich von diesen her nahelegt.

6 Vgl. z.B. 1Thess 4,13–5,11; Röm 13,11–14; 1Kor 1,4–9; 7,25–35; Phil 1,3–11; 2,12–16; Gal 6,7–10.

7 Vgl. zuletzt die sorgfältige Begründung durch N. Brox, Die Pastoralbriefe (RNT 7/2), Regensburg 1969.

8 Zu a) verweise ich auf die Kommentare von Gnilka, Eph, und Lohse, Kol, zu b) auf W. Trilling, Untersuchungen zum Zweiten Thessalonicherbrief (EThSt 27), Leipzig 1972.

ERSTER TEIL: TRADITIONELLE FORMEN ESCHATOLOGISCHER ERWARTUNG IN DER CHRISTOLOGISCHEN ZUSPITZUNG DURCH PAULUS

Bekanntlich thematisiert Paulus die „Eschatologie" als solche nur an relativ wenigen Stellen; er setzt sie in der Regel als vorgegebenes Grundelement seiner Theologie insgesamt voraus, mit dessen Hilfe er konkret anstehende Fragen theologischer oder praktischer Natur bewältigt. Sprachlich kommt das vor allem darin zum Ausdruck, daß seine eschatologische Terminologie weithin traditionell-formelhaften Charakter hat. Fragt man nach dem christologischen Element in diesen formelhaften eschatologischen Aussagen des Apostels, so stößt man auf den Kreis der Parusie- (und Gerichts-)Aussagen[1]. Sie wurzeln sprachlich wie vorstellungsmäßig eindeutig im AT bzw. der jüdischen Apokalyptik; dies ist der grundlegend vorgegebene Denk- und Sprachhorizont, in welchem sich der eschatologische Gedanke des Paulus (wie der ihm vorausgehenden Urgemeinde) selbstverständlich bewegt. Für uns ist deshalb als Einstieg in unser Thema die Frage von Interesse, inwieweit Paulus mit der unbestreitbaren Übernahme atl.-jüdischer Begrifflichkeit deren sachliche Intention aufgreift und durch die Indienstnahme für die Verkündigung Jesu Christi modifiziert. Uns liegt dabei nicht an einer umfassenden traditionsgeschichtlichen Sondierung der eschatologischen Vorstellungswelt des Apostels. Wir versuchen lediglich, die selbstverständliche Perspektive in den Blick zu bekommen, in welcher Paulus selbst von der eschatologischen Zukunft spricht, wobei uns vornehmlich die Rolle der Person Jesu Christi im Rahmen dieser Sicht beschäftigt.

Als Beispiel wählen wir die Vorstellung des eschatologischen „Tages"; mit ihr beschreibt Paulus nicht nur am häufigsten das Ereignis der eschatologischen Zukunft, sondern sie bietet aufgrund ihrer Vorgeschichte auch die besten Möglichkeiten, Traditionsgebundenheit und Eigenständigkeit der pln. Sichtweise zu eruieren.

I. Die Erwartung des eschatologischen Tages im Frühjudentum und ihre Aneignung durch Paulus

Die Anschauung vom eschatologischen „Tag", wie sie sich in der nachkanonischen, vornehmlich apokalyptischen Literatur des Judentums weithin findet, basiert zweifellos auf der atl. Anschauung vom „Tag Jahwes". Begriff und Vorstellung waren ursprünglich vielleicht in den Traditionen vom Heiligen Krieg beheimatet, wo der „Tag" das Geschehen des für Israel heilsamen kriegerischen Eingreifens Jahwes gegen die Völker bezeichnete. In der Gerichtsprophetie wurde der „Tag Jahwes" jedoch gegen Israel selbst gewendet und kündigte nun Jahwes zorniges Gerichtshandeln am treulosen Israel an

---

1 Vgl. etwa Luz, Geschichtsverständnis 310–317.

(wobei sich aber das ursprüngliche Verständnis eines Zornestages für die Völker mit durchhielt), bis er schließlich, nach dem Exil, in der präapokalyptischen Eschatologie des Joel- und Sacharjabuches beide Momente in sich vereinigte, den Zornestag gegen Israel und den gegen die Völker, und damit zugleich zum Ereignis des Heils (in endgültigem Sinn) für das umkehrbereite Israel wurde[2]. Schon in atl. Zeit hatte sich so die Vorstellung vom „Tag Jahwes", d.h. dem Tag seines rettenden und richtenden Eingreifens in die Geschichte, zu einem eindeutig eschatologischen Gedanken entwickelt: der „Tag" bezeichnet nun das *letzte* Eingreifen Jahwes („am Ende der Tage") zugunsten des gesetzestreuen Israel gegen die es bedrängenden Völker der Welt. Die Anschauung hat also, gerade durch die Konzentration auf das endgültige Schicksal des jetzt von aller Welt angefochtenen Israel, universale Weite bekommen.

Die Apokalyptik nimmt diese Konzeption auf, modifiziert sie jedoch in nicht unerheblichem Maße. Denn hier erscheint der „Tag" primär und selbstverständlich als der *Termin* des Endes von Welt und Geschichte. Bezeichnend in dieser Hinsicht ist die häufig begegnende formelhafte Wendung „bis zum Tage ...", die – soweit ich sehe – im AT nicht vorkommt[3]. Entsprechend trifft man nur noch selten auf eine prophetische Ansage des „Tages"[4], ebenso ist kaum noch von seinem Kommen[5] oder von seiner Nähe[6] die Rede. Der „Tag" umschreibt in der jüdischen Apokalyptik also nicht mehr das Ereignis des Einbruches des rettenden und richtenden Gottes und seiner Macht in die (vorläufige) Geschichte; vielmehr ist umgekehrt alles

2 Vgl. Wolff, Joel/Amos 38f; von Rad, Theologie des Alten Testaments II 129–133; auch ders., ThWNT II 945–949.

3 Vgl. 1Hen 1,1; 10,12; 16,1.2; 19,1; 22,4.11; 45,2; 84,4; 89,(8).10; 99,15; Jub 4,19.24; 5,10; 9,15; 10,17.22; 23,11; 24,28; TestXII Lev 1,1; 3,(2).3; ApkMos 12,26.43; VitAd 47/ApkMos 37; AssMos 1,18; 2Hen 39,1; 52,15 u.a.

4 Ansätze dazu finden sich vor allem in den Mahnreden des 1Hen, z.B. 91,8; 94,9.11; 96,8; 97,5.

5 Vgl. 1Hen 60,6; 96,8; Sib 3,55; 3Esr 12,34, vgl. 6,18ff; allerdings ist auch hier die Betroffenheit durch die unaufhaltsam andrängende Wucht der Präsenz Jahwes und seines Tages, wie sie sich z.B. in Zeph 1,7ff.14ff; Jes 13,6.9 und Joel 1,15; 2,1 niedergeschlagen hat, einer merklich „objektiveren" und distanzierteren Sprache gewichen: der „Tag" ist auch hier nicht das schlechthin „Neue", sondern das seit Ewigkeit feststehende Ende aller Dinge. Der Gebrauch der Wendung „Siehe, Tage kommen" bildet keine Gegeninstanz, da sie zur Formel erstarrt ist; sie begegnet zudem m.W. nur in den relativ späten Apokalypsen sBar und 4Esr: sBar 20,1; 24,1; 31,5; 39,3; 4Esr 5,1; 6,18; 12,13; 13,29; vgl. 7,29; atl. Belege bei G. von Rad, Art. ἡμέρα im AT, in: ThWNT II 945–949.949 A.13. Ähnliches gilt für die Wendung „in jenen Tagen" (vgl. von Rad, ebd. 949 A.14 und 15), die sich fast ausschließlich in 1Hen findet: 5,6; 47,1.(2).3; 48,8; 50,1; 51,1.3.4.5; 52,(1).7; 56,5.8; (59,1); 61,1; 63,1; 80,5; 91,8; 94,11; 97,5; sonst: 4Esr 4,51; sBar 27,15.

6 Vgl. 1Hen 51,2 (zu den Aussagen des 4Esr und sBar vgl. Harnisch, Verhängnis passim); demgegenüber ist die Aussage von der Nähe des Jahwe-Tages in der atl. Prophetie fast ein stehender Zug: Zeph 1,7.14a; Jes 13,6; Ob 15; Joel 1,15; 2,1; 4,14; Ez 7,7; Ἰερ 31,16; Dt 32,35; vgl. von Rad, Theologie des Alten Testaments II 132 A.38.

4

— Welt und Geschichte, das Walten Gottes in seiner Schöpfung und das Tun des Menschen — *auf ihn hin* angelegt als auf sein ihm von Gott vor aller Zeit gesetztes Ende. M.a.W. die apokalyptische Rezeption des Begriffs „Tag Jahwes" geschah eindeutig im Horizont des apokalyptischen Geschichts-Determinismus[7]. Dieser muß primär als Versuch einer Bewältigung der Erfahrung der Ferne Gottes von der Geschichte begriffen werden: in den Zeiten von Not und Verfolgung trösteten die Apokalyptiker die von Zweifel und Skepsis angefochtene Gemeinde der Frommen durch die Einsicht in den vor aller Zeit gefaßten, unabänderlichen Plan Gottes mit dieser Welt, deren Unheilsverhängnis Gott in naher Zukunft ein Ende setzen werde — eben „am Tag des Gerichts", an dem er seine Verheißungen für die Frommen einlösen, aber zugleich alle Gottlosen inner- und außerhalb Israels samt aller Bosheit und allen Unheils vernichten werde; dann werde Gott endlich in seiner Schöpfung zu seinem Recht kommen.

Dieser pessimistischen, nur durch die charismatische Einsicht in den Plan Gottes erträglichen, weil gerechtfertigten Weltsicht der Apokalyptik entspricht auch die Konzeption des Weltendes, des „Tages des Gerichts" (wie es überwiegend heißt)[8]: er ist das letzte, wenngleich entscheidende Glied

---

7 Vgl. Ph. Vielhauer, Die Apokalyptik, in: Hennecke-Schneemelcher II 408—421; von Rad, Theologie des Alten Testaments II 317—319.324ff; ders., Weisheit in Israel, Neukirchen 1970, 336—363; Bousset/Greßmann 246—249; bes. Harnisch, Verhängnis 248ff, sowie die stärker differenzierende Darstellung von K. Müller, Geschichte,Heilsgeschichte und Gesetz, in: Literatur und Religion des Frühjudentums (hrsg. v.J. Maier und J. Schreiner), Würzburg 1973, 73—105 (unsere Beobachtungen speziell zur Verwendung des Begriffs „Tag" sind jedoch so eindeutig für alle Überlieferungsschichten, daß zumindest von einer allgemeinen Tendenz auf den entwickelten Geschichtsdeterminismus des 4Esr und sBar gesprochen werden darf).

8 Vom „(großen) Tag des (großen) Gerichts" ist die Rede: 1Hen 10,6.12; 16,1; 19,1; 22,4.11.13; 27,3f(pl.); 84,4; 94,9; 97,3; 98,(8).10; 99,15; 100,4; 104,5; Jub 4,19.24; 5,10; 9,15; 10,17.22; 16,9; 22,21; 23,11; 24,30.33; Test XII Lev 1,1; 3,(2).3; 1QpHab 12,14; 13,2f; PsSal 15,12; ApkMos 12.26; 4Esr 7,38(ff).102.104.113; 12,34; sBar 59,8; 2Hen 39,1; 44,5(A); 48,9(A); 50,4.5; 51,3; 52,15; grBar 1,7; ApkEsr 7,11; 2,27.29; im AT (LXX) nur: Tob 1,18 S (pl.); Esth Zus. 10,3h (Rahlfs) (=vergangener Gerichtstag); Prv 6,34; Jes 34,8; ἡμέρα ὀργῆς o.ä. findet sich dagegen öfters: Hi 20,28; 21,30; Thren 1,12; 2,2.21.22; Ez 22,24; Zeph 1,18; 2,2.3.
Äquivalente für den „Tag des Gerichts" im Frühjudentum sind z.B.: Tag der Gewalt, der Strafe und des Gerichts, 1Hen 60,6; Tag des Zorns und Grimms, Jub 24,28; Tag der Verwirrung und des Fluches und des Grimms und des Zorns, Jub 36,10; Tag der Trübsal, 1Hen 1,1; 100,7; Tag des Leidens und der Trübsal, 1Hen 45,2; 55,3; Tag der Not und der Trübsal, 1Hen 63,8; Tag der Not, 1Hen 48,10; 50,2; Tag der Angst und Not, 1Hen 48,8; Tag des Verderbens, 1Hen 96,8; 98,10; 99,4; 1QM 1,11; Tag der Rache, 1QS 9,23; 10,29; 1QM 7,5;15,3.15; Tag des Krieges, 1QM 1,12; 7,6; vgl. 1,9.10; Tag des Kampfes; 1QM 13,14; Schlachttag, 1QH 15,17; Tage der Läuterungen, CD 20,27; Tag, an dem Gott heimsuchen wird, CD 8,2f; 19,15; Tag der Buße, AssMos 1,18; Tag der Veranstaltung, VitAd 47; ApkMos 37; TestXII Lev 3,2vl; Tag der Entscheidung, Sap 3,18; der festgesetzte Tag, sBar 51,1; der letzte Tag, ApkMos 41; jener Tag, Sib 3,55; 5,243.351; 8,151; 1Hen 45,3.4; 54,6(2x); 61,11; 62,3.8.13; 92,5; (97,3); 100,4; 1QM (15,12); 18,5; 4Esr 7,39(—)43; 2Hen 65,11; ApkEsr 2,30; 3,3; der bittere Tag, Sib 3,59.324; 8,124; der Tag, b.Sanh 110b (nach Mal 3,19) (bei Volz 163); Tag der Vollendung, ApkEsr 2,31; Tag der Auferstehung, ApkMos 10,43; vgl. 41.

im ewig-vorzeitlichen Plan Gottes[9]. Und dieser Plan sieht von Ewigkeit her vor: die Vernichtung der riesigen Menge Gottloser und die Rettung der auserwählten Schar Gerechter und Heiliger, d.h. Gesetzestreuer. Bezeichnend ist — im Gegensatz zum AT — wiederum die Terminologie: fast durchweg begegnen als Determinanten des „Tages" Gericht und Vernichtung[10]. Heilsaussagen erscheinen in diesem Zusammenhang sehr selten, und dann reserviert für die Gerechten[11]. So gut wie nirgendwo findet sich schließlich die atl. Wendung „Tag Jahwes" (die spärlichen Äquivalente sind wiederum eindeutige Gerichtsaussagen)[12].

Der atl. „Tag Jahwes" wurde in der Apokalyptik also sozusagen „entpersönlicht"; Gott beherrscht nicht mehr in seiner Freiheit und Souveränität jenes Geschehen im ganzen[13], sondern Gott hat sich und seine Schöpfertreue gewissermaßen gebunden in die Starre seines vorzeitlichen Weltenplanes und an dessen Durchführung bis zur Vollendung „am Tage des Gerichts"[14], der „das Ende dieser Welt und der Anfang der kommenden Welt" ist (4Esr 7,113); denn so entspricht es der fundamentalen Einsicht des Apokalyptikers in die Ordnungen der Schöpfung (1Hen 80ff; Jub; Qumran)[15]. Gott ist — überspitzt gesagt — nicht mehr frei zu überraschenden, „göttlichen" Lösungen und Taten, der Schöpfer scheint gefangen in seiner bzw. besser: außerhalb seiner statisch-kosmisch und nicht mehr (wie im AT) als Geschichte gedachten Schöpfung[16]. Der eschatologische „Tag" wird deshalb auch — als Tag der

9   Vgl. 1QM 1,10; 4Esr 7,113; 12,34; sBar 51,1; 59,8; 70,2; 1Hen 22,4; AssMos 1,18; ApkMos 41 u.a.m.

10   S.o. Anm. 8.

11   Tag ihrer Erlösung, 1Hen 51,2; Tag deiner Erlösung (sc. Zions), 11QPs^a (Sanders, DJD IV 86, Col. 22,4); Tag des großen Friedens, Jub 25,20; Tag des Erbarmens (über die Gerechten), PsSal 14,9; 18,5f; vgl. 7,10; Tag, für den du es ihnen verheißen hast (sc. das Erbarmen), PsSal 7,10; Tag der Erwählung, PsSal 18,5b; Tag des Trostes, mekilta Ex 16,32 HR 171 Z.13 u.ö. (bei Volz 164); letzter Tag (= Tag der verheißenen Auferstehung), ApkMos 41; vgl. VitAd 47 (Tag der Veranstaltung ... da ich sein Leid in Freude verkehren werde); vgl. noch 1Hen 45,4.

12   Das gilt auch für 2Hen 18,6 (A): am großen Tag des Herrn; vgl. weiter sBar 48,47; 49,2: an deinem Tage; sBar 55,6: Tag des Allmächtigen; 1Hen 61,5: Tag des Auserwählten; 4Esr 13,52: sein Tag (sc. des Messias).

13   Vgl. Wolff, Joel/Amos 38; 4Esr 7,42 bildet ebensowenig eine Ausnahme wie die zahlreichen Aussagen über das richtende und strafende *Handeln* Gottes.

14   Vgl. bes. 4Esr 6,6.

15   von Rad, Theologie des Alten Testaments II 320.

16   Eine fundamentale Rolle spielt in diesem Zusammenhang die dem ganzen Frühjudentum eigene „Toraontologie", vgl. Hengel, Judentum und Hellenismus 311ff; M.Limbeck, Die Ordnung des Heils. Untersuchungen zum Geschichtsverständnis des Frühjudentums, Düsseldorf 1971, passim. Ist die Tora zum Inbegriff der Geschöpflichkeit von Welt und Mensch geworden und hat sie also ihren geschichtlichen Ursprung abgestreift, so gestaltet sich entsprechend das Verhältnis des Schöpfergottes zu seinen Geschöpfen ganz und ausschließlich im Rahmen der Tora, vgl. Harnisch, Verhängnis 245. Gerade im Gericht wird das nach apokalyptischem Verständnis offenbar werden, vgl. neben den kosmologischen und astrologischen Spekulationen der frühen Apokalyptik wie 1Hen, Jub und Qumran etwa die expliziten Ausführungen in 4Esr 7,20; 9,37; sBar 48,47; 59,2. Zum Ganzen ist Limbeck, aaO. 108ff (dazu unten Anm. 19) zu vergleichen.

vollendeten Offenbarung der Treue und Gerechtigkeit, die Gott in seine
Schöpfung investiert hat – wesentlich ein Tag des Gerichts, des Zorns und
der Rache sein gegen alles, was die ewigen Ordnungen der göttlichen Schöpfung getrübt und gebrochen und damit in Unheil verkehrt hat[17]. Daran ändert auch die Tatsache nichts, daß die Apokalyptik die atl. Vorstellung der
„gefüllten Zeit" (G. von Rad) teilt, wie die formal und verbal z.T. identischen Genitivbestimmungen des „Tages" zeigen. Denn da in der Apokalyptik dieses Zeitverständnis von Determinismus und Dualismus umgriffen ist[18],
kann das Ende, der eschatologische Tag, nichts anderes sein als Entscheidung
und Gericht über die Geschichte, die als solche eine einzige Depravation der
Schöpfung bildet, deren Kennzeichen Gottes- und Heilsferne sind und deren
einziger „Sinn" es ist, daß ihr durch die eschatologische Offenbarung der
Schöpfertreue Gottes das Ende bereitet wird, damit die der göttlichen
Schöpfungs- und Heilsordnung des Gesetzes Getreuen (die Gerechten) als
solche offenbar werden und als Lohn die „kommende Welt" empfangen
können. Das Ende erscheint also zwar als der eschatologische Vorbehalt Gottes gegenüber der unaufhaltsam als Unheil abrollenden Geschichte, aber es ist
selbst nicht mehr konditioniert durch Gottes Freiheit, seine souveräne Heiligkeit und sein Erbarmen, die das alte Israel richtend und heilend in der Geschichte erfuhr[19]. Gott ist nur noch Schöpfer und Richter; der Mensch ist
der, der seine Geschöpflichkeit zu bewahren hat in der Erfüllung des Gesetzes
und der Distanz von allem Bösen und Widergöttlichen[20]. Eschatologisch
Neues gibt es nicht, es sei denn schon von Ewigkeit her bereitgestellt. Hier
gilt fundamental die Regel: $\tau \grave{\alpha}$ $\mathring{\epsilon}\sigma\chi\alpha\tau\alpha$ $\dot{\omega}\varsigma$ $\tau \grave{\alpha}$ $\pi\rho\tilde{\omega}\tau\alpha$[21], denn beides steht

---

17 In 1Hen erscheint Sünde, welche die eschatologische Vernichtung nach sich zieht,
     häufig als Bruch der ewigen Schöpfungsordnung (deren konkrete Gestalt die Tora
     ist), besonders in der Verbindung mit dem Mythos vom Fall der Engel, der mit
     astralen Mythologemen zusammenhängt, vgl. z.B. 15,2ff; 18,15f; 80,1ff.6, dazu:
     Limbeck, aaO. 63ff.

18 „An die Stelle der konkreten Zeitauslegung alttestamentlicher Sprache tritt das
     Denkprojekt der gemessenen und gehaltenen Zeit", Harnisch, Verhängnis 283.

19 Vgl. den instruktiven Nachweis von Limbeck, aaO. 108–118 (Kap. VI. Die Gesetz-
     mäßigkeit des Gerichts): „... Hoffnung und Furcht der Menschen des frühen Juden-
     tums (konzentrierten sich deshalb) auf ihr eigenes Tun, ... weil nach ihrer Auffas-
     sung auch Gott selbst in seinem Gericht durch das Tun eines jeden einzelnen gebun-
     den war; weil Gott geradezu unter einem Gesetz, unter dem Gesetz der unparteii-
     schen Vergeltung stehend geglaubt wurde" (112, vgl. 117). Von daher gegen „die
     weitverbreitete Auffassung von der Werkgerechtigkeit des frühen Judentums" (117)
     bzw. von seinem Leistungsdenken zu polemisieren (112), gibt doch nur dann einen
     guten Sinn, wenn man das jüdische Verständnis selbst als einzig legitimen Beurtei-
     lungsmaßstab gelten läßt.

20 Toraverschärfung und Esoterik, wie sie für den frühjüdischen Radikalismus typisch
     sind, resultieren also aus dem spezifisch apokalyptischen (bzw. einem entsprechen-
     den) Geschichtsverständnis; vgl. H. Braun, Spätjüdisch-häretischer und frühchrist-
     licher Radikalismus (BHTh 24), Tübingen 1957, Bd. I passim, der freilich (nach
     Limbeck, aaO. 24–26) zu einseitig die Naherwartung zum entscheidenden Anstoß
     dieser Entwicklung erklärt.

21 Barn 6,13; vgl. 4Esr 6,1ff; 7,39ff u.a., dazu Gunkel z.St. (bei Kautzsch II).

in prinzipiellem Gegensatz zur Geschichte[22] , die vielmehr ein Interim des Unheils bildet[23] , in dem Gott nie und nimmer begegnen kann.

Mit dieser Grundkonzeption, die ihren klarsten Ausdruck in der entwickelten 2-Äonenlehre des 4Esr und sBar findet[24] , steht die Apokalyptik in unversöhnlichem Gegensatz nicht nur zum AT, sondern gerade auch zum Denken des NT[25] . Denn zumindest bei Paulus ist eine Entgegensetzung von Eschaton und Geschichte wegen der zentralen theologischen Bedeutung des Christusereignisses unmöglich; unbeschadet der Übernahme apokalyptischer Sprache im einzelnen knüpft pln. Eschatologie deshalb deutlich an das spezifisch atl. Geschichtsdenken an. Das kommt in der Aufnahme des atl. Begriffs $\dot{\eta}\mu\dot{\epsilon}\rho\alpha$ $\kappa\nu\rho\dot{\iota}o\nu$ klar zum Ausdruck; dieser ist deshalb — wie noch zu zeigen sein wird — primär als Heilsbegriff zu verstehen. Von daher muß es als äußerst problematisch gelten, dem frühjüdischen Denken, speziell demjenigen apokalyptischer Provenienz, eine sachlich entscheidende Rolle für die Ausbildung der pln. Theologie zuzuweisen. Die (z.B. in der Käsemann-Schule geläufige) Bestimmung des zentralen Anliegens der pln. Botschaft als der eschatologischen Machtergreifung des Schöpfers über seine Schöpfung kann jedenfalls nicht vom apokalyptischen Schöpfungsbegriff her entwickelt werden, sondern höchstens von demjenigen des AT her, der geschichtlich definiert ist[26] .

Greift Paulus mit seiner Rede vom eschatologischen ,,Tag des Herrn'' sachlich und z.T. auch terminologisch auf atl.-prophetische Tradition zurück, so wird man — unbeschadet der herausgestellten prinzipiellen Divergenzen — andererseits den Einfluß apokalyptischen Gedankengutes auf die pln. Aussagen für eine angemessene Interpretation in Rechnung stellen müssen. Paulus sieht (wie die Apokalyptik) im ,,Tag des Herrn'' das Ende der gegenwärtigen Welt und ihres ,,Schemas'' (1Kor 7,31b), welches ihm freilich als *kommendes* gewiß ist, obwohl auch er den Tag nicht prophetisch ansagt, sondern mit ihm als fixer Gegebenheit rechnet; es fehlen in diesem Zusammenhang aber de-

---

22 Dem widersprechen auch nicht diejenigen Stellen, an denen der ,,Tag'' bzw. das Ende die Drangsale der letzten Zeit mit umgreift.

23 Vgl. Harnisch, Verhängnis 120ff.

24 Vgl. dazu Harnisch, Verhängnis.

25 Vgl. Hengel, Judentum und Hellenismus 314: ,,Jedes Verständnis für die Geschichte als Raum göttlicher Heilsoffenbarung wurde damit ausgeschlossen''; vgl. 317f.

26 Vgl. G. von Rad, Das theologische Problem des alttestamentlichen Schöpfungsglaubens, in: ders., Ges. Studien 136—147; ders., Theologie des Alten Testaments I 149ff (Der theologische Ort des Zeugnisses von der Schöpfung). Diese sachliche Prävalenz des geschichtlichen gegenüber dem ,,Ordnungs''-Denken ist m.E. auch nicht von H.H. Schmid widerlegt worden (Schöpfung, Gerechtigkeit, Heil. ,,Schöpfungstheologie'' als Gesamthorizont biblischer Theologie, in: ZThK 70 (1973), 1—19. bes. 7ff. Für Paulus vgl. u.a. die fast deuterojesajanische Durchdringung von Heilsgeschehen und Schöpfungstat in Röm 4,17; 2Kor 4,6, die ,,All''-Formeln 1Kor 8,6; Röm 11,36, die nach Thüsing (Per Christum 225ff) die Schöpfung als ,,ein durch und durch dynamisches Geschehen'' auslegen (vgl. ,,Schöpfung in Christus''); sowie den geschichtlich konzipierten $\kappa\dot{o}\sigma\mu o\varsigma$-Begriff. vgl. H. Sasse, ThWNT III 867—896. bes. 889ff.

terministische Aussagen. Die universale Schau scheint insofern noch radikalisiert (und erst konsequent verwirklicht), als sie nicht mehr im Horizont der absoluten Prärogative Israels, gleichsam als deren Funktion behandelt wird. Darüber hinaus fehlen bei Paulus gänzlich die breiten Ausmalungen des Endgeschehens, wie sie schon im AT, besonders aber in der frühen Apokalyptik (1Hen; 1QM) anzutreffen sind[27]. Auch die „Vergeistigung" „zum wirklichen Gerichtsakt"[28] hat bei Paulus nur geringe Spuren hinterlassen. Beides charakterisiert pln. Theologie auch gegenüber einigen (späten) ntl. Schriften. Ob dies lediglich mit der angestammten geistigen Heimat des Apostels zusammenhängt oder u.U. auch sachlich-theologische Gründe hat, müssen wir jetzt noch offen lassen. Wichtig ist in diesem Zusammenhang jedoch die Beobachtung, daß Paulus die eschatologische ἡμέρα kraft ihrer Definition durch den κύριος Ἰησοῦς Χριστός m.E. als souverän-eschatologisches *Heils*-Geschehen verstanden wissen will, von dem her das Gericht (im Sinne des eschatologischen Verderbens) als seine gleichsam negative Seite zu verstehen ist. Damit befindet sich Paulus aber, wie wir sahen, prinzipiell in unüberbrückbarem Gegensatz zur Apokalyptik.

II. Der „Tag (des Herrn)" bei Paulus

Von der eschatologischen ἡμέρα spricht Paulus in drei, schon in der Formulierung differierenden Weisen, ohne daß freilich bestritten werden könnte, daß jeweils von ein- und demselben Geschehen die Rede ist.

1. Der „Tag" als das Gericht (Röm 2,5f.16; 1Kor 3,13–15)[29]

Dieser „Tag" ist definiert durch das Geschehen[30] des eschatologischen Gerichtes Gottes[31] Es wird verstanden als ein radikales „Aufdecken" und „Prüfen"[32] der (auch vom Menschen selbst nie adäquat erfaßbaren)[33] Geheim-

---

27 Auch 1Kor 15,23ff oder 1Thess 4,15ff kann dafür nicht als Beleg dienen. Der „Tag" hat im Sinne des Apostels keine zeitliche Erstreckung (vgl. Schlier, Ende 68), erst recht bildet er nicht das 1000jährige Reich: geg. Kabisch, Eschatologie 258f. 265f.

28 Bousset/Greßmann 257; vgl. unten S. 179.

29 Zur Einzelbegründung und Vertiefung s.u. S. 174 ff.

30 Vorauszusetzen ist auch hier die atl. Vorstellung der „gefüllten Zeit" (von Rad, Theologie des Alten Testaments II 109), vgl. Wolff, Joel/Amos 38f; für die Apokalyptik vgl. Harnisch Verhängnis 99.

31 Röm 2,5f.16 wird Gott ausdrücklich als Subjekt des Gerichts genannt. 1Kor 4,3, wo die eschatologische ἡμέρα expressis verbis nicht begegnet, findet sich als Gegensatz die ἀνθρωπίνη ἡμέρα.

32 1Kor 3,13; 4,5; 2Kor 5,10.

33 1Kor 4,1–5; vgl. Röm 8,27.

nisse des Herzens[34] , d.h. der personal verantworteten Gestalt menschlichen Lebens (der „Werke")[35] in ihrer Wahrheit, woraufhin bzw. womit jedem sein eschatologisch endgültiges Los — Tod oder Leben[36] — durch Gott (als Lohn oder Strafe) zugeteilt wird[37]. Vom frühjüdischen Sprachhorizont her ist dieses Gerichtsgeschehen auch bei Paulus als das Ende von Welt und Geschichte zu verstehen[38]. Daraus ergibt sich zugleich seine universale Weite; jeder Mensch ohne Ausnahme ist betroffen[39] und muß ins Gericht, das Gott nach dem Maßstab des pln. Evangeliums vollzieht (Röm 2,16). Offensichtlich handelt es sich für Paulus um ein mit göttlicher Sicherheit eintreffendes, ständig zu erwartendes, obwohl dem Mensch unverfügbares, weil allein in Gottes Souveränität gründendes zukünftiges Ereignis; die Selbstverständlichkeit, mit der Paulus auf dieses Geschehen der absoluten Zukunft Gottes verweist, spiegelt nicht nur die Traditionsgebundenheit pln. Denkens, sondern vor allem dieses Wissen um den unverfügbaren Anbruch des kritischen Tages Gottes. Der Geschehens- und Ereignischarakter des Gerichts erhellt besonders deutlich aus 1Kor 3,13ff: der „Tag" offenbart sich[40] geradezu *als* prüfendes Feuer[41], dem das „Werk" des Christen ausgesetzt ist und das den Wert und die Wahrheit christlicher Existenz an den Tag bringt[42]. Da so alles menschliche Sein („Werke") an ihm versammelt und durch ihn in seiner Wahrheit offenbar ist, bildet er das letzte und eigentliche Ziel von Welt und Mensch[43], das Gott in seiner dann unbestreitbar epiphan werdenden Allmacht verfügt hat und durchsetzt[44].

34   Vgl. Röm 2,16; 1Kor 4,5.

35   Vgl. Röm 2,6; 1Kor 3,13; 4,5; 2Kor 5,10.

36   Vgl. Röm 2,7ff; 2Kor 5,10; auch 1Kor 4,5.

37   Röm 2,6; 1Kor 4,5.

38   Vgl. etwa 4Esr 7,113f: „Der Tag des Gerichts aber ist das Ende dieser Welt und der Anfang der kommenden Welt."

39   Vgl. das charakteristische ἕκαστος, Röm 2,6; 1Kor 3,13; 4,5; 2Kor 5,10. Röm 2,16 spricht von τὰ κρυπτὰ τῶν ἀνθρώπων.

40   ἀποκαλύπτειν meint ein den Menschen total erfassendes Offenbarungsgeschehen Gottes, vgl. Röm 2,5:6; 1,18ff.

41   Vgl. z.B. Mal 3,2f.19; sBar 48,39; auch Kabisch, Eschatologie 195ff; 235.244—250.

42   Zum Verhältnis von 1Kor 3,13—15 zu den sonstigen pln. Gerichtsaussagen s.u. S. 181f.

43   S. Anm. 38.

44   Demnach sind das Ziel und die Enthüllung des letzten Sinnes von Welt und Geschichte dem Menschen nicht von sich aus erreichbar, sondern stehen unter dem Vorbehalt Gottes, des Schöpfers und Richters, der allein Endgültigkeit schaffen kann. Das dürfte in Röm 2,7 angedeutet sein, wo das gute Werk des einzelnen als Ausdruck seiner Intention und Suche nach Herrlichkeit, Ehre und Unverweslichkeit erscheint, die aber allein von Gott gegeben und erfüllt werden können (mit dem ewigen Leben); Entsprechendes gilt von der Umkehrung 2,8.

2. Der „Tag" als Horizont und Grund christlicher Existenz (Röm 13,11–14; 1Thess 5,1–11)[45]

Diese endgültige Manifestation göttlicher Richter- und Schöpfermacht, die das wahre Ziel allen Seins ist, wird nun in einem zweiten pln. Gedankenkreis als der Horizont und Grund des christlichen Lebensvollzuges verkündigt. Charakteristisch ist hier die Gegenüberstellung von „Tag" und „Nacht", deren Parallelisierung mit „Licht" und „Finsternis" (1Thess 5)[46], sowie das Übergleiten von der Metapher zum theologischen Begriff. Der „Tag", der unaufhaltsam, aber unverfügbar näherkommt[47] und als die letzte Entscheidung über alle Welt diese unentrinnbar umstellt hat[48], bedeutet für die Christen Ankunft und Inbesitznahme endgültigen Heils[49]. Dieser „Tag" ist der „Tag des Herrn", dessen also, in dem mitten in der „Finsternis" der Welten-Nacht Gottes eschatologisches Heil angebrochen ist. Weil die Christen jetzt schon

45   Der Versuch von G. Friedrich (1Thess 5,1–11, der Einschub eines Späteren, in: ZThK 70 (1973), 288–315), unseren Text als nachpln. Interpolation zu erklären, scheint mir in Methode wie Ergebnis nicht gelungen. Statt das „Sachanliegen" (W. Harnisch) von 1Thess 5,1ff aus dem Text selbst zu erheben, wird es von F. unter das einfach vorausgesetzte Schema „Naherwartung kontra Parusieverzögerung" subsumiert, wodurch von vornherein auch ein einheitliches Verständnis aus dem Zusammenhang mit 4,13–18 heraus ausgeschlossen wird. Das Schwergewicht des Textes liegt jedoch zweifellos bei den Indikativen V.4ff, die – typisch paulinisch! – die Gegenwart des noch ausstehenden Eschaton ansagen (vgl. etwa Harnisch, Eschatologische Existenz 116ff); die Problematik der Parusieverzögerung hat in diesem Zusammenhang keinen Platz. I.ü. ist – wie vor allem W. Harnisch gezeigt hat – die sachliche Bestimmung der Naherwartung durch F. (Erwartung zeitlicher Nähe des Endes im Gegensatz zu seiner Ungewißheit) falsch; nur unter dieser Voraussetzung kann aber die Naherwartung aus 1Thess 5 eliminiert werden.

46   Der Gegensatz Licht – Finsternis (φῶς – σκότος) findet sich im NT und bei den AV neben dem ausgedehnten Gebrauch bei Joh (φῶς – σκοτία; dazu: Schnackenburg, Joh 113) fast nur noch im pln. Briefkorpus bzw. diesem nahestehenden Schriften: Röm 13,12; 2Kor 6,14; Kol 1,12f; Eph 5,8ff; 6,12; 1Petr 2,9; vgl. 1Clem 36,2; 2Clem 1,4; Barn 14,5f; 18,1; IgnRöm 6,2; Phild 2,1; vgl. Bultmann, Theologie 177; L.R. Stachowiak, Die Antithese Licht – Finsternis – ein Thema der paulinischen Paränese, in: ThQ 143 (1963), 385–421; H. Conzelmann, Art. σκότος κτλ., in: ThWNT VII 424–446; ders., Art. φῶς κτλ., in: ThWNT IX 302–349.

47   Vgl. ἐγγύτερον/ἤγγικεν, Röm 13,11f; ἔρχεται, 1Thess 5,2.

48   1Thess 5,2f; Terminologie und Vorstellung erinnern hier vornehmlich an die Verkündigung des Jahwe-Tages in der atl. Prophetie.

49   Vgl. σωτηρία, Röm 13,11; 1Thess 5,9.

in dieses Heil einbezogen sind[50] , dürfen und sollen sie ihre neue Existenz auf den „Tag des Herrn" hin vollziehen. Wer nicht zum „Tag" gehört, für den wird er eschatologisches Verderben sein. „Im Wissen um die Zeit" (Röm 13,11), um das unberechenbare Kommen des „Tages" (1Thess 5,1–3) gilt es schon jetzt existentiell zu vollziehen, was dieser dann in Offenbarkeit bringen wird. Denn „siehe, jetzt ist der Tag des Heils" (2Kor 6,2). Der „Tag (des Herrn)" ist hier demnach zweifellos als das Ereignis des endgültigen Heils zu verstehen, das sich universal durchsetzen wird und d.h. jeden, der ihm nicht schon jetzt (als dem „Tag des Heils") angehört, von sich weg ins Verderben hinein ausschließt.

Das Charakteristikum – und gegenüber der Apokalyptik geradezu Revolutionäre – dieser beiden pln. Texte besteht also darin, daß sie den intensiv erwarteten eschatologischen „Tag" als die schon gegenwärtige Heilsdimension christlicher Existenz verkündigen[51] ; man kann hier von einer parakletischen Entfaltung der andringenden *Nähe* des Eschatons sprechen. Das geht in 1Thess 5 deutlich aus dem Verhältnis von V.1–3 zu V.4ff hervor[52] . Eine

---

50 In Röm 13,13 bildet die ἡμέρα, von deren Kommen als der Nähe unseres Heils in V.11 und 12 die Rede war, den „Indikativ" des folgenden parakletischen „Imperativs"; ὡς ἐν ἡμέρᾳ bezeichnet (analog zu ἐν Χριστῷ) den neuen Lebensraum, der dem Christen eingeräumt wurde, und den er im „Anziehen Christi" auf den kommenden (!) „Tag" hin existentiell wahrzunehmen hat (ὡς, 13,13, hat wie in Röm 6,13; Eph 5,8; 1Petr 1,14; 2,11.16 und ebenso wie καθώς, vgl. etwa Röm 15,7; 1Kor 1,6, nicht nur vergleichende, sondern begründende Funktion, vgl. Bl.-Debr. § 453,2). Dasselbe gilt für 1Thess 5, wo υἱοὶ ἡμέρας (= υἱοὶ φωτός), V.5, bzw. ἡμεῖς δὲ ἡμέρας ὄντες, V.8, den kommenden eschatologischen Entscheidungstag (der das Heil ist, V.4.8f) zur Lebensbasis des Christen erklären, in der und auf die hin er sich zu bewähren hat, will er das Heil endgültig in Besitz nehmen, das im Tod Jesu für uns gründet (V.9f) und als „Tag des Herrn" unaufhaltsam näherkommt.
υἱός (ben, bar) c.gen. ist wie im zeitgenössischen Judentum (und wie im AT, wo die Bezeichnung υἱοὶ φωτός aber offenbar nicht belegt ist: G. Fohrer, ThWNT VIII 347) auch im NT „Bezeichnung der Zugehörigkeit, die das Wesen des Menschen bestimmt" (E. Lohse. ThWNT VIII 359; zum Gen. der Zugehörigkeit und Herkunft vgl. Bl.-Debr. § 162,2), und zwar meist positiv oder negativ wertend, hier auf dem Hintergrund des Dualismus Licht – Finsternis. In Qumran wird mit den Wendungen benej 'or 1QS 1,9; 2,16; 3,13.24f; 1QM 1,3.9.11.13, und benej ḥoschäk 1QS 1,10; 1QM 1,1.7.10.16; 3,6.9; 13,16; 14,17; 16,11, die Zugehörigkeit zur Gemeinde der von Gott Erwählten oder zu der von Belial beherrschten Menschheit bezeichnet (vgl. Lohse, ebd.); doch bleibt der moralische Gesichtspunkt immer gewahrt, vgl. Nötscher, Terminologie 97–99. Zu υἱοὶ φωτός vgl. Luk 16,8 (Gegensatz υἱοὶ τοῦ αἰῶνος τούτου); Joh 12,36; auch Eph 5,8. υἱοὶ ἡμέρας ist wohl eine ad-hoc-Bildung von Paulus. Andere Verbindungen bei E. Schweizer, ThWNT VIII 366; J. Jeremias, Art. ἄνθρωπος, in: ThWNT I 365f; A. Oepke, ThWNT V 637.

51 Vgl. Harnisch, Eschatologische Existenz 128f; auch 166f.

52 Die m.E. unbeweisbare antignostische Interpretation von W. Harnisch, wonach die praeteritio V.1–3 (dazu: Eschatologische Existenz 52–54) in apokalyptischer Weise die Zwangsläufigkeit und Unverfügbarkeit des künftigen Endes akzentuiere (60ff), während V.4ff auf dem Hintergrund urchristlicher Tauftradition zu verstehen sei (116ff), wird dem sprachlich unmittelbar einsichtigen, durch das Stichwort ἡμέρα hergestellten Zusammenhang von V.1–3 und V.4ff nicht gerecht.

solche Auslegung des eschatologischen „Tages" in die Existenz des Christen hinein setzt das Verständnis des Christusgeschehens als des eschatologischen Ereignisses voraus; d.h. Christus wird nicht im Rahmen einer apokalyptischen Erwartung begriffen, sondern diese wird umgekehrt von Christus her aufgegriffen und der Zusage seines eschatologischen Heils dienstbar gemacht. In 1Thess 5,9f begründet Paulus denn auch die existentiell zu bewährende Zugehörigkeit zum „Tag" (V.4–8) durch die Bestimmung zum Heil, die Gott im Tod unseres Herrn Jesus Christus über uns getroffen hat. Der künftige „Tag des *Herrn*" (V.2) ist so das Ereignis der Vollgültigkeit und Unangefochtenheit der Herrschaft Jesu Christi, in welcher das Heil aller beschlossen ist, für die er starb, und in deren Licht wir jetzt schon leben.

Bemerkenswert ist, daß beide Texte zu den wenigen Zeugnissen intensiver „Naherwartung" im pln. Schrifttum gehören[53], also vom unmittelbar bevorstehenden Ereignis der absoluten *Zunkunft* her argumentieren, welche eben, weil sie von Christus, dem gekreuzigten und auferstandenen Herrn, „besetzt" ist, als schon gegenwärtige Heilsmacht angesagt werden muß. Der eschatologische „Tag des Herrn" zeitigt sich als „Tag des Heils", als letzte Entscheidungszeit für oder gegen die in Christus von Gott geschaffene und im apostolischen Evangelium proklamierte Versöhnung der Welt (2Kor 6,2:5,18ff). Die eschatologische Paraklese Röm 13,8–14 läßt diesen Zusammenhang und seine christologische Wurzel gut erkennen. Der Kairos, in dem die Liebe als die Erfüllung des Gesetzes „an der Zeit" ist (vgl. V.8–10), wird als solcher konstituiert durch das Nahen unseres, mit dem Glauben eröffneten eschatologischen Heils. Dieses Heil ist das Ereignis, die Wirklichkeit des „Tages", der aller Welten-Nacht das Ende setzt. Dieser „Tag" und sein Licht ist das, was allein Bestand hat und Stand gewährt; er ist die universale Zukunft. Deshalb gilt es schon jetzt „wie am Tage" zu wandeln, die Waffen des Lichts anzuziehen, das Alte, Vergangene, die Finsternis und ihre Werke abzulegen. Denn dieser Tag und sein Licht, das Heil, das unaufhaltsam naht, ist „der Herr Jesus Christus". Diese absolute Zukunft ist kein Phantom, keine Projektion von Phantasien und Wünschen aus unheilvoller Gegenwart in glanzvolle Zukunft; diese Zukunft ist er. Der Herr Jesus Christus aber ist der, welcher gestorben und auferweckt für uns lebt (vgl. 8,34; 14,7–9), im Glauben die Wirklichkeit unserer Existenz ausmacht. Deshalb sollen wir ihn „anziehen"[54]; durch ihn und seine Liebestat und in ihm ist das Wagnis der Liebe, die Erfüllung des Gesetzes, als die Fülle der Zeit gerechtfertigt und wahr[55]. Wer ihn „angezogen" hat, lebt schon im und vom Licht der

---

53 Geg. G. Klein, Apokalyptische Naherwartung bei Paulus, in: Neues Testament und christliche Existenz (FS H.Braun), Tübingen 1973, 241–262, der 1Thess 5,1ff gar nicht behandelt und Röm 13,11 abschwächend interpretiert (257f).

54 Vgl. 1Thess 5,8:10.

55 Zum Zusammenhang von Selbstlosigkeit (= Absage an die eigenen Begierden, 13,14) und Liebe Christi vgl. 2Kor 5,14f.

absoluten Zukunft, des Heils. Seine Wirklichkeit, seine Liebe, die wir in „ungeheuchelter Liebe" (12,9) unablässig wahrnehmen sollen, ist die einzige Zukunft dieser Welt. So ist der eschatologische „Tag des Herrn", die absolute Zukunft von Welt und Mensch, das offenbare Geschehen der Vollendung der Liebe Gottes in Christus Jesus unserem Herrn (Röm 8,39).

3. Der „Tag des Herrn (Jesus Christus)" als das Ziel der christlichen Existenzbewegung (1Kor 1,8; 5,5; 2Kor 1,14; Phil 1,6.10; 2,16)

Diese Interpretation wird bestätigt durch die letzte Gruppe der eschatologischen ἡμέρα-Aussagen. Das deutet sich schon rein sprachlich an, insofern hier die ἡμέρα durch den κύριος (Ἰησοῦς) determiniert ist[56]. Damit knüpft Paulus zweifellos an den Sprachgebrauch des AT (bzw. der LXX) an, da im Frühjudentum nur sehr vereinzelt vom „Tag Gottes" die Rede ist[57]. Wie die Propheten Jahwe, so erwarten die Christen ihren Herrn Jesus Christus als den, der das Ende „mit seinem Erscheinen und Handeln ... schlechthin beherrscht"[58]. Syntaktisch wird die Wendung freilich genau wie die entsprechenden Ausdrücke in der jüdischen Literatur gebraucht: sie begegnet regelmäßig am Schluß eines Satzes und immer als präpositionaler Ausdruck (mit ἐν, εἰς oder ἄχρι). Daraus folgt eindeutig, daß Paulus wie die Apokalyptik im „Tag des Herrn" den fixen Termin des Endes aller Dinge sieht[59]. In dem uns jetzt beschäftigenden Anwendungsbereich erscheint dieser „Tag" als das Ziel, auf das hin Gott die in Christus gegründete Existenz als zu ihrer eschatologischen Vollkommenheit führt. Die christologische Verwurzelung ist im Kontext fast überall deutlich, besonders im Proömium des 1Kor (1,4—9). Die Gnade Gottes hat die Korinther in Christus in allem reich gemacht und läßt sie der Offenbarung unseres Herrn Jesus Christus entgegenharren. Denn in ihr, die sich durch den Ruf Gottes in die Gemeinschaft seines Sohnes aufgetan hat, weiß Paulus zugleich Gottes Treue geschenkt, welche die Christen zur eschatologischen Unbescholtenheit am Tage unseres Herrn Jesus Christus führen wird[60].

---

56 ἡ ἡμέρα τοῦ κυρίου ἡμῶν Ἰησοῦ, 1Kor 1,8; 2Kor 1,14; ἡμέρα Χριστοῦ (Ἰησοῦ), Phil 1,6.10; 2,16;
ἡ ἡμέρα τοῦ κυρίου, 1Kor 5,5; vgl. 1Thess 5,2; 2Thess 2,2; 2Petr 3,10; Apg 2,20 (= Zit. Joel 3,4); auch Luk 17,24.26(pl.).(30) (= Tag des Menschensohnes).

57 Vgl. G. Delling, Art. ἡμέρα, in: ThWNT II 954—956.954. Die Überschrift bei Volz 163 (§ 3. Der Tag Gottes) ist deshalb hier irreführend. Diese Herkunft bildet m.E. ein wichtiges Indiz für die Verbindung des christologischen Kyrios-Titels mit der LXX. W. Kramer (Christos 174) erscheint freilich die ntl. Basis für ein solches Urteil zu schmal; er erklärt den Kyrios-Titel im Kontext von Parusieaussagen als Übertragung des Mare-Titels der Urgemeinde (Christos 172ff = § 48).

58 Wolff, Joel/Amos 38.

59 Vgl. das parallele ἕως τέλους, 1Kor 1,8.

60 Vgl. noch Phil 1,5 (Teilhabe am Evangelium); 1,7 (Teilhaber meiner Gnade); 2,16:6—11.

14

Von der Vollkommenheit bzw. dem Ruhm, mit dem die Gemeinde am Tag des Herrn dastehen soll, reden (außer 1Kor 5,5) sämtliche Stellen[61]. Ebenso deutlich ist, daß diese eschatologische Vollkommenheit — die als ihr Heil zu verwirklichen der Apostel die Christen in Phil 2,12 aufruft — allein und von Anfang an das Werk des treuen und gnädigen Gottes ist, der durch Jesus Christus „Gerechtigkeitsfrucht" schenkt, Phil 1,11[62]. Stichworte wie „Reichtum" (1Kor 1,5; vgl. 1,7) und „Überströmen" (Phil 1,9) kennzeichnen von daher das Leben des Christen. Jesus Christus selbst wird an seinem Tage überschwenglich zur Erfüllung bringen, was uns „in ihm" (1Kor 1,4) als Anfang (Phil 1,6) von Gott geschenkt wurde: die Teilhabe am Evangelium wird sich kraft der Treue Gottes in der Teilhabe an seinem Sohn, unserem Herrn Jesus Christus, vollenden (1Kor 1,9). Der Tag Jesu Christi und seine Erwartung gründen also im eschatologischen Gnadengeschehen der Person und Geschichte Jesu Christi[63], das in sich auf seine Vollendung „am Tage Jesu Christi" tendiert und als neue Lebensbasis des Christen dessen Existenz diese Tendenz als Stempel aufdrückt.

Damit ist freilich der Entscheidungscharakter des Tages Christi nicht eliminiert, vgl. vor allem 1Kor 5,5. Gerade *wegen*[64] der absoluten Gnadenhaftigkeit unseres Seins als Christen, welche die Präsenz Jesu Christi vollendend offenbaren wird, können und müssen wir selbst „in Furcht und Zittern unser Heil wirken" (Phil 2,12); denn es ist nie unser Besitz, es sei denn im Gehorsam, der sich in allem Gottes Gabe anvertraut. Menschliche Freiheit („Wollen und Tun", Phil 2,13) wird hier nicht überspielt, sondern radikal

---

61 Im einzelnen begegnen folgende Termini, bei denen es sich aber nicht um spezifisch forensische Begriffe handelt:
ἀνέγκλητος, 1Kor 1,8; vgl. Kol 1,22 und bes. Röm 8,33: τίς ἐγκαλέσει κατὰ ἐκλεκτῶν θεοῦ. (dazu W. Grundmann, ThWNT I 358f).
εἰλικρινής, Phil 1,10; vgl. εἰλικρίνεια und die Parallelen 1Kor 5,8; 2Kor 1,12; 2,17 (ὡς ἐκ θεοῦ κατέναντι θεοῦ ἐν Χριστῷ); (dazu: F. Büchsel, THWNT II 396).
ἀπρόσκοπος, Phil 1,10; vgl. Apg 24,16; (1Kor 10,32).
ἄμεμπτος, Phil 2,15; vgl. 1Thess 3,13; 5,23 (2,10 neben ὁσίως καὶ δικαίως).
ἀκέραιος, Phil 2,15.
ἄμωμος, Phil 2,15; vgl. (mit den Parallelbegriffen) Eph 1,4; 5,27; Kol 1,22; Jud 24; Apk 14,5.
καύχημα, 2Kor 1,14; Phil 2,16; vgl. 1Thess 2,19.
(ἐνάρχομαι —) ἐπιτελέω, Phil 1,6.
Vielleicht darf man auf diesem Hintergrund auch die in 1Kor 5,1–5 angeordneten Maßnahmen des Apostels gegen den korinthischen Unzuchtssünder verstehen; seine existentielle Vollkommenheit, welche Rettung bedeutet (vgl. Phil 2,12f!) „am Tag des Herrn", schien ihm nur noch durch einen radikalen Gerichtsakt möglich. Dafür könnten einige vergleichbare Formulierungen vom Kreuzigen des Fleisches bzw. dessen „Taten" (deren Intention nach Röm 8,6; vgl. Gal 6,8 u.a., der Tod ist) sprechen, mit denen Paulus den christlichen Existenzvollzug beschreibt, Röm 6,6; 8,13; Gal 5,24; vgl. Wendland, 1Kor z.St.; Conzelmann, 1Kor 118 A.40.

62 Vgl. 1Kor 1,4ff; Phil 1,6.9; 2,13; 1Kor 5,5.

63 Dieses wird jedoch nirgends (im Umkreis unserer Texte) entfaltet, vgl. aber immerhin Phil 2,6–11 (:12ff).

64 Vgl. ὥστε, Phil 2,12; γάρ, 2,13.

15

gefordert, sich selbst als von Gott geschenkt zu realisieren, ein Geschenk, das unbestreitbares und überschwengliches Ereignis wird an dem Tag, den Jesus Christus beherrscht als der, in dem mir Gottes Gnade als mein Leben gegeben ist[65].

Der Gedanke, daß christliche Existenz ein ständiges Wachsen zur Vollkommenheit ist, die allein der Tag Jesu Christi gewähren kann, wird ganz durchsichtig erst durch das Ziel und den Sinn allen Seins, wie es in Christi Präsenz offenbar wird: das Lob und die Herrlichkeit Gottes (Phil 1,11). Gnade und Heil in Christus heißt: berufen sein zum Lob und zur Herrlichkeit Gottes, deren Überschwang das Lebensgesetz des Christen ist und deshalb vollkommen realisiert sein wird durch die Ankunft Jesu Christi an seinem Tag.

Von daher stellt sich schließlich die Frage, ob auch der Gemeinde im Rahmen dieses Geschehens des eschatologischen „Tages" eine spezifische Rolle zukommt. Am ehesten ist hier an 2Kor 1,14 und Phil 2,16[66] zu denken, wonach der vollkommene Stand der Gemeinde dem Apostel am Tage Christi zum Ruhm gereicht, daß er sich nicht vergeblich abgemüht hat im Dienst des Evangeliums. Auch die Proömien 1Kor 1,4ff und Phil 1,3ff richten sich an die Gesamtheit der Gemeinde, beide Briefe fordern zudem betont zur Einmütigkeit auf; und in 1Kor 5 geht es nicht um das Schicksal des einzelnen, sondern um die Reinheit der Gemeinde. Da die Gemeinde jedoch nirgends deutlich in den Vordergrund tritt, kann man diesem Befund kaum mehr entnehmen als daß die eschatologische Vollkommenheit des einzelnen nie außerhalb und losgelöst von derjenigen der Gemeinde erlangt werden kann, wie auch umgekehrt ihre einzelnen Mitglieder für die Vollkommenheit der ganzen Gemeinde verantwortlich sind.

Abschließend bleibt uns die Aufgabe, den eingangs postulierten Zusammenhang der drei besprochenen Aussagereihen bezüglich des eschatologischen „Tages" wenigstens kurz aufzuzeigen; wir fassen dabei unsere Einzelausführungen zusammen.

Überall ist der „Tag" verstanden als das von Gott verfügte, ganz in seiner souveränen Freiheit und Macht stehende Ereignis des Endes, an dem alles in seiner Wahrheit aufgedeckt und ins Gerechte gerichtet wird. Darin wird sich Gott als Gott durchsetzen, in Begnadigung und Verderben; sein Lob und seine Herrlichkeit werden dann vollkommen sein. Von diesem Ansatz aus wird die Identität der drei Aussagereihen sofort ersichtlich, wenn man nur beachtet, daß die zweite und dritte Gruppe diesen Gedanken christologisch fundiert und in bezug zum christlichen Existenzvollzug entwickelt, während speziell Röm 2,5f.16

---

65 Vgl. Gal 2,20f. „Gericht" heißt dann Aufdecken dessen, ob und inwieweit ich die göttliche Gnadengabe meiner neuen Existenz als solche wahrgenommen habe. Die Apokalyptik kennt m.W. *nicht* dieses Verständnis des eschatologischen „Tages" als des (freudig angestrebten) Zieles und Beweggrundes der von Gott zu je größerer Vollkommenheit geführten Existenz. Als paränetisches Motiv erscheint der Hinweis auf den *Gerichts*tag, der über Lohn und Strafe entscheiden wird, nur vereinzelt, bes. in 2Hen: 50,4.5; 51,3; 52,15; eher als Warnung sind 1Hen 91,8:18f; sBar 83,7f; 85,9ff zu verstehen. Dagegen verweist man oft auf den Gerichtstag, um den jetzt angefochtenen Gerechten *Trost* zu spenden; dem entspricht meist der Fluch gegen die Bedränger, Heiden und Sünder, vgl. z.B. 1Hen 94,11; 97,1.3.5; 100,4.7; 104,5; sBar 82,2.

66 Vgl. den Rückbezug auf 2,11.

dem Aufweis der Schuld- und Gerichtsverfallenheit aller Menschen dient, ein Aufweis, der aber selbst wiederum umgriffen ist von der Verkündigung der Erscheinung der Gerechtigkeit Gottes in Jesus Christus (3,21ff; 1,17). Allein von ihrer Erfahrung her – und nicht aufgrund einer apokalyptischen „Dogmatik" von den letzten Dingen – ist die Kraft der pln. Erwartung des eschatologischen „Tages" zu erklären. Spricht der Apostel weiterhin in der angestammten atl. bzw. frühjüdischen Begrifflichkeit, so erscheint ihm doch, wie die neuen Begriffsbildungen zeigen, ihr alter, ihm überkommener und vertrauter Gehalt in radikal neuer Weise, nämlich erfüllt und überboten in Jesus Christus. Die offenbare Präsenz dessen, der für uns starb, und seiner Liebe, die uns trägt und zur Bewährung anfordert, ist das rettend-kritische Ereignis des „Tages", an dem alle Tage eines jeden Menschen und der Welt in ihrer Wahrheit offenbar, vollendet und gerettet oder dem Zorngericht anheimgefallen sind. Der „Tag" ist die alles ergreifende und durchdringende endgültige Gegenwart unseres Herrn Jesus Christus.

III. Zusammenfassung: Das künftige Ereignis des Endes als zentraler Inhalt paulinischer Eschatologie

Was wir am Beispiel der Vorstellung des eschatologischen „Tages" erarbeitet haben, läßt sich ohne weiteres auf die sonstigen Begriffe übertragen, mit denen Paulus das eschatologische Ereignis benennt[67]. In Formulierung und syntaktischer Verwendung erscheint hier alles konventionell – bis auf die selbstverständliche Konzentration der eschatologischen „Offenbarung", des „Tages", der „Parusie" auf die Person Jesu Christi, des Herrn. Die Tatsache, daß Paulus sich nicht einfach unreflektiert in diesen Sprachformen artikuliert, sondern sie offenbar bewußt aufgreift und eindeutig christologisch zuspitzt, zeigt, daß für den Apostel (wie für das Judentum und die Urgemeinde) „Eschatologie" – und zwar auch und gerade in ihrer Auslegung auf die Person des Herrn Jesus Christus hin – zentral um das künftige zeitlich-konkrete Ereignis des Endes von Welt und Mensch kreist[68]. Die apokalyptisch-dramatischen Entfaltungen des Parusiegeschehens in 1Thess 4,13– 18 und auch 1Kor 15,23–28 (vgl. 50–52) unterstreichen das. Eine ausschließlich oder primär existentiale Interpretation der pln. Eschatologie ist deshalb im Ansatz verfehlt, weil die Person des erhöhten und kommenden

67 Vgl. παρουσία, 1 Kor 15,23; 1Thess 2,19; 3,13; 4,15; 5,23, dazu: A. Oepke, ThWNT V 856–869; ἀποκάλυψις τοῦ κυρίου ἡμῶν Ἰησοῦ Χριστοῦ, 1Kor 1,7; vgl. 2Thess 1,7; 1Petr 1,7.13; (4,13); sonst spricht Paulus von der eschatologischen Offenbarung des gerechten Gerichts Gottes, Röm 2,5, der Herrlichkeit, 8,18, der Söhne Gottes, 8,19; zum Begriff vgl. A. Oepke, ThWNT III 565–597; Lührmann, Offenbarungsverständnis bes. 98ff; auch K. Kertelge, Apokalypsis Jesou Christou (Gal 1,12), in: Neues Testament und Kirche (FS R. Schnackenburg), Freiburg 1974, 266–281.271–274.

68 Vgl. Schlier, Ende 67ff.

Herrn, die das Ereignis der eschatologischen Zukunft im ganzen beherrscht, nicht in Existenzverständnis und -vollzug auflösbar ist, sondern diese seinerseits erst begründet und ermöglicht.[69] Im Blick auf die Christologie des Apostels liegt der Schluß nahe, daß Paulus die atl.-jüdische Sicht der eschatologischen Zukunft als eines zeitlich-konkreten Ereignisses deshalb übernahm, weil sie dem zeitlich-konkreten Charakter des Christusereignisses entsprach bzw. aus ihm folgte. Paulus hat diesen Begründungszusammenhang selbst jedoch nirgends aufgezeigt[69a]; wir können unsere Vermutung deshalb erst nach der Erörterung seiner Eschatologie und ihrer christologischen Implikationen näher begründen und absichern.

IV. Exegetische Probe: 1Kor 7,25–35

Zur Abrundung und Überprüfung des bisher gewonnenen Ergebnisses besprechen wir einen Text, in dem Paulus auf den ersten Blick ganz in der Denkweise der Apokalyptik gefangen scheint, und befragen ihn daraufhin, ob (und wie) sich auch in ihm die christologische Akzentuierung überkommener eschatologischer Anschauungen nachweisen läßt.

Im Rahmen der Behandlung von Fragen zu Ehe und Ehelosigkeit in 1Kor 7, die ihm von den Korinthern schriftlich übermittelt worden waren (vgl. V.1)[70], geht Paulus ab V.25 auf Probleme ein, die sich der Gemeinde im Zusammenhang mit der Heirat von „Jungfrauen"[71] stellten. Der Apostel erteilt seinen bewußt als eigene Meinung deklarierten Ratschlag[72], „daß es gut ist für einen Menschen, so (d.h. unverheiratet) zu sein" (V.26b), aufgrund der Einsicht in die Situation dieser Welt: sie ist im Vergehen begriffen (V.31b), und die Zeit steht in der Spannung der bedrängenden Nähe des Weltenendes (V.29). Die Gegenwart ist geprägt von den Zeichen des Untergangs: die letzte Notzeit, die der Apokalyptiker vor dem Ende erwartete, ist ange-

---

69   Hauptwerk dieser existentialen Auslegungsrichtung: R. Bultmann, Geschichte und Eschatologie, Tübingen 2. Auflg. 1964.

69a   Vgl. jedoch die Hinweise unten S. 175.

70   Vgl. neben den Kommentaren: O. Merk, Handeln aus Glauben. Die Motivierungen der paulinischen Ehtik (MThSt 5), Marburg 1968, 99–122.

71    $\pi\alpha\rho\theta\acute{\epsilon}\nu o\iota$ ist wörtlich zu fassen, bedeutet also „unverheiratete Mädchen", „Jungfrauen", nicht virgines subintroductae; das ergibt sich vor allem aus der Differenzierung in V.28 und 34; vgl. etwa Lietzmann, 1/2Kor 33 (dazu auch Kümmel, im Anhang 178); Schlatter, 1/2Kor 238; Conzelmann, 1Kor 156. Dies gilt m.E. auch für V.36–38, vgl. W.G. Kümmel, Verlobung und Heirat bei Paulus (1Kor 7,36–38), in: ders., Heilsgeschehen und Geschichte 310–327.

72   Vgl. 7,6.12.40; dagegen 7,10.

brochen[73]. In diesen unausweichlichen Bedrängnissen aber kann Heirat die Not nur noch potenzieren[74]; Paulus möchte die Korinther davor bewahren und rät deshalb (denen, die „Macht über ihren eigenen Willen" haben, V.37) von der Ehe ab.

In solcher Vorsorge für seine Gemeinde trifft er sich mit der Intention vieler apokalyptischer Schriften[75]. Apokalyptisches Kolorit tragen auch die folgenden Vv.29—31[76]. Sie weiten jedoch die Perspektive der Argumentation ins Grundsätzliche einer Regel christlichen Weltverhaltens im Angesicht des

---

73 ἐνεστῶσα geht entsprechend sonstigem pln. Sprachgebrauch nicht auf die unmittelbar bevorstehende Zukunft, sondern auf die Gegenwart, vgl. Röm 8,38; 1Kor 3,22 (Gegensatz: παράγει); Gal 1,4, sowie das Präsens παράγει, V.31b (das Futur ἕξουσιν bezeichnet dagegen die Folge der Heirat), dazu: W. Grundmann, ThWNT I 350 A.7, geg. Conzelmann, 1Kor 157. ἀνάγκη, auch in Luk 21,23 Terminus für die eschatologischen „Wehen" der Welt, findet sich bei Paulus sonst immer übertragen zur Bezeichnung der eigenen bedrängten Lage: 1Thess 3,7 (//θλῖψις); Peristasenkataloge: 2Kor 6,4 (//θλῖψις); 12,10; ähnliche Bedeutungsbreite hat bei Paulus das geläufigere θλῖψις: (neben 1Kor 7,28b) Röm 5,3; 8,35; 12,12; 2Kor 1,4; 2,4; 6,4; 7,4; 8,2.13; Phil 1,17; 4,14; 1Thess 1,6; 3,3; vgl. H. Schlier, ThWNT III 139—148. Zum Topos der eschatologischen „Wehen" vgl. Bousset/Greßmann 250f; Volz 147—163 (§ 31. Die letzte böse Zeit); Bill IV/2 977—986; M. Hengel, Die Zeloten (AGSU I), Leiden/Köln 1961, 251—255; Vögtle, Kosmos 58—60. Schon wegen dieser apokalyptischen Vorstellung kann kein Zweifel daran bestehen, daß hier „überhaupt vom bevorstehenden Ende her argumentiert wird": geg. Klein, aaO. 258.

74 Vgl. die Hinweise bei W. Schrage, Die Stellung zur Welt bei Paulus, Epiktet und in der Apokalyptik. Ein Beitrag zu 1Kor 7,29—31, in: ZThK 61 (1964), 125—154.131 A. 14.

75 Vgl. z.B. Volz 9; Harnisch, Verhängnis 318 (mit weiteren Autoren).

76 Schrage (aaO. 138f) vermutet, daß Paulus hier ein apokalyptisches Zitat aufgreift (zustimmend: Merk, aaO. 118; Grabner-Haider, Paraklese 136 A.332). In der Tat hebt sich der Passus durch die feierliche Einleitungsformel τοῦτο δέ φημι, ἀδελφοί (vgl. 1Kor 15,50), die Rahmung durch zwei apokalyptische Aussagen und die markante Stilisierung der ὡς μή-Sätze aus dem Kontext heraus. Dem entspricht aber die Grundsätzlichkeit des Inhalts: Paulus möchte offenbar eine prinzipielle Belehrung über das Weltverhalten der Christen erteilen und greift deshalb, wie des öfteren in seinen Briefen, über die unmittelbare Fragestellung hinaus, vgl. z.B. 1Kor 7,17—24; 8,1—6; 9,19—23; 12,1—3; 13; vgl. auch Weiß, 1Kor 198, um von dieser grundsätzlichen Klärung her die konkret anstehenden Probleme zu lösen (vgl. auch, daß Paulus schon von V.27f sowie hernach in V.32—35 die spezielle Frage verläßt, wobei jedoch das leitende Interesse, den Christen Sorgenfreiheit zu ermöglichen, erhalten bleibt, und die Bemerkungen zu καί vor ἔχοντες bei Weiß, 1Kor 198). Der rein negative Charakter des eschatologischen Ausblicks liegt auf der Linie des bisherigen Gedankengangs. Die Annahme eines Zitats ist demnach m.E. nicht ausreichend zu begründen (auch die Einleitungsformel hilft hier nicht weiter, da die Vergleichsbasis — nur 1Kor 15,50 — zu schmal ist), zumal Schrage selbst die Konformität des Gedankens mit der pln. Theologie betont.

nahen Endes[77]. Die Frist, die der Welt gesetzt ist, ist nur noch knapp bemessen[78]; schon vergeht die Welt in allem, was ihr Wesen ausmacht[79] Sofern der Mensch notwendig mit dieser vergehenden Welt befaßt ist, tut er gut daran, sich auf ihre letzte Stunde, ihre Vorläufigkeit einzurichten. So gilt in dieser Zeit vor dem Ende für den Christen das Gesetz des ὡς μή: er soll gemäß seiner Einsicht in die Welt-Situation sein Leben so gestalten, daß es sich nicht im „Weltlichen" (d.h. primär: bei sich selbst) verliert, sondern dieses immer schon überholt weiß von dem, was Gott als absolute Zukunft bald über dieser vergehenden Welt hereinbrechen läßt.

77 U.P. Müller versteht V.29–31 wegen der Einleitung (Verwandtschaft mit prophetischen Legitimationsformeln) und des angeblichen passivum divinum συνεσταλμένος als prophetische Proklamation des Paulus, der den göttlichen Entscheid, daß das Ende nahe ist, und die daraus resultierende autoritative göttliche Forderung als Bote Gottes ausruft (Prophetie und Predigt im Neuen Testament (StNT 10), Gütersloh 1975, 158–162); diese Deutung ist m.E. nicht hinreichend begründet und widerspricht vor allem dem Kontext (V.26–28 unterscheidet sich in der Intention nicht wesentlich von V.29–31, geg. Müller, aaO. 158).

78 ὁ καιρός bezeichnet die von Gott zur endgültigen Entscheidung gewährte Zeit vor dem Ende, vgl. Röm 13,11; Eph 5,16; Kol 4,5; auch 1Thess 5,1? ; 2Kor 6,2; dazu: G. Delling, ThWNT III 456–465.460ff; Schlier, Eph 244; dieser sachliche Gehalt und die unlösbare Verklammerung mit V.31b verbietet es, die Aussage V.29a auf dem Hintergrund eines (gängigen?) rabbinischen Sprichwortes zu interpretieren (Aboth 2,15: „Der Tag ist kurz, die Arbeit groß, die Arbeiter sind träge, der Lohn ist reichlich und der Hausherr drängt" (K. Marti/G. Beer, Die Mischna IV/9: Abot, Gießen 1927, 58–61): geg. K.H. Rengstorf, Art. συστέλλω, in: ThWNT VII 596f.597; Klein, aaO. 258.
σuνεσταλμένος bedeutet „vom Sprachgebrauch der Zeit her": zusammengedrängt, kurz; vgl. Rengstorf, aaO. 597 A.1; auch Bauer WB s.v. 1 = Sp. 1573f. Schlatter (1/2Kor 241) sieht gleichzeitig die Bedeutung „hart bedrängt" mitschwingen; vgl. G. Hierzenberger, Weltbewertung bei Paulus nach 1Kor 7,29–31. Eine exegetisch-kerygmatische Studie, Düsseldorf 1967, 32. Daß diese Bestimmung der Zeit auf Gott zurückgeht, ist wohl vorausgesetzt, aber nicht betont; erst recht wird nicht auf den Gedanken einer (gnadenhaften) Verkürzung der endzeitlichen Wehen abgehoben, wie Mk 13,20=Mt 24,22, vgl. sBar 20,1f? (damit ist allerdings der primäre zeitliche Sinn nicht aufgegeben, geg. Klein, aaO. 259 mit A.85).
Eher wäre hier an den Topos der endzeitlichen Beschleunigung der Zeiten (auf Grund der Verwirrung der Gestirnwelt) zu erinnern, welche selbst zu den apokalyptischen Wehen, in denen dieser Äon vergeht, zählt und das eilige Kommen Gottes zum Gericht signalisiert, vgl. 1Hen 80,2ff; 4Esr 4,26; PsPhilo 19,13; dazu: Harnisch, Verhängnis 270–275. Die von H. als apokalyptische Aussageintention eruierte Unabhängigkeit des Endgeschehens von menschlicher Disposition und Verfügung gilt auch für das pln. Denken; hier ist der schon in der Apokalyptik reduzierte spekulative Grundzug des Topos vollständig dem parakletischen Interesse gewichen.

79 Vgl. παράγεσθαι, 1Joh 2,8.17; παρέρχεσθαι, 1Kor 5,17; Mt 5,18; 24,35pp; Luk 16,17; 2Petr 3,10.
σχῆμα bedeutet i.a. Gestalt, Erscheinungsweise (vgl. J. Schneider, ThWNT VII 954–957), wobei in den pln. Texten die Nähe zum Wortstamm μορφ- m.E. mitgehört werden muß, vgl. Phil 2,7; 3,21; Röm 12,2, welcher entsprechend hellenistischem Sprachgebrauch das „Wesen" bezeichnet (vgl. Käsemann, Analyse 65–69. 73), so daß σχῆμα „das Wesen" meint, „sofern es in Erscheinung tritt" (75; vgl. Conzelmann, 1Kor 158 mit A.28; σχῆμα ist jedoch nicht „zuerst" ein Wesens-

Den Hintergrund dieser Mahnung, die in 6Esr 2,41ff eine erstaunliche Parallele hat[80], bildet ohne Zweifel die apokalyptische 2-Äonenlehre[81]. Bemerkenswert ist aber, daß der Apostel vom Vergehen der jetzigen Welt spricht, ohne den (baldigen) Anbruch des kommenden Äons oder wenigstens einen Akt der eschatologischen Wende wie etwa das Gericht auch nur andeutungsweise zu erwähnen[82]. Das dürfte zunächst darin begründet sein, daß es Paulus im Zusammenhang nicht unmittelbar um eschatologische Rettung (oder Vernichtung) geht, sondern daß er eine Klugheitsregel zum möglichst „sorgenfreien" Bestehen der endzeitlichen „Wehen" aufstellt, in denen alles Weltliche wesenlos und den Menschen mit eschatologischer Zwangsläufigkeit aus den Händen genommen wird[83]. Freilich erklärt sich so die rein negative Argumentation des Paulus nur zum Teil; denn ihm galten ja genau wie der Apokalyptik die eschatologischen Bedrängnisse keineswegs lediglich als unum-

begriff: geg. Hierzenberger, aaO.65). Konkret ist dies vom Kontext, also den ὡς μή-Sätzen und der Unterscheidung τὰ τοῦ κόσμου – τὰ τοῦ κυρίου her zu füllen. Danach gehört aber zum σχῆμα τοῦ κόσμου τούτου nicht nur „its outward pattern, in social and mercantile institutions, for example" (Barrett, 1Kor 178), also das, „dem 'der alltäglich besorgte Umgang' des Menschen gilt" (Vögtle, Kosmos 91, mit Zitat von Bornkamm, Paulus 212), sondern ebenso (und sogar primär, wie die Konzentration auf die menschlichen Vollzüge zeigt) die gesamte Wirklichkeit menschlichen Lebens und Verhaltens in Tun und Erleiden, in Werten und Fühlen („Lachen und Weinen"), vgl. auch 2Kor 4,7.16–18; (5,1ff), sowie 1Kor 201; Schlatter, 1/2Kor 242 („das σχῆμα ist die Weise, wie die Welt lebt, die Art, wie sie sich verhält."). Entscheidend ist freilich der christologische Horizont der Aussage, wie er sich unmittelbar in der Alternative τὰ τοῦ κόσμου – τὰ τοῦ κυρίου (V.32–34) andeutet (vgl. 7,17–24 und die weiteren Darlegungen). Unmöglich erscheint mir jedoch die einseitige „heilsgeschichtliche" Interpretation von V.31b, die dem Buch von G. Hierzenberger zugrunde liegt (aaO. 57–66.63: „das Vergehen der Sünden- und Todesgestalt des Kosmos ..., das Hand in Hand geht mit dem 'Aufbau' der (noch verborgenen) καινὴ κτίσις"), da sie – um nur das zu nennen – den κόσμος-Begriff in V.31a (33.34) einerseits und V.31b andererseits verschieden interpretiert und den übergreifenden Sachzusammenhang der eschatologischen Notzeit außer acht läßt; „kosmologische" und anthropologisch-heilsgeschichtliche Betrachtungsweise dürfen bei Paulus eben nicht als Alternativen eingestuft werden.

80 Vgl. im einzelnen die Analyse von Schrage, aaO. 139ff; auch Müller, aaO. 160–162. Zur jüdischen Herkunft des 6Esr vgl. Harnisch, Eschatologische Existenz 72–74 (Exk. I: Überlegungen zur Herkunft und zum theologischen Charakter von 6Esr).

81 Zur 2-Äonenlehre vgl. vor allem Harnisch, Verhängnis 89–247. Sie findet sich hingegen nicht in 6Esr, was Schrage übersieht, wenn er diese apokalyptische Überlieferung mit dem Dualismus des 4Esr und sBar zusammenliest (aaO. 143f); vgl. dagegen Harnisch, Eschatologische Existenz 73f: „Die Ankündigung der 'mala' (vgl. 6Esr 2,1ff), deren Beginn sich bereits in der Gegenwart abzeichnet (vgl. 2,17ff), bezieht sich auf die durchaus innergeschichtlich verstandene, die Erde oder den ganzen Erdkreis betreffende Drangsal ... – eine Drangsal, welche die 'probatio' der Gerechten erweisen wird" (worin H. das „Leitmotiv von 6Esr insgesamt" sehen möchte); er schließt von daher auf eine traditionsgeschichtlich ältere Anschauung, „die sich (aber) ... verhältnismäßig leicht in die vom Zwei-Äonen-Schema geprägte apokalyptische Geschichtskonzeption einpassen ließ."

82 Vgl. Schrage, aaO. 138f.

83 Vgl. neben 6Esr 2,36–47: 4Esr 5,12; sBar 44,9ff; 83,1ff; (10,6ff: bezogen auf den Untergang Jerusalems).

21

gängliche Verschlechterungen der allgemeinen Lebensverhältnisse, sondern zugleich als Gefährdungen und Anfechtungen des Glaubens von seiten des Bösen und seiner Mächte, die zum Verlust des ewigen Heils führen konnten[84]. Wie aber ist es möglich, in diesem gegenwärtigen bösen Äon (Gal 1,4) und seinen Versuchungen sich für das Eschaton zu bewahren? Gewiß nicht allein durch innere und äußere Distanz von den Dingen der Welt. Eschatologische Sorg-losigkeit[85] in diesem fundamentalen Sinn läßt sich ebensowenig durch den Rückzug auf den unbestreitbaren Besitz meiner Innerlichkeit und unverlierbaren Freiheit gewinnen. Paulus ist kein Stoiker[86]. Ohne Sorge zu sein erreicht man nicht dadurch, daß man sich um nichts kümmert, was nicht in unserer Macht steht (τὰ οὐκ ἐφ' ἡμῖν)[87], sondern – und damit dringen wir zum sachlich entscheidenden Gedanken des Apostels vor – indem man sich angesichts der gegenwärtigen Situation der Welt derjenigen Macht anvertraut, die im Strudel der apokalyptischen Wehen, der alles Weltliche in den Untergang reißt, Stand gewährt, weil sie selbst es ist, die durch ihr Nahen erst das Vergehen der Welt

84 Schlatter (1/2Kor 240) sieht diesen Gedanken schon in V.28b (φείδομαι) angedeutet. Vgl. Jub 23,14f; 1Hen 99,4ff; 4Esr 6,25; 7,27; 13,16–24; sBar 28,3, sowie das „Leitmotiv" des 6Esr (s.o. Anm. 81); dazu: Volz 153–155; im NT: Mk 13,13.20pp; auch 4,19; Apk 7,14ff usw.; bei Paulus: 1Thess 1,6; 3,3ff (dazu das Thema vom Ausharren in den θλίψεις usw., Röm 5,3; 8,35; 12,12; 2Kor 1,4ff; 4,19; 6,4 u.a.); πειρασμός: 1Kor 10,11–13 (vgl. dazu 11,19.30ff!); auch 7,5; Gal 6,1; 1Thess 3,5; die Peristasenkataloge (zur apokalyptischen Wurzel vgl. Schrage, Leid 142–150). Gegenüber den frühjüdischen Anschauungen erscheint kennzeichnend: 1. die christologische Interpretation, vgl. etwa Röm 8,17ff; 2Kor 1,5ff; 4,7ff (dazu: Schrage, aaO. 163–167); 2. von daher die (zwar nicht exklusive, aber doch beherrschende) anthropologische „Reduktion" der endzeitlichen Nöte; dabei stehen – wie im ganzen NT – nicht primär „die Erde und ihre Bewohner" (1Hen), d.h. die Gerichtsfunktion der „Wehen" im Blick (so mit Ausnahme von 1Hen 103,9; 2Hen 66,6 und den durch Negation zur Verheißung gewendeten Aufzählungen 1Hen 25,6; PsSal 15,7; 2Hen 65,9; Apk 21,4; (sBar 73,2ff) m.E. in allen von Schrage, aaO. 143–147. bes. 145 A.10, herangezogenen Parallelen), sondern die Christen in ihrer Anfechtung und Bewährung. Damit ist 3. die Gegenwärtigkeit der Leiden betont. Vgl. auch Schlier, ThWNT III 145f.

85 Mit V.32a greift Paulus nach dem prinzipiell orientierten „Einschub" V.29–31 wieder seine konkrete Intention auf, vgl. V.26.28b.35a, gewinnt durch ἀμερίμνους aber zugleich das Stichwort für die christologische Interpretation in V.32–35, wobei er mit der Bedeutungsbreite von μεριμνᾶν spielt: Sorg-losigkeit erreicht man durch Sorge um „die Belange des Herrn", vgl. Phil 4,5f; auch Mt 13,22pp; Mk 8,14 (αἱ μέριμναι τοῦ αἰῶνος/τοῦ βίου); Lk 21,34; dazu: R. Bultmann, ThWNT IV 593–598. 596.

86 Vgl. Schrage, a.Anm.74 a.O. 133–138, in Auseinandersetzung mit diesem früher gängigen Interpretationsansatz unserer Verse, speziell mit: H. Braun, Die Indifferenz gegenüber der Welt bei Paulus und bei Epiktet, in: ders., Ges. Studien 159–167; vermittelnd Conzelmann, 1Kor 158 A.26.

87 Vgl. z.B. Epikt Diss. I 1,7f; 22,9f; Ench 1,1.5 usw.; zum Unterschied zwischen Epiktet und Paulus vgl. noch R. Bultmann, Das religiöse Moment in der ethischen Unterweisung des Epiktet und das Neue Testament, in: ZNW 13 (1912), 97–110. 177–191, sowie Schrage, Leid 148–150.

ausgelöst hat[88]. Erwartete der Apokalyptiker Gott bzw. den von ihm heraufgeführten neuen Äon, so nimmt für den Apostel nun in radikaler Ausschließlichkeit der *Herr* diese Stelle ein; er ist das „ganz Andere" der Welt und ihres „Schemas"[89]. Durch seinen Tod hat Gott uns für sich gewonnen (6,20; 7,23); so gehören wir nicht mehr uns selbst, sondern empfangen als seine Sklaven (im Geist) den Stand eschatologischer Freiheit (vgl. 6,19; 7,21–23), die frei macht von allen weltlichen Maßstäben und Erwartungen und so Christus als den Herrn bezeugt, der das alltägliche Leben jedes Christen in Beschlag nimmt und ihm das Gesetz seiner Herrschaft aufprägt (7,17ff); bei ihm liegt die letzte richterliche Entscheidung über die christliche Existenz (4,5); so richtet sich endlich die Hoffnung der Christen darauf, in seine Gemeinschaft aufgenommen (1,8f), d.h. auferweckt zu werden wie er und seine Seinsweise zu teilen (6,14; 15,35ff). Weil also der Herr kommt (4,5; 11,26), vergeht die Welt; weil er aber schon jetzt seine eschatologische Herrschaft angetreten hat, entscheidet sich an seiner Person alles entweder zum Untergang mit dieser Welt oder zum ewigen Sein mit ihm (vgl. 11,27–34; auch 10,1–13; 5,5:7; 3,11:13–17). Dieser Glaube an den gegenwärtigen und kommenden Christus liegt auch den Vv.32–35 zugrunde und bestimmt von daher den gesamten Abschnitt Vv.25ff.

Vv.32ff ist strukturiert durch die eschatologische Alternative τὰ τοῦ κόσμου – τὰ τοῦ κυρίου[90], die sich der Sorge des Christen stellt. Die Welt und ihre Belange erscheinen hier wie ein Hindernis, im Extremfall als Konkurrenz und Alternative zum eschatologisch allein Zählenden, zum Herrn. Selbst der Ehepartner, dem die Liebe und Sorge des anderen gilt, wird in dieser Perspektive – als Gegenstand der Sorge, die sich an „weltlichen" Maßstäben orientiert – zum Beispiel der Vergeblichkeit alles Irdischen. Der Christ soll vielmehr, da er um die Zeit weiß (Röm 13,11), seine ganze Kraft darauf konzentrieren, „wie er dem Herrn gefalle", d.h. „daß er heilig sei an Leib und Geist".

---

88   Speziell in den noch stark von atl.-prophetischem Erbe geprägten Traditionen der jüdischen Apokalyptik bildet die eschatologische Verwirrung eine Schreckensreaktion des Kosmos auf das Nahen Gottes zum Gericht, vgl. die Belege bei Volz 277f, während in den späten Apokalypsen (4Esr/sBar) der Gedanke der totalen Verderbtheit des Kosmos und der göttlichen Determination der Zeiten dominiert (vgl. Harnisch, Verhängnis 318 u.ö.). In beiden Fällen ging es darum, sich – unter Bewahrung des Gesetzes – am Zukünftigen zu orientieren, worin Gott seine durch die Geschichte suspendierten Verheißungen einlösen würde, vgl. 4Esr 6,34; 7,16; 8,51ff; 9,13; sBar 43,1; 44,8; 54,4; 83,4ff.

89   Vgl. als klassischen apokalyptischen Beleg 4Esr 7,39–42; auch Mk 12,25pp sowie die rabbinischen Parallelen bei Bill I 889f (auf die himmlische Welt der Seelen bezogen); zur Differenz im Weltverhalten zwischen Paulus und der Apokalyptik (Gesetz!) s.u.

90   Kennzeichnend für pln. Sprachgebrauch ist sonst das Gegenüber θεός – κόσμος, Röm 1,20; 3,6–19; 1Kor 1,20f.27f; 2,12; 3,19; 2Kor 7,10 u.a., doch vgl. immerhin 1Kor 3,22f; 11,32; Gal 6,14. Vgl. dagegen die kynisch-stoische Alternative τὰ ἐφ' ἡμῖν – τὰ οὐκ ἐφ' ἡμῖν (s.o. Anm. 87).

ἀρέσκω hat bei Paulus durchweg die Bedeutung „gefallen" bzw. „zu Gefallen leben"[91], erhält aber darüber hinaus an den meisten Stellen forensischen Nebensinn[92]. Das kommt überall dort zur Geltung, wo vom ἀρέσκειν θεῷ die Rede ist, Röm 8,8; 1Thess 2,4.15; 4,1; vgl. Röm 12,1; 14,18; Phil 4,18 (εὐάρεστος)[93]. „Gott wohlgefällig sein" erscheint hier mehr oder weniger explizit als die eschatologisch entscheidende Zielforderung an die Existenz des Christen. Nur wer dem Maßstab Gottes, „der die Herzen prüft" (1Thess 2,4), entspricht, wer allein ihm in der Heiligung des Lebens zu Gefallen lebt, vgl. 1Thess 4,1: 3,13; 4,3ff; 1Kor 7,34; Röm 12,1; Eph 1,4; 5,27; Kol 1,22, d.h. sein Leben nur an ihm und seinem Willen ausrichtet und nicht an Welt und Menschen orientiert, vgl. 1Thess 2,4; Gal 1,10; 1Kor 7,32–34 – wer also ihm „wohlgefällig" ist, kann im Gericht bestehen; seine Feinde aber (vgl. Röm 8,7) trifft das Zorngericht ewigen Verderbens. Die Möglichkeit und Wirklichkeit solcher eschatologischer Existenz inmitten der gottfeindlichen Mächtigkeit von Fleisch und Welt aber hat Gott in Jesus Christus ein für allemal eröffnet. Christus hat ja nicht sich selbst, sondern Gott zu Gefallen gelebt, da er die Feindschaft der Menschen gegen Gott bis in den Tod trug, Röm 15,3. So bildet die einmalige Tat seiner Hingabe die eschatologische Existenzform für alle, die ihm als dem Herrn gehören; in ihm sind sie von sich selbst gelöst und frei für Gott und den Nächsten, vgl. Röm 15,1–3; 1Kor 10,33. Deshalb sind die Christen aufgerufen, im Vorbild des Apostels Christus selbst wahrzunehmen und als Lebensform zu übernehmen, 1Kor 11,1. Ist ihr Leben aber allein in Christus Gott wohlgefällig, so ist es eben der Herr selbst, der endgültig über ihr eschatologisches Geschick befindet, 2Kor 5,9f. Deshalb gilt es jetzt in der kurzen Zeit vor dem Ende, sich ungeteilt „um die Belange des Herrn zu kümmern", um –„heilig an Leib und Geist" – jetzt und dann sein Gefallen zu finden[94].

Im Gegensatz zum gesamten frühjüdischen Denken verweist Paulus also nicht auf die Tora, nach welcher das Gericht ergeht und deren Erfüllung ewige Herrlichkeit einträgt[95], sondern auf die eschatologische Wirklichkeit, die im Herrn schon gegenwärtig ist als Existenzgeschick auf ewiges Leben hin. Das eschatologisch Neue[96] selbst und nicht das (für Paulus) Alte und Vergangene des Gesetzes bildet, da im Geist des Herrn schon gegenwärtig (vgl. Röm 2,29; 7,6; 2Kor 3,6ff), die bleibend gültige Norm der Existenz; der Herr selbst als das Eschaton und nicht mehr die vergehende Welt in allen ihren positiven und

91 Vgl. W. Foerster, ThWNT I 455–457.455.

92 Vgl. auch W. Schrage, Die konkreten Einzelgebote in der paulinischen Paränese. Ein Beitrag zur neutestamentlichen Ethik, Gütersloh 1961, 84f mit A.66.

93 Im AT (LXX) ist θεῷ ἀρέσκειν nur selten belegt, vgl. Num 23,27; Prv 24,18; auch Ri 10,15; 3Kön 3,10; ψ 68,32; Jes 59,15, dagegen gehäuft θεῷ εὐαρεστεῖν o.ä. (hebr. fast durchweg hithalek ät bzw. lifnej): Gen 5,22.24; 6,9; 17,1; 24,40; 48,15; Ex 21,8; ψ 55,14; Sir 44,16; während sich εὐάρεστος (παρὰ) θεῷ in LXX nur Sap 4,10; 9,10 findet, begegnet ἄρεστος τῷ θεῷ o.ä. Lev 10,19; Dt 6,18; 12,8.25.28; 13,19; 21,9; 2 Εσρ 7,18; 10,11; Tob (3,16); 4,21; (Jud 8,17); Prv 21,3; Sap 4,14; 9,9.18; Sir 48,16. 22; Jes 38,3; Bar 4,4; im NT: Joh 8,29; 1Joh 3,22.

94 Geg. Merk, aaO. 120 A.264, der die eschatologische Komponente dieser Aussage bestreitet.

95 Vgl. etwa 4Esr 7,17–25.72f.102ff; 8,26ff.56–61; 9,31ff; sBar 15,5f; 19,3f; 32,1 u.a.m., dazu: Harnisch, Verhängnis 142–222; Limbeck, aaO. 108–118.

96 Vgl. dazu Grabner-Haider, Paraklese 147–150.

24

negativen Dimensionen ist das σχῆμα, an dem der Christ sein Maß hat, vgl. 7,17–24; Röm 12,2; Gal 6,14–16[97].

Diese christologische Bestimmtheit der Paraklese[98] in V.32–35 rückt uns ren gesamten Text in ein völlig neues Licht. Der apokalyptische *Äonen-Dualismus*, den wir im Hintergrund des Ratschlags von V.25ff ausmachten, ist *aufgelöst*[99], da Christus als der Herr der absoluten Zukunft schon jetzt seine Herrschaft ausübt.

Gegenüber der apokalyptischen Geschichtsfremde vertritt pln. Denken damit einen zugleich *radikaleren* und *differenzierteren Welt-Begriff*: Welt als ausschließendes Pendant zum Herrn, dem allein eschatologisches Sein zukommt, ist – im Zeichen der Herrschaft Christi – schon jetzt restlos ins Vergehen gebannt – und erhält doch von ihm her Rechtfertigung und Sinn als Ort der Verwirklichung christlicher Existenz (die sich ja als „Gebrauchen". der Welt vollzieht, vgl. auch 5,10b)[100]: Welt im Zeichen von Tod und Auferstehung Jesu Christi. Das auffallende Präsens παράγει (V.31b) entspricht also der schon gegenwärtig andringenden Nähe des eschatologischen Herrn. Als das Feld seiner Herrschaft steht die Welt in ihr Ende hinaus; mit ihr ist auch der Christ hineingestellt in den Vorbehalt der Freiheit des Herrn, der seine Weltüberlegenheit „an seinem Tag" offenbar erweisen wird, wenn er alles endgültig richterlich entscheidet zu Heil oder Unheil.

Der Glaube an den gegenwärtigen Herrn, dem er sich fundamental verdankt, weist dem Christen damit die *Geschichte als Ort seines Lebens* an. Ihm ist es deshalb verwehrt, sich – wie der Apokalyptiker – in einen Trost zu flüchten, der sich aus der Einsicht in das göttliche Geheimnis der Determination der Zeiten und der darauf basierenden Erwartung der baldigen endgültigen Katastrophe der Geschichte nährt[101]. Er ist vielmehr gehalten, inmitten der vergehenden Welt sein eschatologisch neues, für die Welt inkommensurables Sein „im Herrn" zu ergreifen (vgl. Phil 3). Diese Aufgabe seiner neuen Existenz verwirklicht er in der ungeteilten Übergabe und Enteignung an die allein endgültigen „Stand"[102] gewährende Macht des Kyrios.

Die Vv.29–31 bieten in dieser Perspektive nicht mehr lediglich eine Klugheitsregel zur möglichst sorgenfreien Bewältigung der Nöte und Gefährdungen der letzten Zeit, sondern formulieren gleichsam die negative Seite des

---

97 τὰ τοῦ κόσμου (V.33.34) nimmt τὸ σχῆμα τοῦ κόσμου τούτου (V.31b) auf, vgl. auch oben Anm. 79.

98 Vgl. auch Schrage, a.Anm.74 a.O. 153f, und besonders Hierzenberger, aaO. passim, z.B. 32f.122ff, geg. Merk, aaO. 119f, der das eschatologische Motiv für allein ausreichend hält.

99 Also nicht einfach christologisch interpretiert (Christus = neuer Äon)! Vgl. etwa Hierzenberger, aaO. 84–93; Vögtle, Kosmos 90f.

100 V.31a faßt die Beispiele von V.29b–30 zusammen und leitet zur Begründung in V.31b über.

101 Vgl. oben Anm. 7.

102 S.u. S. 180 Anm. 57.

hier und jetzt „einzig Notwendigen"[103], der bedingungslosen und unablässigen Orientierung der gesamten Existenz am Herrn[104] ($\tau\grave{o}$ $\epsilon\ddot{v}\sigma\chi\eta\mu o\nu$ $\kappa a\grave{\iota}$ $\epsilon\dot{v}\pi\acute{a}\rho\epsilon\delta\rho o\nu$ $\tau\tilde{\psi}$ $\kappa v\rho\acute{\iota}\psi$ $\dot{a}\pi\epsilon\rho\iota\sigma\pi\acute{a}\sigma\tau\omega\varsigma$, V.35b)[105].

Ihr Sein als diejenigen, „denen – in ihrer Zugehörigkeit zum Herrn (1Kor 3,23; Röm 14,7–9 usw.) – das Ende der Äonen begegnet ist" (1Kor 10,11), erfahren und bezeugen[106] die Christen täglich konkret: in der Heiligung nach Maßgabe des Herrn[107] und vor allem in der Übernahme seiner Leiden, in denen sich die eschatologischen Wehen, diese Zeichen des Vergehens der Welt, leibhaftig am Menschen auswirken und ihn in eine Anfechtung stellen, die er durchstehen und überwinden kann, da das Leid im Herrn selbst zum Ort seiner eschatologisch siegreichen Macht wird[108]. Solche anthropologische Interpretation der endzeitlichen $\dot{a}\nu\acute{a}\gamma\kappa\eta$ und $\theta\lambda\tilde{\iota}\psi\iota\varsigma$, die in der Konzentration des eschatologischen Geschehens in Kreuz (und Auferstehung) Jesu wurzelt, ist hier insofern angedeutet, als jegliche eigenständige kosmologische Spekulation fehlt, der Kosmos vielmehr nur in seiner Beziehung zum Menschen unter dem eschatologischen Anspruch Christi in den Blick kommt. Die Kosmologie erscheint deshalb an unserer Stelle zwar nicht als Projektion der Anthropologie (und kann nicht in diese hinein aufgelöst werden)[109], wohl aber als Aufweis der negati-

---

103 Vgl. Schrage, aaO. 148.

104 Anders 6Esr 2: Hier korrespondiert der Distanz zur Welt keine positive Forderung; die eschatologische Klugheitsregel entspringt vielmehr einer resignierten Grundstimmung des „sine causa" (V.46); sie nähert sich damit m.E. doch wiederum – freilich unter gänzlich anderem „weltanschaulichen" Vorzeichen (vgl. Braun, aaO. 164) und deshalb weniger intellektualisiert – der kynisch-stoischen Maxime einer Beschränkung auf das, was in unserer Verfügung steht.

105 Was ja selbst keine Forderung allein oder gar primär der Klugheit darstellt. Vgl. auch Mt 6,19–34; Lk 12,16–31. V.35 bildet i.ü. das Resümee der Erörterung V.32ff, nicht den Auftakt zum Folgenden, geg. Schlatter, 1/2Kor 145. Zur Auflösung der Konstruktion vgl. etwa Barrett, 1Kor 182 (die Paraphrase scheint mir freilich nicht sachgerecht).

106 Vgl. 7,15f (dazu: J. Jeremias, Die missionarische Aufgabe in der Mischehe, in: ders., Abba 292–298); 11,19.

107 Vgl. $\tau\grave{o}$ $\epsilon\ddot{v}\sigma\chi\eta\mu o\nu$ V.35, vgl. 14,14; Röm 13,13; 1Thess 4,12 ($\epsilon\dot{v}\sigma\chi\eta\mu\acute{o}\nu\omega\varsigma$).

108 Vgl. H. Schlier, Art. $\theta\lambda\acute{\iota}\beta\omega$ $\kappa\tau\lambda$., in: ThWNT III 139–148. 143f.146; Schrage, Leid passim, bes. 163ff. Daraus folgt i.ü., daß im $\dot{\omega}\varsigma$ $\mu\acute{\eta}$ nicht lediglich eine bestimmte „innere" Einstellung zu den „Dingen der Welt", nämlich ihre Bewertung als Vorletztes verlangt ist (womit Paulus gar sozusagen die Bedingung für das prinzipiell und primär geforderte Weltentagement angebe, geg. Hierzenberger, aaO. passim, 170: „Engagement bei innerer Distanz"; vorsichtiger 107–110), sondern durchaus u.U. auch praktische, „äußere" Konsequenzen, vgl. neben den Ratschlägen des Apostels in 1Kor 7 etwa 9,24ff.

109 Vgl. Schrage, aaO. 127f.148f: „ ... die Begründung geschieht ... von der Geschichte der Welt her: $\pi a\rho\acute{a}\gamma\epsilon\iota$. Die Welt geht unabhängig vom Menschen und seiner Entscheidung zu Ende" (149). Geg. Grabner-Haider, Paraklese 137: „Die Machtsphäre und das Schema der verfallenen Welt sind aber nur soweit im Vergehen, als sie der Christ in seinem leiblich-welthaften Existenzvollzug eben vergehen läßt und insofern er so schon Gottes neue Schöpfung anbrechen.läßt ... Nur insofern er (sc. der Christ) Welt aus der Machtsphäre der Verfremdung befreit hinein in die neue Machtsphäre des Kyrios und somit in ihre Weltlichkeit hinein, nur so weit kommt Gott auf diese Welt zu."

ven Möglichkeit des Menschen (nämlich „mit der Welt gerichtet zu werden",
11,32), dem sich Christus, der Herr, als die allein rettende Macht erschlossen
hat (μεριμνᾶν τὰ τοῦ κόσμου – τὰ τοῦ κυρίου). Aufgrund dieser Alternative,
die sich der Entscheidung des Christen stellt: zwischen Herr und Welt, zwischen Bleiben und Vernichtetwerden (1Kor 13,8–13), zwischen Sichtbarem,
das zeitlich-vergänglich, und Unsichtbarem, das ewig ist (2Kor 4,18; vgl.
1Kor 15,42ff), kann man aber ebensowenig mit A. Vögtle bestreiten, daß
„Paulus an unserer Stelle" *auch* „kosmologisch vom Vergehen der bestehen-
den Welt, des Universums reden, dessen kommendes 'Ende' behaupten will"[110].
Denn die Kosmologie ist keinesfalls als negative Projektion oder Aussageform
der Christologie schon erschöpfend beschrieben[111]. Wir sahen vielmehr, daß
die (präsentische!) Rede vom Vergehen des Weltschemas, wozu immerhin
nach unserer Stelle Ehe und Handel, Freude und Weinen gehören, die notwendige *Konsequenz* des eschatologischen Absolutheitsanspruchs Christi darstellt:
ihm gegenüber hat nichts Bestand, nur „in ihm" gibt es Ewigkeit. Das Vergehen der Welt ist natürlich hier und jetzt ebensowenig objektivierbar wie die
Herrschaft Christi und ihre Ewigkeitsmacht; beides erweist vielmehr vorläufig seine Realität in der Erfahrung des Glaubens, der einerseits die Schöpfung
(wegen der Sünde) der „Vergeblichkeit" unterworfen sieht (Röm 8,20), die
im Leiden Christi und von daher der Christen kulminiert, welche er andererseits aber in der Macht der Gnade immer schon überwunden weiß auf unausdenkliche Zukunft hin (Röm 8,18ff; vgl. 5,1ff).

Von der Christologie her muß schließlich auch ein sachgemäßes Verständnis
der *Naherwartung* gewonnen werden, die hier ja unmittelbar mit der Aussage
vom Vergehen der Welt verknüpft ist, jedenfalls schwerlich bestritten werden
kann[112]. Auch diese Erwartung der zeitlichen Nähe des Endes hat im Zusammenhang keinen eigenen Aussagewert (etwa als eschatologische Geheimlehre),
sondern dient dazu, die Forderung kritischer Distanz zur Welt als notwendige
Bedingung der Hingabe an den Herrn einzuschärfen. Nur wenn man dieses
entscheidende christologische Motiv, das allerdings erst V.32 auftaucht, beachtet, wird man im Sinne des Paulus legitim die zeitliche Nähe des Eschatons

---

110 Vögtle, Kosmos 92; Klein, aaO. 258f.

111 Diese läge hingegen in der Konsequenz des rein „heilsgeschichtlichen" Deutungsver-
suchs von Hierzenberger, der nur mit exegetischen Gewaltsamkeiten erkauft werden
kann. Gerade weil aber für Paulus der schöpfungstheologische und der heilsgeschichtliche Aspekt nicht adäquat trennbar sind (vgl. Schrage, aaO. 126–130. bes. 129f),
kann der Apostel an unserer Stelle zugleich prinzipielle Distanz von der Welt in
unbedingter Hingabe an den Herrn fordern *und* doch Ehelosigkeit nur als das Besse-
re, Ehe aber ausdrücklich nicht als Sünde proklamieren (vgl. μεμέρισται, V.34); Libertinismus und Askese, die anscheinend in Korinth von verschiedenen Gruppen
als wahre Verwirklichung des Glaubens praktiziert wurden (was wohl zur Anfrage
an den Apostel führte), sind von hieraus überwunden, vgl. V.39b (μόνον ἐν κυρίῳ).
Diese komplexe Weltsicht des Apostels, die er von der Christologie her gewinnt, besagt aber umgekehrt, daß er – wenn auch in primär anthropologischem Interesse –
„kosmologisch" vom Vergehen der Welt reden kann.

112 Vgl. etwa schon Tillmann, Wiederkunft 69–78.77; geg. Klein, aaO. 258f.

(συνεσταλμένος)[113] — wie das Vergehen der Welt — als Qualifikation der Gegenwart interpretieren dürfen. Der Zeitpunkt und damit der genaue Zeitraum bis zum Ende liegen allein in der Freiheit des Herrn beschlossen[114], der unvorhersehbar „an seinem Tag" kommen wird, um seine jetzt schon die Welt verborgen vor ihr Ende stellende Herrschaft offenbar zu erfüllen.

Die verschiedenen Formen und Grade konkreter Naherwartung, die sich etwa bei Paulus nachweisen lassen[115], sind als Reflexe jenes Glaubens an die Nähe des eschatologischen Herrn zu werten, welche mit zunehmender Entfaltung des christologischen Ansatzes der Eschatologie immer weniger rein zeitlich-futurisch gefaßt werden konnte, wenngleich das unaufhaltsame Kommen des Heils als solches gewiß war (Röm 13,11f). Deshalb geriet auch die Parusiehoffnung nicht in eine Krise, wenn etwa unerwartete persönliche Erfahrungen (2Kor 1,8ff?) oder allgemein das Ausbleiben des Endes zur Revision der konkreten Erwartungen zwangen. Vielmehr schälte sich so als ihr eigentlicher Sinn heraus die (nicht minder intensive) „Stetserwartung" der gnadenhaften Vollendung der Herrschaft Christi und damit christlicher Existenz.

Blicken wir zurück, so erweisen sich die eschatologischen Aussagen unseres Textes, die zunächst einseitig apokalyptisch orientiert zu sein schienen, gerade in ihrer Eigenart als Entfaltung des christologischen Gedankens des Paulus. Damit aber liegt dieser Ratschlag des Apostels an die Gemeinde in Korinth genau auf der Linie der christologischen, jedenfalls nicht „direkt" eschatologischen Argumentation des übrigen Kapitels, das zentral die Freiheit im Herrn von allem, was Menschen und Welt bieten und fordern, verkündet (vgl. bes. 7,17—24).

113 Vgl. oben Anm. 78.

114 Der apokalyptische Determinismus denkt dagegen sozusagen „von unten", von der (dem Seher offenbarten) Einsicht in den ewig zuvor festgelegten und unabänderlich abrollenden Geschichtsplan Gottes her; dieser Ansatz barg aber zumindest die Gefahr in sich, (entgegen der eigentlichen Intention wenigstens der zentralen apokalyptischen Schriften wie 4Esr und sBar) den eigenen Standort und damit die Nähe des Endes zeitlich zu fixieren, vgl. z.B. Vielhauer, aaO. 415f.

115 Vgl. z.B. 1Thess 4,15ff mit 1Kor 15,50ff, dazu: Klein, aaO. 244–256.

ZWEITER TEIL: KREUZ UND AUFERWECKUNG JESU CHRISTI
ALS DER ESCHATOLOGISCHE SELBSTERWEIS
GOTTES ZUM HEIL

In diesem grundlegenden Abschnitt unserer Untersuchung befragen wir die pln. Christologie auf ihre eschatologischen Implikationen und Perspektiven. Christus wird bei Paulus immer im „Kontext" seines konkreten Heilsgeschicks, seines Todes und seiner Auferweckung, verkündigt. Es ist dies die Geschichte des Durchbruchs vom Tod zum Leben, von der Knechtschaft zur Freiheit, vom Verderben zum Heil. Tod und Auferweckung Jesu sind also für Paulus konstitutiv aufeinander bezogen. Unter dieser Voraussetzung kann der Apostel beide auch jeweils für sich als das Heilsereignis betrachten. Wir erörtern deshalb zunächst den Tod Jesu und seine eschatologische Bedeutung. In einem zweiten Schritt beschäftigt uns dann das Ereignis der Auferweckung Jesu, und zwar sowohl in seiner eschatologischen Ausrichtung als solcher wie auch in seiner Zuordnung zum Kreuzestod Jesu, um auf diese Weise die komplexe Einheit der christologischen Sicht des Paulus und ihren eschatologischen Sinn im ganzen zu erhellen.

A. DAS KREUZ JESU CHRISTI ALS DAS ESCHATOLOGISCHE EREIGNIS

Als die unverrückbare Mitte seiner Botschaft und den maßgebenden Grund seiner apostolischen Existenz verkündet Paulus den Χριστὸς ἐσταυρωμένος, 1Kor 1,23; 2,1; Gal 3,1[1]. Der gekreuzigte Christus – das ist „Gottes Macht und Gottes Weisheit", welche die Welt rettet, 1Kor 1,23f. Der Tod Jesu am Kreuz gilt dem Apostel demnach als das Ereignis des endgültigen und alle Menschen betreffenden, eschatologischen Heils Gottes. Dem entspricht es, daß die Zentralbegriffe der pln. Verkündigung unlösbar mit diesem Ereignis des Sterbens Jesu verknüpft sind, so „Rechtfertigung", Röm 3,21–31; 5,9: 6ff; Gal 2,15–21; 2Kor 5,21; „Versöhnung", 2Kor 5,14–21; Röm 5,10:6ff; „Rettung", Röm 5,9f; 1Kor 1,18; 15,2:3; 1Thess 5,9f; „Freiheit", Röm 8,2; Gal 5,1.13 u.a. – Begriffe, die sowohl von ihrer Herkunft her als auch in ihrer

---

1   Vgl. z.B. Käsemann, Heilsbedeutung; zur ersten Information s. F.J. Ortkemper, Das Kreuz in der Verkündigung des Apostels Paulus. Dargestellt an den Texten der paulinischen Hauptbriefe (SBS 24), Stuttgart 1967.
H.-W. Kuhn reserviert den Begriff „Kreuzestheologie" für „das so gut wie *nur in der Auseinandersetzung* erscheinende *kritische* Zentrum seiner (sc. des Paulus) Theologie" (Jesus als Gekreuzigter 41, vgl. die Definition 26 sowie 27–41, dazu unten Anm. 79).

pln. Verwendung unbezweifelbar eschatologisch bestimmt sind[2]. Damit stehen wir vor der Frage, worin Paulus die eschatologisch-rettende Macht des Kreuzes Jesu Christi begründet sah, und versuchen sie zu beantworten durch eine Analyse der Traditionen, Motive und spezifischen Akzentsetzungen, mit denen Paulus Christi Tod als eschatologisches Ereignis zur Sprache zu bringen sucht.

I. Ansätze der eschatologischen Deutung des Todes Jesu in der vorpaulinischen Tradition als Grundlage paulinischer Kreuzestheologie

Wir schicken unsere Interpretation einen kurzen Überblick über die von Paulus aufgenommenen Traditionen voraus, die das Sterben Jesu thematisieren. Dabei rekapitulieren wir nur weithin anerkannte Ergebnisse traditionsgeschichtlicher Forschung an den Paulusbriefen. Unser Interesse gilt der Frage, ob und inwieweit die vorpln. Gemeinde den Tod Jesu schon als eschatologisches Geschehen verstanden und verkündigt hat. Wir klammern zunächst jene Überlieferungen aus, die den Tod Jesu explizit seiner Auferweckung zuordnen und damit das Christusgeschehen insgesamt eschatologisch qualifizieren[3]. Das legt sich vom Textbefund der pln. Schriften her nahe und dient der stärkeren Profilierung seiner speziellen Akzentsetzungen[4]. Es sei jedoch ausdrücklich angemerkt, was der Fortgang unserer Untersuchung noch eigens erweisen wird, daß für Paulus wie für die Urkirche als ganze jede Deutung des Todes Jesu erst im Horizont der Auferweckung möglich und sinnvoll war – unabhängig davon, ob und wie Jesus sein Sterben vorweg verstanden haben mag. Jede andere These erscheint mir angesichts unserer Texte als ungeschichtliche Abstraktion[5]. Wir beschränken uns hier auf jene Traditionen, denen – aufgrund der Erfahrung des Auferweckten und seiner Mächtigkeit – die Bedeutsamkeit des Sterbens Jesu schon so sehr feststand, daß sie diese ohne gleichzeitige Nennung der Auferweckung artikulieren konnten.

2 Vgl. z.B. Stuhlmacher, Gerechtigkeit Gottes bes. 203–210; Kertelge, Rechtfertigung bes. 295–304; F. Büchsel, Art. καταλλάσσω κτλ., in: ThWNT I 254–259; E. Käsemann, Erwägungen zum Stichwort „Versöhnungslehre" im Neuen Testament, in: Zeit und Geschichte (FS R. Bultmann), Tübingen 1964, 47–59; W. Foerster, Art. σῴζω κτλ., in: ThWNT VII 966–1004.992ff; H. Schlier, Art. ἐλεύθερος κτλ., in: ThWNT II 494–500; ders., Zur Freiheit gerufen, in: ders., Das Ende der Zeit 216–233.223f.

3 Vgl. etwa Röm 4,25; 6,8–10; 7,4; 8,34; 14,9; 1Kor 15,3–5; 2Kor 5,15; 13,4; 1Thess 4,14; dazu unten S. 90ff.

4 Der Tod Jesu wird bei Paulus als das Heilsereignis schlechthin thematisiert in Röm 3,25; 5,6.8.9; 8,3f.32; 14,15; 1Kor 8,11; 10,16; 11,25.26.27; 2Kor 5,14f.21; Gal 1,4; 2,20f; 3,13f; 1Thess 5,10; vgl. das Stichwort σταυρός κτλ.

5 Vgl. z.B. Bultmann, Theologie 292–306; Schrage, Verständnis 60–68 („Es gibt zwar in der Urchristenheit eine vom Kreuz isolierte Auferstehungstheologie ..., nirgendwo aber eine von Ostern isolierte Theologie des Kreuzes": 60 A.32, mit weiteren Autoren); Delling, Tod Jesu 92; Käsemann, Heilsbedeutung 98ff; Lohse, Märtyrer 148 (zum religionsgeschichtlichen Ansatzpunkt vgl. 54: „Die Gewißheit der Auferstehung verbürgt die Wahrheit des Glaubens an die Sühnkraft des Todes", vgl. das Zitat von Rabbi, Mekh Ex 20,7 (77a/Hor.228); zum NT vgl. 115f).

1. Die Sterbensformel

Die einfachste, gleichwohl ganz auf das theologisch Wesentliche konzentrierte Form der vorpln. Deutungen des Todes Jesu bildet die sog. „Sterbensformel"[6]. Ihr ursprünglicher Aufbau ist bei Paulus am deutlichsten in Röm 5,8 zu erkennen: Χριστὸς ὑπὲρ ἡμῶν ἀπέθανεν. Sonst ist sie durchweg in den Duktus der jeweiligen Aussage eingeschmolzen und formal wie terminologisch entsprechend variiert, vgl. Röm 5,6; 14,15; 1Kor 8,11; 2Kor 5,14f; 1Thess 5,10. Die Grundelemente der Formel halten sich freilich mit erstaunlicher Konstanz durch: neben dem Aorist ἀπέθανεν der Titel Χριστός (2Kor 5,14f und 1Thess 5,10 taucht er im unmittelbaren Kontext auf) und der „Heilssinn", der wohl ursprünglich wie in Röm 5,(6).8 und 1Thess 5,10 ὑπὲρ ἡμῶν lautete[7].

Diese Beziehung des Sterbens Christi auf „uns" stellt klar, daß es sich hier ursprünglich um ein Bekenntnis der Gemeinde handelt. Die Vermutung von H. Schlier, daß es in Parallele zur Auferweckungsformel gebildet sei[8], erscheint somit durchaus plausibel und erhält dadurch eine weitere Stütze, daß das ὑπὲρ ἡμῶν wahrscheinlich der (Herrenmahl-)Feier der ersten Gemeinde entstammt[9], deren Enthusiasmus sich auch die Auferweckungsformel verdanken dürfte[10]. Im von Paulus überlieferten „Einsetzungsbericht" 1Kor 11,23–25 findet sich die ὑπέρ-Wendung lediglich im sog. Brotwort (V.24) und dürfte mit P. Neuenzeit[11] „primär im Sinne einer einfachen *Heilszuwendung*" zu verstehen sein; die kennzeichnende Differenzierung zwischen Brot- und Becherwort erlaubt es m.E. nicht, die zweifellos eschatologische Deutung der Todeshingabe Jesu als die Stiftung (Erneuerung?) des (neuen) Bundes (im Anschluß an Jer 31,31ff), an dem der eucharistische Becher Anteil gibt (11,25)[12], ohne weiteres auch für das Brotwort zu reklamieren. Andererseits kann der ausgeprägt eschatologisch-enthusiastische Charakter des frühen Herrenmahles im ganzen schwerlich in Frage stehen[13]. Das mit der ὑπέρ-Wendung umschriebene Heil, das der in den Tod preisgegebene Jesus ist[14] und den Seinen im eucharistischen Brot zuteil wird, hat deshalb in diesem

---

6 Röm 5,6.8; 14,15; 1Kor 8,11; 2Kor 5,14f; 1Thess 5,10; vgl. Kramer, Christos 22f; Wengst, Formeln 78–86; Schlier, Anfänge 22; Lohse, Märtyrer 131–135.

7 1Kor 8,11 hat διά c. acc., s. dazu unten Anm. 84.

8 Schlier, ebd.; anders Wengst, Formeln 82f.

9 Vgl. H. Riesenfeld, ThWNT VIII 510–518.513f.

10 S.u. S. 83.

11 Herrenmahl 160.

12 Vgl. Neuenzeit, Herrenmahl 191–200; Bornkamm, Herrenmahl 161f.

13 Vgl. den eschatologischen Ausblick Mk 14,25pp; 1Kor 11,26, sowie das wohl hier beheimatete Maranatha, vgl. Bornkamm, Herrenmahl 171f; ders., Zum Verständnis des Gottesdienstes bei Paulus, in: ders., Ges. Aufsätze I 113–132.123ff.

14 Vgl. σῶμα (V.24), das „den Leib des Herrn in einem ganzheitlichen Person-Verständnis des historischen und mit ihm identischen erhöhten Jesus Christus meint." (Neuenzeit, Herrenmahl 177).

Rahmen sicherlich eschatologischen Sinn. Die Selbsthingabe des Herrn Jesus ist die Gabe jenes eschatologischen Heils, das sich vorweg in der Feier des Herrenmahls, im Zeichen des Brotes und in der Versammlung der Gemeinde bekundet.

Die eschatologische Deutung der Sterbensformel ist freilich durch den Aufweis des genuinen Verständnisses der ὑπέρ-Wendung noch nicht ausreichend zu sichern. Die Möglichkeit einer Ableitung aus dem hellenistischen bzw. jüdischen Gedanken eines stellvertretenden oder sühnenden Sterbens eines Heroen bzw. Gerechten[15] bleibt bestehen[16], eine Vorstellung, der ein eschatologisches Interesse durchaus fremd ist[17]. Erst aufgrund der Verwendung des Titels Χριστός scheint mir das eschatologische Verständnis der Formel unausweichlich. Trotz der Artikellosigkeit ist der Titel hier wohl noch nicht zum Eigennamen erstarrt, sondern hat messianischen Sinn[18]; anders ist die Eigenständigkeit der Formel kaum denkbar[19]. Weil Jesus als der Messias, der ersehnte Retter Israels[20], „für uns starb", ist dieser sein Tod prinzipiell mehr als die aufopfernde Hingabe eines Heroen oder der Sühnetod eines Gerechten; er ist Heilszuwendung in umfassendem, eschatologischem Sinn, die dadurch jeder Analogie enthoben wird, daß sie — im Bekenntnis der Gemeinde — exklusiv an die Person des Messias Jesus gebunden bleibt[21]. Umgekehrt wird der Christus-Titel durch diese Zuordnung zum Sterben Jesu für uns radikal neu definiert[22]. Der eschatologische Retter Gottes triumphiert gerade darin als endzeitlicher König, daß er für uns starb; seine messianische Macht ist das Für-uns seines Todes.

15 Vgl. bes. Wengst, Formeln 82: „Die Form der Sterbensformeln dürfte von diesen terminologischen Parallelen beeinflußt sein."

16 Zumal die Sterbensformel selbst nicht unmittelbar der Abendmahlsliturgie entstammt und keinen enthusiastischen, sondern eher lehrhaften Charakter hat, vgl. Wengst, Formeln 71.82f.

17 S. weiter unten S.

18 Vgl. dazu unten S. 95 Anm. 90.

19 Vgl. Schlier, Anfänge 22.

20 Vgl. etwa Bousset/Greßmann 222ff; Volz 173ff; Hahn, Hoheitstitel 133ff; M. de Jonge, The Use of the Word „Anointed" in the Time of Jesus, in: NT 8 (1966), 132—148; U. Kellermann, Die politische Messiashoffnung zwischen den Testamenten, in: PTh 56 (1967), 362—377. 436—448; W. Grundmann/F. Hesse/M. de Jonge/ A.S. van der Woude, Art. χρίω κτλ., in: ThWNT IX 482—576. bes. 485—518.

21 Die ungebrochene Interpretation als stellvertretender Sühnetod bei Wengst (Formeln 80ff) übersieht diesen Sachverhalt gänzlich.

22 Vgl. Schlier, Anfänge 36.46—48. Die Behauptung von J. Jeremias (u.a.), Israel habe die Vorstellung eines leidenden und sterbenden Messias gekannt (παῖς (θεοῦ) im Neuen Testament, in: ders., Abba 191—216), ist oft genug widerlegt worden, vgl. bes. M. Rese, Überprüfung einiger Thesen von Joachim Jeremias zum Thema des Gottesknechtes im Judentum, in: ZThK 60 (1963), 21—41; Schrage, Verständnis 57f mit A.27. Zur These von K. Berger, der die Vorstellung des getöteten und erhöhten messianischen Propheten nachweisen möchte, s.u. S. 88 Anm. 53.

Mit der sog. Sterbensformel lag also eine vorpln. Überlieferung bereit, die
– im Anschluß an jüdisch-hellenistische Kategorien – Jesu Tod dadurch
eschatologische Bedeutung zuerkannte, daß sie ihn von seiner messianischen
Person (die durch ihre Geschichte bestimmt wird) her definierte. Weil es das
unbegreifliche Sterben des Messias war, wurde es Vermittlung endzeitlichen
Heils für uns. *Paulus* hat diesen Ansatz entschlossen vertieft. Das geht vor allem aus den charakteristischen Konsekutiv- und Finalsätzen hervor, in denen
er das in Jesu Sterben erwirkte Heil an die Person des erhöhten Herrn bindet
bzw. gleichsam „in" ihr konzentriert, vgl. 2Kor 5,14f; 1Thess 5,9f; Röm 5,6.8
:9f. Der eschatologische Charakter dieses Heils kann dabei an keiner Stelle
einen Zweifel leiden.

2. Die Hingabeformeln

Ein vertieftes Verständnis des eschatologischen Heilscharakters des Todes
Jesu bekundet sich in den formal eng verwandten Traditionen, die sich um
das „kerygmatische Stichwort" (W. Popkes) $(\pi\alpha\rho\alpha\text{-})\delta\iota\delta\omega\mu\iota$ gruppieren[23]. Die
Variation des Subjekts (Gott/Christus) läßt eine Aufteilung des Überlieferungs-
befundes auf zwei Grundformen zu[24], denen wir Auferweckungs- und Sterbensformel als Formparallelen zur Seite stellen können:

(A)	ὁ θεός	παρέδωκεν τὸν αὐτοῦ	ὑπέρ (τῶν ἁμαρτιῶν)ἡμῶν
(B)	ὁ υἱὸς τοῦ θεοῦ	παρέδωκεν ἑαυτὸν	ὑπέρ ...
(a)	ὁ θεός	ἤγειρεν Ἰησοῦν	ἐκ νεκρῶν
(b)	Χριστὸς	ἀπέθανεν	ὑπέρ ...

Formal entsprechen einander Hingabeaussage (A) und Auferweckungsformel
(a) einerseits, Selbsthingabeformel (B) und Sterbensformel (b) andererseits.
Obwohl die Hingabeaussage (A) in dieser Form bei Paulus nur *Röm 8,32* belegt ist[25], dürfen wir sie dennoch aller Wahrscheinlichkeit nach als genuine
vorpln. Formel bestimmen[26]. Dafür spricht 1. die Formparallele zur Auferweckungsformel; die Annahme einer Analogiebildung erscheint immerhin erwägenswert, zumal eine solche theologische Deutung des Sterbens Jesu die Erfahrung der Auferweckungstat Gottes sicher voraussetzt. 2. ist der traditionell geprägte Charakter des Kontexts Röm 8,31ff zu beachten[27]; die hymnisch-

---

23 Röm 8,32; Joh 3,16 (=A); Gal 1,4; 2,20; Eph 5,2.25 (=B). Vgl. dazu Popkes, Christus
 traditus bes. 193–203.251ff; Wengst, Formeln 55–57. Zu Röm 4,25 s.u. S. 92 f.

24 Vgl. Wengst, Formeln 58.

25 Sie könnte freilich auch als Anspielung auf die Opferung Isaaks durch Abraham, d.h.
 als pln. Bildung gelesen werden, vgl. Blank, Paulus und Jesus 294ff; Hengel, Der
 Sohn Gottes 25 mit A.27. Joh 3,16 ist möglicherweise genuin johanneisch, in jedem
 Fall zu spät, um einigermaßen sichere Anhaltspunkte zu liefern; Röm 4,25 ist wohl
 von Jes 53,5.12LXX (Passiv!) abhängig.

26 Anders Popkes, Christus traditus 195.

27 Vgl. etwa Paulsen, Überlieferung 141–151, der in V.31–34 sogar einen vorpln.
 Hymnus vermutet.

rhetorischen Fragen (V.31.33.34 usw.) werden jeweils durch bekenntnisartige, thetische Aussagesätze durchbrochen und abgetan[28]. Auf jeden Fall liegt in V.32a mehr vor als ein Anklang an das kerygmatische Stichwort ($\pi\alpha\rho\alpha$-) $\delta\acute{\iota}\delta\omega\mu\iota$ in Röm 4,25[29]. 3. läßt die weitgehende terminologische Gleichheit mit der Selbsthingabeformel, die wegen ihres durchweg festen Aufbaus zweifellos zum geprägten Formelgut gerechnet werden muß[30], auch für die Hingabeaussage an Überlieferungsgut denken.

Ein traditionsgeschichtlicher Zusammenhang von Hingabe- und Selbsthingabeformel liegt jedenfalls auf der Hand. Die Priorität scheint mir vor allem wegen der Parallele zur Auferweckungsformel bei der Hingabeformel zu liegen. Auch theologisch erscheint eine Entwicklung des ursprünglichen Bekenntnisses der Hingabe Jesu durch Gott zur Selbsthingabeaussage plausibler[31]

Fraglich ist, welcher christologische Titel ursprünglich zur Formel gehörte. Am ehesten ist an „Sohn Gottes" zu denken, da er in Röm 8,32; Joh 3,16 und Gal 2,20 erscheint. Möglicherweise war er jedoch der Hingabeaussage zunächst fremd[32] und wurde erst in die Selbsthingabeformel eingeführt, um die göttlich-eschatologische Qualität des Geschehens zu wahren[33]. In Gal 2,20 fällt der Sohn-Gottes-Titel jedenfalls aus der sonst im Kontext verwendeten christologischen Titulatur heraus[34], findet sich allerdings nur hier im Rahmen der Selbsthingabeformel. Man kommt also über Vermutungen in dieser Frage nicht hinaus.

Trifft diese Analyse wenigstens in den Grundzügen zu, so ist die Interpretation der Formeln schon in eine bestimmte Richtung gewiesen. Aufgrund des kerygmatischen Stichwortes ($\pi\alpha\rho\alpha$-)$\delta\acute{\iota}\delta\omega\mu\iota$[35] muß die (Selbst-)Hingabeaussage inhaltlich von der Sterbensformel abgegrenzt werden[36]. Die Hingabeaussage darf demnach nicht einfach wie die Selbsthingabeformel aus dem Vorstellungskreis des stellvertretenden Sühneleidens heraus interpretiert werden[37], sondern will (analog der Auferweckungsformel) verstanden sein als das Bekenntnis einer freien, souveränen *Tat Gottes*, der seinen Sohn in den Tod gegeben hat uns zugute, ihn dem Verderben preisgegeben, ihm seine Nähe entzogen hat, um uns durch solche Sühnung der Sünden aus der schuldhaften Ferne in seine heilende und heilsame Nähe zu holen. Im Kreuzestod Jesu vollzog Gott an

---

28 Vgl. Michel, Röm 213; Wengst, Formeln 55.

29 Das zeigt m.E. schon die Angabe des Heilssinns: geg. Popkes, Christus traditus 195, der meint, Paulus habe die traditionelle Aussage Röm 4,25 unter Aufnahme von Gen 22,16 selbständig zur Aussage von Röm 8,32a geformt; er wehrt sich entsprechend gegen die Ableitung eines Formschemas aus Röm 8,32a.

30 Bemerkenswert ist auch, daß in Röm 8,32 wie in Joh 3,16 der dahingegebene Christus als „einziger" Sohn bezeichnet wird ($\acute{\iota}\delta\iota\omega\varsigma/\mu o\nu o\gamma\epsilon\nu\acute{\eta}\varsigma$).

31 Vgl. Wengst, Formeln 61.

32 Vgl. oben Anm. 25.

33 Vgl. das $X\rho\iota\sigma\tau\acute{o}\varsigma$ in der Sterbensformel sowie Wengst, Formeln 60f.

34 Vgl. Wengst, Formeln 57.

35 $\pi\alpha\rho\alpha\delta\acute{\iota}\delta\omega\mu\iota$: Röm 8,32; 4,25; Gal 2,20; Eph 5,2.25. $\delta\acute{\iota}\delta\omega\mu\iota$: Joh 3,16; Gal 1,4.

36 Das hat K. Wengst nicht beachtet. Eine Aussage: „Gott tötete Jesus für uns", ist ja kaum denkbar.

37 Geg. Wengst, Formeln 62–70.

seinem Sohn das Gericht, dem wir verfallen waren, und wahrte in solcher Tat unbegreiflicher Liebe seine eschatologische Souveränität[38]. Mit dieser Aussage bewegte sich die Tradition schon in Richtung auf die radikalen Formulierungen pln. Kreuzestheologie, wie sie etwa 2Kor 5,21 und Gal 3,13 repräsentieren[39].

Für die Umformung der Hingabeaussage zur Selbsthingabeformel wird man den Einfluß jüdisch-hellenistischen Gedankengutes in Rechnung stellen müssen[40], wenngleich auch hier die Verbindung zur Abendmahlstradition, und zwar bis in die Terminologie hinein, deutlich ist, vgl. 1Kor 11,23b[41]. Die (jedoch nur relativ spärlich belegte)[42] Vorstellung vom stellvertretenden Sühnetod des Gerechten für das Volk bzw. seine Sünden ist, soweit sie sachlich und zeitlich mit den ntl. Aussagen verglichen werden kann, eindeutig nicht eschatologisch orientiert. Ein eschatologischer Sinn der ntl. Aussage läßt sich auch keineswegs ohne weiteres aus dem Hoheitstitel „Sohn Gottes" ableiten[43]. Seine Anwendung auf Jesus dürfte jedoch wesentlich den Auferweckten und zu messianischer Machtstellung Erhöhten im Blick haben; die Formel bekennt dann die Todeshingabe dessen als das Heil, der jetzt von Gott als der Herrscher der eschatologischen Zukunft inthronisiert ist, vgl. Röm 1,4; 1Thess 1,10. Umgekehrt bahnt sich darin wiederum eine vollkommene Akzentverlagerung im Verständnis dieses zunächst königlich-messianischen Titels an. Jesus erwies sich darin als Sohn Gottes, daß er sich für uns preisgab und so Gottes Für-uns-Sein verwirklichte.[44] In diese Richtung weist auch das ἀγάπη-Motiv, das relativ fest an der Selbsthingabeaussage haftet und wahrscheinlich schon vor Paulus mit der Formel verknüpft wurde[45], vgl. Gal 2,20; Eph 5,2.25; auch Joh 3,16; Röm 8,32:39.

38 Im AT und Judentum ist (παρα-)δίδωμι (bzw. seine Äquivalente) Ausdruck für die unumschränkte Verfügungsmacht des heiligen Gottes, die sich zumeist im Gericht dokumentiert, vgl. Popkes, Christus traditus 13ff.45f.236.

39 Vgl. die Interpretation von Popkes, Christus traditus 261ff.271ff; die traditionsgeschichtliche These Popkes' scheint mir jedoch nicht haltbar, da die Rekonstruktion einer Urform der Dahingabeaussage aus dem Vergleich von Mk 9,31a mit Lk 9,44 äußerst fraglich ist (vgl. Popkes, ebd. 154–169).

40 Vgl. Popkes, Christus traditus 39; Wengst, Formeln 62–70.

41 Zur Bedeutung von παραδίδωμι vgl. Popkes, Christus traditus 205–211; Bornkamm, Herrenmahl 149.

42 Vgl. 2Makk 7,37f; 4Makk 6,27–29; 17,21f.

43 S. dazu unten S. 56 f.

44 Hier, im ὑπὲρ ἡμῶν, liegt auch die unüberbrückbare Differenz zur weisheitlich-jüdischen Konzeption vom leidenden Gerechten, der z.T. als „Sohn Gottes" gilt, vgl. Hengel, Der Sohn Gottes 68ff; die verschiedenen Arbeiten von K. Berger ebnen diesen Sachverhalt zugunsten einer isolierten motivgeschichtlichen Betrachtungsweise ein, vgl. bes. NTS 20 (1973/74), 1–44.10–22; ZThK 71 (1974), 1–30.

45 Vgl. Popkes, Christus traditus 197.249–251; vgl. aber andererseits die pln. Aussagen von der Liebe Christi, Röm 8,35.37; 2Kor 5,14; Eph 3,19. Der Versuch Kramers (Christos 112ff; ähnlich Hengel, der Sohn Gottes 24), die Hingabeformel als Parallele zur „Sendungsformel" verständlich zu machen und entsprechend (παρα-)δίδωμι als Erniedrigung des Gottessohnes zum Menschsein (bis in den Tod) zu interpretieren, kann nach den Darlegungen von Popkes (ebd. 201–203) und Wengst (Formeln 58–60) als gescheitert gelten.

Paulus hat den Titel und die gesamte Hingabetradition exakt in diesem Sinn aufgenommen und weitergeführt, vgl. besonders Röm 8,31f; Gal 2,20. Ebenso wie die Sterbensformel findet sie sich bei ihm eingebettet in das sog. teleologische Schema (vgl. Gal 1,4; Eph 5,25f; vgl. Joh 3,16), das ihm auch sonst zur theologischen Deutung des Todes Jesu dient[46], indem es den „Heilssinn" ($\dot{v}\pi\dot{\epsilon}\rho$ $\dot{\eta}\mu\tilde{\omega}\nu$) auf die Glaubenden und ihre Situation hin entfaltet. Das Proprium und der entscheidende Fortschritt gegenüber der Sterbensformel liegt in der expliziten Interpretation des Todes Jesu als Heilstat des liebenden Gottes; die Selbsthingabeformel wahrt diesen Aspekt durch den Gebrauch des Titels „Sohn Gottes". Im stellvertretenden Vollzug des Gerichtes über unsere Sünden (Gal 1,4; Röm 4,25) an seinem eigenen Sohn (Röm 8,32) brach für uns das Heil des göttlichen Gottes, das Heil schlechthin an.

Bemerkenswert ist, daß damit die Deutung von Jesu Tod als Sühne (bzw. Sühnopfer) für die Sünden[47] im Grunde gesprengt war. Obgleich manche traditionelle Reminiszenzen die Bekanntschaft mit ihr verraten[48], spielt sie bei Paulus keine eigenständige Rolle mehr. Das gilt auch im Blick auf die christologische Zentralaussage *Röm 3,24–26*, die weithin als vorpln. Überlieferung eingestuft wird[49]. Diese Annahme stützt sich auf die Häufung „unpln." Begrifflichkeit[50] sowie die überladene Satzkonstruktion. Beides ist freilich bei Paulus, zumal im Zusammenhang theologischer Spitzenaussagen, keine Seltenheit[51]. Die Einzelelemente von V.25.26a – auf diese Verse beschränkt P. Stuhlmacher die vorpln. Tradition[52] – haben zudem durchaus ihr unmittelbares Pendant im Kontext, die Aussage als ganze erwächst organisch aus dem Zusammenhang und entspricht ihm in seiner spezifischen Akzentsetzung. So ist die terminologisch unpln. Sühneaussage in V.23, wo 1,18–3,20 resümiert wird, direkt vorbereitet ($\pi\dot{a}\nu\tau\epsilon\varsigma$ $\ddot{\eta}\mu\alpha\rho\tau\sigma\nu$), damit natürlich auch die Erwähnung der „zuvor geschehenen Sünden"; die überladene Phrase $\delta\iota\dot{a}$ $\tau\dot{\eta}\nu$ $\pi\dot{a}\rho\epsilon\sigma\iota\nu$ ... $\dot{\epsilon}\nu$ $\tau\tilde{\eta}$ $\dot{a}\nu\sigma\chi\tilde{\eta}$ $\tau\sigma\tilde{v}$ $\theta\epsilon\sigma\tilde{v}$ legt das 1,18–3,20 kontrastierende $\nu\nu\nu\dot{\iota}$ von 3,21 aus und pointiert so den heilsgeschichtlichen Gegensatz von Sünde/Gesetz und Gnade/Glaube (vgl. Gal 3,21ff), der mit der Erscheinung

---

46 Vgl. die genuin pln. Aussagen Gal 3,13f; 2Kor 5,21; zum Schema s. Dahl, Christusverkündigung 7f.

47 Vgl. Lohse, Märtyrer; Bultmann, Theologie 49f; Jeremias, a.Anm.22 a.O.; F. Hahn, Die alttestamentlichen Motive in der urchristlichen Abendmahlsüberlieferung, in: EvTh 27 (1967), 337–374.358–366 (H. betont, daß der Sühnegedanke ursprünglich nichts mit dem Opfergedanken zu tun hat: 362 mit A.89).

48 Vgl. (1) den in der Abendmahlstradition wurzelnden Topos $α\tilde{ι}μα$ ($X\rho\iota\sigma\tau\sigma\tilde{v}$), Röm 3,25; 5,9; 1Kor 10,16; 11,25.27; vgl. Eph 1,7; 2,13; Kol 1,20; dazu: J. Behm, ThWNT I 171–175.173ff; Lohse, Märtyrer 138ff; (2) die Bezeichnung Christi als Passalamm, 1Kor 5,7b, vgl. J. Jeremias, Die Abendmahlsworte Jesu, Göttingen 4. Auflg. 1967, 53f.214, nach dem Christi Tod hier als eschatologisches Passaopfer zu deuten sei; (3) evtl. $\pi\epsilon\rho\dot{\iota}$ $\dot{a}\mu\alpha\rho\tau\dot{\iota}\alpha\varsigma$, Röm 8,3, s.u. Anm. 73.

49 Vgl. z.B. Bultmann, Theologie 49; E. Käsemann, Zum Verständnis von Röm 3,24–26, in: ders., EVB I 96–100; Lohse, Märtyrer 149–154; Wengst, Formeln 87–90; vgl. vor allem die zusammenfassende Übersicht und kritische Wertung der bisherigen Arbeiten von P. Stuhlmacher, Zur neueren Exegese von Röm 3,24–26, in: Jesus und Paulus (FS W.G. Kümmel), Göttingen 1975, 315–333.

50 Vgl. dazu auch W.G. Kümmel, $\Pi\dot{a}\rho\epsilon\sigma\iota\varsigma$ und $\ddot{\epsilon}\nu\delta\epsilon\iota\xi\iota\varsigma$. Ein Beitrag zum Verständnis der paulinischen Rechtfertigungslehre, in: ders., Heilsgeschehen und Geschichte 260–270.

51 Vgl. z.B. Röm 8.

52 Stuhlmacher, aaO. 319.

36

der Gerechtigkeit Gottes in Jesus Christus offenbart ist; V.26bff (ἐν τῷ νῦν καιρῷ) deckt dies eindeutig als Aussageintention des Apostels auf. Darüber hinaus finden sich auch sonst bei Paulus, und zwar bezeichnenderweise in Röm, einzelne der hier verwendeten ungewöhnlichen Begriffe, so ἀνοχή τοῦ θεοῦ (2,4), und ἐν τῷ αὐτοῦ αἵματι (5,9)[53]. Hinzu kommt, daß eine solche Tradition formal ohne jede Parallele wäre. Gerade die schwierige Konstruktion und Überladenheit von V.25.26a spricht m.E. gegen eine geschlossene, fest formulierte Vorlage, erklärt sich vielmehr ungezwungen als eine unter Aufnahme traditioneller Begrifflichkeit gewonnene Aussage des Apostels selbst. Allein die Sühneaussage V.25a könnte wegen ihres kerygmatischen Gepräges auf einen vorpln. Traditionssatz zurückgehen[54], was freilich wegen fehlender Parallelen unbeweisbar bleiben muß. Ob man in diesem Fall den Sühnegedanken antitypisch gegenüber dem Versöhnungsgeschehen des Großen Versöhnungstages (Lev 16 usw.) und in diesem Sinn eschatologisch zu deuten hat, wofür Stuhlmacher jüngst beachtliche Gründe beigebracht hat[55], kann hier offenbleiben. Denn er ist hier ganz dem eschatologisch-universalen Duktus des Kontexts dienstbar gemacht, und damit ist sein mutmaßliches Verständnis in der hellenistisch-jüdischen Gemeinde (Stephanuskreis?) jedenfalls entscheidend überboten. Nach Röm 3,24ff gründet der eschatologische Charakter des Heilstodes Jesu Christi darin, daß *Gott* in ihm überraschend und „umsonst durch seine Gnade" seine Gerechtigkeit erwiesen hat; die Sühne bezieht sich in diesem Horizont nicht nur auf die zuvor geschehenen Sünden[56], sondern sachlich auf die Durchbrechung der universalen Sündenherrschaft (1,18–3,20) kraft der endgültigen Offenbarung der Gerechtigkeit Gottes, die im gekreuzigten Herrn begegnet, vgl. Röm 10,3; 1Kor 1,30; 2Kor 5,21[57].

53   Das doppelte εἰς (πρὸς) ἔνδειξιν δικαιοσύνης αὐτοῦ (V.25.26) repräsentiert innerhalb des NT eindeutig pln. Sprachgebrauch (ἔνδειξις sonst nur noch 2Kor 8,24 und Phil 1,28; ἐνδείκνυμι fast ausschließlich im Corpus Paulinum, vgl. bes. Röm 9,17.22; 2Kor 8,24; Eph 2,7; 1Tim 1,16, dazu: Kümmel, aaO. 263.269); hier markiert es begrifflich das Thema von 3,21ff. Eine doppelte Bedeutung von δικαιοσύνη wird jedenfalls durch den vorliegenden Text geradezu ausgeschlossen (V.26b nimmt V.25a betont auf!), eine Beobachtung, die klar für pln. Urheberschaft zumindest dieser Wendung spricht (vgl. H. Zimmermann, Jesus Christus, hingestellt als Sühne – zum Erweis der Gerechtigkeit Gottes, in: Kirche im Wandel der Zeit (FS J. Höffner), Köln 1971, 71–81.73). Der verbreitete Versuch, eine vorpln. Verwendung des Begriffs δικαιοσύνη θεοῦ (im Sinne von Bundestreue) nachzuweisen, kann sich deshalb nicht auf Röm 3,25 stützen (vgl. neben den in Anm. 49 genannten Arbeiten noch Stuhlmacher, Gerechtigkeit Gottes 86ff; Kertelge, Rechtfertigung 48ff).

54   Sein hypothetischer Wortlaut: ὁ θεὸς προέθετο Χριστὸν Ἰησοῦν ἱλαστήριον ἐν τῷ αὐτοῦ αἵματι; die Begrifflichkeit ist durchweg unpln., formal und sachlich bietet sich etwa die Hingabeformel Röm 8,32 als Parallele an; διὰ πίστεως wäre dann (mit den meisten Exegeten) als pln. Einschub zu betrachten.

55   AaO. 321f, vgl. 332f.

56   διὰ τὴν πάρεσιν muß wegen des eindeutigen pln. Gebrauchs von διά c. acc. übersetzt werden: „wegen des Dahingehenlassens", geg. Kümmel, aaO. 267f.

57   Dazu paßt am besten die Interpretation von ἱλαστήριον als kapporet, die Stuhlmacher jetzt wiederum vertritt: aaO. 320 ff.

3. Zusammenfassung

Wir können zusammenfassen: In seiner Verkündigung des Kreuzestodes Jesu greift Paulus neben manchen kerygmatischen Motiven[58] im wesentlichen auf zwei ihm vorgegebene, ausgeformte Traditionen zurück, auf die Sterbensformel und die (Selbst-)Hingabeformel. Beiden gilt der Tod Jesu als das Heil, von dem die Gemeinde lebt und zu dem sie sich bekennt, was mit Hilfe der Wendung ὑπὲρ ἡμῶν (bzw. ὑπὲρ τῶν ἁμαρτιῶν ἡμῶν), die wahrscheinlich der Herrenmahltradition entstammt, artikuliert wird. Die an sich uneschatologische hellenistisch-jüdische Kategorie stellvertretenden Sühnesterbens rückt dadurch in die Perspektive umfassender Heilszuwendung, die z.T. schon explizit als Liebe interpretiert wird. Der eschatologische Anspruch des Sterbens Jesu „für uns" wird dabei in doppelter Weise zur Geltung gebracht. Zum einen bekennt die Gemeinde Jesu Kreuz als Tat des göttlichen Gottes, der aus der Souveränität, die seine Liebe ist, seinen Sohn dem Gericht über unsere Verfehlungen überantwortete. Zum anderen implizieren die Hoheitstitel „Christus" und „Sohn Gottes" den eschatologischen Sinn des Sterbens Jesu für uns; mit ihnen wird der Gedanke der eschatologischen Gottestat gleichsam personalisiert; Jesus und seine Liebe bis in den Tod erscheinen so als die eschatologische Offenbarung Gottes. Damit wies die früheste christliche Tradition (vor allem im Titel „Sohn Gottes") schon auf den Kern, um den sich Christologie und Eschatologie des Apostels kristallisieren und der vor allem die Verkündigung des Kreuzes Christi als des eschatologischen Heilsereignisses ermöglichte: auf die Einheit des Handelns Gottes und Jesu Christi in und als Liebe. Paulus hat die eschatologische Deutung des Todes Jesu genau in dieser zweifach-einheitlichen Perspektive aufgenommen und dadurch entscheidend radikalisiert, daß er sie im Horizont seines Welt-Verständnisses (im umfassenden Sinn) auslegte[59].

---

58 Hier wäre vor allem noch auf den Versöhnungsgedanken zu verweisen, der vielleicht ursprünglich kosmisch gedacht war und erst durch Paulus soteriologisch angewendet wurde, vgl. Röm 11,15; 2Kor 5,19 (Eph 2,16; Kol 1,20.22) sowie Röm 5,10.11; 2Kor 5,18–20, dazu: Käsemann, a. Anm. 2 a.O.; D. Lührmann, Rechtfertigung und Versöhnung. Zur Geschichte der paulinischen Tradition, in: ZThK 67 (1970), 437–452. Zur Loskauf-Vorstellung s.u. Anm. 107.

59 Wie sehr der Apostel in der urchristlichen Tradition verwurzelt ist, denkt und spricht, und zugleich über sie hinausführt, zeigt die Tatsache, daß er nicht nur die von uns soeben eruierten Traditionssätze im Dienste seiner jeweiligen konkreten Argumentation laufend aufgreift, dabei variiert und auslegt, sondern daß er auch genuine Spitzenaussagen seiner Kreuzestheologie wie Gal 3,13f und 2Kor 5,21 in kerygmatische Formen faßt.

II. Das eschatologische Ereignis des Todes Jesu bei Paulus

1. Der Tod Jesu als das Gericht Gottes über die Sünde

Tod ist und bleibt im jüdischen wie auch pln. Verständnis Folge und Strafe von Sünde[60]. Paulus sieht in Sünde und Tod freilich mehr als Verfehlung gegen Gott und Strafe als adäquate Antwort Gottes. Sünde und Tod sind für ihn die Unheilsmächte schlechthin, die die ganze Welt in ihrer Gewalt haben und so in den eschatologischen Untergang bannen. Tod ist insofern als Folge und Strafe der Sünde gleichbedeutend mit dem eschatologischen Zorn- und Vernichtungsgericht ($\dot{o}\rho\gamma\acute{\eta}$), der „Verdammung" ($\kappa\alpha\tau\acute{\alpha}\kappa\rho\iota\mu\alpha$), vgl. Röm 5,16.18; 8,1[61]. Eben diesen Tod der Gottlosen und Feinde Gottes (Röm 4,5; 5,6–8), die in Sünde und Tod dem letzten, äußersten Feind Gottes, der Todesmacht (1Kor 15,26), anheimfallen und sie zu unbeugsamer Herrschaft bringen – diesen Tod als Verdammungsurteil und eschatologisches Gericht Gottes ist Jesus am Kreuz gestorben.

Zumindest implizit bringt Paulus diesen Gedanken in Röm 3,21–26 zur Geltung. Das in 1,18–3,20 mit geradezu prophetischer Glut aufgewiesene Urteil des unentrinnbaren Gerichtszornes Gottes, „daß Juden wie Griechen alle unter der Sünde sind" (3,9)[62], wird in 3,22f ausdrücklich aufgenommen und der Offenbarung der Gerechtigkeit Gottes in Jesus Christus (3,24ff) als geschichtlicher Horizont gegenübergestellt. Gott hat durch den Tod Christi die Gottlosigkeit und Rebellion der Geschichte endgültig und ein für allemal gesühnt. „In seinem Blut" stellte Gott die ausweglose Schuld- und Gerichtsverfallenheit des Kosmos öffentlich heraus[63]. In scharfer Zuspitzung auf die Person Christi kann Paulus deshalb in 2Kor 5,21 formulieren, Gott habe ihn, der keine Sünde kannte, „zur Sünde gemacht"; im gekreuzigten Christus ließ Gott die Sünde in ihrer versehrenden Gewalt, d.h. als sein Gericht, wirksam werden[64].

60 Vgl. R. Bultmann, ThWNT III 7–25.15f; Lohse, Märtyrer 13–18.

61 Vom Tod als eschatologischem Verderben, das Folge und Strafe der Sünde ist und die Welt in seiner Gewalt hat, spricht Paulus Röm 1,32; 5,12.14.17.21; 6,9.16.21. 23; 7,5.10.13.24; 8,2.6; 1Kor 15,21.26.54f; 2Kor 2,16; 3,7; 7,10; vgl. 2Tim 1,10 (verbal ($\dot{\alpha}\pi o\theta\nu\dot{\eta}\sigma\kappa\omega$): Röm 5,15; 7,10; 8,13; 1Kor 15,22.32), vgl. etwa Bultmann, ThWNT III 15–18. Die Gegenbegriffe verdeutlichen den eschatologischen Charakter: $\zeta\omega\dot{\eta}$, Röm 5,17.18; 7,10; 8,2.6 ($\zeta\omega\dot{\eta}$ $\kappa\alpha\dot{\iota}$ $\epsilon\dot{\iota}\rho\dot{\eta}\nu\eta$); 2Kor 2,16; 2Tim 1,10; $\zeta\omega\dot{\eta}$ $\alpha\dot{\iota}$ $\dot{\omega}\nu\iota o\varsigma$, Röm 5,21; 6,22.23; $\dot{\alpha}\nu\acute{\alpha}\sigma\tau\alpha\sigma\iota\varsigma$ $\nu\epsilon\kappa\rho\tilde{\omega}\nu$, 1Kor 15,21; $\dot{\alpha}\varphi\theta\alpha\rho\sigma\dot{\iota}\alpha$, 1Kor 15,54; 2Tim 1,10; $\sigma\omega\tau\eta\rho\dot{\iota}\alpha$, 2Kor 7,10; $\delta\iota\kappa\alpha\iota o\sigma\dot{\upsilon}\nu\eta$, Röm 6,16; 2Kor 3,9; $\pi\nu\epsilon\tilde{\upsilon}\mu\alpha$, Röm 8,2; 2Kor 3,8.

62 Vgl. neben den Kommentaren vor allem G. Bornkamm, Die Offenbarung des Zornes Gottes (Röm 1–3), in: ders., Ges. Aufsätze I 9–33.

63 Vgl. zu $\pi\rho o\tau\dot{\iota}\theta\epsilon\sigma\theta\alpha\iota$ Bauer WB s.v. 2.a. = Sp.1432. Von einer strafenden Gerechtigkeit ist hier jedoch nicht die Rede.

64 „ ... in dem, was ihm (sc. Christus) widerfuhr, behandelte ihn Gott, wie er Sünde behandelt hätte ...; er verhängte das Todesgericht über ihn." (Bachmann, 2Kor 272). Zur Vermutung von Käsemann (a. Anm.2 a.O. 50), V.21 sei Zitat einer vorpln. Tradition, s. Stuhlmacher, Gerechtigkeit Gottes 77f A.2.

Unübersehbar wird der Gerichtsaspekt dort, wo von Jesu Tod in der Perspektive des Gesetzes gesprochen wird. Im Zusammenhang seiner Darlegungen über das wahre Heilsprinzip in Gal 3,6–4,7 interpretiert Paulus den Kreuzestod[65] Christi (im Anschluß an entsprechende jüdische bzw. urchristliche Deutungen?)[66] als die Offenbarung der universalen[67] Unheilsgewalt des jüdischen Gesetzes, das uns durch die Forderung von Leistungen (V.11f) unter seinen Fluch[68] gebannt hatte und geknechtet hielt[69], 3,23f; 4,1ff. Am Kreuz konzentrierte sich gleichsam dieses kosmische Unheilswirken des Gesetzes auf die Person Christi; in seinem Tod, den die Schrift verflucht, ist Christus selbst „Fluch geworden", d.h. restlos umfangen von jenem universalen Fluch des Gerichtes Gottes, unter welchem alle stehen, „die aus Werken des Gesetzes sind" (V.10)[70].

In *Röm 8,3* schließlich hat der Apostel diese verschiedenen Annäherungsversuche an das Gerichtsgeschehen des Todes Jesu zu einer Synthese verbunden. Hier bezeichnet er den Tod Jesu[71] auch ausdrücklich als κατάκριμα, als eschatologisch-gültige Verurteilung der „Sünde im Fleisch" durch Gott. Wiederum hebt Paulus (durch den Anakoluth) die alleinige Initiative Gottes hervor. Christi Sterben war als Gericht die Offenbarung der eschatologischen Souveränität und Herrschermacht Gottes, die das Judentum, zumal apokalyptischer Provenienz, am Ende der Tage erwartete. Die ganze Gewalt des göttlichen Gerichtszornes über die Sünde lastete auf diesem Gekreuzigten. Der Grund für diese eschatologische Tiefe seines Sterbens kann natürlich nicht aus dem Faktum als solchem gewonnen werden; das wäre für Paulus nur eine weitere Episode in der Todes-Geschichte des Kosmos. Der Grund muß in Gott selbst liegen. Paulus artikuliert ihn hier mit Hilfe des wahrscheinlich schon traditionellen Gedankens von der Sendung des (präexistenten) Sohnes Gottes (vgl. Gal 4,4)[72]. Allein der (menschgewordene) Sohn Gottes bot Gott

65   Vgl. das Zitat V.13b; auch sonst erwähnt Paulus, wenn er das entscheidende Heilsereignis bezeichnen will, im Gal nur das Kreuz, vgl. 1,4; 2,19–21; 3,1; 5,11.24; 6,14. Ausnahme ist 4,4f.

66   Vgl. unten S. 79.

67   Vgl. Schlier, Gal 137; weniger entschieden Oepke, Gal 74.

68   3,10 (ὑπὸ κατάραν); vgl. ὑπὸ νόμον, Gal 3,23; 4,4f.21; 5,18; Röm 6,14.15; (1Kor 9,20); auch Gal 3,25; 4,2.3; ὑφ' (ὑπὸ) ἁμαρτίαν, Gal 3,22; Röm 3,9; 7,14.

69   Gemeint ist also keineswegs, daß das Gesetz alle verflucht (vgl. das Zitat Lev 18,5 in 3,10), d.h. als Sünder deklariert, weil sie faktisch seine Forderungen nicht erfüllt, sondern übertreten haben; vgl. auch J. Blank, Warum sagt Paulus: „Aus Werken des Gesetzes wird niemand gerecht"?, in: EKK.V I 79–95.88ff; geg. U. Wilckens, Was heißt bei Paulus: „Aus Werken des Gesetzes wird niemand gerecht"?, ebd. 51–77.61ff, und Oepke, Gal 72 u.a.

70   ἐπικατάρατος (V.13b) nimmt das Zitat Dt 27,26 (LXX) in V.10b auf gegen Dt 21,23 (LXX), wo sich κεκατηραμένος findet; dagegen ist κατάρα wörtliche Übersetzung des MT (kelalah), vgl. Schlier, Gal 138. Beide Zitate haben lediglich die Funktion, die pln. Aussage aus der Schrift zu belegen und zu sichern.

71   Dieser ist trotz der Sendungsaussage gemeint, vgl. Schweizer, ThWNT VIII 385f.

72   Vgl. dazu Anm. 124.

die Möglichkeit, der Sünde das Gericht zu bereiten; nur in ihm konnte ihre Macht gebrochen werden, die sie im Sündigen der „fleischlichen" Menschen stets neu etabliert. Daß Gott seinen Sohn in die Gestalt des Fleisches der Sünde und wegen der Sünde (als Sündopfer?)[73] sandte, kann deshalb gerade nicht besagen, daß Christus „von Gott für uns zum Sünder gemacht und als Sünder verurteilt worden" ist[74]. Mit dieser Formulierung bringt Paulus vielmehr zum Ausdruck, daß und weshalb Jesu Tod mehr war als ein beliebiger Tod: der eschatologisch-gültige Vollzug des Gerichtes Gottes über die Sündenmacht. Denn in die Gestalt des Fleisches der Sünde gesandt, hat er, der Sohn Gottes, diese Bestimmtheit seines irdischen Daseins gleichwohl im Sündigen nicht ratifiziert[75]. Weil Gott sein Gericht an dem vollzog, der als der Sohn nicht gegen ihn rebellierte, sondern seinem Willen gehorsam war (vgl. Gal 1,4f; Phil 2,6ff), war es nicht Besiegelung, sondern in der Tat das äußerste, eschatologische Gericht, die nie wieder aufzuhebende Durchbrechung des Sünden- und Todesverhängnisses der Welt („des Fleisches").[76] In der Menschwerdung des Gottessohnes sieht Paulus demnach die entscheidende Voraussetzung für das Gericht Gottes, der gerade darin seine eschatologische Macht offenbart, daß er die Rebellion und Feindschaft der Welt gegen ihn zerschlägt und so die Rebellen und Feinde rettet — eben durch den Todes-Gehorsam dieses Einen.

2Kor 5,14 zieht die letzte Folgerung: im Tod dieses Einen starben alle. Am Kreuz Jesu Christi hat Gott definitiv sein Gericht vollzogen, das für alle „Tod" lautet. Alle Welt war im Kreuzesleib Christi (vgl. Röm 7,4) vor Gott offenbar und empfing ihr gerechtes Urteil. So erwies Gott im Tod Christi seine Wahrheit gegenüber der fundamentalen Lüge des Menschen und seiner Welt (vgl. Röm 3,4ff).

Das Heil, das Paulus im Kreuz Christi verkündet, ist deshalb nur durch das Gericht hindurch zu erlangen — als reine Gnade, die Gott mitten im Chaos menschlicher Verlorenheit an Sünde und Tod erstehen läßt. Denn Jesus, der am Kreuz den Tod des Verbrechers und des Gottlosen starb, ist das Ende (das Gericht, der Tod) aller ungerechten und selbstgerechten Eigenmacht der Menschen, die ohne und gegen Gott ihr Leben schaffen wollen. Das Kreuz, dieser anstößige und törichte Ort des Lebens Gottes für die Welt inmitten ihrer Auflehnung gegen ihren Schöpfer, „beschämt" und „vernichtet" jede menschliche Weisheit und Macht, die meint, aus sich selbst vor Gott bestehen zu können, 1Kor 1,26–29[77]. Allen unseren Wünschen, Plänen und Möglichkeiten zuvorkommend und sie durch-kreuzend, wurde dieses historisch-brutale Sterben Jesu am Kreuz unsere Rettung. Deshalb vermag der Mensch nur dann, wenn er die „fleischliche" Eigenmächtigkeit preisgibt und sich im Glauben allein auf Gott in Jesus

---

73 Vgl. dazu die Diskussion bei Michel, Röm 190, und Käsemann, Röm 206.

74 Geg. Bultmann, ThWNT III 18 u.a.

75 ἐν ὁμοιώματι, vgl. Käsemann, Röm 206f, und ders., Analyse 74ff.

76 Vgl. Gal 1,4, wo die Hingabe Jesu Christi „für unsere Sünden" als Befreiung „aus dem gegenwärtigen bösen Äon" ausgelegt wird; nach Gal 5,24 und 6,14 sind Fleisch und Welt für den Glaubenden „gekreuzigt".

77 Vgl. die Texte, die die Einbeziehung des Menschen in den Tod Jesu mit καταργεῖσθαι bezeichnen, Röm 6,6; 7,(2).6; 1Kor 1,28, bzw. mit ἀποθνῄσκειν, Röm 6,2.7.8; Gal 2,19; vgl. Gal 5,24; 6,14; Kol 2,20; 3,3; es handelt sich in der Regel um Tauftexte.

Christus gründet, durch die Torheit des Kerygmas, des „Wortes vom Kreuz", gerettet zu werden, durch das Wort, dem „eschatologisch-kritische Mächtigkeit" eignet, weil in ihm der gekreuzigte Christus machtvoll begegnet[78]. Nur dort, wo Gott allein am Werke ist, kann es Heil geben. Im gekreuzigten Christus, „der uns von Gott her zur Weisheit wurde, zur Gerechtigkeit und Heiligung und Erlösung" (1Kor 1,30), ist Heil endgültig und radikal definiert als Gnade, als „Leben aus den Toten"[79].

78 K. Müller, 1Kor 1,18—25. Die eschatologisch-kritische Funktion der Verkündigung des Kreuzes, in: BZ NF 10 (1966), 246—272.248.

79 Vgl. Käsemann, Heilsbedeutung 75f: „Ärgernis und Torheit ist das Kreuz Jesu bleibend für Juden und Heiden, sofern es die Illusion des Menschen aufdeckt, sich selbst transzendieren und sein Heil wirken, aus eigenem Vermögen Stärke, Weisheit, Frömmigkeit und Selbstruhm auch Gott gegenüber behaupten zu können. Vom Kreuz her erweist Gott das alles und zugleich damit uns selbst als töricht, eitel, gottlos. Denn töricht, eitel, gottlos ist der, welcher ohne und gegen Gott schaffen will, was nur Gott zu schaffen vermag. Ob man es fromm oder verbrecherisch versucht, spielt letztlich keine Rolle. Heil für das Geschöpf ist allein der Schöpfer, nicht das eigene Werk. Heil ist immer Auferweckung der Toten, weil das Gottes Werk in allen seinen Taten und Gaben uns gegenüber ist." Ob man freilich von hieraus den entscheidenden und zentralen Sinn der pln. Kreuzestheologie bestimmen kann, wie es offenbar das Anliegen von K. ist, scheint mir fraglich. Denn wenn man im „Kreuz" als der Mitte pln. Theologie vor allem die schöpferische Offenbarung des Gottseins Gottes, seines souveränen Rechtes über seine Schöpfung, wodurch zugleich der Mensch in seine Menschlichkeit gewiesen wird, akzentuiert sieht, dann erscheint die soteriologische Grundorientierung der pln. Verkündigung des Todes Jesu doch seltsam verkürzt bzw. mindestens in der Gefahr zu sein, dem Ereignis der eschatologischen Herrschermacht Gottes in Christus als notwendiger „Ereignis-Horizont" subsumiert zu werden (so i.ü. dezidiert Stuhlmacher, Gerechtigkeit Gottes z.B. 207—210), statt daß im eschatologischen *Heils*-Ereignis des Kreuzes die Verherrlichung Gottes selbst gesehen wird. Entsprechend dominiert der Schöpfungsgedanke, das Eschaton wird gefaßt als (christologisch vermittelte) restitutio in integrum und nicht „geschichtlich" als radikal in Christus neu gegründete und erschienene Wirklichkeit, die als solche auch die alte Schöpfung vollendet. Soteriologie scheint mitunter ein „Nebenkrater" von Theo-logie zu sein. Wenn die „Liebe", womit wir die Heilsbedeutung des Todes Jesu meinen erfassen zu können, primär als Ausdruck der absoluten Vo rgegebenheit des Heils, d.h. der Schöpfermacht Gottes, gesehen wird (73!), dem das ad nihilum redigi, das Aufdecken und Fixieren der gottfeindlichen Todesverfallenheit des Sünders außerhalb der Gnade und deshalb die absolute Verwiesenheit des Menschen auf seinen Schöpfer korrespondiert (83 A.22; 73f), so wird dies z.B. der Perspektive von Röm 5,6ff nicht gerecht. Hier liegt der Akzent nicht darauf, daß „*allein* die Liebe unseres Schöpfers rettet" (73; kursiv gesetzt von mir), sondern hier wird durch das Vor und Ohne uns des Todes Jesu gerade die Größe der Liebe Gottes am Kreuz Christi hervorgehoben, die unsere eschatologische Rettung verbürgt. Im Vergleich mit Röm 4,5 ergibt sich also, daß „die Kategorien der Rechtfertigungslehre", die „von vornherein und konstitutiv" die Rede vom Tode Jesu in 5,6—8 bestimmen (Röm 128), selbst der Verkündigung der Liebe Gottes im Tode Jesu dienstbar gemacht werden. Iustificatio impiorum, „das Grundmotiv der paulinischen Soteriologie" (Röm 103), kann demnach nur in der souveränen Freiheit der Liebe Gottes hinreichend begründet werden und empfängt von dieser her ihren Sinngehalt (vgl. Kuss, Röm 209f, zu 5,8). δικαιοσύνη θεοῦ ist dann als die Recht und Gerechtigkeit setzende gnädige Bundes- und Schöpfertreue zu fassen, als iustitia salutifera, die als solche nur dann gewahrt bleiben kann, wenn sie

Halten wir fest: Im Sinne des Paulus war der Tod Jesu als die äußerste Konsequenz seiner gehorsamen Erniedrigung in die Welt der Sünde und des Todes (bzw. unter das Gesetz, Gal 4,4; 3,13; vgl. Röm 7,4), schon insofern ein eschatologisches Geschehen, als Gott in ihm sein Gericht über die Sündenmacht vollzog, das doch zugleich die äußerste Manifestation der Sünde, die im Tod ihre Macht hat, bedeutete. Christus starb damit den eschatologischen Tod schlechthin, der die Folge und das Zorngericht Gottes über die Sünde ist und darin die Vernichtung aller Menschen, sofern sie Sünder sind. Christi Tod war demnach zugleich aller Menschen Tod.

Aber – dies verkündigt Paulus in seiner Kreuzespredigt als das eigentliche eschatologische Wunder – der Tod behielt als solches eschatologische Gericht im Tod Jesu nicht das letzte, entscheidende Wort. Denn es war der Sohn Gottes, der am Kreuz den Tod der Rebellen und Gottlosen starb. Indem Gott seinen Sohn sandte (Röm 8,3; Gal 4,4), ihn preisgab (Röm 8,32), ermöglichte und verwirklichte er, worin das Gesetz versagte: der eschatologische Gerichtsfluch Gottes (der Tod) über die Sünde wirkte sich aus im Tod Jesu – und zerbrach sie gerade in dieser äußersten Kumulation ihrer gottfeindlichen Mächtigkeit, erschöpft durch die Gehorsamstat des Gottessohnes gerade an der Stätte ihrer Herrschaft, „im Fleisch"[80]. Im Kreuz

iustitia aliena ist. Die Alternative „Liebes*tat* Gottes" oder „uns ergreifende göttliche Macht" (Röm 126; vgl. 89 zu χάρις, 3,24) kann m.e. gerade in Röm 5,5ff und 8,31ff nicht durchgehalten werden. Die Heilsmacht der ἀγάπη τοῦ θεοῦ *ist* vielmehr das Christusereignis selbst in seiner eschatologisch siegreichen Präsenz, vgl. 8,37 (ἀγαπήσας) : 39 (ἀγάπη τοῦ θεοῦ ἡ ἐν Χριστῷ ᾿Ιησοῦ ...); der gekreuzigte Christus *ist* Gottes Macht und Weisheit (1Kor 1,23). Nicht um die Durchsetzung göttlicher Allmacht, welche Heil aus dem Nichts schafft, geht es im Tod Jesu, sondern um die Durchsetzung unseres Heils, die der endgültige Sieg der Liebe Gottes über Sünde und Tod ist.
H.-W. Kuhn hat diese zentrale Problematik der pln. Deutung des Kreuzestodes Jesu leider einfach ausgeklammert (Jesus als Gekreuzigter 28f); nicht nur angesichts von Gal 3,13 (vgl. 35!) wirkt die Trennung von eigentlicher Kreuzestheologie und z.T. traditioneller, soteriologischer Deutung des Todes Jesu unsachgemäß.

80   Unter diesem Vorzeichen kann man m.E. auch bei Paulus von einem stellvertretenden Strafleiden Jesu sprechen, vgl. Wiencke, Jesu Tod 83–87. Jedenfalls sprechen Röm 8,3; 2Kor 5,21 und Gal 3,13 weniger „von der tiefsten *Schmach* der Inkarnation als dem Preis des ohne unsere Mitwirkung zustande gekommenen Heils und der sich in unseren Bereich erniedrigenden Kondeszendenz Gottes" (Käsemann, Heilsbedeutung 79, kursiv gesetzt von mir), als vielmehr von der realen Auswirkung der universalen Sünden- und Todesmacht bzw. des Gesetzesfluches im Sterben Jesu; sein Sterben „für uns" war ein Sterben „für unsere Sünden", 1Kor 15,3; Gal 1,4; vgl. Röm 3,25; 4,25; 8,3; 2Kor 5,19, in denen die Sünde ihre Macht hat, welche im Tode herrscht, Röm 5,21. „Voraussetzung aller dieser Deutungen (sc. des Todes Jesu kultischer und juridischer Art) ist, daß der Anspruch des Schöpfers auf den Gehorsam des Menschen zu Recht besteht und Gott als Richter, vor dem der Mensch sich zu verantworten hat, die Rebellion seiner Geschöpfe ernst nimmt (vgl. Röm 1,18ff.)" (Schrage, Verständnis 81; vgl. Wiencke, Jesu Tod 85; Delling, Tod Jesu 88). „Voraussetzung ist vor allem, daß die Menschen sich aus ihrer Verhaftung an Sünde und Schuld nicht selbst frei machen und Versöhnung stiften können ...". Das Heil kommt ihnen allein durch Jesus Christus zu, der „in seinem Tod Zorn und Gericht Gottes stellvertretend getragen hat." (Schrage,

geschah der Einbruch des lebenschaffenden Geistes Gottes, der die Freiheit von Sünde und Tod ist (Röm 8,2). Das, was aus dem Gesetz dieser Welt, dem „Fluch" der gnadenlosen Verfallenheit der Sünder und Gottlosen an Sünde und Tod, heraus unmöglich war, hat Gott gerade *in* ihnen durch die Sendung seines Sohnes möglich gemacht, der uns zugute „Fluch wurde", von Gott als Sündloser zur (Manifestation und zum Ort der) Sünde gemacht wurde (Gal 3,13; 2Kor 5,21). Im Gehorsamstod seines Sohnes trug Gott selbst den Tod aller. In radikaler Konsequenz sieht Paulus das eschatologische Geschehen des Gerichts auf das – man möchte sagen: einsame – Gehorsamsgeschehen zwischen Gott und seinem Sohn konzentriert – und dadurch verwandelt in eschatologisches Heils-Geschehen. Im Sohn wurde uns dieses Gericht zum Aufgang endgültigen Heils; im Sühnetod Jesu Christi erschien Gottes Gerechtigkeit als die Macht unserer, der Gottlosen, Rechtfertigung. „Es gibt also jetzt keine Verdammung mehr für die, welche in Christus Jesus sind" (Röm 8,1; vgl. 8,33f). Denn sie kommen jetzt von diesem eschatologischen Ereignis der Verurteilung der Sündenmacht im Sohn Gottes, der die Gestalt des Sündenfleisches übernahm, her und leben im Geist unter seiner bergenden Macht, der Macht des Lebens und Friedens Gottes (Röm 8,3ff)[81].

Wir sehen: Indem Paulus den Kreuzestod Jesu mit letzter Konsequenz als das eschatologische Gerichtshandeln Gottes verkündet, dringt er vor zur Ansage endgültiger Rettung. Der äußerste Gehorsam Jesu Christi gegenüber Gottes Willen erwies sich im Tod und als Tod stärker als der Tod, das eschatologische Unheilsverhängnis der Welt, und somit (in der Auferweckung) als der definitive Aufgang gerechtfertigten Lebens für Gott. Im Gehorsam seines Sohnes offenbarte sich damit auch die eigentliche Intention des Gerichtshandelns Gottes: das unbedingte Heil der Welt als der Erweis seiner Liebe, seines Für-uns-Seins (Röm 5,6–8; 8,31). Das gilt es im folgenden näher zu entfalten.

Verständnis 82; Käsemann, Heilsbedeutung passim). „Im Kreuz vollzieht Gott das Gericht über den Sünder, vollzieht es in aller Öffentlichkeit an – Christus (Rm 3,25), an dem Sohn, der seinerseits das Gericht auf sich nimmt anstatt der Schuldigen (Gal 2,20). Christus ist den Tod gestorben, den wir sterben sollten" (Delling, Tod Jesu 88, vgl. 90). Freilich darf der pln. Stellvertretungsgedanke nicht als „Tausch" interpretiert werden (Wiencke, Jesu Tod: 85: „ … er 'wurde' zu einem 'Fluch' oder zur 'Sünde', wir aber wurden an seiner Stelle frei vom Fluch und 'Gerechtigkeit Gottes'!"), weil damit die absolute Vorgegebenheit und Einzigkeit des Heils in Christus eliminiert ist (die meist in einer ἐν Χριστῷ-Aussage angedeutet ist).

81   Vgl. auch J.W. Bailey, Gospel for Mankind. The Death of Christ in the Thinking of Paul, in: Interp. 7 (1953), 163–174, z.B. 174: „What man was in his sin and need Christ had made his very own, that what he was, Paul and any man might become in him."

2. Das Kreuz Jesu als das eschatologische Ereignis der Liebe Gottes zum Heil

Mit der frühesten Gemeinde bekennt der Apostel: Jesus starb seinen Tod „für uns". Dieses ὑπὲρ ἡμῶν[82] bildet auch im pln. Schrifttum die kürzeste und zugleich gängigste Sinngebung des Todes Jesu. Sein primärer Sinn bei Paulus ist eindeutig als „uns zugute" zu bestimmen[83], dem die anderen Bedeutungsmöglichkeiten[84] als Nuancen zu subsumieren sind. Dieses Verständnis läßt sich vor allem durch eine Betrachtung des Kontexts erhärten, soweit er selbst als Erläuterung des Heilssinnes des Sterbens Jesu gelten kann. Die häufig begegnenden Finalsätze, z.B. 2Kor 5,21; 8,9; Gal 3,13f; 1,4; 1Thess 5,10, lassen klar erkennen, daß sich für Paulus der mit ὑπὲρ ἡμῶν angedeutete Heilssinn des Sterbens Jesu erst in der bleibenden gehorsamen Bindung des Gläubigen an die im Geist gegenwärtig erfahrbare, machtvolle Wirklichkeit des gekreuzigten Herren erfüllt[85]. Die Kategorien „Stellvertretung" und „Sühnopfer", die möglicherweise ursprünglich den Sinn von ὑπὲρ ἡμῶν bestimmten[86], werden diesem exklusiven Herrschaftscharakter des Heils in Christus nicht gerecht. In ihnen wird ja Neues als Abgeltung und Bewältigung alten Unheils gesetzt, während der Tod Christi als Sterben „für uns" das „Neue" selbst ist[87]. Das Herrentum Christi ist die notwendige Konsequenz dieses soteriologischen Ansatzes im extra nos des Todes Jesu für uns, Röm 5,6—8; 14,9; 2Kor 5,14f; vgl. auch Phil 2,6—11.

Dem entspricht es, daß das ὑπὲρ ἡμῶν bei Paulus häufig formelhaft die Macht der *Liebe Gottes bzw. Jesu Christi* zum Ausdruck bringt, die im Tod am Kreuz Ereignis wurde, Röm 5,6—8; 8,31ff; 2Kor 5,14f; Gal 1,4; 2,20; sie kann auch als Hingabe oder „Armwerden" des Präexistenten (2Kor 8,9) umschrieben werden[88].

---

82 Vgl. die Zusammenstellung bei J. Jeremias, ThWNT V 707 A.435.

83 Vgl. Riesenfeld, ThWNT VIII 511; Lohse, Märtyrer 131 A.3.

84 „Um-willen", διά c. acc., 1Kor 8,11; 2Kor 8,9; „an Stelle", ἀντί, bei Paulus nicht belegt; περί, 1Thess 5,10 (vl ὑπέρ), = ὑπέρ; vgl. auch Lohse, Märtyrer 132f.

85 Vgl. 2Kor 5,15; Röm 7,4 sowie die entsprechenden Wendungen wie ἐν Χριστῷ Ἰησοῦ, Gal 3,14; 2Kor 5,21; τῇ ἐκείνου πτωχείᾳ, 2Kor 8,9; σὺν αὐτῷ, 1Thess 5,10; Röm 8,32.

86 Vgl. z.B. Wiencke, Jesu Tod 57—69; Lohse, Märtyrer 113—131; Delling, Tod Jesu 88; ders., Kreuzestod 17—26; Schrage, Verständnis 77—80; Käsemann, Heilsbedeutung 78ff. Vgl. auch oben S. 31f.35.

87 Vgl. Käsemann, Heilsbedeutung 81; Bultmann, Theologie 297: „Das Wesentliche ist also dieses, daß hier die Kategorien des kultisch-juristischen Denkens im Grunde gesprengt sind: der Tod Christi ist nicht nur ein Opfer, das die Sündenschuld, d.h. die durch das Sündigen kontrahierte Strafe tilgt, sondern auch das Mittel zur Befreiung von den Mächten dieses Aions, Gesetz, Sünde und Tod". Schrage, Verständnis 84ff; auch Lohse, Märtyrer 153f; Delling, Tod Jesu 90f.

88 Vgl. Delling, Tod Jesu 88; ders., Kreuzestod 19ff; Käsemann, Heilsbedeutung 73.

Das entscheidende Moment dieser Aussagenreihe ist die untrennbare Einheit von Liebeserweis und Heilshandeln Gottes einerseits und der gehorsamen Liebestat Jesu Christi andererseits. Sie ist als der Schlüssel zum eschatologischen Verständnis des Todes Jesu bei Paulus zu betrachten[89].

1. Das Sterben Jesu für uns ist ganz und gar heilschaffende *Tat Gottes*[90]. Gott hat im Christusereignis erstlich und letztlich die Initiative[91]: er sandte seinen Sohn, Röm 8,3; Gal 4,4, gab ihn für uns alle dahin, Röm 8,32, stellte ihn öffentlich als Sühnopfer in seinem Blut hin und erwies darin seine Gerechtigkeit, Röm 3,25, er versöhnte uns und die Welt mit sich durch Christus, indem er Christus, den Sündlosen, uns zugute zur Sünde machte, 2Kor 5,18f. 21; durch den Tod Christi bestimmte er uns zum Heil („mit Christus"), 1Thess 5,9f. In diesem Gnadengeschehen (Röm 3,24; 5,15–17.21; Gal 2,21) vollzog sich sein Wille, Gal 1,4, der ganz und gar grundlose, zuvorkommende Liebe ist, Röm 5,6–8.

2. Diese Gnade Gottes[92] ist aber nichts anderes als die Gabe in der *Gnade des einen Menschen Jesus Christus* (Röm 5,15); zur lebenschaffenden Rechtfertigung für alle Menschen kam es durch die Rechttat, den Gehorsam dieses

---

89 Vgl. auch H.W. Schmidt, Das Kreuz Christi bei Paulus, in: ZSTh 21 (1950/52), 145–159.155ff.

90 Genau hierin scheint für R. Bultmann der Schlüssel zum pln. Verständnis des Todes Jesu zu liegen: „Der beherrschende Gedanke (sc. in den vielen disparaten Interpretationsformen) ist der, daß in Christus Gott mit der Welt handelte (2Kor 5,19), und daß, sofern solches Handeln Gottes in Christus den Tod auf sich nahm, dieser Tod seinen Nichtungscharakter verloren und den Schöpfungscharakter göttlichen Handelns gewonnen hat. So ist in seinem Tod die Auferstehung begründet." (ThWNT III 18; vgl. auch Theologie 303: „Das ist die Entscheidungsfrage, vor die der λόγος τοῦ σταυροῦ den Hörer stellt, ob er anerkennen will, daß Gott einen Gekreuzigten zum Herrn gemacht hat ...". Ebenso akzentuiert Schrage, Verständnis bes. 69–77, der bezeichnenderweise (70) „Hingabe" und „Liebe" nur als Beleg für Gottes absolute Initiative und die Vorgegebenheit des Heils anführt, ohne diese (komplementären) Deutekategorien, bei denen ja sowohl Gott als auch Christus als Subjekt erscheinen, zur Erhellung des Heilssinnes des Sterbens Jesu heranzuziehen; doch vgl. das Zitat von Delling. Tod Jesu 86, das Schrage S. 70 A.67 anführt). Diese Engführung der pln. Deutung des Todes Jesu auf das nackte „Daß" (und Paradox) des eschatologischen Handeln *Gottes* in Christus scheint mir deshalb nicht dem pln. Denken voll gerecht zu werden, weil das „für uns" bzw. die oben angeführten Vorstellungen ja gerade das Handeln Gottes in Christus explizieren (und nicht einfach nur das Christusereignis als Tat Gottes beschreiben) und selbst den Grund der Überwindung des Todes im Tode Jesu angeben wollen.

91 Vgl. auch Delling, Tod Jesu 85f. Zum Schriftbeweis, der bei Paulus in unserem Zusammenhang kaum eine Rolle spielt, vgl. Wiencke, Jesu Tod 78–82; Schrage, Verständnis 69–72.

92 χάρις ist Jesu Tod nach Röm 3,24; 5,2(:6–8); Gal 2,21; vgl. auch Röm 8,32 (χαρίζομαι).

Einen (Röm 5,18.19; vgl. Phil 2,8)[93]. Aus Liebe zu uns gab er selbst sich für uns preis, Gal 2,20; 2Kor 5,14f; Röm 8,35.37; und diese Hingabe für uns und für alle war eben deshalb der äußerste, rettende Erweis der Liebe *Gottes*, weil sie in ihrem Wesen die gehorsame Übernahme und Erfüllung des Rettungswillens Gottes war bis in die letzte Konsequenz, den Fluchtod am Kreuz, vgl. Gal 1,4. Daß Christus „gehorsam wurde bis zum Tod, zum Tod am Kreuz" (Phil 2,8), dies macht die eschatologische Überlegenheit des „künftigen Adam" aus, der den vielen aus dem Zwang ihrer „vielen Übertretungen" im Gefolge des Ungehorsams Adams die Gnade und Rechtfertigung brachte, die im ewigen Leben mündet, Röm 5,15–21; vgl. Phil 2,6–11[94].

Den Vollzug des Gehorsams Christi und darin den Grund seiner eschatologischen Mächtigkeit hat Paulus in seinen Briefen freilich kaum einmal näher entfaltet. Entscheidende Hinweise bietet (neben Phil 2,6ff) vor allem *Röm 15,1ff.* ein Passus, der eine Schlüsselstellung für das Verständnis der pln. Christologie (und Eschatologie) einnimmt.

In den Versen 15,1–13, mit denen die Paraklese des Röm schließt, läßt Paulus die konkrete Ermahnung zum Verhältnis von „Starken" und „Schwachen" (14,1–23) einmünden in den grundsätzlichen Appell[95], die Einheit der Gemeinde in und zur Verherrlichung Gottes dadurch zu vollziehen, daß jeder dem Nächsten zu Gefallen, d.h. zu seiner „Erbauung" lebt und alle einander annehmen, V.1f.7f. Wie schon in 14,1–12 (V.9) und 14,15 motiviert Paulus seinen Zuspruch betont christologisch, vgl. 15,3.5f.7f, indem er Christus und seine Heilstat der Gemeinde nicht nur als Vorbild, sondern als den Grund und die Norm ihres Lebens vor Augen stellt[96]. Die Auslegung des Urbildes Christi im Lichte von ψ 68,10b (V.3b) und die Zitatenkette in V.9–12 lassen erkennen, daß Paulus das Christusgeschehen als das eschatologische Ereignis versteht[97].

---

93 $\dot{v}\pi\alpha\kappa o\dot{\eta}$ ist wie das parallele $\delta\iota\kappa\alpha\dot{\iota}\omega\mu\alpha$ (V.18) als Tat zu verstehen, interpretiert also das Sterben Jesu am Kreuz als seine Gehorsamstat, vgl. Phil 2,8; Hebr 5,8f, in welcher er Gottes Heilsratschluß allen Menschen zugute erfüllte; vgl. z.B. Kuss, Röm 238f; Michel Röm 142; vor allem Brandenburger, Adam und Christus 233. 234–246.

94 Vgl. zum pln. Verständnis vor allem die Interpretation von Käsemann, Analyse bes. 90ff, sowie unten S. 98ff.

95 Vgl. Michel, Röm 352f; Käsemann, Röm 364f; vgl. bes. das Stichwort $\pi\rho o\sigma\lambda\alpha\mu\beta\dot{\alpha}\nu\epsilon\sigma\theta\alpha\iota$, das den gesamten Passus rahmt, 14,1.3; 15,7.

96 Vgl. das begründende $\kappa\alpha\theta\dot{\omega}\varsigma$ (dazu: Käsemann, Röm 369) und das auf V.3 zurückbezogene $\kappa\alpha\tau\dot{\alpha}$ $X\rho\iota\sigma\tau\dot{o}\nu$ $'I\eta\sigma o\tilde{v}\nu$ in V.5, dazu vor allem Phil 2,5ff.

97 V.8 spricht von der „Erfüllung" der Verheißungen an die Väter (zur Bedeutung von $\beta\epsilon\beta\alpha\iota o\tilde{v}\nu$ s. Bauer WB s.v. 1. = Sp. 274; H. Schlier, ThWNT I 602; anders Thüsing, Per Christum 44 A.130). Die „Annahme" der Heiden galt dem Apostel als „das entscheidende eschatologische Ereignis" (Käsemann, Röm 370), vgl. Röm 9,24.30; 11,11f.25; Gal 3,8.14; auch Röm 3,29; 4,17f. Paulus knüpft damit über die vor allem in nachexilischer Zeit ausgebildeten esoterisch-exklusiven Tendenzen jüdischen Erwählungsbewußtseins hinweg (vgl. dazu etwa Bousset/Greßmann 304–307; Volz 83–85.356–359; Hahn, Mission 15–18) an eine wesentliche Dimension atl., zumal prophetischer Erwartung an, die sich vor allem im Motiv der „Völkerwallfahrt" kristallisiert, vgl. dazu von Rad, Theologie des Alten Testaments II 306–308; Hahn, Mission 12–14; J. Jeremias, Jesu Verheißung für die Völker,

Der christologische Kernsatz Röm 15,3 beschreibt in Aufnahme der Terminologie von V.1f[98] die Tat Christi als ein „nicht sich selbst zu Gefallen leben" (οὐχ ἑαυτῷ ἤρεσεν). Es dürfte sich dabei um eine pln. Umschreibung dessen handeln[99], was sonst kerygmatisch-knapp durch ὑπὲρ ἡμῶν oder explizit mit dem Stichwort ἀγαπᾶν/ἀγάπη zum Ausdruck gebracht wird: die Hingabe Jesu in den Tod war Tat seiner Liebe, ließ Liebe als das Wesen seiner Existenz sichtbar werden[100]. Diese Liebe meint radikale Selbst-losigkeit und *darin* Freigabe für Gott, indem sie sich seinen Willen zu eigen macht und zum Entwurf und zur Mitte des eigenen Lebens erhebt; dieser selbstlosen Liebe geht es um die δόξα und die ἀλήθεια Gottes (V.7f); das ist es, woran sie „Gefallen" findet, worauf sie aus ist[101]. In solcher radikalen Selbstlosigkeit für Gott hat Christus die Lästerungen der Gotteslästerer auf sich genommen; was die Menschen[102] Gott zudenken, hat der Christus[103] kraft seiner Liebe getragen. Von aller „Feindschaft" (Röm 8,7), aller „Schwachheit" (Röm 5,6; 15,1; 1Kor 15,43), aller Gottlosigkeit (Röm 5,6) und Sünde (Röm 5,8) hat er sich treffen lassen bis in den Tod, so daß er selbst „zur Sünde geworden" ist (2Kor 5,21; vgl. Gal 3,13); als sündloser ganz von der Sündenmacht umfangen, machte er diese bis in ihr höllisches Telos, den Tod, zum Ort des „für Gott".

Stuttgart 2. Auflg. 1959, 47—53. Hatte sich diese universale Erwartung im atl.-jüdischen Raum trotz ihrer erstaunlichen Variationsbreite nie aus der funktionalen Hinordnung auf Jahwes bzw. Israels Herrlichkeit lösen können (vgl. D. Zeller, Das Logion Mt 8,11f/Lk 13,28f und das Motiv der Völkerwallfahrt, in: BZ NF 15 (1971), 222—237.225ff), so gewinnt sie vom pln. Evangelium her, dessen Mitte der Christus ist, ein völlig neues, eigenständiges Gewicht, vgl. Röm 1,5; 15,16.18; Gal 1,16; 2,2.8.9 (dazu: Hahn, Mission 85; D. Zeller, Juden und Heiden in der Mission des Paulus. Studien zum Römerbrief (fzb 1), Würzburg 1972, 198—201, der freilich eine Anknüpfung an das Völkerwallfahrtsmotiv wegen dessen konstitutiver Bindung an die Zionsverheißung bestreitet, die bei Paulus ja fehlt, vgl. z.B. 255); entsprechend sieht Paulus hier die Verheißung von Jes 11,10 in Christus erfüllt (V.12). Vgl. zum Ganzen noch G. Bertram/K.L. Schmidt, Art. ἔθνος πτλ., in: ThWNT II 362—370.

98 Vgl. 1Kor 10,33. Der Abschnitt 1Kor 10,23—11,1 bildet bis in die Terminologie hinein eine auffallende Parallele zu unserem Text. Diese Parallelität ist für uns insofern von Bedeutung, als sie die Zusammengehörigkeit von christologischer (1Kor 11,1; Röm 15,3.5.7f) und doxologischer (1Kor 10,31; Röm 15,6.7.9(—12)) Aussage bestätigt. In dieser Zuordnung dienten sie dem Apostel als grundlegende Motivation bei der Regelung des Gemeindelebens, vgl. Phil 2,1—5: 6—11. Allerdings wird der eschatologische Sinn der Verherrlichung Gottes in 1Kor 11,23ff nicht deutlich.

99 Zu ἀρέσκειν s.o. S. 24.

100 Vgl. 1. die Anspielung auf das Liebesgebot in V.2; 2. zu οὐχ ἑαυτῷ vgl. 1Kor 10,24. (29); 13,5; 14,4.28; 2Kor 5,15; Phil 2,3f.21.

101 Vgl. das Äquivalent ζητεῖν, 1Kor 10,33; 13,5.

102 Das Partizip Präsens ὀνειδίζοντες ist universal ausgerichtet.

103 Möglicherweise wird durch den Artikel in V.3 und 7 bewußt auf die Messianität Jesu abgehoben (vgl. Michel, Röm 355; Käsemann, Röm 366); der eschatologische Charakter seines Handelns würde so unterstrichen. Auf den leidenden Gottesknecht wird jedoch nicht angespielt, geg. Michel, Röm 354.356.

So ist in seinem Tod die Sünde getötet. An seinem Kreuz ist alle Rebellion gegen Gott am Ende.

Wo aber die „Welt" und das „Fleisch" mitsamt ihrer gottfeindlichen Intention „gekreuzigt" sind (Gal 5,24; 6,14), dort bricht Gottes δόξα und ἀλήθεια, die in Ungerechtigkeit niedergehalten und in Lüge verkehrt wurde (Röm 1,18. 25), neu und endgültig hervor. Die Freiheit Christi von sich selbst und sein radikaler Gehorsam gegen Gott und dessen Willen boten Gott den Raum, in dem er die Fülle seiner Herrlichkeit erstrahlen lassen konnte. Indem er die Leiden des atl. Beters, von denen ψ 68,10b spricht, „erfüllte", hat Christus die Verheißungen Gottes „wahrgemacht", so Gottes Wahrheit erwiesen und dadurch den Völkern das Erbarmen Gottes eröffnet. Die uns in unserem Haß gegen Gott aushaltende Tat der Geduld und Liebe Christi war somit das eschatologische Ereignis der Herrlichkeit Gottes: „Christus hat euch[104] angenommen zur Herrlichkeit Gottes" (V.7b). Die Versöhnung der Welt mit Gott in der selbstlosen Liebe Christi – dies *ist* die δόξα und ἀλήθεια Gottes[105].

Wir dürfen feststellen: Der Todesgehorsam Jesu Christi ist das eschatologische Heilsereignis; denn diese selbst-lose, grenzen-lose, bedingungs-lose Liebe und Freigabe für Gott[106] bot Gott den Raum, sich mitten im Unheil der an sich selbst verfallenen Gottesfeindschaft der Welt in seiner ganzen, unverstellten Wahrheit und Herrlichkeit, sich als der göttliche Gott zu offenbaren. Diese Wahrheit seines Wesens ist Liebe. Nur weil hier einer war, der sein ganzes Sein ausschließlich der Durchsetzung des göttlichen Willens unterstellte, nur weil Gottes Liebe in Christi Liebe bis zum Tod am Kreuz Ereignis wurde, geschah in diesem eschatologischen Fluchtod zugleich die Entmachtung des Todes, geschah eschatologische Rettung. So wurde durch Gottes Liebe am Kreuz Christi die Sünden- und Todesmacht in ihrer äußersten Manifestation zu Tode getragen und besiegt. Von daher bilden nun auch die Aussagen über Jesu Tod als Gottesgericht über die Sünde und als die endgültige Rettung, die uns gnädig von Gott gewährt wurde, eine Einheit: Jenes äußerste Gericht Gottes im Sterben Jesu war deshalb eschatologische Rettung, weil es Manifestation göttlicher Liebe in diesem Gehorsam des die Menschen und ihre Sünden aushaltenden Jesus war. Die „Sünde", welche Feindschaft der Welt gegen Gott und somit Tod bedeutet, vermochte sich – so könnte man sagen – nicht dagegen zu wehren, selbst von Christus getragen zu werden bis in ihre fürchterlichste Konsequenz, Gott selbst in seiner Liebe, in der Hingabe

---

104 So sin ACD^{b,c}G Ψ al. lat sy bo; ἡμᾶς (BD^{+}P al.) ist zwar die schwierigere LA, kann aber als Nachklang urchristlicher bzw. pln. Bekenntnisaussagen erklärt werden (ὑπὲρ ἡμῶν).

105 Zum eschatologischen Verständnis der δόξα in Röm 15,1ff s.u.

106 Vgl. Schlier, Bedeutung 138.

seines Sohnes am Kreuz, war – in der äußersten, eschatologischen Machtentfaltung der Sünde – ihr Ende[107].

3. *Das göttliche Geheimnis der Person Jesu (Präexistenz) als Voraussetzung seines eschatologischen Heilstodes*

Daß die Recht- und Gehorsamstat des einen Menschen Jesus Christus, die ja in keinem Sinn eine menschliche Möglichkeit war, sondern nur als für den Menschen unausdenkbares Wunder der Liebesmacht Gottes erfahrbar wird, Rechtfertigung und neues Leben für alle Menschen erschloß, läßt sich letztlich nur aus dem Geheimnis der Person Jesu und ihrer „Herkunft"[108] verstehen. Schon die Hoheitstitel der oben analysierten vor-pln. Überlieferungen deuten es an, und andere Traditionen, wie der Christushymnus Phil 2,6–11, bzw. Predigtschemata, wie die Sendungsaussagen Röm 8,3 und Gal 4,4, erweisen den sog. „Präexistenz"-Gedanken als christologische Bekenntnisaussage schon der frühen Gemeinde. Für sie und den Apostel gilt dabei gleichermaßen, daß die Präexistenz Christi nirgends zum Thema wird, sondern immer in Relation zum Heilsgeschehen gesehen wird (wozu auch die Schöpfungsmittleraussagen 1Kor 8,6 und Kol 1,16 zu zählen sind)[109], bei Paulus speziell zum Tod Christi, insofern dieser die letzte Konsequenz der Selbsterniedrigung des in Gottes Seinsweise Lebenden markiert, vgl. Phil 2,8 (pln. Zusatz?); Röm 8,3. In diesem Zusammenhang wird jedoch auch deutlich, daß es Paulus beim Heilsgeschehen des Todes Jesu in erster Linie nicht um das Sterben als solches, sondern um die *Grundbewegung* geht, die dieses Sterben ausmacht: um die unbegreifliche Zuneigung und den restlosen Einsatz des Gottes, der seine „dankvergessenen" Geschöpfe (H. Schlier) unendlich liebt. Deshalb kann Paulus das Christusereignis auch allein mit Hilfe des Präexistenzgedankens und ohne ausdrückliche Erwähnung des Kreuzes als das eschatologische Heilsereignis ansagen; in Form und Inhalt (teleologisches Schema und Heilssinn) entsprechen diese Ausführungen genau den kerygmatischen Todesaussagen. Dies ergibt sich einmal aus 2Kor 8,9, wonach „die Gnade unseres

---

107 Deshalb gilt: „Wo sich die Sünde mehrte, wurde die Gnade überschwenglich" (Röm 5,20). E. Brandenburger betont im Anschluß an G. Bornkamm den „lokalen" (= geschichtlichen) Charakter der Aussage: „Die Gnade wirkt nicht nur in Analogie zur Sünde ..., sondern im ureigensten Bereich der Sünde, in der von ihr besessenen Menschheit; *da* greift sie ein und überwindet sie." (Adam und Christus 253 A.2). Vgl. 1Kor 2,6–8 (dazu unten S. 74ff). Entsprechend wird das Heil in Christus häufig als Erlösung (3,24), Loskauf (1Kor 6,20; 7,23; Gal 3,13; 4,5, dazu: E. Pax, Der Loskauf. Zur Geschichte eines neutestamentlichen Begriffes, in: Anton. 37 (1962), 239–278) und Befreiung bzw. Freiheit (Röm 6,18.22; 8,2.21; 2Kor 3,17; Gal 2,4; 5,1.13) beschrieben, wobei der Ton meistens auf dem Bruch mit dem vergangenen Unheil liegt (Freiheit von ...), vgl. noch Gal 5,24; 6,14; Röm 8,13.

108 Vgl. Delling, Tod Jesu 86; Kreuzestod 19f.21f.

109 Vgl. dazu bes. G. Schneider, Präexistenz Christi, in: Neues Testament und Kirche (HS R. Schnackenburg), Freiburg 1974, 399–412.402–405.409f; Hengel, Der Sohn Gottes 27ff.78ff.104ff.

Herrn Jesus Christus" darin besteht, „daß er, der reich war, um euretwillen arm wurde, damit ihr durch seine Armut reich würdet".

Explizit spricht *Gal 4,4f* von der Menschwerdung des präexistenten Sohnes Gottes als dem Ereignis der eschatologischen Zeitenwende. Wir versuchen deshalb, durch eine Erörterung dieses Textes die eschatologische Bedeutung der pln. Präexistenzaussagen präziser herauszuarbeiten.

Die Verse Gal 4,1–7 dienen, wie im Grunde die ganzen Ausführungen des Apostels seit 3,1, dem Nachweis, daß die Christen, da sie von der Gesetzesherrschaft befreit wurden, die Erben der göttlichen Verheißungen an Abraham sind[110]. Dabei redet Paulus nun objektiv vom Geschehen der Rettung und der „Lage der Erben vor und nach der Sendung Christi"[111], d.h. unter Absehung von der bis dahin beherrschenden Thematik Glaube-Gesetz. Wie in 3,15ff führt der Apostel zunächst ein Bild „aus dem bürgerlichen Rechtsleben"[112] ein, das ihm als Vergleich und Erhellung seiner Argumentation dient. In Hinblick auf die gemeinte Sache konnte er darin dreierlei verdeutlichen: 1. daß (nur) der Sohn Erbe ist[113], der aber 2. (zunächst) wie ein Sklave lebt, „unter Vormündern und Hausbeamten"; 3. diese Unmündigkeit hat ihr Ende zu einem vom Vater festgesetzten Zeitpunkt (kann also nicht aus eigener Kraft beseitigt werden). Solcher Situation eines Kindes nach dem Tod des Vaters entsprach die vorchristliche Zeit der Galater (οὕτως καί)[114]. Sie waren unfrei, geknechtet unter die elementaren Kräfte der Welt, die vom Menschen göttliche Verehrung forderten, vgl. V.8ff[115]. In diesen ihren Forderungen wurde aber für die ehemaligen Heiden nichts anderes laut als die in Sünde und Tod bannende Macht des Gesetzes, wie der vollkommen selbstverständliche Wechsel von ὑπὸ τὰ στοιχεῖα τοῦ κόσμου zu ὑπὸ νόμον in V.4 zeigt. Ihr Dienst an den Göttern, die nicht wirklich Götter sind (V.8), war also Gesetzesdienst, ebenso wie das Leben der Juden. Denn Juden und Griechen (ἡμεῖς), d.h. das Dasein aller Menschen ohne Ausnahme stand vor dem Kommen Christi unter dem versklavenden Anspruch der Gewalten des Kosmos, in dem Gottes Gesetz (entgegen seiner ursprünglichen Intention) pervertiert als Welt-Gesetz begegnete[116]. Dasein als In-der-Welt-Sein hieß so immer schon Unter-dem-Gesetz-Sein, bedeutete Versklavung an die Welt.

Diese „Sklaverei, in der die Welt die Menschen durch das Gesetz der elementaren Wesenheiten hielt, ist aber jetzt zerbrochen"[117]; denn Gott ist in sie eingebrochen. Dies geschah in der Sendung seines Sohnes, „als die Vollendung der Zeit kam", V.4. Die Wendung τὸ πλήρωμα τοῦ χρόνου entspricht der προθεσμία τοῦ πατρός (V.2) im voraufgegangenen Bild, meint also zunächst den von Gott festgesetzten Zeitpunkt, da die Herrschaft der στοιχεῖα τοῦ κόσμου über uns ihr Ende fand. Freilich handelt es sich um mehr als eine

110 Vgl. 4,1.7 das Stichwort κληρονόμος.

111 Schlier, Gal 188.

112 Ebd.

113 Vgl. 3,26:29.

114 Nur sie beschreibt das Bild ausführlich.

115 Zu den στοιχεῖα τοῦ κόσμου vgl. M. Dibelius, Die Geisterwelt im Glauben des Paulus, Göttingen 1909, 78–85.227–230; Schlier, Gal 190ff; Oepke, Gal 93ff; Mußner, Gal 292–303; E. Schweizer, Die „Elemente der Welt". Gal 4,3.9; Kol 2,8.20, in: ders., Beiträge zur Theologie des Neuen Testaments 147–163.

116 Vgl. Schlier, Gal 193f.

117 Schlier, Gal 194.

feierliche Formulierung für den Eintritt eines bestimmten Zeitpunktes nach Ablauf einer Frist; Paulus möchte offenbar mehr sagen als daß „die Zeit erfüllt war"[118]. Terminologisch und sachlich knüpft er vielmehr an frühjüdisch-apokalyptisches Gedankengut an[119]. So sprechen z.B. auch 4Esr 4,36f; 11,44; sBar 40,3 und AssMos 1,18 von der Vollendung der Zeiten bzw. Äonen in dem Sinn, daß das ihnen von Gott gesetzte Maß voll geworden und so die Weltzeit im ganzen (der gegenwärtige böse Äon, Gal 1,4) zu ihrem Ende gekommen ist[120]. Unsere Wendung meint demnach eindeutig das Ende der Zeit ($\tau\grave{\alpha}$ $\tau\acute{\epsilon}\lambda\eta$ $\tau\tilde{\omega}\nu$ $\alpha\grave{\iota}\acute{\omega}\nu\omega\nu$, 1Kor 10,11); die Zeit der Welt als ganze, die Geschichte insgesamt[121] ist zu ihrem Abschluß gekommen. Dieser Abschluß der Geschichte aber — und dies ist das entscheidend Neue gegenüber der Apokalyptik — war selbst geschichtliches Ereignis in dem Sinne, daß es von Gott her in die Geschichte einbrach ($\mathring{\eta}\lambda\theta\epsilon\nu$)[122], nämlich in der Person Jesu Christi. Er und seine „Geschichte" ist damit unmißverständlich als das Eschaton, als das Ende der Geschichte gekennzeichnet. Erst von dieser geschichtlichen Erfahrung Jesu Christi her konnte Paulus V.4a formulieren.

Diesen eschatologischen Einbruch des Heils Gottes in die Welt umschreibt Paulus nun des näheren als Sendung des Gottessohnes in das Menschsein und seine geschichtlichen Bedingungen[123]. Dabei erhellt aus dem Gegenüber von $\grave{\epsilon}\xi\alpha\pi\acute{\epsilon}\sigma\tau\epsilon\iota\lambda\epsilon\nu$ und den beiden partizipialen Appositionen eindeutig der Gedanke der „Präexistenz" des von Gott Gesandten; im Rahmen des Gedankenganges wie auch des sog. teleologischen Schemas[124] bildet er die sachliche Grundlage der eschatologischen und soteriologischen Aussage von Gal 4,4f. „Der Eintritt des Endtermins der Welt, die Beendigung der Zeit, offenbart sich in der Entsendung des Sohnes Gottes als des ewigen göttlichen Grundes, Mittels und Zieles des Daseins (1Kor 8,6; Kol 1,13ff). Die Endzeit ist die Zeit, in der das göttliche Prinzip un-

---

118 G. Delling, Art. $\pi\lambda\acute{\eta}\rho\omega\mu\alpha$, in: ThWNT VI 297–304.303.

119 Vgl. die Belege bei Schlier, Gal 195; Mußner, Gal 268f.

120 Vgl. auch 1QpHab 7,2: gemar hakkes (dazu: G. Delling, ThWNT VIII 66) und die Belege bei Bauer WB s.v. $\pi\lambda\eta\rho\acute{o}\omega$ 2. = Sp.1331 (dazu PsPhilo 3,9.10; 23,13). Überall ist eindeutig vom Ende und Abschluß eines bestimmten Zeitraumes bzw. der Zeit im ganzen die Rede.

121 Vgl. 1Petr 1,20; Jud 18 ($\grave{\epsilon}\pi$ $\grave{\epsilon}\sigma\chi\acute{\alpha}\tau\upsilon$ $\tau\tilde{\omega}\nu$ ($\tau\upsilon\tilde{\upsilon}$) $\chi\rho\acute{o}\nu\omega\nu$ ($\chi\rho\acute{o}\nu\upsilon$)); Apk 10,6 ($\chi\rho\acute{o}\nu\upsilon$ $\upsilon\grave{\upsilon}\kappa\acute{\epsilon}\tau\iota$ $\acute{\epsilon}\sigma\tau\alpha\iota$); Tob 14,5(S) ($\grave{\upsilon}$ $\chi\rho\acute{o}\nu\upsilon\varsigma$ $\tau\tilde{\omega}\nu$ $\kappa\alpha\iota\rho\tilde{\omega}\nu$); auch Sap 8,8.

122 Vgl. 3,19.23.25; auch Röm 7,9; 5,20, sowie J. Schneider, Art. $\acute{\epsilon}\rho\chi\omega\mu\alpha\iota$ $\kappa\tau\lambda.$, in: ThWNT II 662–682.663.672. $\acute{\epsilon}\rho\chi\omega\mu\alpha\iota$ bezeichnet jeweils das Eintreten, die Ankunft gewichtiger Ereignisse. Theologisch verwendet Paulus das Wort sonst nur in eschatologischem Kontext: vom Kommen des Herrn, 1Kor 4,5; 11,26; vgl. 16,22; 2Thess 1,10, vom Kommen des Vollkommenen, das die Vernichtung des Stückhaften bedeutet, 1Kor 13,10, vom Kommen des Tages des Herrn, 1Thess 5,2, und des Zorngerichts, 1Thess 1,10; Eph 5,6; Kol 3,6, sowie vom Eintritt des eschatologischen Abfalls, 2Thess 2,3. Diese Aussagen „bewegen sich ganz im Rahmen der urchristlichen Tradition" (Schneider, aaO. 672), deren Sprachgebrauch deutlich an den des AT anknüpft, vgl. dazu Schneider, aaO. 663f, und bes. E. Jenni, „Kommen" im theologischen Sprachgebrauch des Alten Testaments, in: Wort – Gebot – Glaube (FS W. Eichrodt), 251–261; ders., Art. bo' in: THAT I 264–269.267ff (Pkt. 4).

123 Vgl. zu dieser differenzierenden Interpretation der beiden Partizipien: Schlier, Gal 196 (kritisch Blank, Paulus und Jesus 269 A.22); i.e. vgl. Bauer WB s.v. $\gamma\acute{\iota}\nu\omega\mu\alpha\iota$ I.1.a. (Sp. 313); II.4.a (Sp.318), sowie Bill III 570f.

124 Vgl. Dahl, Christusverkündigung 7f; Schlier, Anfänge 23; Schweizer, Sendungsformel (s. Anm. 136) 90 („Denkschema von der Sendung des Gottessohnes zum Heil der Welt", vgl. A.39); Mußner, Gal 271–274.

seres Daseins, Christus Jesus, in dieses Dasein eingebrochen ist."[125] Damit war der unheilvolle Zwang des Gesetzes in der Hand der Welt-Mächte zerbrochen. Denn der, welcher immer schon in Gottes Seinsweise lebte, verwirklichte Gottes Sendungsauftrag darin, daß er Mensch und damit zugleich dem Verhängnis der Welt, dem wir alle unterstanden, dem Gesetz, unterworfen wurde. Daß der Sohn Gottes[126] unser Geschick teilte, war unsere Rettung aus diesem Geschick, V.5[127].

Wie in 3,13 begegnet hier die Vorstellung vom Loskauf als Bild für die Befreiung[128]. Sie wird hier jedoch nicht direkt auf den Kreuzestod Jesu bezogen, sondern beschreibt Sinn und Ziel der in der Menschwerdung verwirklichten Sendung des Gottessohnes[129]; der Kreuzestod stellt aber für Paulus die letzte Konsequenz und Erfüllung der Menschwerdung dar[130]. Aus dem sorgfältig durchgeformten Satz läßt sich dabei im wesentlichen dies erheben: (1) Menschwerdung als eschatologisches Heilsgeschehen ist (gehorsame) Ausführung des Heilswillens Gottes[131] durch Gottes Sohn; (2) Gott macht darin die Geschichte in ihrer konkreten Bestimmtheit als Sklaverei $\dot{v}\pi\dot{o}$ $\nu\acute{o}\mu o\nu$ zum Ort seines eschatologischen Heils; (3) dieses Heil ist deshalb eine neue Möglichkeit menschlicher Existenz[132], die aber als eschatologische, allein von Gott gekommene Wirklichkeit nur im Empfang (im Glauben) vollzogen werden kann; (4) denn sie ist allem zuvor in und durch den Sohn Gottes für alle Menschen realisiert.

Weil Gottes Sohn, der mit uns solidarisch wurde, also der „Ort" des eschatologischen Heils in der Geschichte ist, bezeichnet Paulus nun in einem zweiten parallel gebauten Finalsatz das Befreiungsgeschehen positiv als Empfang der Sohnschaft[133]. Wie objektiv

---

125 Schlier, Gal 196. Wichtig ist, daß Paulus diese streng eschatologische Aussage nicht in apokalyptische Sprachform kleidet; das Verb $\dot{\epsilon}\xi a\pi o\sigma\tau\dot{\epsilon}\lambda\lambda\epsilon\iota\nu$ etwa ist hingegen Sap 9,10.17 auf die Weisheit bezogen, vgl. auch Sap 9,4; Philo Leg All II 86; Som I 103 (vgl. Schweizer, aaO.; daß jedoch Sap 9,10–17 „die Struktur der Doppelsendung von Sohn und Geist in Gal 4,4–6 ... eine Parallele findet" (92), stimmt insofern nicht, als 9,10 und 17 dasselbe meinen, während Gal 4,4 und 6 deutlich zwei Akte unterschieden sind).

126 S. dazu unten S. 56f.

127 Vgl. Kramer, Christos 111: „die Sendung des Präexistenten (ist) als das Heilsgeschehen zu verstehen".

128 Hier könnte man am ehesten mit A. Deissmann (Licht vom Osten 274f) den (sakralen?) Sklavenloskauf als Anschauungshintergrund vermuten, vgl. V.1.7 ($\delta o\hat{v}\lambda o\varsigma$); V.3 ($\delta\epsilon\delta o\upsilon\lambda\omega\mu\acute{e}\nu o\iota$), wobei jedoch die Unterschiede gravierend bleiben. Zur Problematik des „sakralen Sklavenloskaufs" vgl. Conzelmann, 1Kor 137.154.

129 Geg. Schweizer, ThWNT VIII 385, der aus $\dot{\epsilon}\xi a\gamma o\rho\acute{a}\zeta\epsilon\iota\nu$ (vgl. 3,13) folgert: „die Formel, die vor Paulus auf die Menschwerdung des präexistenten Sohnes gedeutet war, wird von Paulus auf den stellvertretenden Tod Jesu am Kreuz (3,13b) bezogen". Schon die Menschwerdung bedeutete ja für den Präexistenten Erniedrigung und Armwerden, Phil 2,6ff; 2Kor 8,9.

130 Vgl. bes. Phil 2,8b. Seine Explikation findet $\gamma\epsilon\nu\acute{o}\mu\epsilon\nu o\nu$ $\dot{v}\pi\dot{o}$ $\nu\acute{o}\mu o\nu$ in 3,13.

131 $\dot{\epsilon}\xi a\gamma o\rho\acute{a}\sigma\eta$ bezieht sich natürlich auf den Gottessohn, vgl. 3,13; es zeigt, wie selbstverständlich Paulus von der Einheit des Handelns Gottes und Christi ausging, vgl. 1,4; 2,20, und Bultmann, Theologie 304.

132 Bemerkenswert ist, daß Paulus trotz seiner Rede von der Knechtschaft unter die elementaren Mächte der Welt die Erlösung als Geschehen allein an den Erlösten, nicht aber an diesen Mächten beschreibt.

133 Zu $\upsilon\acute{\iota}o\theta\epsilon o\acute{\iota}a$ s.u. S. 250f.

Paulus hier formuliert, d.h. unter Ausschaltung jeder Erörterung der subjektiven Bedingungen des Heils, zeigt besonders die Fortsetzung in V.6: „Weil ihr aber Söhne seid ..."[134]. Hier wird fast anstößig deutlich, daß Paulus das Heil in radikaler Ausschließlichkeit im Christusereignis geschenkt wußte[135]; auch der Glaube als die Weise des Zugangs zum Heil in Christus „kam" deshalb erst — wie die „Vollendung der Zeit" — mit Christus Jesus, vgl. 3,23.25.

Nach unserer Stelle ist das Eschaton, das Ende der Zeit, der souveräne Einbruch Gottes in die Geschichte in seinem Sohn, der in vollem Sinn Mensch wurde und durch seine frei übernommene Solidarität mit allen Menschen das Verhängnis menschlicher Geschichte zerbrach und so in seiner Person das Heil Gottes für alle Menschen verwirklichte. Das Ende der Zeit ist also ein aus den Zusammenhängen und beherrschenden Strukturen dieser Welt absolut unerfindlicher Akt Gottes mitten in der Geschichte. Es gründet allein in der überraschenden Freiheit des Geheimnisses Gottes und vollzog sich darin, daß Gottes Sohn, aus Gottes Geheimnis kommend, in gehorsamer Übernahme des göttlichen Sendungsauftrages das Menschsein (in Wollen und Erleiden) zum Ort des göttlichen Geheimnisses machte. Der Sohn Gottes, der Gottes unergründliches Für-uns-Sein (Röm 8,31f) durch seine Erniedrigung ins Menschsein eschatologisch offenbarte, ist deshalb in Person das alleinige Heil aller Menschen, die als „Söhne Gottes" nun „Abba, Vater" zu Gott sagen können, d.h. in Offenheit zu Gott hin, weil von ihm und seinem Geheimnis her leben können.

Die Vorstellung der *Präexistenz Christi*[136] ermöglichte es Paulus also, (1) die Person Jesu Christi und ihre Geschichte als das eschatologische Ereignis des

134 Vgl. Röm 8,14.19; 9,26 (=Hos 2,1); (2Kor 6,18); Gal 3,26, dazu: Schweizer, ThWNT VIII 394f; Blank, Paulus und Jesus 258—278. Wie die Verwendung von Hos 2,1 in Röm 9,26 zeigt, greift Paulus damit eine atl. und auch frühjüdische eschatologische Erwartung auf (vgl. ThWNT VIII 352ff; 360f), freilich in einer vom Christusereignis her universalisierten Form.

135 „Der Begriff der υἱοθεσία hebt die auf keinen Anspruch gestützte freie Tat Gottes und zugleich die Mittelbarkeit unseres Sohnseins hervor": Schlier, Gal 197.

136 Vgl. neben Gal 4,4f: Röm 1,3; 8,3; 1Kor 8,6; 10,4; 2Kor 8,9; Phil 2,6ff. Aus dieser Zusammenstellung (die i.ü. bei den einzelnen Autoren variiert, vgl. z.B. Bultmann, Theologie 303—305 mit Kümmel, Theologie 151—153) geht eindeutig hervor, daß die Präexistenzaussage für Paulus nicht mit einem bestimmten christologischen Titel spezifisch verknüpft ist, wenngleich eine gewisse Nähe zur Sohn-Gottes-Bezeichnung nicht bestritten werden kann, wie besonders die pln. Korrektur der Bekenntnistradition Röm 1,3b.4 zeigt. Eine religionsgeschichtliche Einordnung des Präexistenzgedankens bei Paulus muß m.E. von einer Differenzierung der Texte ausgehen (1Kor 8,6; 10,4 einerseits, Röm 8,3; 2Kor 8,9; Gal 4,4; Phil 2,6 andererseits). Weisheitliche bzw. hellenistisch-jüdische Motive, auf die E. Schweizer aufmerksam gemacht hat (Zur Herkunft der Präexistenzvorstellung bei Paulus, in: ders., Neotestamentica 105—109; vgl. auch: Zum religionsgeschichtlichen Hintergrund der „Sendungsformel" Gal 4,4f; Röm 8,3f; Joh 3,16f; 1Joh 4,9, in: ders., Beiträge zur Theologie des Neuen Testaments 83—95.92; Hengel, Der Sohn Gottes 67ff), bieten ja im wesentlichen nur Parallelen für die erste Gruppe und können nur in stark übertragener Form auch für die zweite in Anschlag gebracht werden; dies gilt trotz der eindeutig soteriologischen Konzeption von Sophia bzw. Logos im hellenistischen Judentum (bes. Philo, Sap), da diese un- bzw. übergeschichtlich ist und Geschichte nicht in

Heils und damit als das Ende der Geschichte zu verkünden, indem sie dieses Heil als den allein in Gottes souveräner Freiheit begründeten Einbruch Gottes in das gottfeindliche Unheil dieses Äons versteht; der Kreuzestod Jesu bildet die eigentliche Spitze dieses göttlichen Durchbruchgeschehens[137].

Damit ist (2) das bleibende Zuvor der Gnade Gottes gesichert, und zwar durch die exklusive Bindung dieses göttlichen Heils an die Person Jesu Christi, den Sohn Gottes. Gott hat sich in seiner eschatologischen Selbstoffenbarung total in Jesus Christus und sein irdisches Geschick hineingegeben; dort, im konkreten Gehorsam dieses einen Menschen am Kreuz ist deshalb ein für allemal und ohne uns die Gnade Gottes, die unsere Rettung ist, geschehen. Die geschichtliche Einmaligkeit Jesu Christi und seiner Geschichte „für uns" (die im · Kreuz gipfelt) ist so die unausdenkliche, radikal „neue" Einmaligkeit, die Endgültigkeit und Unüberholbarkeit der eschatologisch-offenbaren Selbstmitteilung Gottes an die Schöpfung.

ihrer Einmaligkeit, sondern höchstens als Paradigma des schöpfungs- und wesensmäßig immer identischen Heilswirkens der Weisheit begreift (auch Sap 10ff). Wesentlich für die zweite Gruppe der pln. Aussagen ist ja doch die „Eigenständigkeit", speziell das Motiv der personalen Selbstentäußerung des Präexistenten (vgl. D. Georgi, Der vorpaulinische Hymnus Phil 2,6–11, in: Zeit und Geschichte (FS R. Bultmann), Tübingen 1964, 263–293, bes. 276ff). Die (hier nicht zu entscheidende) Frage ist dann die, ob man die soteriologisch-geschichtlichen Präexistenzaussagen als eigenständiges, wenngleich unter Aufnahme weisheitlicher Terminologie formuliertes urchristliches Theologumenon werten möchte (so Hengel, Der Sohn Gottes 104–120.113: „Das Problem der ‚Präexistenz' erwuchs ... notwendigerweise aus der Verbindung von jüdischem Geschichts-, Zeit- und Schöpfungsdenken mit der Gewißheit der völligen Selbsterschließung Gottes in seinem Messias Jesus von Nazareth." Ähnlich G. Schneider, aaO.), oder ob man auf einen anderen Sprach- und Denkhorizont zurückgreift, nämlich den gnostischen Erlösermythos bzw. seine Vorstufen, oder ob man eine Verbindung beider Anschauungskreise als Wurzelboden annimmt (vgl. z.B. Kümmel, Theologie 107f; auch Georgi, aaO. 264 A.6; kritisch dazu Hengel, Der Sohn Gottes 53ff).

137 E. Stauffer bestimmt die gleichförmigen Aussagen von 2Kor 8,9; Gal 4,4f; 3,13f; 2Kor 5,21; Röm 8,3f; Gal 2,19; Röm 7,4 in diesem Sinn als „Durchbruchsformeln": „Das Ärgernis des Kreuzes ist notwendig, wenn der alte Äon dem neuen Raum geben soll. Die Erdenwelt ist so hoffnungslos überschuldet und zerrüttet, daß nur noch von Gott her die Rettung möglich ist, und so doch so schicksalhaft an den Menschen gebunden, daß allein durch den Menschen hindurch der Weg der Rettung gehen kann. So muß der Gottessohn eingehen in die gebrochene Form dieses Menschendaseins und die Schuld der Vergangenheit aus der Welt schaffen, um den Grund zu legen für eine neue Zukunft. Der Weg in die Zukunft aber kann für eine heillos verfahrene Welt nur ein Weg sein durch den Bruch hindurch. Die Gewalten des alten Äons ballen sich zwangsläufig zusammen gegen den Anfänger des neuen und – müssen an ihm zerschellen. Die letzte Machtoffenbarung des Bösen muß das Werk Gottes zur Entscheidung bringen! Nur in der Form des Durchbruchs kann Gott sein Ziel erreichen in dieser Welt des Widerstreits"; theologisch kann man hier von der „Kategorie des Durchbruchs" reden (Vom λόγος τοῦ σταυροῦ und seiner Logik, in: ThStKr 103 (1931), 179–188.187.

Dieser eschatologische Anspruch von Person und Geschichte Jesu ist im Titel „Sohn Gottes" fixiert, Röm 1,3.4.9; 5,10; 8,3.29.32; 1Kor 1,9; 15,28 (ὁ υἱός)[138]; 2Kor 1,19; Gal 1,16; 2,20; 4,4.6; 1Thess 1,10[139]. Zwar ist dieser Hoheitstitel bei Paulus nicht einem spezifischen Gedankenkreis zugeordnet[140], er bleibt aber im Gegensatz zu „Kyrios" „bestimmten theologischen Spitzenaussagen vorbehalten"[141], wobei eine gewisse Affinität zu Aussagen über das Heilsereignis, speziell den Tod Jesu zu beobachten ist[142]. Bemerkenswert ist, daß als ausgesprochenes oder logisches Subjekt dieser z.T. geprägten Aussagen fast durchweg Gott begegnet[143]; mit dem Titel „Gottessohn" verbindet Paulus also prinzipiell den Anspruch exklusiv göttlichen Heilshandelns. Der Sohn Gottes erscheint dabei nicht nur als „Mittler", sondern er repräsentiert und verkörpert in seiner Person und seinem konkreten Geschick, seiner Sendung und Hingabe (Röm 5,10; 8,3.32; Gal 4,4), seiner Auferweckung und endgültigen Offenbarung (Röm 1,4; Gal 1,16; 1Thess 1,10; 1Kor 1,9) diese eschatologische Heilsgabe Gottes (vgl. 2Kor 1,19; Gal 2,20); als solcher ist der Sohn Gottes dann der Inhalt des Evangeliums (Röm 1,3.9; Gal 1,16). Berücksichtigt man ferner, daß die christologische Sohn-Gottes-Bezeichnung immer determiniert ist[144], so dürfen wir folgern, daß ὁ υἱὸς τοῦ θεοῦ bei Paulus das einzigartige Verhältnis Jesu Christi zu Gott in Hinblick auf das Heil und seine Verwirklichung ausdrückt[145]. Die Einzigartigkeit dieser Beziehung macht die

138 S. dazu unten S. 154ff.

139 Vgl. Hahn, Hoheitstitel 280–333; Kramer, Christos 105–125.183–193; K. Berger, NTS 17 (1970/71), 391–425; NTS 20 (1973/74), 1–44; ZThK 71 (1974), 1–30; W. von Martitz/G. Fohrer/E.Lohse/E. Schweizer, Art. υἱός, in: ThWNT VIII 334–400; Hengel, Der Sohn Gottes; Blank, Paulus und Jesus 249–301; Schlier, Anfänge 40ff; Cerfaux, Christus 269–281; Cullmann, Christologie 276–313.

140 Er begegnet allerdings nie in der Paraklese.

141 Hengel, Der Sohn Gottes 29; die Behauptung Kramers (Christos 189), „daß Gottessohntitel und -vorstellung (!) für Paulus nur von untergeordneter Bedeutung sind", ist auch deshalb unhaltbar, weil sie aus der verfehlten Methode resultiert, die (angeblich traditionellen) „Gottessohnformeln" Röm 8,3.32; Gal 2,20; 4,4f; 1Thess 1,10 nur insoweit für das pln. Verständnis auszuwerten, als eine „Aufarbeitung" von der Hand des Apostels erkennbar ist; zur Kritik vgl. auch Hengel, ebd. 18ff.

142 Vgl. die Formulierungen im Aorist: Röm 1,4; 5,10; 8,3.32; 2Kor 1,19; Gal 1,16; 2,20; 4,4f.

143 Ausnahmen: 2Kor 1,19 und Gal 2,20, doch vgl. den Kontext: πιστὸς ὁ θεός, 2Kor 1,18; χάρις τοῦ θεοῦ, Gal 2,21.

144 Nach Schweizer (ThWNT VIII 356) wird der Begriff im hellenistischen Judentum dagegen „im Sing griech nie determiniert." Bei Paulus findet sich der Plural (in determinierter Form) bezeichnenderweise nur Röm 8,19, in einer streng eschatologischen Aussage also.

145 Vgl. etwa Kramer, Christos 185: „Bezeichnung des Heilsträgers unter dem Aspekt seiner Zugehörigkeit zu Gott"; Hengel, Der Sohn Gottes 23, und bes. Blank, Paulus und Jesus 283f.

Einzigartigkeit, d.h. die eschatologische Größe des Heils aus, das uns in Christus eröffnet wurde[146]. Für Paulus ist dies die Unerhörtheit der Liebe Gottes zu den Gottlosen und Feinden[147]; in Jesus, dem Gekreuzigten, hat Gott sein Eigenstes, seinen Sohn, preisgegeben, um uns alle zu retten (Röm 8,32); in der Liebe seines Sohnes zu uns bis in den Tod (Gal 2,20; Röm 8,35.37) hat Gott sich selbst uns in der Macht seiner Liebe als das Heil zugesagt, mit ihm, den er für uns alle dahingab, schenkt er uns alles (Röm 8,32). Der Titel „Sohn Gottes" hält diese Rückhaltlosigkeit und Totalität des Einsatzes Gottes zu unseren Gunsten in Jesus Christus begrifflich fest; christologisch-geschichtlicher und theo-logischer Aspekt des eschatologischen Heils bilden in ihm eine untrennbare Einheit. Die Kategorie eines „christologischen Hoheitstitels" ist damit gesprengt; die religionsgeschichtlichen Verstehensvorgaben sind geradezu auf den unmittelbaren Wort-Sinn der denkbar innigsten Zugehörigkeit Jesu zu Gott konzentriert: Der „Titel" „trägt das Gewicht einer personalen Wesensbestimmung des Gott-Menschen in sich."[148]

4. Zusammenfassung

Das Ergebnis unserer Untersuchungen zum eschatologischen Verständnis des Heilstodes Christi bei Paulus können wir knapp und eindeutig formulieren. Die vielfältige Verkündigung des Kreuzes läßt sich auf ein innerstes und einfachstes Geschehen zurückführen: es ist die Einheit der Liebe Gottes mit der Liebe seines Sohnes Jesus Christus, welche als Gehorsam gegen Gottes Liebes-Willen das Unheil aller Menschen, ihren Ungehorsam, auf sich nahm, in den Tod trug und zerbrach und sie so (als Gerechtfertigte) in das Leben für Gott stellte, das sich „am Tage Christi" vollenden wird. Größe und Geheimnis dieser eschatologisch rettenden Liebe Gottes sind im christologischen „Titel" „Sohn Gottes" verwahrt. Weil der gekreuzigte Christus Offenbarung dieser Liebe Gottes ist, ist er das Eschaton.

146 Vgl. Blank, Paulus und Jesus 283; Schweizer, ThWNT VIII 386.

147 Röm 5,6–8. Nicht von ungefähr taucht deshalb in V.10 der Gottessohntitel auf, vgl. weiter Röm 8,3.32; 2Kor 1,19; Gal 2,20; 4,4; dazu: Blank, Paulus und Jesus 283.

148 Schlier, Anfänge 44.

III. Kreuz und eschatologische Zukunft: die eschatologische „Sprengkraft" der Liebe Gottes in Christus Jesus

Die Gültigkeit dieses Ergebnisses muß sich nun daran erweisen, ob und wie sich mit ihm die futurisch-eschatologischen Aussagen des Paulus vereinbaren lassen und sachlich erschlossen werden können. Wir erörtern diese Frage exemplarisch an drei Texten des Röm, die darin übereinkommen, daß sie die Hoffnung auf die *Herrlichkeit* Gottes in der *Liebe* des Todes Jesu begründen[149].

1. Röm 15,1–13

Wir gehen von der Beobachtung aus, daß Paulus von der Paraklese in V.1–6 bruchlos überleitet zur Thematik der Vv.7–13, der (sich in der einmütigen Verherrlichung Gottes realisierenden) Einheit der Kirche aus Juden und Heiden, die in Christi Tod gründet (V.3.7f). Der Apostel möchte offenbar sagen, daß Christen sich dort, wo sie einander annehmen und die ganze Kraft[150] ihres im Glauben eröffneten neuen Lebens[151] in das selbstlose Ertragen der Schwachheiten des Nächsten investieren (V.1–6), zu Gottes Heilstat in Christus, d.h. seiner Treue zu Israel und seinem Erbarmen mit den Heiden (V.8f)[152], bekennen[153]. Paulus sieht die selbst-lose Hingabe Christi dabei

149 Darüber hinaus kann man auf folgende Stellen verweisen: 1Thess 5,9f (das Sterben Jesu für uns als unsere Bestimmung zum Heils-Besitz, d.h. zum Leben mit Christus); Gal 1,4 (der Sühnetod Jesu als (Inauguration unserer) Rettung aus dem gegenwärtigen bösen Äon); Röm 14,15 und 1Kor 8,11 (Gegensatz: Tod Jesu für den Bruder – „Vernichtung" des Bruders). Andere Texte wie Gal 2,19f; 3,13f; 6,14; 2Kor 5,14ff deuten die Beziehung von Tod Jesu und eschatologischer Heilszukunft nur an. Zu Phil 3,9–11.18:20f s.u. S. 167ff.

150 οἱ δυνατοί spiegelt wie der Gegenbegriff οἱ ἀδύνατοι das Selbstbewußtsein der Christen, die sich der ihnen verliehenen göttlichen δύναμις bewußt sind, vgl. Michel, Röm 353f.

151 Vgl. 14,22f; 15,13 (ἐν τῷ πιστεύειν ist kein Zusatz).

152 Die Konstruktion von V.8f kann sowohl als von λέγω γάρ abhängiger doppelter A.c.I. wie als A.c.I. mit zweigliedrigem Konsekutivsatz (εἰς τό) bestimmt werden, vgl. die Diskussion in den Kommentaren; Zeller, Juden und Heiden (s. Anm. 97) 218f; Thüsing, Per Christum 43f. Die grammatische Doppeldeutigkeit verrät m.E. das Bemühen des Apostels, die Universalität der Gnade unter Wahrung des heilsgeschichtlichen Vorrangs Israels herauszuarbeiten. Bundestreue und Erbarmen werden also weder parallelisiert (Michel, Röm 359) noch entgegengesetzt (Zeller, aaO. 219). „Es liegt Überbietung vor: die Bundestreue wird kosmisch ausgeweitet." (Käsemann, Röm 369). Daraus folgt, daß die Zitatenkette 9–12 nicht allein „auf den Jubel der *Heiden* abgestimmt" ist (so Zeller, aaO. 221, vgl. 218f), sondern die Heidenchristen auf die Einheit mit den Judenchristen verweist, in welcher die Verherrlichung Gottes erst zur gültigen Antwort auf die eschatologische Tat Gottes in Christus wird, vgl. V.10 (μετὰ τοῦ λαοῦ αὐτοῦ, Dt 32,43); auch V.11? (Ps 117,1). Nur bei dieser Interpretation wird 1. der Zusammenhang mit der Paraklese gewahrt, vgl. V.5f, und kann vor allem 2. erklärt werden, wieso Paulus vom Gegensatz der Starken und Schwachen unvermittelt zur Beziehung der Tat Christi auf Juden und Heiden übergeht, vgl. Käsemann, Röm 368.

153 Vgl. die terminologische Entsprechung von V.1f:3 und V.7a:b; dazu auch 14,3.15. Vgl. Gal 6,2: „Traget einander die Lasten, und so werdet ihr das Gesetz Christi erfüllen."

in eschatologisch-universalem Horizont; denn hier ist Gott in der unverstellten Wahrheit seines Wesens begegnet; in der Erfüllung seiner Verheißungen an Israel und in seinem Erbarmen mit den Völkern wurde Gott in seiner δόξα offenbar.

Diese δόξα aber ist das Ziel unserer Annahme durch Christus[154]. Fassen wir die δόξα τοῦ θεοῦ (V.7, und ihre Derivate) in diesem Sinn eschatologisch (wie meist bei Paulus), so erklärt sich ungezwungen, daß Paulus in V.4 und 13 denen, die sich in gegenseitiger Annahme der machtvollen Gegenwart dieser Herrlichkeit (im Heiligen Geist, V.13) unterstellen (= δοξάζειν)[155], die ἐλπίς zuspricht (V.4.13, vgl. V.12:10f), deren Grund und Gegenstand nichts anderes als diese eschatologische Doxa Gottes selbst ist (vgl. Röm 5,2; 8,18ff u.a.), die im Christusereignis aufbrach. Hier ist der hoffnungslos an sich selbst verfallenen Welt neue Zukunft erschlossen worden, die absolute Zukunft Gottes. Getragen und aufgehoben in der selbstlosen Offenheit Christi für Gott hat unser selbstgefälliges Verschlossensein, unsere Feindschaft gegen Gott, auf welcher sein vernichtendes Zorngericht lastet, ein Ende und ist aufgebrochen für Gott, den Vater unseres Herrn Jesus Christus (V.6). Frei von sich selbst zur Verherrlichung Gottes steht der Glaubende, d.h. der Mensch unter der eschatologischen Macht der Hingabe Christi (vgl. Gal 2,20), in die absolute Zukunft hinaus, die Herrlichkeit Gottes in Christus[156]. Sie ist ihm „durch die Geduld (Christi)[157] und durch den Trost der Schriften" als *Hoffnung* zugesprochen (V.4)[158], eine unbändige, grenzenlose, von der Macht des Heiligen Geistes getriebene Hoffnung, die darin ihrem Ursprung, dem „Gott der Hoffnung" entspricht und allein in seiner Herrlichkeit gestillt werden kann (V.13). Diese aber ist Wirklichkeit in dem, der allein von Grund auf für Gott da war; er, der Sproß des Jesse und der Herrscher der Völker, ist als Zeuge der Wahrheit und des Erbarmens Gottes die Hoffnung aller Welt (V.12 = Jes 11,10).

Der Konnex zwischen Hingabe Christi und eschatologischer Vollendung läßt sich in unserem Text auch noch von anderer Seite her aufhellen. In V.4 findet er sich im Rahmen einer für Paulus charakteristischen hermeneutischen Zwischenbemerkung[159], die sich an

---

154 εἰς δόξαν τοῦ θεοῦ (V.7) bezieht sich primär auf die Tat Christi.

155 Vgl. Schlier, Doxa 315; Hahn, Mission 92: Damit „beginnt die eschatologische Verherrlichung Gottes, die das letzte und eigentliche Ziel der Geschichte ist"; vgl. auch Zeller, aaO. 221–223.

156 Auf das („theo-zentrische") Wirken des *erhöhten* Christus hebt Paulus weder durch κατὰ Χριστὸν Ἰησοῦν (V.5) und προσλαμβάνεσθαι (V.7) noch mit dem Zitat Ps 18,50 in V.9b ab; das letztere verkündet vielmehr ohne erkennbare (christologische) Akzentuierung in der Folge der anderen Zitate das verheißene Gotteslob der Völker als erfüllt, geg. Thüsing, Per Christum 42f.

157 S. dazu gleich.

158 V.12 zeigt im Vergleich mit den anderen Zitaten, daß die Hoffnung der Heiden auf den messianischen Herrscher identisch ist mit ihrer Verherrlichung Gottes.

159 Vgl. Röm 4,23f; 1Kor 9,9f; 10,11; dazu: Luz, Geschichtsverständnis 109–123.

das Psalmzitat anschließt, mit dem V.3b das Christusgeschehen explizit als „gottgewolltes, eschatologisches Geschehen"[160] kennzeichnet. Unabhängig davon, wie man sich in der Frage der Beziehung von τῶν γραφῶν entscheidet[161], wird man ὑπομονή als stichwortartig zusammenfassende und parakletisch orientierte Aufnahme der Tat Christi (V.3) zu verstehen haben: In der selbstlosen „Geduld" Christi erfüllt, ist die Schrift zu dem Trost ermächtigt, der Hoffnung verleiht.

Wichtig ist nun, daß ὑπομονή im pln. Schrifttum eine feste terminologische Bindung mit ἐλπίς eingegangen ist[162], vgl. Röm 5,2–5; 8,24f; 12,12; 15,4f(13); 1Kor 13,7; 2Kor 1,6f; 1Thess 1,3. Die ὑπομονή gilt dem Apostel offenbar als die entscheidende Weise der Bewährung der ἐλπίς[163]. ὑπομονή meint dabei das Annehmen, Ertragen und Durchstehen der endzeitlichen Anfechtungen und Trübsale (θλίψεις), vgl. Röm 5,3; 8,18ff.25; 12,12; 2Kor 1,3ff.6; 6,4; 1Thess 1,6, bzw. die Geduld und selbstlose Beharrlichkeit, mit welcher der Christ sein Leben in der Liebe verwirklicht, die den Schwachen und seine Lasten trägt und so Hoffnung füreinander festhält und stärkt, vgl. Röm 15,4f; auch 2Kor 1,7; 1Kor 13,7[164]. ὑπομονή nähert sich der Bedeutung aushaltender, tragender Liebe. Als solche entspringt sie letztlich der ὑπομονή des Christus selbst, seiner Liebe, die selbstlos alle Feindschaft der Menschen gegen Gott trug und ihnen so die Hoffnung auf die Herrlichkeit Gottes gnadenhaft eröffnete, vgl. Röm 15,3:4.5f; 5,3f:5ff; 2Kor 1,5–7[165]. Diese Hoffnung und ihre „Geduld" empfängt ihre Kraft aus der Gabe des Geistes, der Christi Liebe bis in den Tod zueignet als die neue Wirklichkeit des Glaubens, vgl. Röm 5,5ff:3f; (8,26f:25); 15,13; Gal 5,5. Das ist der Trost (παράκλησις), der die Hoffnung fest macht und ihr den langen Atem der ὑπομονή verleiht, Röm 15,4f; 1Kor 13,7; 2Kor 1,6, die das Ziel der künftigen Herrlichkeit, Ehre und Unverweslichkeit nie aus den Augen verliert (Röm 2,7), vielmehr dazu ermächtigt, in der Annahme des Bruders (im „guten Werk") schon jetzt Gottes Herrlichkeit in Christus preisend zu bekennen.

Im Zueinander von ὑπομονή und ἐλπίς (Röm 15,4) spiegelt sich demnach für Paulus der eschatologische Anspruch und die Zukunftsmächtigkeit der „Geduld" und Hingabe Christi (15,3.7) und verschafft sich Geltung in der Existenz des Christen.

Wir können unsere Erörterung von Röm 15,1–13 im Blick auf unsere Fragestellung zusammenfassen: Die Liebe Christi, die in radikaler Bereitschaft für Gott uns, die Feinde, annahm und bis zum Tode trug, erhebt einen Anspruch, der nur in der absoluten Zukunft Gottes selbst abgegolten werden kann. Sie

160 Luz, Geschichtsverständnis 110.

161 Spricht die Gottesprädikation in V.5 für die Zugehörigkeit zu beiden διά-Wendungen, so legt es die Wiederholung des διά nahe, διὰ τῆς ὑπομονῆς eigenständig zu fassen.

162 ὑπομονή tritt aber nie wie im AT an die Stelle der ἐλπίς, vgl. F. Hauck, Art. ὑπομένω κτλ., in: ThWNT IV 585–593.586ff: „... die at.liche ὑπομονή (ist) im Hoffen fast ganz aufgegangen." (588, vgl. 589).

163 „Die Geduld ist die Hüterin der Hoffnung": H. Schlier, Nun aber bleiben diese Drei (Kriterien 25), Einsiedeln 1971, 63f.

164 Insofern eignet der ὑπομονή bei Paulus durchaus der Zug aktiven Standhaltens und Ertragens; vgl. die genuin griechische Wortbedeutung: Hauck, aaO. 585f. Das Moment der Prüfung deutet sich bei Paulus jedoch nur in Röm 5,4 an (δοκιμή), während es sonst im NT wie im Judentum verbreitet ist, vgl. nur Jak 1,2ff.

165 Röm 12,12 gehört zu einer Paraklese, die unter dem Stichwort ἀγάπη steht (V.9); vgl. noch 1Thess 1,3.

drängt über die Gegenwart und die Bedingungen dieser Weltzeit hinaus in das absolute Wesensgeheimnis Gottes, in seine Herrlichkeit, wo die Menschen endgültig mit ihrem Schöpfer versöhnt sind, d.h. ihn einmütig verherrlichen. Wenn Gott so in seiner Herrlichkeit, in seiner Wahrheit und seinem Erbarmen, von aller Welt anerkannt wird, findet die Selbst-losigkeit Christi ihre letzte Erfüllung.

Die beiden im folgenden besprochenen Stellen bestätigen und vertiefen dieses Ergebnis.

2. Röm 5,1–11

Die Ausführungen des Apostels in Röm 5,6–8 dienen im Zusammenhang dazu, die Untrüglichkeit der Hoffnung aufzuzeigen, welche dem aus Glauben Gerechtfertigten mit seiner neuen Existenz in Gottes Gnade eröffnet ist und die sich gerade in den endzeitlichen Bedrängnissen immer von neuem und je tiefer als tragend und siegreich erweist, V.1–4[166]. Worin besteht also die Mächtigkeit dieser Hoffnung auf die Herrlichkeit Gottes (V.2)? In eben jenem innersten Geheimnis der rechtfertigenden Gnade, der Liebe Gottes im Sterben Jesu Christi für uns. Diese Liebe bestimmt uns durch den heiligen Geist in der für uns selbst letztlich unauslotbaren Tiefe und Mitte unserer Person, dem Herzen[167], V.5. Der heilige Geist aber ist die im Glauben erfahrbare Macht der Gegenwart des gekreuzigten Herrn, durch den und in dem uns Gottes Liebe ganz und gar in ihrer heilschaffenden Gewalt hat[168]. Dem entspricht die durchgehende Rückbindung des gegenwärtigen und zukünftigen Heils und seiner Gabe an die Person des Herrn Jesus Christus: „durch ihn haben wir jetzt die Versöhnung empfangen" (V.11) und durch ihn „Frieden mit Gott" (V.1); „durch sein Blut gerechtfertigt" (V.9) und durch seinen Tod mit Gott versöhnt (V.10) ist uns durch ihn, den erhöhten Herrn, der Zugang in den tragenden Bereich seiner Gnade eröffnet (V.2)[169]. So aus Glauben gerechtfertigt, ist der Christ „durch unseren Herrn Jesus Christus" auf den Weg der Hoffnung gestellt, welche der eschatologischen Offenbarung der Herrlichkeit Gottes entgegenharrt, mit deren alles überwältigendem Ausbruch die Rettung „durch ihn" erst Endgültigkeit erlangt

---

166 Vgl. z.B. Kuss, Röm 207.

167 Vgl. Röm 8,26; 1Kor 4,5 u.a. Das Herz „ist die verborgene, inwendige Mitte und Wurzel des Menschen und damit seiner Welt" (H. Schlier, Das Menschenherz nach dem Apostel Paulus, in: ders., Das Ende der Zeit 184–200.199; vgl. auch J. Behm (F. Baumgärtel), ThWNT III 609–616.614f). Käsemann (Röm 126) sieht hier – schwerlich zu Recht – die Erfüllung von Jer 31,31ff ausgesprochen.

168 Zum πνεῦμα-Begriff s.u. S. 218ff. Zum Bild von der Ausgießung der Liebe Gottes in der Gabe des Geistes vgl. Joel 3,1; TestJud 24,2f; Apg 2,17; 10,45, sowie etwa Michel, Röm 133.

169 Zur „Formel" διὰ Χριστοῦ vgl. den Exkurs bei Kuss, Röm 213–218; auch Thüsing, Per Christum 164–237.

und damit der jetzt schon gewährte Stand in Gerechtigkeit eingelöst und vollendet wird[170].

Solches Leben aus der Macht des Geistes auf die Gabe göttlicher Herrlichkeit durch Jesus Christus hin[171] ist aber Leben aus und im Wunder des eschatologischen Ereignisses der Liebe Gottes, die im Tod Christi selbst die Gottlosen und Feinde, die wir waren, rechtfertigte und versöhnte. Damit sprengt es jede weltliche und menschliche Kategorie[172] und verweist in sich auf jenes Ereignis, das seinen inneren Anspruch auf Rettung aller endgültig einlösen wird, den Ausbruch der eschatologischen Glorie Gottes; sie allein entspricht der inkommensurablen Größe der Liebe Gottes, der zur Versöhnung seiner Feinde seinen Sohn in den Tod gab. Und umgekehrt ist es allein dieser äußerste Einsatz der Liebe Gottes zu uns im Tod Christi, der jene alles überragende, unausdenkliche Zukunft der Herrlichkeit Gottes nicht nur verheißen, sondern (durch die eschatologische Gabe des Geistes) schon jetzt zu anfanghafter realer Erfahrung gewähren und ihrer in der Überwindung der Trübsale und Leiden gewiß machen kann. Gottes rechtfertigende und versöhnende Liebe im Tod Jesu ist der entscheidende Erweis, die unwiderrufliche Zusage seiner Herrlichkeit, der absoluten Zukunft von Welt und Mensch; die „Herrlichkeit Gottes" ist im Tod Jesu für die Gottlosen und Feinde als der das Unheil endgültig überwindende Ausbruch dieser seiner Liebe selbst definiert (V.2:5ff).

Jesus Christus aber, der gekreuzigte Herr, ist die „Gestalt" dieses herrlichen Wesens der Liebe Gottes. „Er ist in Person das nicht mehr rückgängig zu machende 'Für uns' Gottes und so die Schicksalswende von (5,)12–21."[173] Sein eschatologisch gültiger Tod für uns kommt zum Ziel, wenn wir „durch ihn" vom künftigen Zorngericht gerettet werden (V.9)[174], d.h. wenn wir

170 „Die δόξα τοῦ θεοῦ ist die Vollendung der bereits geschenkten Gerechtigkeit und wird in dieser derart antizipiert, daß 'Hoffnung' zugleich auf ausstehende Vollendung noch wartet und ihrer doch über der empfangenen Gabe gewiß ist." (Käsemann, Röm 124).

171 Der Geist ist uns als „Erstlingsgabe" (Röm 8,23) und „Angeld" (2Kor 1,22; 5,5) auf die kommende Erlösung gegeben, wobei wohl – wie das Perfekt zeigt – an die Taufe als den Ort der Geistmitteilung zu denken ist, vgl. Käsemann, Röm 126. Es geht also nicht primär um „die *Gewißheit* von Gottes Liebe zu uns" (geg. Kuss, Röm 206 (kursiv gesetzt von mir); Michel, Röm 133f; Delling, Kreuzestod 19), sondern um den „objektiven" Aufweis der eschatologischen Heilsmacht Gottes als des Grundes unserer künftig erhofften Rettung.

172 Dies ist der Sinn des etwas verunglückten Vergleichs von V.6–8, vgl. z.B. Käsemann, Röm 127; Blank, Paulus und Jesus 281ff.

173 Käsemann, Röm 129. Vgl. 2Kor 1,19–22: Der Sohn Gottes Jesus Christus als das endgültige Ja Gottes zu seinen Verheißungen, das uns durch das „Angeld des Geistes" auf Zukunft hin bestimmt, vgl. unten S. 137.

174 δι' αὐτοῦ meint hier wohl primär ein Handeln des erhöhten Herrn, vielleicht im Sinne von 1Thess (1,10); 4,16f; (5,9f) (an eine forensische Situation wie Röm 14,10f; 2Kor 5,10 zu denken, verbietet m.E. die Kategorie der ὀργή, V.9b). Als Korrelat zu ἐν τῷ αἵματι αὐτοῦ (V.9a; vgl. V.10) ist darin die Bindung an die grundlegende Heilstat des Todes für uns mitzuhören, die durch dieses rettende Eingreifen endgültig an ihr Ziel gelangt.

„in sein Leben" hinein geborgen sind (V.10)[175]. Denn Christus lebt als der gekreuzigte Herr „aus der Macht Gottes" (2Kor 13,4); der „gekreuzigte Christus" ist als „Gottes Macht und Gottes Weisheit" die Rettung der Welt, (1Kor 1,23f:21; vgl. 1,30; 2,2; Gal 3,1). In seinem Kreuz ist diese Welt und ihre „fleischliche" Eigenmacht selbst „gekreuzigt" (Gal 6,14; 5,24), ist dem gottfeindlichen Wesen dieses Äons, ist Sünde und Tod das Ende bereitet[176]. Wir können auch sagen: Weil der Gekreuzigte das Ende der Zeit ist, wird unser neues Leben aus der Macht seines Geistes, welcher die gnädige Gegenwart der Liebe Gottes im Tod Jesu ist, mit der „eschatologischen" Zwangsläufigkeit der Liebe Gottes seine unausdenkliche, herrliche Vollendung finden in der Rettung in das Leben Christi hinein. In Christus, seinem Sohn, der für uns, die Schwachen, Feinde und Gottlosen in den Tod ging, hat Gott uns so das unauslotbare und überschwengliche Geheimnis der Herrlichkeit seines Wesens eingeräumt als die Erfüllung unseres und aller Menschen Seins (vgl. Röm 8,28–30). Da uns aber durch unseren Herrn Jesus Christus, der als der Sohn Gottes aus der Macht Gottes für Gott lebt (Röm 6,10), ein radikal neues Leben im Frieden mit Gott eröffnet wurde, erhebt sich schon jetzt der Ruhm und das Lob Gottes als die Signatur gerechtfertigter und durch Christus versöhnter Existenz (Röm 5,11)[177].

Über die Schwachen, Gottlosen, Sünder und Feinde aber wird das *Zorngericht Gottes* vernichtend hereinbrechen *(V.9)*[178]. Da das Eschaton in Person und Geschick Jesu als rettende Liebe Gottes offenbar wurde, kann die ὀργή nur als die negative Seite des endgültigen Sieges dieser Liebe Gottes in Christus, die seine Herrlichkeit ist, verstanden

---

175 ἐν τῇ ζωῇ αὐτοῦ nimmt δι' αὐτοῦ auf und macht deutlich, daß Christus nicht nur Grund und Mittler, sondern auch die Wirklichkeit unseres Heils ist, vgl. auch Thüsing, Per Christum 205–207. Entsprechend sind Tod und Leben Jesu als die beiden Seiten des einen Heilsgeschehens zu interpretieren: „Beides kann jedoch wie in 4,25 differenziert werden, um die verschiedenen Seiten des Heilsgeschehens, nämlich das eschatologisch Einmalige und das Permanente, zu verdeutlichen." (Käsemann, Röm 129). S. weiter unten S. 92f.

176 S.o. S. 39ff.

177 καυχᾶσθαι hat hier den Akzent des Lobpreises, vgl. Michel, Röm 136 (der dies auch für V.2 annimmt: 131); „'Sich rühmen' heißt eben – recht getan – sich Gottes rühmen, Gott als die einzige Ursache alles Heils erkennen, anerkennen und preisen" (Kuss, Röm 213); vgl. 2Kor 1,20; 4,15; Röm 15,6.9; 1Kor 6,20; Phil 1,11 und bes. 2Kor 9,6–15, wo die Identität von Herrlichkeit Gottes, die uns als seine Gnade trägt, und Verherrlichung Gottes als Ausdruck des Stehens in der Gnade in die Augen springt, vgl. G.H. Boobyer, „Thanksgiving" and the „Glory of God" in Paul, (Diss.) Heidelberg 1928 Borna/Leipzig 1929, bes. 79–84; Georgi, Kollekte 67–79.

178 ὀργή meint „die verzehrende Macht des Weltenrichters" (Käsemann, Röm 129), welche „die letzte Zukunft" der Welt ist (128), vgl. Röm 2,5.8; 3,5; 4,15; 12,19; 1Thess 1,10; 5,9 u.a.

werden[179]. Wenn Gott durch Christus seine eschatologische Herrschaft antritt, hat alles Widergöttliche keinen Platz mehr, sondern ist der Vernichtung seines „Zorns" anheimgefallen[180]. Der Vorstellung der ὀργή kommt hier also nur insofern Eigenständigkeit zu, als sie das notwendige und definitive Ende der an Gottesfeindschaft und Sünde verfallenen Menschheit vor und neben Christus aufzeigt, aus deren Unheilsverhängnis uns Gott in seiner Liebe durch seinen gekreuzigten Sohn „zur rechten Zeit"[181] befreit hat und deshalb auch endgültig retten wird.

Das Eschaton, die absolute Zukunft von Welt und Mensch, ist also nach unserem Text die endgültige, offenbare und machtvolle Durchsetzung Gottes selbst in seiner Wesensherrlichkeit, welche in der Person des gekreuzigten Jesus Christus als seine rechtfertigende und versöhnende Liebe erschien, sich durch ihn (im Geist) unserer gnädig bemächtigte und in seinem Leben, das ein Leben für Gott ist, endgültig als unser Heil erfüllen wird.

3. Röm 8,31–39

Dieses Verständnis futurischer Eschatologie verweist uns unmittelbar auf den in Aussageabsicht und -weise weithin parallelen Passus Röm 8,(17–30)31–39[182]. Auch hier ist im „Für uns" Gottes, das in der Hingabe seines Sohnes für uns alle Ereignis wurde (V.32), unsere Rettung im eschatologischen Gericht verbürgt (V.33f)[183]; ja, „alles" wird Gott uns schenken in der Gemeinschaft mit seinem Sohn, den er für uns dahingab (V.32). Nach V.29 vollzieht sich dies darin, daß wir verwandelt werden in das Wesensbild seines Sohnes, d.h. als Verherrlichung (V.17), welche unverfügbar-überraschender Ausbruch des Machtglanzes des göttlichen Wesens ist (V.18). Vom Geist Gottes getrieben, d.h. als „Söhne Gottes", sind wir nämlich zugleich „Erben Gottes" – mit Christus (V.17) – und harren sehnlichst mit der und für die Schöpfung, die der Nichtigkeit unterworfen ist, auf die „Offenbarung der Söhne Gottes"

---

179 Wegen dieser christologischen Konzeption des Eschatons ist nicht nur die Verkündigung des gekreuzigten Christus, „das Wort vom Kreuz", ein eschatologisch-kritisches Geschehen (1Kor 1,18–25; 2Kor 2,15; 4,3), sondern Paulus kann auch die Offenbarung des Zornes Gottes in der Geschichte in Parallele zur jetzt schon im Evangelium geschehenden Offenbarung der Gerechtigkeit Gottes ansagen, Röm 1,17:18; „im Zeichen des Evangeliums (ist) die verlorene Welt in das Licht des ἔσχατον gerückt ..., auf das die bisherige Geschichte trotz der ἀνοχή Gottes (3,26) freilich immer schon verborgen ausgerichtet war ... die Geschichte der Welt (liegt) sozusagen schon im Feuerschein des Jüngsten Tages ..." (G. Bornkamm, Die Offenbarung des Zornes Gottes (Röm 1–3), in: ders., Ges. Aufsätze I 9–33.31, vgl. 33).

180 Zur ὀργή vgl. weiter unten S. 151f.

181 κατὰ καιρόν bezieht sich auf das Prädikat und meint den rechten, von Gott gewählten Zeitpunkt, vgl. Gal 4,4, und Michel, Röm 134 (überzogen hingegen G. Delling, ThWNT III 456–463.462); anders Kuss, Röm 208; Käsemann, Röm 127, wonach κατὰ καιρόν lediglich das zweifache ἔτι verstärken soll.

182 Zum Verhältnis von Röm 8,31ff zu 5,1–11 vgl. Osten-Sacken, Römer 8 57–60; zur exegetischen Einzelbegründung s.u. S. 203ff und 245ff.

183 Vgl. das konstante ὑπὲρ ἡμῶν (πάντων), V.31.32.34 (auch 27).

(V.19—21), d.h. unseres eschatologischen Seins. Dieser Geist ist aber Christus in seiner real erfahrbaren und das Leben tragenden Gegenwart (V.27:34)[184], die Erfahrung der heilsamen und in allen Gefahren und „Toden" des Lebens rettenden und siegreichen Macht dessen, „der uns geliebt hat" (V.35—37). Von dieser „Liebe Gottes in Christus Jesus unserem Herrn" (V.39), die in seinem Tod das Unheil der Welt zerbrach, vermag uns keine Macht zu trennen, was ja ewiges Verderben bedeutete[185]. Im Gegenteil: Gottes Liebe wird sich in der „Erlösung unseres Leibes", in der endgültigen Gabe der „Sohnschaft" (V.23) als die Herrlichkeit auftun, in welcher auch die Schöpfung Freiheit von Nichtigkeit und Knechtschaft findet. So setzt sich also Gottes Liebe in Jesus Christus, der schon jetzt im Geist unser Leben aufgebrochen hat in die Zukunft seiner Hingabe hinein, endgültig durch als die Offenbarung des Machtglanzes seines ewigen Geheimnisses, in dem Mensch und Welt die überwältigende, unausdenkbare Erfüllung ihres Seins und Sehnens nach der Freiheit und also Rettung und Heil finden werden.

4. Zusammenfassung

Die wesentlichen Aussagen dieser drei Texte des Röm sowie die entsprechenden Folgerungen im Hinblick auf unsere Frage nach dem Verhältnis von Kreuz und Eschaton seien abschließend nochmals zusammengestellt.

Das „Kreuz" ist der Einbruch des Eschatons Gottes in die Welt; als das Geschehen der Liebe (Geduld) und des Gehorsams Jesu Christi, des Sohnes, gegen Gott war es die Wesensoffenbarung Gottes als Liebe; mit dieser Liebe im Todesgehorsam seines Sohnes hat Gott die Welt definitiv vor das Ende ihrer Eigenmächtigkeit und Gottesfeindschaft gestellt. Das Kreuz in seiner ungeschmälerten historischen Brutalität markiert dabei das absolute „Zuvor" des eschatologischen Heilsereignisses, d.h. seine ausschließlich göttliche Wirklichkeit („extra nos")[186]: das unerhörte, allem zuvorkommende, alle menschlichen Kategorien sprengende Sterben Christi am Kreuz für die Sünder, Gottlosen und Feinde brachte Gottes Liebe in ihrer („göttlichen") Einzigartigkeit und eschatologisch-universalen Mächtigkeit ein für allemal zur Geltung. Diese Liebe, die das Ende der Welt ist, sprengt in ihrem Anspruch alle weltlich-menschlichen Dimensionen und drängt über die Gegenwart und ihre Bedingungen hinaus in ihre endgültige Zukunft, das absolute Wesensgeheimnis, die Herrlichkeit Gottes hinein. Als geschichtliches Geschehen ergreift diese Liebe schon jetzt im Geist von den Glaubenden Besitz und stellt sie in die Hoffnung auf ihre eigene, alles Denken übersteigende Erfüllung in der Herrlichkeit Gottes; diese Liebe Gottes in seinem Sohn ist (im Geist) auch die Macht, die uns als die Söhne Gottes durch alle Anfechtung der Endzeit

---

184 Zur Begründung s.u. S. 218ff.

185 Zu χωρίσαι ἀπὸ τοῦ Χριστοῦ (V.35.39) vgl. Röm 9,3 (ἀνάθεμα εἶναι ἀπὸ τοῦ Χριστοῦ); Gal 5,4 (καταργεῖσθαι ἀπὸ Χριστοῦ); auch 2Kor 5,6.

186 Vgl. Röm 3,24; 5,6—8(:9—11); 8,32; 2Kor 5,14f u.a.

hindurch bewahrt und ihrer Zukunft entgegenträgt; sie wird sich schließlich an uns offenbaren als das siegreiche und alles in sein Heil rettende Geheimnis der Herrlichkeit Gottes, deren „Gestalt" der Sohn Gottes selbst ist, die uns also vollenden wird als Brüder Christi und Söhne Gottes.

IV. Exegetische Probe: Der gekreuzigte Christus – Gottes Macht und Gottes Weisheit (1 Kor 1–4)

An den Schluß unserer Untersuchungen zum eschatologischen Verständnis des Todes Jesu bei Paulus stellen wir eine Besprechung jenes Textes, der wie kein zweiter die gesamte apostolische Heilsverkündigung auf das Kreuz konzentriert und am Kreuz mißt, 1 Kor 1–4. Er bietet uns damit die Möglichkeit, unser Ergebnis an der Norm pln. Denkens selbst zu überprüfen und abzurunden.

In 1 Kor sehen wir Paulus konfrontiert mit einer Vielzahl von Fragen und Problemen der jungen korinthischen Gemeinde[187], die, zumindest in seiner Sicht, teilweise einem falschen Verständnis seines Evangeliums und dementsprechend der christlichen Existenz entspringen. Er führt die Streitigkeiten und Parteiungen innerhalb der Gemeinde (vgl. 1,12; 3,4.22; 11,18) auf divergierende „Meinungen" und zweifelhafte Lehren zurück und stellt dieser „Wort-Weisheit" sogleich energisch sein Evangelium, „das Wort vom Kreuz", und damit Christus als die eine und einigende Wirklichkeit und Norm ihrer Existenz entgegen, 1,12–17[188]. Thematik und Stellung verleihen den Eingangskapiteln des 1 Kor die Funktion einer theologischen Grundlegung für die sich anschließende Stellungnahme zu den einzelnen Fragen und Mißständen innerhalb der Gemeinde[189].

---

187 Ab Kap. 7 beantwortet Paulus einen Brief der Gemeinde (vgl. 7,1 und das wiederholte, die einzelnen Anfragen der Korinther aufgreifende περί, 7,25; 8,1.4; 12,1; 16,1.12, vgl. Bauer WB s.v. h. = Sp. 1278f, obwohl nicht in jedem Fall eine Anfrage der Gemeinde angenommen werden muß, vgl. Lietzmann, 1/2 Kor 60).

188 Vgl. dazu G. Friedrich, Christus, Einheit und Norm der Christen. Das Grundmotiv des 1. Korintherbriefs, in: KuD 9 (1963), 235–258; vgl. ergänzend zur Korrektur Baumann, Mitte 44.121 u.ö.

189 Vgl. N.A. Dahl, Paul and the Church at Corinth according to 1 Corinthians 1:10–4:21, in: Christian History and Interpretation (FS J. Knox) Cambridge 1967, 313–335.334: Der Abschnitt 1 Kor 1,10–4,21 „also prepares for the content of the answers given to the questions raised and indicates the theological basis from which these answers are given". Ähnliches Gewicht kommt auch Kap. 15 im Gesamtbrief zu: vgl. K. Barth, Die Auferstehung der Toten, München 1924, 56ff.

Im Mittelpunkt der korinthischen Wirren stand offenbar das Bemühen um σοφία[190]. Dem stellt der Apostel zunächst das Kreuz Christi als das Zentrum christlicher Botschaft und Existenz gegenüber, 1,17–25; hernach nimmt er jedoch diesen Begriff auf und macht ihn – freilich kritisch abgesetzt von jeglicher „Weisheit dieses Äons" – für das Verständnis des Evangeliums vom gekreuzigten Christus fruchtbar, 2,6ff; vgl. 1,24b.30. Diese Adaption eines zentralen korinthischen Schlagworts im Verein mit der Kennzeichnung der von den Korinthern bevorzugten σοφία im einzelnen[191] (die Paulus dann über den direkten polemischen Anlaß hinaus aufgrund der radikalen Antithese des Kreuzes Christi ausweitet zu einer prinzipiellen Auseinandersetzung mit der Weisheit dieser Welt)[192] verbietet es m.E., die korinthische „Irrlehre" als eine voll entfaltete Sophia-Christologie gnostischer

---

190 Von den 19 Belegen für σοφία in den pln. Homologumena finden sich 17 in 1Kor (außer Röm 11,33; 2Kor 1,12), davon wiederum 15 in 1,17–2,16 und je einer in 3,19 und 12,8. Entsprechend fällt die Statistik zu σοφός aus: von insgesamt 14 Stellen entfallen 3 auf Röm (16,27 ist unpln.), der Rest auf 1Kor, und hiervon wiederum 10 auf Kap.1 und 3. Daraus kann m.E. mit großer Wahrscheinlichkeit geschlossen werden, daß σοφία/σοφός zentrales Stichwort der korinthischen Enthusiasten war, zumal Paulus ja auch explizit in 1Kor 1–3 um das rechte Verständnis der Weisheit kämpft. Damit erledigt sich die These von Conzelmann (1Kor 74; vgl. ders., Paulus und die Weisheit, in: NTS 12 (1965/66), 231.-244. 235), die Korinther hätten „eher mit dem Schlagwort γνῶσις operiert", vgl. 8,1ff, während „das Stichwort 'Weisheit' ... offenbar durch Paulus selbst nach Korinth gekommen" sei; (daß Paulus „sich in 2,1–5 gegen das Mißverständnis seiner Lehre, sc. als Weisheit in korinthischer Interpretation, absichert", ist im Text nirgendwo erkennbar, vgl. vielmehr die mit 1,26ff parallele Funktion). Der Topos γνῶσις κτλ., der unbezweifelbar eine Rolle in Korinth spielte und kaum streng von σοφία unterschieden werden kann (geg. Wilckens, Weisheit 39ff.46 A.1; vgl. z.B. Conzelmann, 1Kor 70), begegnet demgegenüber auch sonst bei Paulus, vgl. nur 2Kor 2,14; 4,6; 10,5; 11,6; Phil 3,8. Baumann (Mitte 78) vermutet, daß „der Apostel ... das Wort σοφία bzw. die Wendung σοφία λόγου (sc. vor γνῶσις) bevorzugt, weil dieses Wort ihm die Möglichkeit gibt, die Problematik des λόγος σοφίας in einem grundsätzlicheren Rahmen zu erörtern und dabei auf Erkenntnisse der alttestamentlichen Weisheitslehre zurückzugreifen". Vgl. auch die religionsgeschichtliche Einordnung der beiden Begriffsgruppen, die E.E. Ellis vornimmt („Weisheit" und „Erkenntnis" im 1. Korintherbrief, in: Jesus und Paulus (FS W.G. Kümmel), Göttingen 1975, 109–128).

191 σοφία λόγου, 1,17; ὑπεροχὴ λόγου ἢ σοφίας, 2,1; πειθοῖ σοφίας λόγοι, 2,4; διδακτοὶ ἀνθρωπίνης σοφίας λόγοι, 2,13; vgl. 12,8 (λόγος σοφίας//λόγος γνώσεως); vgl. dazu die informative Erörterung bei Baumann, Mitte 66–79.

192 Vgl. z.B. Schlier, Kerygma und Sophia 209; Wilckens, Weisheit 221; Baumann, Mitte 80f.
Es finden sich im einzelnen: σοφία τῶν σοφῶν (Zit. Jes 29,14), 1Kor 1,19; σοφία ἀνθρώπων, 2,5; ἡ σοφία τοῦ κόσμου (τούτου), 1,20; 3,19; σοφία τοῦ αἰῶνος τούτου/τῶν ἀρχόντων τοῦ αἰῶνος τούτου, 2,6b. Es handelt sich hier wohl um eine atl. inspirierte Kontrastbildung des Paulus zu dem das eschatologisch-universale Heil bezeichnende Handeln Gottes in Christus, das seine „Weisheit" ist, vgl. Wilckens, Weisheit 34.

Provenienz zu bestimmen[193]. Andererseits finden sich im gesamten Brief, zumal in Kap. 1–4, eine Reihe terminologischer und vorstellungsmäßiger Anklänge an gnostisches Gedankengut[194], die es insgesamt nahelegen, an eine Vorstufe der erst später voll entwickelten und literarisch faßbaren Gnosis zu denken, bzw. – falls man die korinthischen Mißstände nicht mit Paulus auf eine einheitliche Grundhaltung zurückführen möchte – an Gedanken und Anschauungen, die sich einer späteren Gnostisierung anboten[195].

In jedem Fall dürfen wir in Korinth ein *enthusiastisches Verständnis christlicher Existenz* voraussetzen, das zumindest für einen großen Teil der von Paulus gerügten Mißstände in der Gemeinde verantwortlich und in der Sicht des Apostels mit seinem Evangelium, dem Wort vom Kreuz, unvereinbar ist[196].

---

193 Geg. Wilckens, Weisheit passim (z.B. 70ff); es kennzeichnet die Fragwürdigkeit des methodischen Verfahrens von W., wenn er aufgrund der christologischen Antithese des *Paulus* in 1,17 mit σοφία λόγου eine christologische Irrlehre vom Erhöhten angegriffen sieht (20). Entsprechendes gilt für Schmithals, Gnosis 117ff, der aus dem ἀνάθεμα Ἰησοῦς, dem Zeichen der gnostischen Verwerfung des Sarkischen, eine korinthische Pneumachristologie erheben möchte; ähnlich z.B. H.R. Balz, Methodische Probleme der neutestamentlichen Christologie (WMANT 25), Neukirchen 1967, 158; N. Brox, ΑΝΑΘΕΜΑ ΙΗΣΟΥΣ (1Kor 12,3), in: BZ NF 12 (1968), 103–111, der auch die Einwände von B.A. Pearson gegen eine Verfluchung Jesu durch die Gnostiker zu entkräften versucht (107 A.16) (Did the Gnostics Curse Jesus?, in: JBL 68 (1967), 301–305). Dagegen erklärt sich das ἀνάθεμα Ἰησοῦς m.E. am besten als Kontrastbildung zu κύριος Ἰησοῦς, vgl. K. Maly, 1Kor 12,1–3, eine Regel zur Unterscheidung der Geister?, in: BZ NF 10 (1966), 82–95; Conzelmann, 1Kor 241f, und vor allem T. Holtz, Das Kennzeichen des Geistes (1.Kor.XII. 1–3), in: NTS 18 (1971/72), 365–376, der überzeugend nachweist, „daß in XII. 2–3 eine ganz allgemeine Bestimmung dessen enthalten ist, was nach dem Urteil des Paulus das Wesen des Pneumatischen ist." (372). Paulus definiert hier prinzipiell „die Wirkung des Geistes als die Anerkennung des Kyrios" (375), um von dieser Grundlage aus im folgenden zu der konkreten Anfrage der Korinther Stellung zu nehmen (vgl. zu diesem Verfahren etwa 8,1–6:7ff; Röm 12,1f: 3ff u.a.); H. macht zu Recht gegen Schmithals (vgl. Nachträge in: Gnosis 330–332) geltend, daß Paulus eine faktische Verfluchung Jesu nicht nebenbei unter der „Rubrik" πνευματικά hätte abhandeln können und daß die Gegner des Paulus Gemeindemitglieder sind, was aber nach diesem Kriterium 12,3 unmöglich wäre, wenn sie tatsächlich das Anathem gegen Jesus ausgerufen hätten (371). Vgl. die Übersicht über die gängigen Interpretationen bei Barrett, 1Kor 279f.

194 Vgl. z.B. die Betonung der γνῶσις, 8,1ff; 13,2.8ff; den ausschließenden Gegensatz πνευματικός – ψυχικός, 2,14f; 15,44ff; die Begriffe τὰ βάθη τοῦ θεοῦ, 2,10, und τέλεως, 2,6; die radikale Antithese zwischen dieser Welt und dem göttlichen Bereich, 2,6ff; den Mythos vom verborgenen Abstieg des Erlösers, 2,8; Enthusiasmus und Libertinismus; evtl. auch die Bestreitung künftiger Totenauferweckung, 15,12; dazu: Schmithals, Gnosis passim; Wilckens, Weisheit passim.

195 Vgl. etwa Conzelmann, 1Kor 106 A.28; H. Schlier, Die Erkenntnis Gottes nach den Briefen des Apostels Paulus, in: ders., Besinnung 319–339.319; S. Arai, Die Gegner des Paulus im 1. Korintherbrief und das Problem der Gnosis, in: NTS 19 (1972/73), 430–437 (zu den Unterschieden gegenüber der entwickelten Gnosis vgl. 436f); R.McL. Wilson, How Gnostic were the Corinthians?, in: NTS 19 (1972/73), 65–74; anders Ellis, aaO. 109–112.

196 Vgl. Schlier, Hauptanliegen 148f; Baumann, Mitte 7–19.280f; Conzelmann, 1Kor 28–31; Kümmel, Einleitung 235–238.

Aufgrund reicher Geisterfahrung (die Paulus ihnen nicht abspricht), 1,5; (2,10ff); 12–14; 7,40, glaubten sich die Korinther im Besitz jener γνῶσις, 8,1ff; 13,2.8–12; vgl. 1,5; 12,8; 14,6, die unangreifbare Freiheit (von den kosmischen Unheilsmächten) gewährt, 10,29; vgl. 9,1.19, und d.h. für sie die Gewalt über sich selbst und damit über alles und jeden vermittelt, 6,12; 8,9; 9,4ff.12; 10,23. Bestärkt durch eine Auffassung der Sakramente als Mysterienweihe (?), vgl. 1,13ff; 10,1ff; 15,29, wähnten sie sich keinem Gericht mehr ausgesetzt, unterwarfen aber alles, auch den (schwachen) Mitbruder und die Apostel, ihrem pneumatischen Urteil, 4,1ff; 8,1ff. „Aufgebläht" demonstrierten sie ihre Vollkommenheit, 2,6ff; 3,1ff, im Gottesdienst, 11,17ff; 14,1ff, in schrankenloser sexueller „Freiheit", 6,12ff; vgl. 5,1ff, in der Teilnahme an heidnischen Kultmählern, 8,1ff; 10,14ff. So konnte es nicht ausbleiben, daß auch der in seinem Auftreten wenig geistmächtig wirkende Apostel ihrer abschätzigen Kritik verfiel, 4,1ff; 9,1ff. Kurz: sie standen in der akuten Gefahr – und manche schienen ihr schon erlegen zu sein –, den eschatologischen Vorbehalt zu überspringen und sich schon – im immer neu gesuchten und demonstrierten Geist-Erlebnis[197] – in der endgültigen Vollendung der Herrschaft Gottes zu sehen. „Schon seid ihr gesättigt; schon seid ihr reich geworden; ohne uns seid ihr zur Herrschaft gekommen!?", hält Paulus ihnen fragend entgegen, 4,8, und legt in 1,18ff in prinzipieller Form die Unvereinbarkeit eines solchen Vollendungsbewußtseins mit dem „Zeugnis Christi" (1,6), dem Wort vom Kreuz, dar. Insofern kommt den Eingangskapiteln des 1Kor exemplarische Bedeutung für die Bestimmung des Verhältnisses von Christologie und Eschatologie im pln. Denken zu.

Die Christologie wird hier von Paulus betont als ὁ λόγος ὁ τοῦ σταυροῦ entfaltet, 1,18. In diesem kommt das „Kreuz Christi" (1,17) und damit „Christus der Gekreuzigte" (1,23; 2,2; vgl. Gal 3,1) als „Gottes Macht und Gottes Weisheit" (1,24.30)[198], die eschatologisch rettet (1,21), zur Sprache, und zwar so, daß er die Welt[199] endgültig in „Verlorene" und „Gerettete" scheidet, indem er sie in die Entscheidung stellt, die von Gott her in und

---

197 Vgl. Schlier, Hauptanliegen 149.

198 Zur formelhaften Wendung Χριστὸς ἐσταυρωμένος vgl. K. Müller, Anstoß und Gericht. Eine Studie zum jüdischen Hintergrund des paulinischen Skandalon-Begriffs (StANT 19), München 1969, 103–105: „Sie ist technisch verkürzter Ausdruck des in Tod und Auferstehung des Χριστός von Gott gewirkten Heilsvorgangs." (105). Daß Χριστός dabei jedoch noch titulare Bedeutung hat, kann weder 2Kor 6,15 (vermutlich unpln.) noch 11 QMalk 11–14 beweisen.

199 ὁ κόσμος bedeutet in 1,21.27f (vgl. 1,20; 2,12) sicher die – Juden und Griechen umfassende, 1,22–24 – Menschheit, vgl. den Wechsel mit ἄνθρωποι, 1,25; vgl. 1,19 und σάρξ, 1,29. Die Äquivalente ὁ κόσμος οὗτος, 3,19, und ὁ αἰὼν οὗτος, 1,20; 2,6.8; 3,18, zeigen aber, daß der Übergang zu κόσμος als „Inbegriff der durch den Sündenfall zerrütteten und unter dem Gericht stehenden Schöpfung Gottes", die sich in den „Herrschern dieses Äons" (2,6.8; vgl. 2Kor 4,4) als den Einzelnen unterjochende Macht etabliert, fließend ist, vgl. H. Sasse, ThWNT III 867–896 (Zitat: 893); ders., ThWNT I 197–209; Bultmann, Theologie 254–260; Wilckens, Weisheit 27f.

über der Welt im Kreuzestod Christi gefallen ist[200]. Das Wort vom Kreuz ist also ein eschatologisch-kritisches Geschehen von universaler Weite, 1,18ff; Rettung vollzieht sich darin, daß Gott durch den Gekreuzigten, der in der „Torheit des Kerygmas" proklamiert wird, „diese Welt" in ihrer Weisheit und Macht, ihren Kategorien und Wertsystemen zerbricht und vernichtet[201] – ein Aspekt, den der Apostel hier in Auseinandersetzung mit der „Weisheit" der Korinther außerordentlich scharf in den Vordergrund rückt, vgl. 1,18– 20.25.26–29.31; 2,6; auch 7,31. Denn die Welt (in allen ihren Dimensionen)[202] kommt nicht mehr vor als die Schöpfung Gottes, „aus ihm" und „auf ihn hin", 8,6; vgl. Röm 11,36. Umfangen von der Weisheit Gottes, in welcher sein herrliches Wesen aufglänzte zu (heilgewährender) Anerkennung und Lobpreis, vgl. Röm 1,19ff, hat sie sich – rätselhaft – diesem von Gott gnädig gewiesenen Weg und Sein und damit in sich selbst gegen Gott verschlossen, hat sie Gottes Weisheit und Macht zur eigenen Weisheit und Herrschaft dieses Äons (2,6) usurpiert und verkehrt, 1,21[203]. Wo aber die Welt gegen den Ursprung, den Grund und das Ziel ihres Seins rebelliert und sich (im „Gott dieses Äons", 2Kor 4,4, und „den Herrschern dieses Äons", 1Kor 2,6) auf sich selbst zurückzieht, um aus sich selbst zu sein, da steht sie in ihren Untergang (1,18) und ihre Vernichtung (2,6) hinaus, da ist all ihr angemaßtes Sein vor Gott (und d.h. in Wahrheit) Nicht-Sein (1,28).

Doch Gott läßt seine Schöpfung nicht fallen[204]; denn „diesen Äon" gibt es ja nur kraft der Usurpation und Depravation der immer noch waltenden Weisheit und Macht des Schöpfers[205], der „vor den Äonen" seine verborgene, geheimnisvolle Weisheit zu unserer Herrlichkeit bestimmte (2,7). Dieses

---

200 Vgl. vor allem die sorgfältige Analyse von K. Müller, aaO. 84–107, überarbeitet: 1Kor 1,18–25. Die eschatologisch-kritische Funktion der Verkündigung des Kreuzes, in: BZ NF 10 (1966), 246–272.247f: „Das derzeitige unter der Hörerschaft des λόγος τοῦ σταυροῦ verlautende, gegensätzlich verschiedene Urteil μωρία bzw. δύναμις θεοῦ ist gültiger Maßstab für Gottes endgerichtliche Beschlußfassung. In der Predigt vom Kreuze trifft das menschlich-gegenwärtige auf das göttlich-eschatologische Urteil. In einem Ereignis spontaner Gleichzeitigkeit schließt der λόγος τοῦ σταυροῦ.die von ihm Angeredeten in einer von Gottes Gerichtswillen bestimmten Situation endzeitlicher Geschiedenheit zusammen. Während das Kreuz verkündigt wird, sind die Hörer einer von Gottes endrichterlicher Initiative getragenen Scheidung in ἀπολλύμενοι und σῳζόμενοι ausgesetzt. Dem λόγος τοῦ σταυροῦ eignet eschatologisch-kritische Mächtigkeit." (Im Original z.T. gesperrt).

201 In der Verkündigung des Kreuzes erfüllt sich für Paulus die atl. Ansage des eschatologischen Gerichts Gottes über Weisheit und Einsicht, Jes 29,14b (Paulus bietet in V.19 den LXX-Wortlaut bis auf ἀθετήσω (pointierter für κρύψω)).

202 Vgl. 3,21f; 8,6 (τὰ πάντα); auch 15,27.

203 Vgl. Schlier, Kerygma und Sophia 210ff; ders., Erkenntnis Gottes (s. Anm. 195) 319–326.

204 Vgl. Röm 2,4; 3,26 (ἀνοχή), dazu: H. Schlier, ThWNT I 306f.

205 Vgl. Schlier, Erkenntnis Gottes (s. Anm. 195) 325f.

von Ewigkeit her beschlossene eschatologische Ziel der Wege Gottes mit der Welt[206] und somit die Rettung aus dem endgültigen Untergang kann aber nur dann erreicht werden, wenn Gott sich selbst in seiner Weisheit und Macht als das Ende und die Vernichtung der selbst-herrlichen Weisheit und Macht dieses Äons *in* diesem Äon durchsetzt, und damit „seine ewige Macht und Gottheit", seine Weisheit neu und endgültig über der Welt aufgeht, so daß sie nicht mehr verkannt und verkehrt werden kann.

Dies aber ist für Paulus im Kreuz Christi geschehen. Der gekreuzigte Christus ist das Ereignis von Gottes Macht und Gottes Weisheit in und über der Welt, 1,24; 2,5.7ff. Das ergibt sich für den Apostel zunächst und vor allem aus der brutalen Anstößigkeit seines Evangeliums, welches das *Kreuz* Christi als *Gottes* Rettung für die Welt proklamiert. Wo im Horizont der Welt-Weisheit das Wort vom Kreuz ergeht, da wird es „den Juden zum Anstoß, den Griechen zur Torheit", 1,23[207], – wenn nicht Gott selbst die einzig mögliche Antwort des Glaubens hervorruft, 1,21b.24[208]. Sein frei und souverän erwählender Ruf „beschämt" und „vernichtet" die Maßstäbe dieser Welt[209], wie ein Blick auf die „skandalöse" soziale Zusammensetzung der Gemeinde lehrt, 1,26–28[210]. So schafft die Torheit der Verkündigung des gekreuzigten Christus, welcher von seiten des Verkündigers allein Schwachheit, Furcht und Zittern, aber keinerlei Überschwang an Rede und Weisheit angemessen sind, 2,1–5, eschatologische Scheidung in der Welt, „Verlorene" und „Gerettete", 1,18. Im Kreuz Christi spricht Gott also dieser Welt das Urteil, deckt sie in ihrem Wesen auf und stellt sie so vor ihr Ende.

Denn im gekreuzigten Christus sieht Paulus Gott selbst in seiner unumschränkten Freiheit und Souveränität gegenwärtig[211]. Gott allein – von der Welt als Schöpfer negiert – hat hier die Initiative ($\varepsilon\mathring{\upsilon}\delta\acute{o}\kappa\eta\sigma\varepsilon\nu$, 1,21). So setzt er machtvoll und weise seine ewig zuvor bestimmte Rettung durch. Er beruft, erwählt und vernichtet, „damit kein Fleisch sich rühmt vor Gott", 1,29; vgl. 4,7; Röm 3,27 u.a. Im Wort vom Kreuz wird demnach Gott selbst in seinem unergründlichen Geheimnis, 2,1.7.9ff, als das Eschaton von Welt und Mensch

---

206 Vgl. $\delta\acute{o}\xi\alpha$, Röm 2,7.10; 5,2; 8,18.21.30; 9,23; 1Kor 15,43; 2Kor 3,18; 4,4.6; Phil 3,21; 1Thess 2,12.20 u.a. $\delta\acute{o}\xi\alpha$ ist das Geheimnis der überwältigend andringenden Präsenz Gottes selbst, vgl. G. Kittel, ThWNT II 236–256.247f; Schlier, Doxa 308f.

207 Vgl. eingehend Müller, a. Anm. 198 a.O. 97ff.105ff.

208 $\tauo\mathring{\upsilon}\varsigma\,\pi\iota\sigma\tau\varepsilon\acute{\upsilon}o\nu\tau\alpha\varsigma$ (V.21b) ist konditionales Partizip, vgl. Müller, aaO. 94. $\sigma\kappa\acute{\alpha}\nu\delta\alpha\lambdao\nu$ = Anstoß zu Heilsverlust (nicht = „Ärgernis"), vgl. Müller, aaO. 39–42.

209 Vgl. $\mathring{\alpha}\pi\acute{o}\lambda\lambda\upsilon\mu\iota$, 1,18f; $\kappa\alpha\tau\alpha\iota\sigma\chi\acute{\upsilon}\nu\omega$, 1,27; $\kappa\alpha\tau\alpha\rho\gamma\acute{\varepsilon}\omega$, 1,28; 2,6 vgl. 6,13; 13,8.10; 15,24.26; alle drei Begriffe beschreiben den eschatologischen Untergang, geg. G. Delling, ThWNT I 453–455.

210 Vgl. dazu G. Theißen, Soziale Schichtungen in der korinthischen Gemeinde. Ein Beitrag zur Soziologie des hellenistischen Urchristentums, in: ZNW 65 (1974), 232–272.

211 Vgl. Wilckens, Weisheit 215; Baumann, Mitte 301ff.

verkündigt. Dies gilt für Paulus im exklusiven Sinn: *nur* im Kreuz Christi, das als Torheit und Schwäche Gottes allem Weltlichen zuwiderläuft, erscheint Gott in seiner unumschränkten Göttlichkeit in der Welt; nur durch den Kreuzestod Christi kommt die Schöpfung zu ihrem Ziel in Gott (8,6; Röm 11,36), das Paulus am Ende erwartet: „Gott alles in allem", 1 Kor 15,28; vgl. 3,23. Pln. Eschatologie — begründet im Kreuz Jesu Christi — verheißt also zentral weder eine von Unheil und Tod befreite Welt noch einen neuen Himmel und eine neue Erde als die absolute Heils-Zukunft[212], sondern verkündet *allein Gott selbst*, wie er sich in seinem unsagbaren Geheimnis im gekreuzigten Christus zu unserer Herrlichkeit erschlossen hat.

Dieser Gekreuzigte ist der alleinige (eschatologische) „Ort" des Heils: er ist uns von Gott her zur Weisheit, Gerechtigkeit, Heiligung und Erlösung geworden (wie der Apostel wohl plerophorisch sagt)[213], da wir durch Gott „in ihm" sind, 1,30. Dies bedeutet[214], daß nur ἐν Χριστῷ Ἰησοῦ Gottes radikal neuschaffendes Erwählungshandeln[215], in dem er sich selbst in seiner Göttlichkeit endgültig offenbarte, Wirklichkeit ist[216], so daß umgekehrt alles, was nicht zu diesem Gekreuzigten gehört, vgl. Gal 5,4, d.h. das Wesen dieses Äons, in seiner Vergänglichkeit enthüllt ist und dem eschatologischen Untergang anheimfällt. Der Glaubende ist „in Christus" dem Verderbensschema dieser Welt (1 Kor 7,31) entnommen, mehr noch (und Paulus kann hier den korinthischen Enthusiasten beipflichten): ihm und seiner Verfügung unterliegt prinzipiell „alles", selbst Leben und Tod, Gegenwart und Zukunft — wenn er selbst ganz und gar Christus (und somit Gott!) gehört, d.h. seiner Macht untersteht, 3,22f; vgl. 6,2f. Alles, was er hat, hat er empfangen, 4,7; alles, was er ist, ist Erwählung Gottes aus dem Nichts, 1,28[217]; alles, woraus er sich selbst versteht und worauf er sein Leben baut: wessen er sich „rühmen" kann[218], ist — der Herr.

212 Dem entspricht es, daß bei Paulus die Vorstellung vom „kommenden Äon", in der Apokalyptik notwendiges Korrelat zu „diesem Äon", fehlt. Zur apokalyptischen 2-Äonenlehre vgl. 4Esr 4,30−32; 6,7.25−28; 7,10−13,50.112ff; 8,1.46; sBar 48,50; 51,16; 83,8, und dazu Harnisch, Verhängnis 89−247. H. gibt „zu erwägen, ob die apokalyptische Redeweise nicht ... gerade als Beweis dafür zu gelten hat, daß man sich das Eschaton als ein zwar diesem Äon diametral entgegengesetztes, aber doch zeitlich strukturiertes, an einen bestimmten Raum und eine bestimmte Zeit gebundenes Geschehen dachte." (99).

213 Vgl. Conzelmann, 1 Kor 68; vgl. 6,11; Röm 14,17.

214 Auch wenn ἐστε (V.30) keine Aufnahme von τὰ (μὴ) ὄντα (V.28) sein dürfte: vgl. Wilckens, Weisheit 43 A.3.

215 Vgl. Röm 9,11ff; 11,5−7.28; 1Thess 1,4; Eph 1,4.

216 Vgl. die Entsprechung von 1,21 (ἐν τῇ σοφίᾳ τοῦ θεοῦ) und 1,30 (ἐν Χριστῷ Ἰησοῦ ἐγενήθη σοφία ἡμῖν ἀπὸ θεοῦ), sowie 2Kor 5,17.

217 Paulus spielt in 1,28b „wahrscheinlich auf eine ihm geläufige hymnische Gottesprädikation an" (Wilckens, Weisheit 42, vgl. Röm 4,17; 2Makk 7,28; Philo, spec. leg. IV 187; op. mundi 81; sBar 21,4; 48,8; ApkAbr 22,3; 2Hen 24,2; b.Sanh. 91a) und interpretiert so die Erwählung als Neuschöpfung, vgl. 2Kor 5,17; Gal 6,15, geg. Conzelmann, 1Kor 67 A.23.

218 Vgl. 2Kor 10,17, wo ebenfalls auf Jer 9,22f zurückgegriffen ist, sowie Gal 6,14; Phil 3,3; dazu: R. Bultmann, ThWNT III 646−654.649: „Für Paulus ist also wie für das AT und Philo das im καυχᾶσθαι enthaltene Moment des Vertrauens das primäre."

Dieses radikale Geworfensein auf den gekreuzigten Herrn macht die Geschichtlichkeit des Glaubens aus. Das „historische" und anstößige „Zuvor" des rettenden Einbruchs Gottes im Kreuz Christi in diese Welt hat eschatologische Gültigkeit und deshalb auch gegenwärtige Mächtigkeit in der frei eröffneten und unverfügbaren Herrschaft des Gekreuzigten; dem entspricht die Vollendung des Heils durch das souveräne und unvorhersehbare Kommen des Herrn, 4,5, an seinem Tag, 3,13. So entsprechen sich also das Kreuz als das inkommensurable, skandalöse und törichte Geschehen der Offenbarung der Gottheit Gottes zu unserer Herrlichkeit in diesem Äon und die unverfügbare endgültige Ankunft des Herrn der Herrlichkeit, welche die offenbare Vollendung des Kreuzesgeschehens, d.h. die eschatologische Herrschaft Gottes[219] und somit das definitive Ende dieses Äons bringt. Weil im gekreuzigten Christus verwirklicht, ist eschatologisches Heil prinzipiell und radikal als Gnade konzipiert, d.h. dem Besitz und Verfügen des Menschen entzogen und allein dem Glauben eröffnet, vgl. 1,21b; 2,5; dem entspricht die Vollendung und Ganzheit des neuen Lebens, die der Christ erwartet: sie geschieht allein durch den Herrn und den endgültigen Ausbruch seiner Gnade.

Wegen der konstitutiven Differenz zum Herrn aber ist christliche Existenz nicht der Verantwortlichkeit gegenüber Gott enthoben, sondern vielmehr als ganze dem Urteil des Herrn unterworfen, das unbestechlich den Wert menschlichen Lebens enthüllt und dessen verborgene Entscheidungsmitte offenlegt, 4,5[220].

Das endgültige Kommen des Herrn offenbart so die Vollendung der im Kreuz Jesu Christi angebrochenen weltüberlegenen, eschatologisch-kritischen Macht Gottes, darin aber zugleich die Vollendung und Rechtfertigung (4,4) unseres neuen Seins aus seiner Gnade und die Vollendung seiner Schöpfung in Herrlichkeit.

Wir können also auch im Blick auf die Eingangskapitel des 1 Kor konstatieren, daß Gottes Heilstat im gekreuzigten Christus für Paulus die Wirklichkeit des Eschaton ausmacht. Damit stellt sich nun jedoch um so dringlicher die Frage, wieso Paulus gerade im *Kreuz* Jesu Christi den Anbruch der Herrschaft Gottes über der ihm feindlichen Welt gegeben sah. Warum ist das Kreuz Christi, das der Apostel betont in seiner vollen historischen Brutalität verkündigt, jene eschatologisch-kritische Macht und Weisheit Gottes inmitten dieser Welt? Der vor allem in der protestantischen Exegese verbreitete Hinweis auf das Paradox göttlichen Handelns beschreibt, aber löst nicht das aufgeworfene Problem. Denn wenn $\sigma o\varphi\iota\alpha\,\theta\epsilon o\tilde{\nu}$ hier radikal geschichtlich ausgelegt wird, so bedeutet in diesem Horizont das Kreuz — mag es noch so sehr „quer" zu allem Weltlichen stehen — für sich allein die Niederlage Gottes in dieser Welt, begründet aber keineswegs die Gegenwart der dem Welt-Zwang überle-

---

219 Vgl. 1 Kor 15,28 sowie die starke Betonung der Gottesherrschaft in 1 Kor überhaupt: 4,20 (vgl. 4,8!); 6,9.10; 15,50; auch 8,6; 3,23.

220 Beim Relativsatz von 1 Kor 4,5 handelt es sich vielleicht um ein Zitat, vgl. Weiß, 1 Kor 99.

genen eschatologischen Herrlichkeit. Das Kreuz wäre dann die endgültige Etablierung der Welt gegen Gott. Das „Gott alles in allem" in Jesus Christus als unsere Herrlichkeit kann nur dann Gültigkeit haben, wenn Christus real dieser Welt und ihren Mächten überlegen ist, wenn er „der Herr der Herrlichkeit" ist, in welchem unsere Herrlichkeit verwahrt und gewährt ist und so zugleich Gottes ewiger Plan zur Durchführung kommt; jedoch nicht jenseits (der Zwänge und Mächte) dieser Welt, sondern gerade in ihr, weil anders nicht nur Gottes Weisheit, die in Christus zu unserem Heil geschichtlich verwirklicht wurde, nicht gegenwärtig erfahrbar und beantwortbar wäre, sondern auch weil in diesem Fall das Heilsereignis selbst revidiert und wirkungslos gemacht wäre (vgl. 1,17: $\kappa\epsilon\nu o\tilde{v}\nu$) in seinem Sinn als die Zerbrechung der Selbstmächtigkeit der Welt und die Durchsetzung Gottes als des mächtigen Herrn dieser Welt. Finden sich also in 1Kor 1,18ff Ansätze zur Lösung dieses durch die Kreuzesverkündigung des Paulus und ihren Anspruch gestellten Problems? Elemente dazu liegen m.E. in 2,6–9 bereit[221].

Hatte Paulus bisher herausgearbeitet, daß jede weltliche und menschliche Weisheit im Kreuz destruiert ist, so spricht er nun überraschenderweise selbst von einer Weisheit, die er unter den Vollkommenen verkündet (2,6a)[222]. Er grenzt diese $\sigma o\varphi i a$ zunächst ab gegen die Weisheit dieses Äons, jener Unheilsmächte, in denen sich die Welt gegen Gott erhebt und verabsolutiert[223]. Eine vierfache positive Wesensbestimmung der von Paulus verkündeten Weisheit schließt sich an. Sie ist Gottes Weisheit und deshalb unzugängliches

---

221 Wir brauchen für unsere Zwecke nicht die Problematik des Abschnitts 2,6–16 bis ins einzelne aufzurollen; vgl. dazu die Kommentare sowie E. Käsemann, EVB I 267–276; Wilckens, Weisheit 52–96; Lührmann, Offenbarungsverständnis 113– 140; Baumann, Mitte 171–216. Mit den meisten Auslegern gehe ich davon aus, daß Paulus sich hier bewußt auf die Terminologie seiner korinthischen Gegner einläßt; diese polemische Zuspitzung ist zumindest für V.6–8(9) unbestreitbar (vgl. die Stichworte $\sigma o\varphi i a$, $\gamma\iota\nu\dot\omega\sigma\kappa\epsilon\iota\nu$, dazu Anm. 190). Erst die Ausführungen über das $\pi\nu\epsilon\tilde{v}\mu a$ (V.10ff) tragen stärker lehrhafte Züge und stoßen sich auch mit 3,1ff, so daß man für diese durchaus die unpolemische Vorlage eines pln. Schulbetriebs (in Ephesus) in Rechnung stellen kann (vgl. aber V.13f: Gegensatz $\sigma o\varphi i a$ – $\mu\omega\rho i a$, mit 1,18ff; die Verwendung des in der deuteropln. Literatur entfalteten Revelationsschemas in V.7f hingegen für diese These wenig Gewicht), so H. Conzelmann, Paulus und die Weisheit (s. Anm. 190) 238ff; ders., 1Kor 21.75ff: „Offenbar trägt Paulus hier eigene Weisheit vor, der er dann polemische Lichter aufsetzt" (76); zustimmend Brandenburger, Fleisch und Geist 48 A.1.

222 Wenn Baumann (Mitte 196.198 u.ö.) 2,6a „als allgemein anerkannte Regel für die Weitergabe besonderer Offenbarung" interpretiert, so verkennt er damit m.E. den antithetischen Charakter dieser Eingangswendung ($\delta\acute\epsilon$!), vgl. Conzelmann, 1Kor 77f.

223 Vgl. O. Everling, Die paulinische Angelologie. Ein biblisch-theologischer Versuch, Göttingen 1888, 11–14; Dibelius, a. Anm. 115 a.O. 88–99; Wilckens, Weisheit 61ff (er verweist 62 A.1 auf H. Jonas, Gnosis und spätantiker Geist I, Göttingen 3. Auflg. 1964, 99.191ff); allgemein: H. Schlier, Mächte und Gewalten im Neuen Testament (QD 3), Freiburg 3. Auflg. 1963.

Geheimnis, vgl. 2,1[224], verborgen in den Tiefen Gottes[225]. V.9ff expliziert diese Verborgenheit der Weisheit im göttlichen Geheimnis und ermöglicht uns eine genauere Bestimmung der σοφία, um die es dem Apostel geht. „Denn uns hat Gott Offenbarung geschenkt durch den Geist", 2,10: bezieht sich diese Aussage auf das, „was Gott denen bereitet hat, die ihn lieben" (wie es in einem apokryphen Zitat heißt), vgl. V.7b, so ist es nach V.11 das Wesen Gottes selbst (τὰ τοῦ θεοῦ), das uns im Geist erschlossen ist, während wir laut V.12 den Geist wiederum deshalb empfingen, „um das zu erkennen, was uns von Gott geschenkt wurde". Dieser selbstverständliche Wechsel der Aussagen zeigt, (1) daß σοφία (ἐν μυστηρίῳ) das innerste Wesensgeheimnis Gottes bezeichnet; (2) im Geist, in welchem sich Gott selbst in der „Tiefe" seines Wesens erkennt, ist es seiner geheimnisvollen Verborgenheit entrissen und offenbar als das, was uns von Gott seit Ewigkeit zur Verherrlichung

224 θεοῦ σοφία ἐν μυστηρίῳ „ist als Einheit zu nehmen. μυστήριον ist nicht nur ein zufälliges Akzidenz, sondern macht die Struktur dieser Weisheit aus" (Conzelmann, 1Kor 79). Zu μυστήριον vgl. G. Bornkamm, ThWNT IV 809—834, sowie ergänzend zum Sprachgebrauch von Qumran: Nötscher, Terminologie 71—77; E. Vogt, „Mysteria" in textibus Qumran, in: Bib. 37 (1956), 247—257; Baumann, Mitte 178—182. Bei Paulus findet sich der Begriff fast nur in 1Kor (2,7; 4,1; 13,2; 14,2; 15,51; sonst Röm 11,25 (16,25); auch in 1Kor 2,1 ist wahrscheinlich mit p[46] sin[+] AC u.a. μυστήριον zu lesen, da es auf V.7 vorbereitet, während vl. μαρτύριον, sin[c]BDGP vg u.a., als Eintragung aus 1,6 zu beurteilen ist, so Aland/Black, Textual Commentary 545, vgl. Lietzmann/Kümmel, 1/2Kor z.St.; Bornkamm, aaO. 825 A.145; Wilckens, Weisheit 45 A.1); in der überwiegend pluralischen Verwendung dürfte sich gegnerischer Sprachgebrauch spiegeln, wie auch das religionsgeschichtliche Vergleichsmaterial zeigt. So verwenden auch die Texte von Qumran, die wie das NT meist vom Geheimnis *Gottes* sprechen und darin eine Sonderstellung einnehmen, den Hauptbegriff raz fast durchgehend im Plural (Ausnahmen: 1QH 5,25; 9,23; auch 8,11; sod findet sich dagegen meist im Singular). Hier liegt der grundlegende Unterschied zum spezifisch ntl. Sprachgebrauch, der streng christologisch orientiert ist; das geht (neben 1Kor 2,1.7) vor allem aus den Deuteropaulinen hervor: Kol 1,26f; 2,2; 4,3; Eph 1,9; 3,3.4.9; 5,32; 6,19, dazu: Schlier, Eph 60f A.3; vgl. auch Mk 4,11 (Mt 13,11; Luk 8,10), dazu: Bornkamm, aaO. 823—825. Es bleibt aber unbestritten, daß Paulus zumal in 1Kor 2,7.9 an den apokalyptisch-eschatologischen Mysterienbegriff anknüpft, vgl. dazu Bornkamm, aaO. 821—823. 822: „die Geheimnisse sind die für die letzte Offenbarung bestimmten Ratschlüsse Gottes, dh die im Himmel schon real existierenden, überschaubaren letzten Geschehnisse und Zustände, die am Ende nur aus ihrer Verborgenheit heraustreten und offen zum Ereignis werden". Von daher erübrigt sich auch die Alternative Heilsplan — Heilsgut bei der Interpretation des σοφία-Begriffs an unserer Stelle, geg. Wilckens, Weisheit 65—70.

225 Vgl. H. Schlier, ThWNT I 515f. Unserem Abschnitt, speziell V.7 liegt wahrscheinlich das der Gemeindepredigt entstammende Revelationsschema zugrunde, vgl. Dahl, Christusverkündigung 4f, und die Anm.229 angegebene Literatur. Es findet sich hier freilich noch nicht in der voll ausgebildeten Form der deuteropln. Literatur, Kol 1,26f; Eph 3,4—7.9f; 2Tim 1,9f; Tit 1,2f; Röm 16,25f; vgl. 1Petr 1,20, vgl. Conzelmann, 1Kor 75; Baumann, Mitte 199, geg. Lührmann, Offenbarungsverständnis bes. 133ff, der meint, Paulus korrigiere hier das von den Korinthern schon verwendete feste Schema. Sicher ist, daß er es — entgegen seiner mutmaßlich ursprünglichen Intention (vgl. Dahl, aaO. 4f) — radikal auf das Christusereignis konzentriert.

bereitet und jetzt schon (anfanghaft) geschenkt wurde. Die verborgene, im Geist aber geoffenbarte σοφία ist also die Selbstmitteilung Gottes als unser eschatologisches Heil[226].

Die Verborgenheit, d.h. radikale Unerreichbarkeit dieser Weisheit für den Menschen und die Welt, die „Göttlichkeit” der uns zuteil gewordenen, im Geist erschlossenen Gnade dokumentiert sich im Ereignis dieser σοφία, im Kreuzestod Christi. Im Kreuz wurde uns Gott selbst zum Heil. Dies ergibt sich hier vor allem daraus, daß V.8 die *Präexistenz* des „Herrn der Herrlichkeit”[227] voraussetzt[228]. Im Hintergrund dieser Aussage steht wahrscheinlich das im Gnostizismus weitverbreitete Motiv von der Herabkunft des Erlösers. durch die Himmelssphären in der Verborgenheit vor den sie beherrschenden Unheilsmächten[229]. Freilich ist es hier paradox umgestaltet: die Verborgenheit bietet dem Erlöser gerade keinen Schutz, der die Rettung der Glaubenden sichert, sondern führt zu seinem schmählichen Kreuzestod, der von den Herrschern dieses Äons ins Werk gesetzt wird[230]. Doch damit ist keineswegs Gottes ewige Bestimmung seines innersten Wesensgeheimnisses zu unserer Herrlichkeit vereitelt, damit ist keineswegs Gott selbst an der Macht dieses

---

226 Paulus verkündet also in 2,6ff keine „Sonderweisheit”, sondern legt den Kreuzestod Christi aus. „Alle diese Gedankengänge haben als Zentrum die δόξα Χριστοῦ und die für uns bereitete δόξα” (Dibelius, aaO. 92).

227 Das Christusprädikat „Herr der Herrlichkeit”, vgl. Jak 2,1, begegnet als Gottesbezeichnung häufig in 1Hen: 22,14; 25,3.7; 27,3.5; 36,4; 40,3; 63,2(Parr.!); 75,3; 83,8; vgl. 81,3 (König der Herrlichkeit der Welt; ist hier aber kaum von dorther aufgenommen und auf Christus übertragen (geg. Weiß, 1Kor 56f), sondern eher als eine bewußt polemische Bildung des Paulus zu beurteilen, mit der er die eschatologische δόξα (V.7b) interpretiert: Herrlichkeit verleiht nur die Gemeinschaft mit dem Sohn Gottes, Jesus Christus unserem Herrn, 1,9; vgl. 15,48f; 2Kor 3,18; Röm 8,29; Phil 3,10f.20f.

228 W. Thüsing sieht auch im ἀπὸ θεοῦ(1,30) den Sendungsgedanken impliziert (Rechtfertigungsgedanke und Christologie in den Korintherbriefen, in: Neues Testament und Kirche (FS R. Schnackenburg), Freiburg 1974, 301–324.304.

229 Vgl. die Belege bei Dibelius, aaO.; Lietzmann, 1Kor 12f; H. Schlier, Religionsgeschichtliche Untersuchungen zu den Ignatiusbriefen (BZNW 8), Gießen 1929, 5ff. Conzelmann (1Kor 80) verweist darüber hinaus auf das weisheitlich-apokalyptische Motiv der verborgenen Weisheit, vgl. Bar 3; sBar 14,8f? u.a. 1Hen 16,3 sollte man jedoch in unserem Zusammenhang nicht anführen, denn es geht hier nicht um partielles Wissen und Nichtwissen, sondern um den radikalen Gegensatz der Weisheit Gottes und der Weisheit der Herrscher dieses Äons, geg. Everling, aaO. 12; Conzelmann, 1Kor 80 A.64.

230 Mit dieser mythologischen Aussage ist die kosmisch-eschatologische Dimension des Kreuzesgeschehens deutlich ausgesprochen; wird der Mythos selbst der Interpretation des geschichtlichen Christusereignisses dienstbar gemacht, so wird er zugleich in den umfassenden Schöpfungshorizont zurückgeholt. Nur so kann die *Kreuzigung* des Herrn der Herrlichkeit durch die Machthaber dieses Äons der Anbruch ihrer Vernichtung und unserer Herrlichkeit sein, nur so kann der Gekreuzigte als „Herr der Herrlichkeit” verkündigt werden. Das Nichterkennen der Mächte bedeutet dann aber das schuldhafte Versagen der Anerkennung gegenüber dem Gesandten Gottes.

Äons gescheitert; vielmehr besiegelte die Kreuzigung des Herrn der Herrlichkeit gerade den Untergang der Mächte und damit den Anbruch unserer Herrlichkeit[231]. Wo die Mächte dieses Äons den äußersten Akt ihrer Gottesfeindschaft setzten, da sie im Herrn der Herrlichkeit nicht die mächtige Weisheit Gottes anerkannten, sondern zu vernichten trachteten, dort wurde ihre Macht gebrochen. Letztlich ist es demnach das Geheimnis der Selbsterniedrigung und Selbstentäußerung Gottes im Herrn der Herrlichkeit bis in den Tod am Kreuz, das stärker war als die Eigenmacht der Welt. Das Kreuz Christi ist also der Einbruch Gottes in seinem ewigen Geheimnis in diese Welt und damit das Ende dieser gegen Gott verschlossenen Welt[232].

So wird am Kreuz das Wesen dieser Welt durch Gott offenbar und als nichtig enthüllt: daß sie Gott ihre Anerkennung versagt, dokumentiert sich in äußerster Konsequenz in der Kreuzigung Jesu: Welt-Weisheit erweist sich so als „Weisheit des Todes". Uns aber hat Gott im Kreuz seine Weisheit als die absolute Zukunft erschlossen; im Herrn der Herrlichkeit, den die Herrscher dieses Äons gekreuzigt haben, da sie in ihm nicht Gottes Geheimnis erkannten, ist das ewig zuvor bestimmte eschatologische Ziel der Wege Gottes mit den Menschen, die Herrlichkeit, verwirklicht und gegenwärtig. Der gekreuzigte Christus ist und definiert in Person das Eschaton.

---

231 „Indem sie das Kreuz errichteten, haben sie selber den Heilsplan verwirklicht und vollendet, dessen Ziel die Inthronisation des Gekreuzigten als des Herrn der Herrlichkeit bildet. Gerade am Kreuz macht Gott ihre Weisheit zur Torheit (1,20) und ihre Tyrannei zunichte" (Käsemann, aaO. 272).

232 Vgl. Müller, aaO. 104: „Für den Apostel ist das Kreuz jener heilsgeschichtlich exponierte Ort, an dem Gott die Todesüberlegenheit seiner Macht verborgen dokumentierte."

B. DIE AUFERWECKUNG DES GEKREUZIGTEN ALS DER DURCHBRUCH DER GESCHICHTE JESU CHRISTI ZU ESCHATOLOGISCHER MÄCHTIGKEIT

Nun erhebt sich jedoch die Frage, was den Apostel eigentlich dazu berechtigt und ermächtigt, seine eschatologische Heilsverkündigung in solcher Radikalität allein auf den gekreuzigten Christus zu stellen. Das Kreuz Christi, von Paulus nicht zum Symbol oder Siegeszeichen verflüchtigt, sondern bewußt in seiner ungeschmälerten „historischen" Brutalität als das eschatologische Heilsereignis proklamiert: mußte es nicht zu Recht „den Juden ein Anstoß, den Heiden eine Dummheit" sein (1Kor 1,23)? Mußte sich nicht — wenn man diesen pln. Ansatz ernstnahm und konsequent auszog — die gesamte theologische Interpretation dieses Geschehens, erst recht natürlich seine eschatologische Schlüsselstellung, als grandios-gefährlicher „Überbau" entpuppen, weil selbst ad absurdum führen? Widersteht das brutale Faktum des Verbrechertodes Jesu am Kreuz nicht als *solches* aller überhöhenden oder hinterfragenden Verständnisbemühung und Begründung? Entlarvt dieser Tod nicht jede seiner Interpretationen als geschwätzige Ideologie?

Denn: war dieser Tod nicht für Paulus selbst die endgültige Etablierung des absoluten Unheils, des Todes, und damit der totalen Sinnlosigkeit? Hatte hier nicht die Unheilsmächtigkeit der Welt, der „letzte Feind" Tod gesiegt gegen Gott, der im Tod Christi alles, sein Letztes und Liebstes einsetzte und darangab für die Rettung seiner Feinde? Ist also Gottes Macht dort, wo sie die letzte Entscheidung um die Schöpfung erzwingen wollte, im Kreuz Christi, an der Eigen-Macht der Welt definitiv gescheitert? Sind Glaube und Liebe, ist vor allem die Hoffnung auf unseren Herrn Jesus Christus (1Thess 1,3) eine fromme Illusion? Wie kann also Paulus von seinem theologischen Ansatz her, der das Kreuz Jesu als das eschatologische Heilshandeln Gottes sieht, angesichts der Wirklichkeit dieses Todes, diesen und damit Christus als das Heil, die eschatologische Wirklichkeit verkünden?

Allgemein und vorläufig werden wir im Sinne pln. Theologie antworten: nur wenn dieser Tod nicht selbst das Ende war, wenn die universale Mächtigkeit von Sünde und Tod, die im Tod Jesu zur äußersten Entfaltung kam, selbst beendet und gebrochen werden konnte, wenn dem Kreuzestod Jesu ein Ereignis entspricht, das ihn in seiner vollen, „eschatologischen" Wirklichkeit (als der Tod des Todes) überwindet und zugleich rechtfertigt — nur dann kann der gekreuzigte Christus zu Recht als Gottes Macht und Gottes Weisheit (1Kor 1,24) verkündigt werden.

Dieses vom Menschen und seinen Möglichkeiten aus gesehen Unmögliche, das Unausdenkbare und Unerwartete (weil im Tod Jesu offenbar definitiv Vereitelte) ist geschehen. Die Macht des Todes ist im Tod Jesu an Gottes Macht zerschellt, der Tod des Todes ist besiegelt: „Gott hat Jesus von den Toten auferweckt!" Mit der gesamten Urkirche bekennt Paulus diese Gottestat als den Angelpunkt seines Glaubens und seiner Verkündigung. Hier — und allein hier — ist der „Anstoß des Kreuzes" überwunden, wird es „Anstoß" zum Heil (vgl. Röm 9,33).

Eben darin bestand ja auch die entscheidende Erfahrung des Paulus selbst, da es Gott gefiel, ihm seinen Sohn zu offenbaren (Gal 1,15f)[1]. Sein Selbstverständnis und Lebenswandel ἐν τῷ Ἰουδαϊσμῷ war ein einziger Protest gegen die Blasphemie eines gekreuzigten Messias, ein Protest, der ihn, den untadeligen, viele Altersgenossen an Eifer um das Gesetz übertreffenden Pharisäer, bis zur „maßlosen" Verfolgung der christlichen Gemeinde trieb (Gal 1,13f; Phil 3,5f; 1Kor 15,9). Erst die überwältigende, eschatologische Erfahrung (ἀποκάλυψις) dieses augenscheinlich (vom Gesetz) verfluchten Gekreuzigten (Gal 3,13; vgl. Dt 21,23)[2] als des Sohnes Gottes, den Gott auferweckt hat von den Toten (Gal 1,12.15f; 1,1; 1Kor 15,3−8) überwand diese Zumutung des Kreuzes, erst das Übermaß der Erkenntnis Christi Jesu als des Herrn (Phil 3,8), die nur als Aufgang neuer Schöpfung adäquat zu „beschreiben" ist (2Kor 4,6), offenbarte ihm den Gekreuzigten (vgl. Phil 3,18!) als den einzig wahren „Gewinn", in dessen Licht alles andere als „Verlust" enthüllt wird (Phil 3,7ff). In den Erscheinungen des gestorbenen und auferstandenen Christus eröffnete sich Gottes Gnade dem Paulus als die Wirklichkeit seines künftigen Seins (1Kor 15,10; vgl. Gal 1,15).

Die „seinsstürzende" (Stuhlmacher) Wende im Leben des Paulus stellt also klar, daß für ihn das Kreuz Jesu nur von der Auferstehung her als das eschatologische Ereignis aussagbar wird, daß nur der Auferweckte als der „gekreuzigte Christus" verkündigt werden kann. Gerade im Hinblick auf den eschatologischen Gedanken des Paulus rückt deshalb das Ereignis der Auferweckung Jesu von den Toten in den Mittelpunkt unseres Interesses.

I. Die vorpaulinischen Auferweckungstraditionen und ihre Rezeption durch Paulus

1. Die Auferweckungsformel

Die pln. Aussagen über die Auferweckung Jesu Christi sind terminologisch und formal von großer Einheitlichkeit. Man hat daraus zu Recht allgemein auf die Übernahme geprägter Tradition durch Paulus geschlossen[3], die teilweise bis in die früheste Gemeinde zurückreicht. Das gilt insbesondere für die sog. „Auferweckungsformel", einen „knapp stilisierten Satz", mit dem

1 Vgl. zum folgenden U. Wilckens, Die Bekehrung des Paulus als religionsgeschichtliches Problem, in: ZThK 56 (1959), 273−293; P. Stuhlmacher, „Das Ende des Gesetzes". Über Ursprung und Ansatz der paulinischen Theologie, in: ZThK 67 (1970), 14−39.

2 Vgl. zum Hintergrund G. Jeremias, Der Lehrer der Gerechtigkeit (StUNT 2), Göttingen 1963, 133−135; Kuhn, Jesus als Gekreuzigter 33f.

3 Vgl. die rabbinische Traditionsterminologie (παραδιδόναι − παρελαμβάνειν || m sr-k bl) in der Einführung des Traditionssatzes 1Kor 15,3−5, dazu etwa J.Jeremias, Die Abendmahlsworte Jesu, Göttingen 4. Aufl. 1967, 95. Kriterien für die Bestimmung einer Tradition sind zusammengestellt bei Schlier, Anfänge 20f und Bussmann, Missionspredigt 22−25; speziell zur Auferweckungsformel vgl. Wengst, Formeln 27f, der auf die antithetische Entsprechung von Röm 10,9 und 5 aufmerksam macht.

der Apostel in Röm 10,9 (neben der Kyrios-Akklamation) den Inhalt des rettenden Glaubens gültig wiedergibt[4]. Einer Darstellung des pln. Verständnisses der Auferweckung Jesu muß deshalb eine Analyse dieser und der anderen von Paulus aufgenommenen urchristlichen Auferweckungstraditionen vorausgeschickt werden.

Die Auferweckungsformel liegt in doppelter Variante als Aussagesatz (bzw. Relativsatz)[5] und Partizipialprädikation[6] vor.

Subjekt des Aussagesatzes ist immer Gott, Prädikat der Aorist ἤγειρεν; die Partizipialprädikation ersetzt in Röm 4,24b; 8,11a.b; 2Kor 4,14 den Gottesnamen (anders Gal 1,1; Eph 1,20 usw.). Als Objekt wurde in der ältesten uns erreichbaren Fassung der Formel vermutlich einfach Ἰησοῦν genannt[7]. ἐκ νεκρῶν findet sich mit Ausnahme von 2Kor 4,14 in sämtlichen partizipialen Auferweckungsaussagen; ebenso begegnet es in Röm 10,9; 1Thess 1,10 (m. Art.); Apg 3,15; 4,10; 13,30; es fehlt in 1Kor 6,14[8]; Apg 5,30; 10,40; 13,37, während 1Kor 15,50 immerhin von der Auferweckung der νεκροί die Rede ist. Die ursprüngliche Zugehörigkeit des ἐκ νεκρῶν zur Formel scheint mir deshalb durchaus naheliegend[9].

In den einfachen Aussagesätzen Röm 10,9 (mit ὅτι eingeführt, als Glaubensbekenntnis gekennzeichnet); 1Kor 6,14a; Apg 5,30; 13,30, sowie den entsprechenden partizipialen Fassungen Röm 4,24b; 8,11a.b; 2Kor 4,14; Gal 1,1 usw. ist lediglich die Stellung des Objekts variabel; scheinen die pln. Belege Röm 10,9 und 1Kor 6,14a die Stellung zwischen Subjekt und Prädikat zu begünstigen (vgl. aber 1Kor 15,15), so steht es dagegen in den Aussagesätzen Apg 5,30; 13,30 ebenso wie regelmäßig in der Partizipialkonstruktion[10] unmittelbar hinter dem Verb.

Eine Einleitung der Formel mit πιστεύω(–ομεν) ὅτι bzw. ἐπί (εἰς)[11] ist zu sporadisch bezeugt, als daß ihre Ursprünglichkeit wahrscheinlich gemacht werden könnte[12].

4   Vgl. Schlier, Anfänge 14.

5   Röm 10,9; 1Kor 6,14; 15,15; 1Thess 1,10; dazu: Apg 3,15; 4,10; 5,30; 10,40; 13,30.37.

6   Röm 4,24b; 8,11a.b; 2Kor 4,14; Gal 1,1; Eph 1,20; Kol 2,12; 1Petr 1,21; vgl. Röm 4,17; 2Kor 1,9; Apg 26,8.

7   Vgl. Röm 8,11a; Apg 5,30; auch 1Thess 1,10 (nachgestellt); Röm 10,9 (αὐτόν nimmt κύριον Ἰησοῦν auf, wobei κύριος den Charakter eines Prädikatsnomens hat, vgl. den Akk. statt des ὅτι-recitativum nach ὁμολογεῖν); Röm 4,24b (mit nachgestelltem prädikativem τὸν κύριον ἡμῶν); 2Kor 4,14 (κύριον fehlt in p[46] B 33 u.a., ist aber wohl ursprünglich, weil wegen des parallelen σὺν Ἰησοῦ die schwerere LA; σὺν Ἰησοῦ könnte evtl. ein ursprüngliches Ἰησοῦν stützen, doch vgl. V. 10f).
     Χριστὸν Ἰησοῦν findet sich Röm 8,11b; vgl. Gal 1,1. Hingegen sind τὸν κύριον, 1Kor 6,14, sowie τὸν Χριστόν, 1Kor 15,15, offenbar kontextlich bedingt, vgl. 1Kor 6,13 bzw. 15,3.12.13 usw. Erst im deuteropln. und nachpln. Schrifttum dominiert eindeutig Χριστός. Die Apg trägt für unsere Frage nichts aus.

8   Wohl aus stilistischen Gründen, vgl. die Parallelität im Aufbau sowie zu V.13; dies gilt wohl auch für 2Kor 4,14.

9   Vgl. die Diskussion bei Wengst, Formeln 32.

10   Einzige, wohl stilistisch bedingte Ausnahme (Variation, Chiasmus: Wengst, Formeln 31): Röm 8,11b.

11   Röm 4,24b; 10,9; vgl. auch 2Kor 4,13; 1Petr 1,21; Kol 2,12; 2Kor 1,9 (πεποιθότες ὦμεν ἐπί ...); 1Kor 15,15 (ἐμαρτυρήσαμεν).

12   Anders Wengst, Formeln 33. – Daraus folgt, daß die Auferweckungsformel genuin nicht als lehrhafte Aussage verstanden werden darf.

Nach diesem Befund kann – mit allem Vorbehalt[13] – folgende Gestalt der Auferweckungsformel als ursprünglich gelten: ὁ θεὸς ἤγειρεν / ὁ ἐγείρας Ἰησοῦν ἐκ νεκρῶν.

Gegenüber den aktivischen Auferweckungsaussagen, die Gottes Handeln an Jesus preisen, erweisen sich die passivischen „Formeln"[14] in Aufbau und Wortlaut als weit weniger fest geprägt; der Charakter einer Bekenntnis- und Glaubensformel tritt zurück. Auffällig ist, daß im Kontext immer der Tod Christi erwähnt wird (meist sogar in paralleler Formulierung, vgl. Röm 4,25; 1Thess 4,14; Röm 8,34; 1Kor 15,3bf; 2Kor 5,15; IgnRöm 6,1; PolPhil 9,2)[15]. Der Titel Χριστός überwiegt. Das deutet darauf hin, daß wir es hierbei entweder mit einer Erweiterung der ursprünglich selbständigen (wenngleich wohl in Analogie zur Auferweckungsformel gebildeten)[16] Sterbensformel[17] zu tun haben, oder – m.E. wahrscheinlicher – mit einer zweigliedrigen Pistisformel, die den Weg und das Schicksal Jesu zu beschreiben und deuten versucht. In jedem Fall stand dem Apostel also eine weitere eigenständige urchristliche Tradition zur Verfügung, die Tod und Auferweckung Jesu als zwei aufeinander bezogene Akte des einen Heilsgeschehens interpretierte, das als solches die „Bedeutsamkeit" der Person Jesu Christi (oder: des Messias Jesus) ausmacht. Sie dürfte für das theologische Denken des Paulus, gerade auch in bezug auf die Auferweckung Jesu, von entscheidender Bedeutung gewesen sein, wie vor allem die grundlegende Tradition in 1Kor 15,3–5 schlagend belegt. Wenden wir uns aber zunächst der zahlenmäßig stärker bezeugten und im Aufbau festen Auferweckungsformel zu.

Was war ihre ursprüngliche Aussageabsicht? K. Wengst versucht diese aus dem „Gedankenkontext" zu ermitteln, der im jetzigen Textzusammenhang „unausgesprochen mit einer Formel mitgeht". Problematisch wird diese Methode vor allem durch die unbewiesene Voraussetzung, daß eine „fest geprägte Formel ... Ausdruck einer bestimmten Theologie (ist)", genauer: daß „sie ...bestimmte theologische Motive kurz zusammen(faßt)"[18]. Dagegen spricht a) der obige Einwand gegen eine ursprünglich lehrhafte Konzeption der Formel[19], b) die Verwendung der Formel im NT (nicht nur bei Paulus!)

---

13 Solche Erörterungen und Distinktionen setzen allerdings eine Festigkeit im Aufbau urchristlicher Formeln voraus, die nicht nur schwer beweisbar, sondern m.E. höchst unwahrscheinlich ist; das zeigt nicht zuletzt die differenzierte „literarische" Verwendung im NT.

14 Aussagesatz: Röm 4,25; 6,4; 1Kor 15,4; 1Thess 4,14; Partizipialaussage: Röm 6,9; 7,4; 8,34; 2Kor 5,15; IgnRöm 6,1; PolPhil 9,2; in Apg fehlt jede passivische Aussage, vgl. aber Lk 9,22; 24.6.24; auch 7,22; 9,7; 20,37.

15 Das Auferwecktsein dürfte deshalb ursprünglich nicht selbständig von Christus ausgesagt worden sein.

16 So Schlier, Anfänge 22.

17 Für diese ist der Christus-Titel charakteristisch, vgl. Kramer, Christos 22f; Wengst, Formeln 79. S.o. S. 32.

18 Formeln 33.

19 S.o. Anm. 12.

in unterschiedlichstem Kontext, die Wengst nicht auswertet[20]. Es entspricht dem ntl. Befund m.M.n. eher, wenn man die Formel, die i.ü. auch bei Paulus kaum bewußt als solche aufgenommen sein wird[21], als Aussage faßt, die ihren Sinn „in sich selbst" trägt und deshalb von einem möglicherweise anfangs maßgebenden Gedankenkontext ablösbar ist. Ihr Gehalt ist daher primär durch Analyse der Form, des „Sitzes im Leben" und des Vokabulars zu erheben[22].

Nun hat K. Wengst selbst den überzeugenden Nachweis erbracht, daß die *Form* des urchristlichen Bekenntnisses zur Auferweckungstat Gottes an Jesus (und zwar als Aussagesatz, Relativsatz und Partizipialprädikation gleichermaßen) in vielen atl. und jüdischen Gottesprädikationen vorgebildet ist[23], die naturgemäß gehäuft in liturgischen Texten anzutreffen sind[24]. Allerdings wird dies bei Wengst nur — offenbar wegen des rein formgeschichtlichen Interesses — am israelitischen Grundbekenntnis der Befreiung aus Ägypten illustriert, während bekenntnismäßig stilisierte Auferweckungsaussagen bzw. deren Vorformen unberücksichtigt bleiben. An Belegen hierfür fehlt es jedoch keineswegs. Darf man für das AT etwa an jene hymnischen Bekenntnisse zu Jahwe erinnern, den Herrn über Leben und Tod, der den Armen aus dem Staub erhöht (und über seine Feinde triumphieren läßt)[25], so drängen sich im direkten Vergleich mit den ntl. Zeugnissen vor allem diejenigen jüdischen Gebete auf, die Jahwe preisend bekennen als den, „der die Toten lebendig macht". Besondere Bedeutung kommt hierbei der Tatsache zu, daß das schon z.Zt.

20 Während Wengst den pln. Textzusammenhang (wegen seines Alters?) bedenkenlos für die Rekonstruktion des vorpln. Gedankenkontexts heranzieht, gelten ihm die entsprechenden Motive im gesamten nachpln. Schrifttum dazu als unbrauchbar. Schon für die Rekonstruktion der Form werden die außerpln. Belege (Apg!) nicht berücksichtigt. Beides hängt wohl mit der prinzipiellen methodischen Beschränkung auf die älteste Schriftengruppe (= Paulus) als Ausgangspunkt für die Feststellung möglicher Tradierungen und Weiterbildungen im Urchristentum zusammen (vgl. 11f).

21 Auch dies spricht entschieden gegen das Interpretationsverfahren vom jetzigen Kontext einer Formel aus. Anders jedoch K. Wengst, Der Apostel und die Tradition. Zur theologischen Bedeutung urchristlicher Formeln bei Paulus, in: ZThK 69 (1972), 145—162. z.B. 148ff.158.

22 Höchstens ergänzend könnte dann auch die Analyse des Gedankenkontexts herangezogen werden, unter der Voraussetzung, daß jeweils der Nachweis der Traditionalität desselben geführt werden kann; eine allgemeine Vorüberlegung genügt dazu nicht.

23 Formeln 42—44.

24 Das gilt vornehmlich für die relativische und partizipiale Form; vgl. zur Herkunft und Vorgeschichte solcher Prädikationen: E. Norden, Agnostos Theos. Untersuchungen zur Formgeschichte religiöser Rede, Darmstadt 5. Auflg. 1971, 166—176.201—207; G. Delling, Partizipiale Gottesprädikationen in den Briefen des Neuen Testaments, in: StTh 17 (1963), 1—59; F. Crüsemann, Studien zur Formgeschichte von Hymnus und Danklied in Israel (WMANT 32), Neukirchen 1969, 83—154 (Die hymnischen Partizipien).

25 Vgl. Dt 32,39; 1Sam 2,6—8; Ps 113,7f; Hi 5,8—11; Sir 11,14; Sap 16,13; 4Makk 18,19; Tob 13,2; (2Kg 5,7).

Jesu populäre Sch^{e}mone-Esre in seiner 2. Benediktion dieses Bekenntnis enthält[26] . Damit war aber im Judentum ein formaler und inhaltlicher Ansatz zur Formulierung des urchristlichen Auferweckungsbekenntnisses gegeben[27] ; man wird zumindest nicht bestreiten, daß es fast zwangsläufig und sofort im Horizont der genannten jüdischen Doxologien verstanden werden mußte. So setzt Paulus denn auch beides in Röm 4,17[28] und 4,24b in Parallele[29] . Dieses ntl. Beispiel zeigt i.ü., daß mit solcher Anknüpfung und Fortführung des jüdischen Bekenntnisses zum Tote erweckenden Gott keineswegs eine bestimmte Auferweckungsvorstellung ungebrochen übernommen und sanktioniert wurde (als Verstehenskategorie der Auferweckung Jesu), zumal auch die besagte jüdische Doxologie nicht auf eine solche festgelegt war, sondern durchaus einer neuen (an neuen geschichtlichen Erfahrungen orientierten) Interpretation offenstand.

Die atl. und jüdischen Parallelen legen es nahe, die Auferweckungsformel im urchristlichen Gottesdienst — als Artikulation seines Enthusiasmus — entstanden zu denken[30] . H. Schlier hat diese Vermutung untermauert mit dem Hinweis auf die in Lk 24,33f geschilderte Situation und von daher die ursprüngliche Form der Auferweckungsaussage als „Satzakklamation" bestimmt[31] . Die Funktion speziell des 18-Bitten-Gebetes „als elementarste Form der Verehrung des einen Gottes im alltäglichen Leben"[32] gebietet jedoch Vorsicht gegenüber einer allzu präzisen Fixierung des „Sitzes im Leben" unserer

---

26 Hebr. mehajjäh hammetijm, neben anderen Partizipialprädikationen (vor allem in der jüngeren babylonischen Rezension, vgl. Bill IV/1, 208–249.211; O. Holtzmann, Die Mischna I/1, Gießen 1912, 10–27.13; zur Datierung: P. Schäfer, Der synagogale Gottesdienst, in: Literatur und Religion des Frühjudentums (hrsg. v. J. Maier und J. Schreiner), Würzburg 1973, 391–413.404–409); vgl. auch Tos.Ber 7,3; b.Ber 58b; b.Keth 8b (bei G. Harder, Paulus und das Gebet (NTF Reihe 1/10), Gütersloh 1936, 106 A.1); auch JosAsn 20,7.

27 Vgl. Stuhlmacher, Bekenntnis 386f.

28 Vgl. noch 2Kor 1,9; Apg 26,8; Joh 5,21.

29 Vgl. etwa Kegel, Auferstehung 49f; Käsemann, Röm 114 (vgl. 120) spricht in bezug auf die Auferweckungsformel von „christologische(r) Variation der jüdischen Prädikation"; das ungewöhnliche ζωοποιεῖν in Röm 4,17 könnte sich als Übersetzung der 2. Benediktion des 18-Bitten-Gebetes erklären (Käsemann ebd., geg. Kegel, aaO. 49; zu 2Kor 1,9 (ἐγείρειν) vgl. die pal. Rezension, die auch mekijm metijm hat), zumal Paulus auch sonst diesen Begriff auf die endzeitliche Totenerweckung anwendet, vgl. Röm 8,11; 1Kor 15,22.36.45 (2Kor 3,6; Gal 3,21; christologisch: 1Petr 3,18), vgl. Joh 5,21 (6,63), und damit den rabbinischen Sprachgebrauch aufnehmen dürfte, vgl. E. Fascher, Anastasis – Resurrectio – Auferstehung. Eine programmatische Studie zum Thema „Sprache und Offenbarung", in: ZNW 40 (1941), 166–229.181f A.21; auch Nikolainen, Auferstehungsglauben II 183f.

30 Wengst, Formeln 44.

31 Vgl. Schlier, Auferstehung 7–9; Anfänge 21f (zu den Akklamationen ebd. 14ff, mit Lit.).

32 Stuhlmacher, Bekenntnis 387.

Formel. Mir erscheint die Annahme naheliegender, daß sie von Anfang an nicht auf den gottesdienstlichen Raum beschränkt blieb, sondern als ein alle Situationen menschlichen Lebens umfassender Ausdruck urchristlichen Glaubens und Bekennens galt.[33]

Aus diesem formgeschichtlichen Vergleich ergibt sich für die *sachliche Bestimmung* der Auferweckungsformel, daß sie in der Linie jener Gottesprädikationen, die „Kernsätze des israelitisch-jüdischen Glaubens" darstellen,[34] ausgelegt werden muß. Durch die Auferweckung Jesu hat Gott sein Wesen, sein Gottsein (neu und abschließend) definiert. „Für die Christen war Gott nicht mehr in erster Linie der, der Himmel und Erde gemacht, der Israel aus Ägypten herausgeführt hat – das war er natürlich auch – aber vor allem war er der, der Jesus von den Toten auferweckt hat".[35] So sind die Relativ- und Partizipialprädikationen, die in Röm 4,24b; 8,11 a.b; 2Kor 4,14 als eigenständige Gottesbezeichnung fungieren, gewissermaßen sein „Ehrenname" geworden.[36] „Sie sind, wenn man so sagen darf, Gottes geschichtlicher Name schlechthin, weil in dieser Tat Gottes, der Mitte der $\mu\epsilon\gamma\alpha\lambda\epsilon\iota\alpha$ $\tau o\tilde{u}$ $\theta\epsilon o\tilde{u}$, Apg 2,11, Gottes Gott-sein endgültig begegnet ist."[37]

33 Vgl. H. Frhr. von Campenhausen, Das Bekenntnis im Urchristentum, in: ZNW 63 (1972), 210–253, der für die Bekenntnisse („Jesus ist der Christus/Gottes Sohn") jeden bestimmten „Sitz im Leben" bestreitet: „Die Bekenntnissätze waren aber, wie so viele Wendungen, die man heute als Formelfragmente interpretiert, in den urchristlichen Gemeinden überhaupt nicht an einen bestimmten Ort und Text gebunden, sondern sozusagen überall zu Hause." (231), vgl. bes. die Erwägungen S. 232. Diese Abgrenzung gilt auch gegenüber R. Deichgräber (Gotteshymnus und Christushymnus 113ff), der die Auferweckungsformel als „Urformel christlicher Verkündigung" bestimmt (112); sein Versuch, die Formel von den „akklamatorischen Bekenntnissen" zu trennen und den „Verkündigungsformeln" zuzuordnen, übersieht die Formparallelen in den jüdischen Gebeten (der Abschnitt „Hymnische Gottesprädikationen" bespricht nur Würdetitel: 87–105). Vgl. auch Lehmann, Auferweckt 156 (zu 1Kor 15,3b–5).

34 Wengst, Formeln 44.

35 Ebd. Vgl. Delling, a.A. 24 a.O. 34f; bes. auch Stuhlmacher, Bekenntnis, und Blank, Paulus und Jesus 149f. bes. 179f: „Unter diesen Begebenheiten (des Auszugs, des Bundes, der Erwählung usw.) ragt sie (= die Auferstehung Jesu) als deren Höhepunkt und Gipfel hervor, als die gleichsam dichteste Konkretion dessen, was „Handeln Gottes" im biblischen Geschichts- und Glaubensverständnis beinhaltet ... sie ist jener ausgesprochene Sonderfall des Handelns Gottes, woran das, was „Handeln Gottes" besagt, erst in letzter Radikalität abzulesen ist, weil jede andere Deutungsmöglichkeit, die vielleicht noch in Frage käme, durch den besonderen Charakter dieses Ereignisses selbst ausgeschlossen und kritisch in Frage gestellt wird ... Tatsache und Art, „Daß" und „Was", lassen sich hier nicht mehr voneinander trennen. Daß Gott handelt und daß er so handelt, dies ist hier völlig eins ... die Auferstehung Jesu (wird) als heilsgeschichtliches Ephapax schlechthin zum Grund und Maßstab für Offenbarung Gottes in der Geschichte."

36 Zur Gleichwertigkeit von Nominal-, Relativ- und Partizipialprädikation vgl. Norden, Agnostos-Theos (s. Anm. 24) 166–168.201ff; die orientalisch-jüdische Partizipialprädikation unterscheidet sich von der hellenistischen durch den Artikel (203), was auch auf die Auferweckungsformel zutrifft.

37 Schlier, Auferstehung 18 (mit Verweis auf Schniewind und Kramer).

Daher kann P. Stuhlmacher mit Recht resümieren: „Im christlichen Auferweckungsbekenntnis, und zwar gerade in seiner ältesten für uns erreichbaren Gestalt, kommt der israelitische Gottesglaube an sein Ziel und zur Vollendung."[38]

Problematisch bleibt freilich, ob diese – vom christlichen Standpunkt aus voll überzeugende – These den atl. und vor allem frühjüdischen Auferweckungszeugnissen gerecht wird, wie St. meint, wenn er diese als „ontologisch tiefsten Ausdruck des Zutrauens zu Jahwes Macht und Gerechtigkeit" deutet[39]. Eine Durchsicht der einschlägigen frühjüdischen Belege führt vielmehr zu dem Ergebnis, daß der Auferstehungsgedanke fast durchweg *vom Menschen her* gedacht ist, d.h. sich am Vergeltungs- und Lohngedanken orientiert und dementsprechend gerade nicht (auch nicht in den zentralen apokalyptischen Schriften!) als „Spitzenbekenntnis" atl.-jüdischen Glaubens an die Treue und Gerechtigkeit des Schöpfers über der Welt verstanden wurde. Dort erscheint die Auferweckungsaussage auch nicht in der Gottesprädikation; als solche begegnet sie nur – wie gezeigt – in der Tefilla und späteren jüdischen Berakot[40] neben anderen Prädikationen. Hier – im Rahmen der Confessio – findet sich nun andererseits aber auch der theologische Kontext, als dessen zentrale Artikulation das Bekenntnis zum Tote erweckenden Gott nach St. zu gelten hat. So heißt es in der späteren und erweiterten, babylonischen Rezension des 18-Bitten-Gebetes im Zuge atl. Aussagen[41] über die umfassende Sorge Jahwes, seine Hilfe für die Erniedrigten: „ ... der die Toten lebendig macht (aus großem Erbarmen, der Kranke heilt, Elenden hilft, Fallende stützt, Gebundene löst und *seine Treue hält denen, die im Staube schlafen.* Wer ist wie du, Vollbringer von Großtaten, und wer ist dir gleich, der da tötet und lebendig macht und Hilfe (Heil) sprossen läßt? Und *treu bist du, die Toten lebendig zu machen)* ..."[42]. Auferweckung galt dem späteren Judentum demnach als Erweis der Treue Jahwes, der seine Allmacht (über Leben und Tod) für die verstorbenen Gerechten zum Heil, d.h. zum Leben einsetzt; in der Wiederbelebung der Toten bleibt Jahwe sich und Israel ewig treu. Die Perspektive dieser Aussagen bleibt aber auf das Verhältnis Jahwe – Israel/Gerechter, beschränkt[43]. Wo eine allgemeine Auferstehung

---

38   Bekenntnis 388. Vgl. noch G. Friedrich, Die Bedeutung der Auferweckung Jesu nach Aussagen des Neuen Testaments, in: ThZ 27 (1971), 305–324.305–309; Schwantes, Schöpfung der Endzeit 70–74 (nur für Paulus); R. Schnackenburg, Zur Aussageweise „Jesus ist (von den Toten) auferstanden", in: BZ NF 13 (1969), 1–17.11ff.

39   AaO. 385.

40   Auch JosAsn 20,7 ist ein Lobpreis Gottes, vgl. das Gebet 8,9.

41   Vgl. die Belege Anm. 25.

42   Übersetzung und Redaktion nach Bill IV/2, 211; vgl. ferner: Tos. Berakoth 7,3: „Gepriesen sei, der sein Wort hält, der die Toten erweckt"; b.Ber. 58b: „Gepriesen sei, der euch nach Recht erschaffen, euch nach Recht ernährt, euch nach Recht versorgt und euch nach Recht versammelt hat; er wird euch auch dereinst nach Recht auferstehen lassen ... Er kennt die Zahl von euch allen, und er wird euch dereinst beleben und auferstehen lassen. Gepriesen sei er, der die Toten belebt."

43   Bill IV/2 1166: „Der Blick haftet meistens an Israel"; die Auferstehung aller Toten hat „nie allgemeine Anerkennung in der alten Synagoge gefunden"; vgl. auch Volz 247.

erwartet wird[44], ist diese dem Lohn- bzw. Gerichtsgedanken untergeordnet[45], durch den die Apokalyptik das Schöpferrecht Gottes gewahrt wußte und der seinerseits wiederum zumindest faktisch in die eschatologische Rechtfertigung und Etablierung des Bundes und der Erwählung Israels mündete. Daß es hingegen gerade die Auferweckung der Toten (und nicht das Gericht) ist, die Gott endgültig in seiner *Schöpfer*macht erweist, wie Paulus Röm 4,17 bekennt, kann den atl. und frühjüdischen Zeugnissen schwerlich entnommen werden[46]. Zum „Spitzenbekenntnis" wurde die Formel des Sch[e]mone-Esre erst im Christentum, und zwar in der christologischen Fassung, die die eschatologische Gottestat der Auferweckung als schon geschehen preist.

Bei aller Divergenz kommen die jüdischen Auferstehungskonzeptionen ja darin überein, daß Auferweckung ein streng *eschatologisches Gotteshandeln* darstellt[47]. In der Auferweckung des gekreuzigten Jesus ereignete sich demnach der definitive Anbruch der Endzeit, weil der Einbruch Gottes in seiner todesüberlegenen Schöpfermacht in diese Welt[48]. Im Horizont der Erwartung

44 Das ist deutlich erst in 4Esr und sBar der Fall: 4Esr 5,45; 7,32; 14,35; sBar 42,8; 50,2—4; vgl. auch 1Hen (22); 51,1; TestBenj 10,8f; ApkMos 10.28.41(?); Sib 4,180ff; Ps-Phokylides 102—108; ApkEz 1, bes. 37f (Rießler 334—336); dazu: Volz 240—244; K. Schubert, Die Entwicklung der Auferstehungslehre von der nachexilischen bis zur frührabbinischen Zeit, in: BZ NF 6 (1962), 177—214.198—208.

45 Nickelsburg, Resurrection 174.

46 Die Verbindung von Auferweckungsgedanke und Schöpfungsglauben ist jedoch sporadisch anzutreffen, vgl. etwa 2Makk 7,27—29. bes. 28; auch 7,22f (dazu: Stemberger, Der Leib der Auferstehung 19f); 4Esr 5,45; JosAsn 8,9; 15,5 (dazu: E. Brandenburger, Auferstehung 24—26). Als eschatologischer Erweis Gottes in seiner Herrlichkeit und Schöpfermacht gilt die Auferweckung (der gerechten Israeliten?) deutlich in sBar 21,22—25: „Bedräu deswegen auch den Todesengel! Und sichtbar werde deine Herrlichkeit und deine hehre Majestät erkannt! Versiegelt sei die Unterwelt, daß sie von jetzt ab keine Toten mehr empfange! Der Seelen Kammern sollen jene wiedergeben, die noch darin schlafen ..." (Übers. Rießler), vgl. den Gesamtzusammenhang des Gebetes Baruchs 21,4ff.

47 In der 2. Benediktion des Sch[e]mone-Esre (pal. Rez.) heißt es: „ ... und hältst Gericht über Trotzige, lebst in Ewigkeit und erweckst Tote ... im Augenblick läßt du uns Heil ersprießen. Gepriesen seist du, Jeja, der du Tote erweckst" (Holtzmann 11, der freilich im Anschluß an Ez 37 antirömisch deutet: 12). Das gilt jedoch nicht – wenn ich recht sehe – für den Sprachgebrauch im jüdisch-hellenistischen Propagandaroman JosAsn.
Zu den je nach eschatologischer Gesamtanschauung unterschiedenen, jedenfalls keineswegs einheitlichen oder gar voll entwickelten jüdischen Auferstehungsvorstellungen vgl. Volz 229—256; Bill IV/2 1166—1198; Nötscher, Auferstehungsglauben 261—297; Schubert, aaO.; ders., „Auferstehung Jesu" im Lichte der Religionsgeschichte des Judentums, in: BiLi 1970, Heft 1, 25—37; Stemberger, Der Leib der Auferstehung; Nickelsburg, Resurrection, der 174ff einige Grundtendenzen der verschiedenen jüdischen Auferstehungtraditionen zusammenstellt.

48 „Für die Urchristenheit ist es völlig klar, daß sie (= die Auferstehung Jesu) nicht ein Wunder ist, das sich in dieser sich gleichbleibenden Welt ereignet hat, sondern daß sie etwas völlig Neues ist: sie ist Anfang eines die ganze Welt umgestaltenden Geschehens, der Durchbruch des neuen Äons. Ostern hat das begonnen, was die Apokalyptik am Ende der Zeit erwartet." „Die Auferweckung Jesu ist nicht die Verlängerung seines irdischen Lebens um einige Jahre, sondern der Einbruch des lebenschaffenden Gottes in diese unsere Welt des Todes." (Friedrich, aaO. 320f).

einer endzeitlichen Totenerweckung, in welcher — wie der fromme Jude täglich bekannte — Jahwe seine Treue zu Israel (zum Gerechten) bzw. seine richterliche Macht über diesen Äon unter Beweis stellen würde, konnte die Auferweckung Jesu gar nicht als isoliertes, auf die Person des gekreuzigten Jesus beschränktes Geschehen verstanden werden, sondern mußte eo ipso als eschatologisches und d.h. universales (Heils-)Ereignis begriffen werden; und der auferweckte und erhöhte Jesus mußte in Person von vornherein als der „Ort" und der von Gott bestellte Bürge dieser (Heils-)Wirklichkeit gelten[49]. Diese Feststellung versteht sich als eine konsequente Explikation des wesentlich theo-logischen (-eschatologischen) Gehalts der Auferweckungsformel. Die hier artikulierte Grunderfahrung des eschatologischen Einbruchs Gottes in die Welt in der Auferweckung des gekreuzigten Jesus liegt „vor" der Entfaltung der urgemeindlichen Christologie, die sich daneben natürlich aus der Erinnerung an sein („messianisches") Wirken und Sterben und dem Rückgriff auf verschiedenste (gleichwohl gegeneinander nicht abgeschlossene) jüdische Heilsbringererwartungen speiste[50], und vermag allein ihre singuläre Gestalt wie ihre „explosionsartige" Entwicklung zureichend zu erklären[51]. Auferweckung bedeutet prinzipiell mehr als der heilsmittlerische Anspruch eines „alle Schemen sprengenden" (E. Schweizer) eschatologischen Propheten, mehr auch als die Bestätigung dieses Anspruchs durch Gott über seinen gewaltsamen Tod hinaus[52]; ja, das Faktum, daß diese eschatologische Gottes-

---

49 Die Erwartung seiner Parusie (Maranatha-Ruf!) und der Glaube an seine Erhöhung zu eschatologischer Herrschermacht liegen auf der Linie dieses Ansatzes, verlangen darüber hinaus als Voraussetzung den eschatologischen Anspruch Jesu bzw. die Tatsache seiner Hinrichtung als Messiasprätendent; „denn das Auferstehungsgeschehen war von seinem religionsgeschichtlichen Hintergrund her 'messianologisch' indifferent" (Hengel, Chronologie 64; vgl. Volz 233; Schubert, „Auferstehung Jesu" (s. Anm. 48) 25—30). Auch nach A. Vögtle (Osterglauben), der die Aporien aufzeigt, die sich beim gängigen Rekurs auf die Erwartung einer allgemeinen Totenerweckung (zum Gericht) ergeben (107—112), und statt dessen die speziellere Kategorie des „Theologumenon(s) vom leidenden und zu verherrlichenden Gerechten" als „grundlegenden Verstehenshorizont" in Betracht zieht (113), konnte die (leibliche) Auferweckung und Erhöhung des einen Menschen Jesu zu messianischer Stellung nur unter der genannten Voraussetzung sinnvoll ausgesagt werden (117—119): „In dem Glauben, daß Gott durch die Auferweckung und Erhöhung des als Messiasprätendent hingerichteten und erledigten Jesus diesen in Wirklichkeit endgültig als 'den Messias' bestätigte und bestellte, war der Glaube an die Befähigung des Erhöhten zu eschatologischem Handeln als Heilbringer und Richter impliziert. Unter dieser und nur unter dieser Voraussetzung konnte sich die Urgemeinde sinnvollerweise mit dem 'Unser Herr, komm!' unmittelbar an den erhöhten Jesus wenden" (121).

50 Für diese zeitliche und sachliche Vorordnung spricht vielleicht auch, daß in der Auferweckungsformel zunächst aller Wahrscheinlichkeit nach jede messianische Prädikation Jesu fehlte, was wohl — ebenso wie ihre knappe Stilisierung und theologische Kargheit insgesamt — als Zeichen für ihr hohes Alter gewertet werden darf.

51 Vgl. Hengel, Chronologie.

52 „Durch die Auferweckung hat Jesus Christus von Gott eine Funktion erhalten, die er vorher noch nicht gehabt hat." (Friedrich, a.Anm. 39 a.O. 311).

tat — wie die ersten Christen bekannten — am gekreuzigten Jesus schon geschehen war, mußte jede vorgegebene Kategorie von Auferweckung radikal sprengen. Wo der reale Einbruch des Eschaton (personal) gegenwärtig erfahren und verkündigt wird, versagen notwendig alle eschatologischen Konzeptionen[53].

53 Vgl. Schnackenburg, aaO.— Die charakteristisch neue personale, d.h. christologische Konzentration des urchristlichen Glaubens, die — wie ich glaube zeigen zu können — eine Konsequenz des analogielosen eschatologischen Selbsterweises Gottes in der Auferweckung Jesu von den Toten darstellt (vgl. bes. den Erhöhungs- und Parusiegedanken), kann m.E. nicht aus dem Vorstellungsschema der Auferweckung und Erhöhung des eschatologischen Märtyrerpropheten erklärt werden, das R. Pesch im Anschluß an K. Berger zur Aufhellung der Entstehung des urchristlichen Osterglaubens herangezogen hat (Zur Entstehung des Glaubens an die Auferstehung Jesu. Ein Vorschlag zur Diskussion, in: ThQ 153 (1973), 201—228). Diese Feststellung gilt unabhängig von der Frage, ob ein solches Schema vorchristlich nachgewiesen werden kann (was m.E. nicht der Fall ist, vgl. etwa Hengel, ebd. 257ff und J.M. Nützel, Zum Schicksal der eschatologischen Propheten, in: BZ NF 20 (1976), 59—94, der zwar mit der Existenz eines solchen Schemas rechnet, das aber 1. nirgends die Erhöhung impliziere und 2. nur geringe Verbreitung gehabt habe, für die Entstehung des Osterglaubens also schwerlich in Frage komme.), und bezieht sich lediglich auf die inhaltliche Parallelität dieser Tradition mit dem christlichen Auferweckungsglauben. Zunächst findet sich im NT nirgendwo (und gerade nicht im Umkreis der ältesten Tradition) der Gedanke einer Rechtfertigung Jesu vor seinem Widersacher, d.h. dem eschatologischen Pseudopropheten; auch das lk. Schema („ihr habt ihn getötet — Gott hat ihn auferweckt") kann in diesem Zusammenhang nicht als Beleg angeführt werden, da hier 1. eine Mehrzahl angesprochen ist, die 2. nicht den Charakter eines eschatologischen Gegenspielers hat; abwegig ist es deshalb auch, das lk. Schema in Mk 6,16 vorgebildet zu finden und aus der Geschichtserzählung Mk 6,17—29 Züge des eschatologischen Widersachers in der Schilderung des Herodes Antipas herauszulesen. Sodann müßte man im NT zumindest Hinweise darauf finden, daß der Tod, besser: das Martyrium Jesu als das Werk seines vollmächtigen Gegenspielers gedeutet worden ist (was m.W. nicht zutrifft); gerade die uns zugängliche älteste Verkündigung des Todes Jesu schließt die Möglichkeit einer solchen Konzeption von vornherein aus. Denn in ihrer Kargheit und rein theologischen Orientierung bildet sie m.E. einen deutlichen Reflex der fundamentalen Schwierigkeiten, die der Kreuzestod Jesu seinen Anhängern trotz des Osterglaubens bereitete. Überdies müßte sich — wenn irgendwo — das postulierte Schema in den frühen Pistisformeln nachweisen lassen, die Tod und Auferweckung Jesu zusammen nennen. P. bleibt auch nur den Versuch eines solchen Nachweises schuldig; er dürfte schwerlich gelingen (Bemerkenswert ist auch, daß P. sich nicht auf eine Analyse der Auferweckungsformel einläßt, die doch als älteste Bezeugung des christlichen Auferweckungsglaubens gelten muß). Die postmortale exklusive heilsmittlerische Stellung Jesu kann jedenfalls eindeutig nicht aus diesem Schema abgeleitet werden (mit einer Erhöhungs- oder Entrückungsaussage ist eine solche Stellung noch nicht gegeben, vgl. Hengel, Chronologie 64). Sie müßte dann vielmehr ganz aus dem Anspruch des geschichtlichen Wirkens Jesu begründet werden — was m.E. unstreitig unseren Quellen widerspricht. Vor allem auch die Verkündigung und der Apostolat des Paulus (dessen Selbstzeugnis P. durch eine einseitige formgeschichtliche Analyse eigenartig bagatellisiert, 211ff), wären dann ein unlösbares Rätsel bzw. könnten nur als nachträgliche Mythologisierung der Jesusbotschaft gedeutet und verabschiedet werden.
Vgl. die Stellungnahmen von W. Kasper, K.H. Schelkle, P. Stuhlmacher und M. Hengel sowie die Replik von P. im selben Heft der ThQ; Vögtle/Pesch, Osterglauben; J. Kremer, Entstehung und Inhalt des Osterglaubens. Zur neuesten Diskussion, in: ThRv 72 (1976), 1—14 (mit weiterer Lit.).

Daß die Auferweckung Jesu damit von vornherein als der proleptische Auftakt der allgemeinen endzeitlichen Totenauferweckung verstanden worden ist, läßt sich der Formel jedoch schwerlich entnehmen und erweist sich auch aufgrund anderer Überlegungen als unwahrscheinlich[54]. Andererseits lag es unter den genannten jüdischen Voraussetzungen nahe, die im Auferweckungsglauben implizierte Konzentration der eschatologischen Wirklichkeit auf die Person Jesu auch im Hinblick auf den Zusammenhang zwischen der Auferweckung Jesu und derjenigen der Glaubenden zu entfalten[55]. Eine solche Beziehung ist jedenfalls im NT, zumal bei Paulus, relativ breit bezeugt, vgl. z.B. Mt 27,52f; Röm 1,4? (trad.); 8,11; 1Kor 6,14; 15,20—22.23.45.48f; 2Kor 4,14; Phil 3,10f; 1Thess 4,14. Gerade die pln. Belege lassen aber erkennen, daß diesem Gedanken eine vertiefte christologische Reflexion zugrunde liegt (Christus als „Schicksalsträger")[56].

Halten wir fest: Die Auferweckungsformel verkündet — in formaler und inhaltlicher Anknüpfung an israelitisch-jüdische Gottesprädikationen — die Auferweckung Jesu von den Toten als die eschatologische Gottestat schlechthin und damit den Anbruch des Eschaton in der Person Jesu; dem Auferweckten eignet deshalb notwendig exklusive, eschatologische Bedeutsamkeit, und zwar „vor" jeder expliziten christologischen Reflexion (ein Titel fehlt in der Formel), die vielmehr erst durch die Auferweckungserfahrung ausgelöst wird und im Rückblick auf Jesu („messianisches") Wirken und Sterben seine neu gewonnene exklusive Stellung als Bürge und Mittler der eschatologischen, lebenschaffenden Wirklichkeit Gottes explizieren mußte.

---

54 Vgl. Vögtle, Osterglauben 110—112; anders Kegel, Auferstehung 25.

55 Wengst konstatiert zu Recht das Fehlen jeder jüdischen Parallele und möchte diesen Gedanken deshalb erst der „hellenistisch-heidenchristlichen" Gemeinde zuweisen, welche die Auferweckung Jesu nach Mysterienvorstellungen als das heilbringende Geschick (Tod und Wiederaufleben) der Gottheit interpretiert habe, das sich die Mysten im kultischen Nachvollzug schon jetzt aneigneten; Paulus habe dies — im Anschluß an den genuinen Gedankenkontext der Auferweckungsformel (vgl. 1Thess 1,10, dazu oben Anm. 49) — eschatologisch korrigiert (Formeln 39f.44ff). Die Mysterien kommen aber höchstens als Hintergrund der pln. Tauftexte in Betracht (Röm 6), von denen die in sich einheitliche Gruppe der eschatologischen Aussagen zu unterscheiden ist (vgl. Siber, Mit Christus leben 191 u.ö.). Zudem ist der Gedanke einer Auferstehung des Kultgottes und entsprechend der Gläubigen in den Mysterien selbst nicht unumstritten, vgl. einerseits etwa G. Bertram, Art. Auferstehung I (des Kultgottes), in: RAC I 919—930, andererseits M.P. Nilsson, Geschichte der griechischen Religion II (HAW V/2), München 2. Auflg. 1961, 686, der diesen Gedanken bestreitet, da er den mit den betreffenden Kulten verbundenen Mythen widerspreche (vgl. dazu 622ff. bes. 636f.649f.653f.): „Attis war und blieb tot, Osiris lebte im Reich der Toten. Der Gedanke an Tod und Auferstehung war lebendig, er war aber mehr ein Bild des völligen Bruches mit dem bisherigen Leben als Ausdruck einer Ewigkeitshoffnung, welche vielmehr in anderer Form erschien." Diesem Grundgedanken entspricht i.ü. auch die von Brandenburger herangezogene Darstellung in JosAsn (vgl. Anm. 46). Zur Bedeutung der Mysterienkulte für den urchristlichen Gedanken der Auferstehung und Verwandlung s.u. S. 224ff.

56 Siber (Mit Christus leben 95) sieht darin die theologische Leistung des Paulus.

Paulus läßt dort, wo er von der Auferweckung Jesu als einer Tat Gottes spricht, seine Vertrautheit mit diesem Bekenntnissatz erkennen[57]. Überraschenderweise fehlt im unmittelbaren Textzusammenhang jeder Hinweis auf den Tod Jesu[58]. Die Formel kann allein den zentralen Gehalt des christlichen Glaubens aussagen[59]. Dient sie in Gal 1,1 der Legitimierung des pln. Apostolats und Evangeliums[60], so nennt sie an den übrigen Stellen den Grund für die eschatologische Vollendung der Glaubenden[61]. Die Funktion innerhalb der pln. Briefe bestätigt insofern das eruierte theologisch-eschatologische Grundverständnis der Formel. Wir dürfen es deshalb als maßgebend für die Theologie des Apostels, speziell auch für das Verhältnis von Christologie und Eschatologie betrachten (soweit es sich hier artikuliert).

2. Die Doppelformeln

Neben dieser breit bezeugten Tradition der Auferweckungsformel enthalten die pln. Briefe noch eine Reihe von Aussagen über die Auferweckung Jesu, die vermutlich ebenfalls schon vorpln. Herkunft sind. Hiermit sind jene Zeugnisse gemeint, die in einer gewissen Stereotypie Tod und Auferweckung Christi nebeneinander nennen[62]. Anders als bei der Auferweckungs-(oder auch der Sterbens-)Formel sind Aufbau und Terminologie jedoch keineswegs einheitlich, es herrscht vielmehr reiche Variation. Die Rekonstruktion einer möglichen Urform ist dadurch von vornherein erschwert. Die Belege sollen deshalb zunächst einzeln auf ihre Traditionalität hin überprüft werden.

In *1Thess 4,14* begründet der Apostel seine Paraklese mit einem christologischen Glaubenssatz. Die stilgemäße Einleitung mit πιστεύομεν ὅτι[63], das im Kontext (wo κύριος vorherrscht) unerwartete Ἰησοῦς, das bei Paulus singuläre Verb ἀνίστημι sowie die gebrochene Satzkonstruktion (V.14a:b) sprechen im ganzen deutlich dafür, daß hier eine formelhafte Aussage aufgenommen

---

57 Das verdeutlicht insbesondere die Verwendung der Terminologie: nur 1Thess 4,14 (ἀνίστημι) und Röm 14,9 (ζάω) wählt Paulus einen anderen Ausdruck als ἐγείρω für die Auferweckung Jesu; da 1Thess 4,14 vermutlich einen Traditionssatz wiedergibt, bleibt nur Röm 14,9 als (kontextbedingte) Eigenformulierung, vgl. noch Röm 10,7 (ἀνάγειν).

58 Das darf vielleicht als zusätzliches Indiz für unsere Interpretation der Formel vor allem hinsichtlich ihrer christologischen Implikationen bewertet werden, vgl. auch Eph 1,20; Kol 2,12; anders freilich die Belege aus Apg (und 1Petr 1,21).

59 Vgl. Röm 4,24 (sowie die übrigen partizialen Gottesprädikationen); 10,9; auch 1Kor 15,15 (ἐμαρτυρήσαμεν); 1Thess 1,10 (im Rahmen einer traditionellen (?) Zusammenfassung der Missionspredigt).

60 Vgl. Schlier, Gal 28; Mußner, Gal 45f.

61 Rettung: 1Thess 1,10; Auferweckung: Röm 8,11; 1Kor 6,14; 2Kor 4,14.

62 Vgl. Kramer, Christos 15–40; Schlier, Anfänge 23ff; Wengst, Formeln 92–104.

63 Vgl. oben Anm. 11; bei der „Doppelformel" ist diese Einleitung singulär.

worden ist[64]. Die denkbar einfachste Beschreibung des Weges Jesu, das Fehlen christologischer Titulatur und des „Heilssinnes" erwecken einen altertümlichen Eindruck[65]. Das wirft freilich auch die Frage auf, ob eine solche Aussage überhaupt als „Formel", die den Glauben inhaltlich umreißt, isoliert tradiert werden konnte oder ob dies nicht vielmehr einen bestimmten Gedankenkontext (mit einem bestimmten „Sitz im Leben") voraussetzt[66].

Ähnlich knapp formuliert Paulus in *Röm 14,9*: Χριστὸς ἀπέθανεν καὶ ἔζησεν. Der Titel Χριστός hebt sich vom Kontext, der κύριος bevorzugt, deutlich ab, muß es freilich auch, da unsere Aussage das κύριος-Sein Christi begründet; Χριστός kann also nicht ohne weiteres als Indiz für das Vorliegen von Tradition beansprucht werden[67]. Hinzu kommt, daß die Auferweckung kontextgemäß durch ἔζησεν[68] wiedergegeben ist. Trotz dieses „negativen" sprachlichen Befundes könnte sich in der Verbindung von Tod und Auferweckung Christi vorpln. Redeweise niedergeschlagen haben, was aber erst nach Prüfung aller Belege entschieden werden kann.

In der Form einer partizipialen Christusprädikation ist diese Kombination jedenfalls auch in Röm 8,34 und 2Kor 5,15 bezeugt. Die Vorgegebenheit der Aussage läßt vor allem *Röm 8,34* erkennen, wo im Zusammenhang die herrscherliche Stellung Christi (uns zugute) hervorgehoben wird (vgl. die beiden Relativsätze); als deren Grund werden Tod und Auferweckung Christi genannt, wobei das eingeschobene μᾶλλον die Vermutung nahelegt, daß Paulus hier eine traditionelle „Formel" seiner unmittelbaren Intention dienstbar macht[69]. Die Angabe des Heilssinnes charakterisiert entsprechend die Interzession Christi. In *2Kor 5,15* findet sich der Heilssinn jedoch innerhalb unserer Doppelaussage; das korrespondiert dem Gedankengang insofern, als damit die kerygmatischen Aussagen über die Liebe Christi von V.14f (in unmittelbarer Antithese zu V. 15b: ἑαυτοῖς ζῶσιν) aufgenommen werden. Auch die Auferweckungsaussage, die bei den beiden vorangehenden Sterbensaussagen unberücksichtigt blieb, bildet keinen zwingenden Beweis für die Aufnahme geprägter Überlieferung, da sie die Möglichkeit des neuen Lebens für Christus begründet. Auch hier bleibt jedoch – angesichts anderer Traditionssätze – die Frage nach der Vorgegebenheit der Verbindung von Tod und Auferweckung Jesu offen.

64 Vgl. etwa Schlier, Anfänge 23; Wengst, Formeln 45.

65 Vgl. Schlier, Anfänge 23; eine genauere Datierung ist jedoch kaum möglich. Die aufgeführten Merkmale schließen aber die Zuweisung an die heidenchristliche Gemeinde und ihr angebliches Mysteriendenken aus: geg. Wengst, Formeln 45 ff (zur Problematik einer rein heidenchristlichen Gemeinde vgl. bes. Hengel, Chronologie passim. bes. 47 ff).

66 Ähnliche Bedenken werden z.T. auch gegen die „Sterbensformel" geltend gemacht, vgl. Blank, Paulus und Jesus 142.

67 Geg. Kramer, Christos 26; Wengst, Formeln 46.

68 So wohl ursprünglich Sin ABC u.a.

69 Nach Kramer (Christos 25) handelt es sich lediglich um einen „Formelsplitter"; ihm folgt Paulsen, Überlieferung 169; vgl. auch Balz, Heilsvertrauen 119: Paulus zitiert keine Bekenntnisformel, sondern gestaltet „aus vertrauten Wendungen eine eigene und dem Kontext angemessene Aussage."

IgnRöm 6,1 und *PolPhil 9,2* liegen hingegen zwei Partizipialaussagen vor, die mit großer Wahrscheinlichkeit als traditionell angesprochen werden können[70]. Darauf führt vor allem der streng parallele Aufbau von Sterbens- und Auferweckungsaussage, denen an beiden Stellen jeweils derselbe Heilssinn beigelegt wird ($\dot{v}\pi\dot{\epsilon}\rho$ $\dot{\eta}\mu\tilde{\omega}\nu$ bzw. $\delta\iota$ ΄ $\dot{\eta}\mu\tilde{\alpha}\varsigma$)[71]. Zudem erwächst der Doppelzeiler nicht aus dem Kontext, sondern tritt als Prädikation an die Stelle des Namens Jesu[72]. Offenbar war mit Tod und Auferstehung (uns zugute) das Heilsereignis der Person Jesu Christi zureichend erfaßt.

Durch soteriologische Interpretation der einzelnen Heilsakte zu einem strengen Parallelismus membrorum stilisiert finden wir die Doppelaussage von Tod und Auferweckung Jesu auch in *Röm 4,25* belegt. Die erste Zeile (die wohl im Anschluß an Jes 53,12.3.5f von der Hingabe Jesu um unserer Sünden willen spricht) ist nicht unmittelbar im Textzusammenhang begründet, die zweite wiederholt und variiert V.24b. Nimmt man den relativischen Anschluß und die auf semitischen Sprachgebrauch verweisende Voranstellung der Verben als Indizien hinzu, so wird man Röm 4,25 als Traditionsgut anzusprechen haben[73]. Da die explizite Verbindung von Auferweckung und Rechtfertigung bei Paulus singulär ist[74], wird man auch in V.25b kein pln. Interpretament konstatieren können. Vielleicht handelt es sich in Röm 4,25 um eine (ähnlich wie wahrscheinlich Röm 1,3f) auch der römischen Gemeinde vertraute Formel, mit deren Zitation der Apostel in diesem Fall nicht nur den ersten Hauptteil seines Briefes rhetorisch wirkungsvoll beschließen, sondern auch die Einheit des gemeinsamen Glaubens (1,12), den Paulus hier als Rechtfertigung der Gottlosen näher bestimmt, unterstreichen konnte[75]. Den Schlüssel zur Auslegung dieses Traditionssatzes bietet der kaum bestreitbare Bezug auf Jes 53; die „Strukturlinie" (C. Westermann) dieses Gottesknechtsliedes (Erniedrigung, Hingabe in den Sühnetod − Errettung) liegt auch hier (freilich aufs äußerste zusammengerafft) zugrunde. Die Auferweckung Jesu ist hier demnach verstanden als das überraschende rettende Eingreifen Gottes zugunsten seines Gerechten Jesus und damit als Bestätigung und Inkraftsetzung seiner Sühne für unsere Übertretungen: die Auferweckung eröffnet uns, den Sündern, die sühnende Preisgabe Gottes (im Gericht)[76]. Ist unser Traditionssatz durch dieses Formschema entscheidend

---

70 Vgl. Schlier, Anfänge 23f; Wengst, Formeln 103f.

71 Die Auferstehung Jesu wird durch $\dot{\alpha}\nu\dot{\iota}\sigma\tau\eta\mu\iota$ wiedergegeben, wie 1Thess 4,14.

72 Die zuvor gebrauchten Titel vermitteln keinen Aufschluß über die ursprüngliche Fassung ($\dot{I}\eta\sigma\sigma\tilde{v}\varsigma$ $X\rho\iota\sigma\tau\dot{o}\varsigma/\kappa\dot{v}\rho\iota\sigma\varsigma$).

73 Vgl. Bultmann, Theologie 49; Wegenast, Tradition 80–82; Schlier, Anfänge 24; Wengst, Formeln 101ff.

74 Vgl. Wengst, Formeln 102; Käsemann, Röm 120; geg. Schwantes, Schöpfung der Endzeit 66f; Kramer, Christos 26f (der die 2. Zeile für pln. Bildung hält).

75 Schlier, Anfänge 24, vermutet „ein Fragment eines vorpaulinischen Pistisliedes", vgl. auch Wengst, Formeln 103.

76 Vgl. auch Wegenast, Tradition 82. Sühne und Rechtfertigung sind also nicht entsprechend der unter formalen Kriterien vollzogenen Zuordnung der Formel auf Tod und Auferweckung aufzuteilen und zu trennen, vgl. z.B. Wengst, Formeln 103; Käsemann, Röm 121; das verbietet i.ü. schon das jüdische Verständnis des Sühnetodes, vgl. Lohse, Märtyrer 54.115f.135 (mit A.3).148.

geprägt, so muß die These als unwahrscheinlich gelten, die in der soteriologisch gefüllten Doppelaussage von Tod und Auferweckung Jesu Christi das Ergebnis eines Traditionsprozesses sieht[77]; sie ist vielmehr als ursprünglich eigenständige (atl.-jüdisch präformierte) Deutung des (Heils-)Geschicks Jesu anzusehen.

Für diese Annahme spricht nun auch entscheidend die längst und allgemein als vorpln. erkannte Überlieferung *1Kor 15,3b–5*[78], die mit großer Sicherheit in die dreißiger Jahre des 1. Jhdts. datiert werden kann[79]. Gliederungsprinzip ist wiederum der Parallelismus membrorum[80]. Hinzu kommt das Homoioteleuton der beiden Hauptaussagen über Tod und Auferweckung Christi ($\kappa\alpha\tau\grave{\alpha}$ $\tau\grave{\alpha}\varsigma$ $\gamma\rho\alpha\varphi\acute{\alpha}\varsigma$), die überdies je durch ein spezifisches Interpretament ausgezeichnet sind ($\grave{\upsilon}\pi\grave{\epsilon}\rho$ $\tau\tilde{\omega}\nu$ $\dot{\alpha}\mu\alpha\rho\tau\iota\tilde{\omega}\nu$ $\dot{\eta}\mu\tilde{\omega}\nu$ / $\tau\tilde{\eta}$ $\dot{\eta}\mu\acute{\epsilon}\rho\alpha$ $\tau\tilde{\eta}$ $\tau\rho\acute{\iota}\tau\eta$). Beiden ist sodann eine kürzere Zeile zugeordnet, die ursprünglich wohl bestätigende Funktion hatte[81], in der jetzigen Textgestalt aber darüber hinaus durch das enumerative $\ddot{o}\tau\iota$ eine gewisse Eigenständigkeit gewonnen haben; so erhält die gesamte Überlieferung den Charakter eines Berichts, in dem eine Ereignisfolge aufgezählt wird. Paulus (bzw. schon die ihm vorausgehende tradierende Gemeinde) hat die Formel jedenfalls so verstanden, wenn er weitere Erscheinungen des auferweckten Herrn bis hin

---

77 So neben Kramer, Christos 26f, z.B. auch Wengst, Formeln 102; die These, daß es sich um ein „Kombinationsprodukt" aus Hingabe- und Auferweckungsformel handelt, mißachtet nicht nur die Strukturparallele von Jes 52f (die sich auch auf die Auferweckungsaussage bezieht!), sondern hat die m.E. unwahrscheinliche Voraussetzung, daß technologisch gefüllte Aussagen in der ersten Zeit des Christentums (nur) durch mechanische Kombination primitiver Glaubenssätze erreicht werden konnten; den dahinterstehende Leitidee einer Entwicklung vom Einfachen zum Entfalteten hat K. Lehmann mit Recht als hermeneutisches Prinzip in Frage gestellt (Auferweckt 145ff). Die oben zusammengestellten Eigentümlichkeiten unserer Formel legen m.E. eine frühe Datierung (noch in die dreißiger Jahre) nahe; das gilt unabhängig davon, ob man das Sühnemotiv und den Bezug auf Jes 52f schon der palästinischen Urgemeinde (so wohl zu Recht z.B. Lohse, Märtyrer 113ff) oder erst der jüdisch-hellenistischen Gemeinde (so z.B. Wengst, Formeln 62ff) zuschreiben möchte.

78 Wahrscheinlich liegt sie auch in Röm 6 zugrunde; so erklärt sich jedenfalls am einfachsten das $\sigma\upsilon\nu\varepsilon\tau\acute{\alpha}\varphi\eta\mu\varepsilon\nu$ (V.4), wenn man einen Bezug auf die Formel von 1Kor 15 (V.4b) annimmt, vgl. Kramer, Christos 24; N. Gäumann, Taufe und Ethik. Studien zu Römer 6 (BEvTh 47), München 1967, 63f.

79 Vgl. z.B. Kremer, Zeugnis, bes. 25–30; Jeremias, Abendmahlsworte (s. Anm. 3) 95–98; H. Conzelmann, Analyse; ders., 1Kor 296–300; Hahn, Hoheitstitel 197–211; Schweizer, Erniedrigung und Erhöhung 89f; Lohse, Märtyrer 113–116; Wegenast, Tradition 52–70; Wengst, Formeln 92–101; Lehmann, Auferweckt 68–147; Blank, Paulus und Jesus 133–170; F. Mußner, Die Auferstehung Jesu (BiH VII), München 1969, 60–63; Spörlein, Leugnung 38–63.

80 Geg. Mußner, aaO. 61f.

81 Vgl. bes. Spörlein, Leugnung 51–54.

zu seiner eigenen Berufungsvision anfügt[82]. Der theologische Gehalt der Formel ist dennoch auf der Grundlage der ausgewogenen Zuordnung der beiden Hauptzeilen zu erheben[83]. Die verbreitete Akzentuierung der Sterbensaussage[84] scheitert nicht nur am streng parallelen Aufbau, sondern ebenso an der nicht-chronologischen, sondern theologischen Bedeutung des Interpretaments der Auferweckung $\tau\tilde{\eta}$ $\dot{\eta}\mu\dot{\epsilon}\rho\alpha$ $\tau\tilde{\eta}$ $\tau\rho\dot{\iota}\tau\eta$[85]: es nennt den Tag der Heilswende, des rettenden Eingreifens Gottes zugunsten seines leidenden Gerechten und darin des Erweises seiner Treue und heilschaffenden Gerechtigkeit. Da ferner die Sterbensaussage aller Wahrscheinlichkeit nach im Licht von Jes 53 (Sühnemotiv)[86] gelesen werden muß, liegt es nahe, diese spezielle atl. Version der Vorstellung vom leidenden und erhöhten Gerechten[87] als strukturbildend für unsere Tradition als ganze in Anschlag zu bringen[88]. Die Auferweckung ist dann als das Bekenntnis Gottes zu Jesus zu deuten; in ihr bestätigte Gott seinen Sühnetod zu unseren Gunsten und brachte diesen damit zu seiner intendierten Wirksamkeit; in der Auferweckung setzte Gott das Heil des Weges Jesu, der bis in den Tod für unsere Sünden führte, definitiv durch. Freilich sind die Modifikationen dieses Interpretationsmodells zu

---

82 Die aufreihenden Zeitbestimmungen in den Vv. 6—8 ($\check{\epsilon}\pi\epsilon\iota\tau\alpha$, $\epsilon\check{\iota}\tau\alpha$, $\check{\epsilon}\sigma\chi\alpha\tau o\nu$ $\pi\dot{\alpha}\nu\tau\omega\nu$) legen die Vermutung nahe, daß $\check{o}\tau\iota$ erst sekundär in die Formel eingedrungen ist (zumindest in V.4 und 5); jedenfalls kann es schon deshalb nicht als Indiz für ursprünglich selbständige Formeln und demnach eine Traditionsgeschichte des vorliegenden Wortlautes gelten, weil für die Aussagen über das Begräbnis und die Erscheinungen Jesu solche eigenständigen Überlieferungen anderweitig nicht belegt sind: geg. U. Wilckens, Die Missionsreden der Apostelgeschichte (WMANT 5), 2. Auflg. 1963, 76 A.1 (anders in der 3. Auflg. 1974, Nachtrag S. 228); Hahn, Hoheitstitel 210, vgl. bes. Lehmann, Auferweckt 73—77; Blank, Paulus und Jesus 142f. Die These von C. Bussmann (Missionspredigt 101—107), V.5(—8) sei erst von Paulus zur Legitimation seiner Verkündigung an V.3f angefügt worden, widerspricht dem ausgeprägten Parallelismus und der unpln. Terminologie.

83 Das $\kappa\alpha\dot{\iota}$ in V.4b ist jedoch nicht adversativ zu fassen, vgl. Conzelmann, Analyse 6, geg. Lehmann, Auferweckt 70—73.

84 Vgl. etwa Schweizer, Erniedrigung und Erhöhung 90; Wegenast, Tradition 60f; Wengst, Formeln 97; Conzelmann, Analyse 4 A.19 und 7 A.43; erst recht liegt der Akzent nicht auf V.5: geg. E. Käsemann, Konsequente Traditionsgeschichte?, in: ZThK 62 (1965), 137—152.140.

85 Vgl. dazu Lehmann, Auferweckt bes. 262—290.

86 Vgl. Lohse, Märtyrer 114f; Conzelmann, 1Kor 301; bes. Lehmann, Auferweckt 242ff. bes. 247ff, geg. Hahn, Hoheitstitel 201 u.a.

87 Vgl. L. Ruppert, Der leidende Gerechte (fzb 5), Würzburg 1974, 49f. Die jüdisch-hellenistische Deutung von Jes 52f auf den Typus des Gerechten in Sap 2.4f (vgl. J. Jeremias, Art. $\pi\alpha\tilde{\iota}\varsigma$ $\theta\epsilon o\tilde{\upsilon}$, in: ThWNT V 653—713.682; Ruppert, aaO. 70—105) übergeht dagegen das Sühnemotiv (was Ruppert freilich auf pharisäischen Ursprung der Quelle von Sap 2.5 zurückführen möchte: 95, vgl. Dan 11,33—35; 12,1—3, wo gleichfalls schon Jes 52f ausgedeutet sein soll: 55f, dagegen Jeremias, aaO. 683,30ff).

88 Dafür spricht vor allem der Schrifthinweis, vgl. oben Anm. 86 und Blank, Paulus und Jesus 142.146(f) A.27, der zeigt, „daß man Is 53 auch als Schriftbeweis für die Auferweckung und Erhöhung Jesu lesen konnte" (im Original gesperrt).

beachten: die für jüdische Ohren ungewöhnliche[89] Übertragung des Sühnetodgedankens auf den Messias[90], und die soteriologisch-eschatologische[91] Zentrierung, worin die exklusive heilsmittlerische Stellung Jesu zur Sprache kommt, die so weder für den Gerechten noch für den Messias galt[92]. Die Erscheinungen des Auferweckten, von denen die letzte Zeile spricht und die nicht als Überlegenheitsdemonstration vor den Feinden, sondern als Bestätigung Jesu und Sendung seiner Vertrauten zu verstehen sind, unterstreichen diese Interpretation.

Sollten unsere Thesen bezüglich des strukturierenden Hintergrundes der Formel zutreffen, so verliert die verbreitete Annahme eines vorausliegenden Traditionsprozesses[93] von vornherein stark an Wahrscheinlichkeit. Vollends schließt es die sehr frühe Datierung in die Mitte der dreißiger Jahre des 1. Jhdts. so gut wie aus, die entfaltete katechetische[94] Formel durch Redaktion mehrerer ursprünglich isolierter, bereits fest fixierter Bekenntnisaussagen entstanden zu denken; als wahrscheinlich darf vielmehr die genuine Abfassung in der uns überkommenen Gestalt gelten[95], was nicht aus-, sondern einschließt, daß sie die früheste christologische Reflexion (die jedoch nicht allein und primär in uns zugänglichen „Formeln" vonstatten ging und weitergegeben wurde) voraussetzt und in äußerster Prägnanz artikuliert.

---

89 Vgl. etwa Lohse, Märtyrer 108f; Hahn, Hoheitstitel 54–66, geg. Jeremias, aaO. 685–698.

90 Χριστός bedeutet im Rahmen einer solch prägnanten Aussage mehr als ein Eigenname; die Alternative Titel – Eigenname stellt sich m.E. nicht: (Jesus) der Gestorbene und Auferstandene ist der Messias; vgl. zusammenfassend: Lehmann, Auferweckt 105–109.bes.107 A.279.

91 Vgl. κατὰ τὰς γραφάς: „Es ist also betont, daß es 'eschatologische' Ereignisse sind, d.h. solche, die Gottes in der Schrift aufgezeichnete Geschichte abschließen und zu ihrem Ziel bringen ..." (Schweizer, Erniedrigung und Erhöhung 89f).

92 Vgl. den parallelen Aufbau und das Perf. ἐγήγερται, das die Fortdauer und bleibende Gültigkeit des Ereignisses der Auferweckung Jesu, damit aber auch seines Todes hervorhebt (außerhalb von 1Kor 15 nur noch in der Formel 2Tim 2,8; zum Perfekt vgl. Bl.-Debr. § 318,4; 340). Den frühjüdischen Zeugnissen für ein stellvertretendes Sühneleiden des zu erhöhenden Gerechten (Märtyrers) (vgl. Schweizer, aaO. 25f; Lohse, Märtyrer 64–110) fehlt hingegen nicht nur die universale Perspektive von Jes 52f (vgl. Lohse, aaO. 106), sondern — wenn ich recht sehe — auch das soteriologische Verständnis der Auferweckung bzw. Erhöhung. Sie gilt vielmehr durchweg als individuelle Errettung vor den Feinden und als Lohn für Demut und Gehorsam und damit als Bestätigung der Gerechtigkeit der Frommen, bleibt jedenfalls allein am Geschick des Gerechten interessiert, während die Sühnekraft der Leiden und des Todes unabhängig davon von Gott seinem Volk zugewendet wird.

93 Vgl. etwa Kramer, Christos 28; Hahn, Hoheitstitel 210f; Wilckens, aaO. (S. Anm. 82).

94 So — neben vielen anderen — dezidiert: Stuhlmacher, Evangelium I 274f (freilich aufgrund des „Langtextes" V.3–7).

95 Vgl. etwa Wengst, Formeln 92–94; Blank, Paulus und Jesus 143; vor allem Lehmann, Auferweckt 116–157. Zu ὅτι vgl. oben Anm. 82.

Überblicken wir diesen Befund, so wird man für die Doppelaussagen über Tod und Auferweckung Jesu insgesamt, die sich im pln. Schrifttum finden, schwerlich eine Entwicklung postulieren dürfen, welche von einer einfachen (aber nicht konkret nachweisbaren!) Urform zur soteriologisch und christologisch entfalteten katechetischen oder liturgischen „Formel" geführt hätte. Wir fanden vielmehr eine Reihe ursprünglicher und eigenständiger, jedoch keineswegs überall (in dieser Form) als vorgegeben nachweisbarer Aussagen, in denen Tod und Auferweckung Jesu als die entscheidenden soteriologischen Geschehnisse in vielfach variierender Form zur Sprache gebracht wurden. Vielleicht darf man deshalb von einem *Verkündigungsschema* sprechen[96], das den in den Paulinen nachweisbaren divergierenden Traditionen zugrunde liegt und auch anderweitig die urchristliche Verkündigung bestimmte[97].

Inhaltlich ist bedeutsam, daß zwei der besprochenen „Formeln" den Weg Jesu im Anschluß an Jes 52f gedeutet haben (Röm 4,25; 1Kor 15,3b—5). Fraglich bleibt indes, ob dieser atl. Text generell als Deutekategorie für das postulierte Schema herangezogen werden darf. Denn im Unterschied zu den genannten ausführlichen Traditionssätzen fehlt in den übrigen Aussagen entweder die Angabe des Heilssinnes oder diese hat mit Jes 52f nichts zu tun[98]. Angesichts der frühjüdischen Verwendung von Jes 52f[99] wäre indes zu prüfen, ob die Struktur unseres Verkündigungsschemas nicht auf das verbreitete atl.-jüdische Motiv der „passio iusti" zurückgeführt werden kann[100]. Aber auch hierfür fehlt (selbst im jetzigen Kontext!) jeder terminologische Anhaltspunkt[101]; überdies verlautet in der kargen christlichen Aussage weder etwas von Verfolgung und Leid noch von Errettung und Ruhe vor den Feinden noch vom göttlichen Rachegericht an ihnen; ebensowenig wird Jesus als Gerechter gezeichnet, dem in der Auferweckung der Lohn für sein gehorsames Ertragen von Leid und Tod verliehen wird. Da alle diese konstitutiven Charakteristika der Konzeption vom leidenden und erhöhten Gerechten in unseren Texten nicht nachweisbar sind, muß auch diese als Interpretationsansatz ausscheiden[102]. Vielleicht führt aber die Frage nach der ursprünglichen

---

96 Analog den von N.A. Dahl (Christusverkündigung) aufgezeigten Predigtschemata.

97 Vgl. Apg 2,23f.36; 3,15; 4,10; 5,30; 10,39f (17,3; 26,23; 1Petr 3,18; IgnSm 2,1); Paulus selbst scheint auf ein solches Schema anzuspielen in 1Thess 5,10 vgl. Röm 14,9; 2Kor 13,4. Vielleicht haftete in diesem Zusammenhang auch ursprünglich der Titel Χριστός, wie Kramer (freilich vor allem von der Sterbensformel her) annimmt (Christos 34—40), vgl. Röm 14,9 (doch s.o.); 1Kor 15,3; 2Kor 5,15b(:14); auch Röm 6,4; 8,34.

98 Zur ὑπέρ-Formel vgl. Hahn, Hoheitstitel 55f.

99 Vgl. Jeremias, aaO. 680—698; Ruppert, aaO. 55f.70—105.(188).

100 Vgl. dazu die Arbeiten von Ruppert und Schweizer.

101 Auch die Auferweckungsvorstellung ist ja keineswegs typisch für diese Konzeption.

102 Zum Versuch von Ph. Seidensticker (Die Auferstehung Jesu in der Botschaft der Evangelisten (SBS 26), Stuttgart 1967, 17—21), darin die älteste Deutungskategorie des Ostergeschehens nachzuweisen, vgl. die Kritik von Schnackenburg, a.Anm. 38 a.O. 6—9.

Funktion des Verkündigungsschemas weiter; die konzise Fassung in 1Thess 4,14 hatte ja schon das Problem aufgeworfen, ob eine solche Aussage überhaupt jemals isoliert als „Formel" existieren konnte oder nicht vielmehr einem bestimmten Gedankenkontext zuzuordnen sei. Nun fällt gewiß auf (sieht man zunächst von den ausführlichen Traditionen Röm 4,24 und 1Kor 15,3b—5 ab), daß sämtliche „Doppelformeln" die Heilsherrschaft der Person Christi (im weitesten Sinn) begründen. Das ist ohne weiteres deutlich in Röm 8,34[103] und besonders 14,9; aber auch für die Folgerung von 1Thess 4,14 ist die Bindung des eschatologischen Heils an die Person des gestorbenen und auferstandenen Jesus schlechthin entscheidend, und 2Kor 5,15 sichert die Auferweckung des für uns Gestorbenen die gegenwärtige Wirklichkeit des Lebens unter seiner Herrschaft[104]. Gewiß handelt es sich hierbei jeweils um pln. Folgerungen. Die sachlich gleiche Funktion der „Doppelformeln" läßt dennoch die These erwägenswert erscheinen, daß das Verkündigungsschema (Tod und Auferweckung Jesu Christi) ursprünglich im Zusammenhang der Begründung und Kennzeichnung der (messianisch-eschatologischen) Herrschaft Christi und seiner exklusiven heilsmittlerischen Stellung[105] zu Hause war; die eschatologische Bedeutung der Person Christi wurde darin geschichtlich artikuliert. Von daher lag es nahe, die am konkreten Weg Jesu orientierte Grundstruktur der Aussage im Hinblick auf die Heilsbedeutsamkeit Jesu und seines Geschicks zu erweitern und zu variieren. Dieser Prozeß mußte spätestens in dem Augenblick einsetzen, wenn sich das Schema aus seinem angestammten Kontext löste und zur „Formel" (mit verschiedenstem „Sitz im Leben") verselbständigte (vgl. 1Kor 15,3b—5; Röm 4,25; IgnRöm 6,1; PolPhil 9,2).

Mit dieser Analyse ist das Auferweckungsverständnis der Doppelaussagen im wesentlichen schon geklärt. Die Auferweckung begründet die eschatologische Herrschaft Jesu und bringt darin seinen Tod zu universaler Heilsmächtigkeit. Wesentlich für die pln. Theologie ist vor allem, daß die Auferweckung Jesu nach dieser Tradition nicht isoliert von seinem Tod betrachtet werden kann. Vielmehr markieren Tod und Auferweckung zusammen das eine eschatologische Heilsgeschehen in der Person Jesu[106]. Nicht irgendein Tod hat sich

---

103 Vgl. ὅς ἐστιν ἐν δεξιᾷ τοῦ θεοῦ (Ps 110,1), vgl. Mt 22,44pp; 26,64pp; Apg 2,33f; 5,31; 7,55f; Eph 1,20; Kol 3,1; Hebr 1,3.13; 8,1; 10,12; 12,2; 1Petr 3,22; auch 1Kor 15,25.

104 Auch das Perf. ἐγήγερται (1Kor 15,4) und Röm 4,25b (Auferweckung als Grund der Rechtfertigung) zielen in diese Richtung. Vgl. auch IgnRöm 6,1 (ζητῶ/θέλω) und PolPhil 9,2 (ἀγαπῶ).

105 Auch nach E. Schweizer liegt hier die entscheidende Differenz zur Kategorie des leidenden und erhöhten Gerechten, wenn er die spärliche Bezeugung derselben in der frühen Christologie darin begründet sieht, „daß die Sicht Jesu als des Gerechten ... das zentrale Anliegen der Gemeinde — die einzigartige Würde Jesu — nicht gut auszudrücken vermag." (Erniedrigung und Erhöhung 56).

106 In diesem Rahmen mag man mit V.H. Neufeld (The Earliest Christian Confessions (NTTS V), Leiden 1963, 45ff) die Antithese von Tod und Auferweckung als kennzeichnend für unsere Aussagen herausstellen, vgl. auch Lehmann, Auferweckt 242ff.

als Durchbruch zum eschatologischen Leben erwiesen, sondern die Hingabe
Jesu; nicht die Wiederbelebung eines Heros oder Kultgottes, die Erhöhung
eines Gerechten oder die Entrückung eines Frommen der Vorzeit eröffnet
das eschatologische Heil Gottes, sondern die Auferweckung dieses Gekreuzigten[107]. Damit ist aber die Auferweckung Jesu von vornherein jeder religionsgeschichtlichen Analogie entnommen; sie erhält ihren Sinn allein von
ihrer Zuordnung zur Geschichte bzw. besonders zum Tod Jesu her. Der
theo-logische Aspekt, der die Auferweckungsformel kennzeichnet, hat einer
(christologisch-)soteriologischen Gewichtung Platz gemacht; daß er nicht gänzlich fehlt, zeigen vor allem die ausgeführten Bekenntnisse Röm 4,25 und 1Kor
15,3b—5. An letzterer Stelle kommt durch das spezifische Interpretament
der Auferweckungsaussage und seine Vorgeschichte besonders das Moment
der Treue und Gerechtigkeit Gottes zur Geltung, worin er den im Sühnetod
des Messias Jesus erhobenen Heilsanspruch endgültig bestätigte. In Röm 4,25
wird dieser theo-logische Sinn nicht nur durch die zweifache Angabe des
Heilssinnes, sondern vor allem durch das doppelte passivum (divinum) zum
Ausdruck gebracht; er rückt dadurch — zumindest für Paulus — sogar in den
Vordergrund.

Bestätigt und vertieft werden diese Ergebnisse durch die Aussage des formal
wie sachlich gleichermaßen einzigartigen Christushymnus *Phil 2,6—11*, mit
dem Paulus die Paraklese von Phil 1,27ff, bes. 2,12ff, entscheidend motiviert[108]. Der Text ist längst und allgemein als vorpln. Tradition bestimmt,
so daß sich eine eigene Analyse erübrigt[109]. Wir schließen uns der neuesten,
sorgfältigen Untersuchung von O. Hofius an[110], deren Ergebnisse sowohl in
Hinblick auf die Form als auch in bezug auf den Inhalt des Christuspsalms

---

107 Vgl. bes. Lehmann, Auferweckt 333ff; auch Blank, Paulus und Jesus 182f.

108 Vgl. Lohmeyer, Phil 100: Der Hymnus steht im Ganzen der Paraklese „nicht isoliert, sondern bildet seinen Mittel- und Höhepunkt; er zeigt den letzten Grund und
das letzte Ziel, durch das diese dem Martyrium der Gemeinde geltenden Mahnun-
gen möglich und notwendig werden."

109 Neben den Kommentaren (vgl. vor allem zusammenfassend Gnilka, Phil 111—131.
131—147) wurden folgende Arbeiten zu Rate gezogen: E. Lohmeyer, Kyrios Jesus.
Eine Untersuchung zu Phil. 2,5—11, (Nachdr.) Darmstadt 1961; Käsemann, Analyse; G. Bornkamm, Zum Verständnis des Christushymnus Phil 2,6—11, in: ders.,
Ges.Aufs. II 177—187; J. Jeremias, Zur Gedankenführung in den paulinischen Briefen, in: ders., Abba 269—276.274ff; Schweizer, Erniedrigung und Erhöhung 93—
100 (8f-1); D. Georgi, Der vorpaulinische Hymnus Phil 2,6—11, in: Zeit und Geschichte (FS R. Bultmann), Tübingen 1964, 263—293; G. Strecker, Redaktion und
Tradition im Christushymnus Phil 2,6—11, in: ZNW 55 (1964), 63—78; R. Deichgräber, Gotteshymnus und Christushymnus in der frühen Christenheit (StUNT 5),
Göttingen 1967, 118—133; Wengst, Formeln 144—156; Eichholz, Theologie 132—
154; R. Schnackenburg, Christologie des Neuen Testamentes, in: MySal III/1, 227—
388.309—322.

110 Der Christushymnus Philipper 2,6—11. Untersuchungen zu Gestalt und Aussage
eines urchristlichen Psalms (WUNT 17), Tübingen 1976 (die Seitenzahlen im Text
beziehen sich auf diese Arbeit).

m.E. im wesentlichen überzeugen[111] . Danach „(besingt) der Christushymnus Phil 2,6—11 ... die Offenbarung der eschatologischen Königsherrschaft Gottes in der Erhöhung des gekreuzigten Jesus Christus." (65). Grundlage dieser Auslegung ist der Nachweis, daß V. 9—11 auf dem Hintergrund der atl. und jüdischen „Erwartung der universalen eschatologischen Huldigung vor Jahwe" zu deuten ist, für die die zitierte Stelle Jes 45,23 ein Hauptzeugnis darstellt (41ff). Die „Himmlischen, Irdischen und Unterirdischen" meinen entsprechend nicht — wie weithin angenommen wird — gegen Gott rebellierende kosmische Unheilsmächte, sondern „alle der Anbetung fähigen Wesen im gesamten Raum der Schöpfung Gottes: die Engel im Himmel, die Lebenden auf der Erde, die Toten in der Unterwelt" (53, vgl. 18—40). Die Huldigung, die sie dem Gekreuzigten, der zum Weltherrscher erhöht wurde und Gottes Name empfing[112] , darbringen, bildet die endgültige, noch ausstehende[113] Anerkennung der Herrlichkeit, die Gott im Kreuzestod und der Erhöhung Christi als das eschatologische Heil aller Welt hat anbrechen lassen[114] . Im Heilsgeschehen der Person des präexistenten, aber bis zur äußersten Schmach des Kreuzestodes erniedrigten und als solcher von Gott erhöhten Christus ist Gottes Königsherrschaft über der Welt endgültig aufgerichtet; im erhöhten Christus ist Gott für die Welt da und bringt sie zur endgültigen Anerkennung seiner Herrschaft.

Die Auferweckung ist also in dieser Tradition — wie schon die Terminologie zeigt — ganz in der Perspektive der Erhöhung und Inthronisation des Gekreuzigten zum eschatologischen Repräsentanten Gottes gesehen, der damit seine Heilszusagen an die Welt eingelöst hat. Schärfer noch als bei den „Doppelformeln" tritt die Singularität dieses eschatologischen Rettungsgeschehens heraus: die beiden Strophen (V.6—8/9—11) zeichnen die äußersten überhaupt denkbaren Gegensätze des Sklaventodes am Kreuz, den der erlitt, der „Gott gleich war", und der Erhöhung zur eschatologischen Herrscherstellung über die Welt. Eben dieses konkret-einmalige — im Weg des Gottesknechts gleichwohl präformierte[115] — Geschick des Herrn Jesus Christus war das eschatologische Heilsereignis, das alle Welt zur Anerkennung der Herrlichkeit Gottes führt. In dieser grundlegenden Ausrichtung auf die

---

111 Hofius zeigt, daß entgegen der opinio communis heutiger Exegese der Text ohne jeden Zusatz von der Hand des Apostels überliefert ist, daß also auch θανάτου δὲ σταυροῦ (V.8c) (eine sog. Anadiplosis) und εἰς δόξαν θεοῦ πατρός (V.11c) zum Hymnus gehören, ja sogar als Schlußkola kontrastierend hervorgehoben sind (3—55) und damit den Skopus des Liedes bestimmen (dazu: 56—74).

112 Zur Interpretation von ὑπερυψοῦν und des „Namens über alle Namen" vgl. 27f.51ff: es ist der Name Gottes selbst, in dem seine unvergleichliche Herrlichkeit kund wird; zum Hintergrund vgl. 50f sowie unten S. 112 Anm. 160.

113 Vgl. Hofius, aaO. 29—34; diese eschatologische Zielrichtung entspricht den pln. Parallelen, vgl. Phil 3,21; 1Kor 15,24—26.

114 Die unserem Hymnus zugrunde liegende atl.-jüdische Erwartung einer universalen Huldigung Jahwes zielt auf das *Heil* aller Welt, vgl. Hofius, aaO. 47ff.

115 Vgl. Hofius, aaO. 70ff.

eschatologische Verherrlichung Gottes liegt die entscheidende Vertiefung von Phil 2,6–11 gegenüber den anderen vorpln. Auferweckungstraditionen. Eben deshalb muß m.E. aber nun gegen O. Hofius (63f) festgehalten werden, daß der Skopus der ersten Strophe im „Gehorsam" des Menschgewordenen (gegen Gott!) liegt; denn nur so wird die Einheit des Heilsgeschehens (und seiner beiden Pole „Kreuz – Erhöhung") in der Finalität auf Gottes eschatologische Herrlichkeit gewahrt. Nur so wird auch erst verständlich, weshalb Christi Entäußerung bis in den Kreuzestod das universale *Heil* brachte (was m.E. keineswegs einfach aus dem genannten atl.-jüdischen Hintergrund allein gefolgert werden kann)[116]. Indem Christus gehorsam war bis zur äußersten Schmach des Kreuzestodes, wurde Gott die eschatologische Verherrlichung zuteil[117]; die Erhöhung des Gehorsamen zum Kosmokrator ist dann in der Tat „das eigentlich eschatologische Ereignis"[118], weil Gott – wie die Verleihung seines Namens zeigt – im Gekreuzigten und in seinem Gehorsam seine Königsherrschaft definitiv über der Welt angetreten hat, die allen die Anerkennung zum Heil abverlangt.

Für diese Auslegung des Hymnus spricht entschieden auch die parakletische Verwendung durch *Paulus*. Nach Phil 2,12f ist es eben der Gehorsam, der uns „im Bereich Christi Jesu" (2,5) aufgegeben ist, um unser Heil „in Furcht und Zittern" zu wirken; denn darin wirkt Gott selbst alles so, daß es ihm gefällt[119]. Der Gedanke der eschatologischen Verherrlichung Gottes tritt dagegen zurück bzw. ist in diese typisch pln. Aussage der Allwirksamkeit Gottes, des sola gratia, umgesetzt[120]. Die Erhöhung Jesu gilt dem Apostel also hier wie in den „Doppelformeln" als Bestätigung und Durchsetzung seines Todes[121] zu escha-

116 Geg. Hofius, aaO. 17.

117 Das entspricht auch am besten dem stark ausgeprägten Präexistenzgedanken, der das gesamte Heilsgeschehen, das die erste Strophe besingt, als die *Tat* des menschgewordenen Christus beschreibt.

118 Käsemann, Analyse 79.

119 Zur Einzelbegründung s.u. S. 185ff.

120 Man kann fragen, ob Paulus die eschatologische „Huldigung" aller Welt nicht *auch* im Sinne der Unterwerfung der gottfeindlichen Mächte verstanden hat, vgl. Phil 3,21; 1Kor 15,24–26, zumal 1. eine inhaltliche Bestimmung der Trias in V.10 – wie Hofius gezeigt hat (24) – nur vom jeweiligen Kontext her möglich ist und 2. die Vernichtung der Feinde und Gottlosen im zeitgenössischen Judentum zugestandenermaßen (47) „die vorherrschende Erwartung" gewesen ist. Wichtiger ist, daß Paulus das Zitat Jes 45,23 in Röm 14,11 als Beschreibung des Gerichts Gottes anführt, welches die Möglichkeit einer Vernichtung impliziert. Die objektivierende Redeweise des Hymnus bot jedenfalls den Raum für ein unterschiedliches Verständnis der Huldigung und der Trias in V.10, also etwa auch im Sinne von 1Kor 15,24–26, wo die endgültige Unterwerfung und Vernichtung der Mächte die Rettung derer „in Christus" bedeutet.

121 Unmittelbarer Anknüpfungspunkt für den Hymnus war offenbar die Forderung der ταπεινοφροσύνη, 2,3, vgl. V.8: ἐταπείνωσεν ἑαυτόν, eine Haltung, die Paulus in Röm 15,1–3 als ein Nicht-sich-zu-Gefallen-leben beschreibt und die im vorpln. Formelgut kerygmatisch knapp durch ὑπὲρ ἡμῶν wiedergegeben und z.T. explizit als ἀγάπη interpretiert wird (s.o. S. 35); die erste Strophe unseres Hymnus entspricht demnach im Verständnis des Paulus genau den Sterbensaussagen der „Doppelformeln".

tologisch-universaler Heilsmächtigkeit; im gekreuzigten, von Gott zum Herrn erhöhten Jesus Christus begegnet Gott selbst als unser Heil.

3. Die Formel des Römerbriefpräskripts

Im Zusammenhang mit der Herrschaft Christi wird die Auferstehung schließlich auch noch in dem zweigliedrigen christologischen Bekenntnis genannt, mit dem der Apostel im Präskript des Röm sein Evangelium inhaltlich prägnant umreißt, um so die Einheit des Glaubens zwischen ihm und der Gemeinde von vornherein klarzustellen[122]. Daß Paulus in *Röm 1,3b–4* eine alte Formel zitiert, ist längst Allgemeingut der Exegeten und braucht deshalb an dieser Stelle nicht nochmals ausführlich begründet zu werden[123]. Umstritten bleiben jedoch der vorpln. Bestand und die Frage der Traditionsgeschichte unserer Formel, von daher dann auch ihre Aussage.

ἐν δυνάμει bezieht sich syntaktisch am ehesten auf υἱοῦ θεοῦ, nicht auf das Verb; es stößt sich in jedem Fall aber mit den beiden folgenden Wendungen und stört die Parallelität der beiden Zeilen; im jetzigen Kontext präzisiert es den messianisch-eschatologischen Status dessen, der nach pln. Verständnis schon von Ewigkeit her Sohn Gottes ist; ἐν δυνάμει ist demnach pln. Interpretament[124]. Als vorgegeben hat dagegen die antithetische Kennzeichnung der beiden Zeilen κατὰ σάρκα – κατὰ πνεῦμα ἀγιωσύνης zu gelten. Denn in dieser Fassung (πν. ἀγιωσύνης) und Anwendung auf Christus ist sie bei Paulus sonst nicht belegt, vgl. jedoch 1Petr 3,18; 1Tim 3,16[125].

Die Paulus vorgegebene Tradition dürfte also folgenden Wortlaut gehabt haben:

---

122 So die meisten Ausleger, vgl. etwa Schlier (s. Anm. 123) 217f; Käsemann, Röm 11 (der jedoch die Bekanntschaft der Gemeinde mit der Formel bestreitet).

123 Vgl. Schweizer, Erniedrigung und Erhöhung 91–93; ders., Röm. 1,3f. und der Gegensatz von Fleisch und Geist vor und bei Paulus, in: ders., Neotestamentica 180–189; Hahn, Hoheitstitel 251–259; Wengst, Formeln 112–116; Blank, Paulus und Jesus 250–255; E. Linnemann, Tradition und Interpretation in Röm. 1,3f., in: EvTh 31 (1971), 264–275; Wegenast, Tradition 70–76; Käsemann, Röm 8–11; H. Schlier, Zu Röm 1,3f, in: Neues Testament und Geschichte (FS O. Cullmann), Zürich 1972, 207–218.

124 Vgl. Schweizer, Erniedrigung und Erhöhung 91 A.362; Wegenast, Tradition 71; Wengst, Formeln 113f; Schlier, aaO. 209–211, geg. Hahn, Hoheitstitel 252; Blank, Paulus und Jesus 251; Käsemann, Röm 10 (daß Paulus „auf diese Weise den Adoptianismus der Formel nur verstärken, nicht mildern konnte", kann man doch nur dann behaupten, wenn man die pln. Einführung mit περὶ τοῦ υἱοῦ αὐτοῦ gänzlich außer acht läßt und die Formel isoliert betrachtet).

125 Geg. Bultmann, Theologie 52; Hermann, Kyrios und Pneuma 60 (πν. ἀγ. erläutert also nicht den christologischen Ursprung des Apostolats); Wengst, Formeln 112f. Die Lösung von E. Linnemann (nur κατὰ σάρκα und κατά in V.4 – statt ursprünglichen Genitivs – sind pln. Interpretament: aaO. bes. 273ff) hat schon wegen ihrer rein wortstatistischen Begründung wenig Wahrscheinlichkeit für sich, vgl. die Replik von E. Schweizer: ebd. 275f.

Ἰησοῦς (Χριστός)[126], ὁ γενόμενος ἐκ σπέρματος Δαυὶδ κατὰ σάρκα /
ὁρισθεὶς υἱὸς θεοῦ κατὰ πνεῦμα ἀγιωσύνης ἐξ ἀναστάσεως νεκρῶν.

Die uns hier interessierende Auferstehungsaussage steht, vielleicht als Schluß-
kolon[127] pointiert am Ende des Bekenntnisses. Meist wird sie als verkürzte
Form von ἐκ (τῆς) ἀναστάσεως αὐτοῦ (τῆς) ἐκ νεκρῶν verstanden. K. Wengst
führt dafür an, daß andernfalls das rein christologisch ausgerichtete Bekenntnis durch einen soteriologischen Gedanken gestört würde, welchen wiederum
E. Käsemann gerade wegen des hymnischen Charakters impliziert findet[128].
Daß hier Jesu Auferweckung als Beginn der endzeitlichen Totenerweckung
gefeiert wird[129], entspricht sicher dem unmittelbaren Wortlaut. Entscheidend ist aber das Verständnis der vorangehenden Präpositionalwendung κατὰ
πνεῦμα ἀγιωσύνης. Im Anschluß an E. Peterson hat H. Schlier πνεῦμα
ἀγιωσύνης als die wirksame Macht der Herrlichkeit Gottes interpretiert
(vgl. TestLevi 18,11:7f!): durch sie wurde Christus auferweckt (vgl. Röm 6,4),
sie bestimmt jetzt sein Wirken und Wesen als Sohn Gottes, sie ist als das überwältigende Wesensgeheimnis des lebendigen Gottes auch die Macht endzeitlicher Totenerweckung[130]. Die Auferweckung Jesu zu messianisch-eschatolo-
gischer Herrschermacht markierte deshalb den Beginn des eschatologischen
Ereignisses der Totenerweckung. Das gilt jedoch nur implizit und ist keinesfalls betont. Zwischen Jesu und der allgemeinen Auferweckung wird kein
Kausalzusammenhang hergestellt (wie bei Paulus); ebensowenig wird für
eine bestimmte Auferstehungskonzeption optiert. Die eigentliche Aussageintention der Formel ist vielmehr eine christologische[131].

Andererseits meint die von Paulus rezipierte Formel deutlich mehr als die
Deklaration und Inthronisation Jesu, des davidischen Messias, zum eschato-

---

126 Vielleicht bietet die Fortsetzung in V.5 einen Hinweis auf die ursprüngliche Einleitung, vgl. Wengst, Formeln 112; Schlier, aaO. 208; ganz unwahrscheinlich ist dagegen der Vorschlag Bultmanns, der die pln. Einleitung beibehält.

127 Schlier, aaO. 209.

128 Wengst, Formeln 114 A.16; Käsemann, Röm 9f.

129 Vgl. auch Stanley, Resurrection 165.

130 E. Peterson, Das Amulett von Acre, in: ders., Frühkirche, Judentum und Gnosis,
Freiburg 1959, 346–354; Schlier, aaO. 211f. κατά ist dann — anders als in der ersten Zeile (vgl. Käsemann, Röm 10 mit Verweis auf Röm 4,25) — kausal zu interpretieren, so auch Käsemann, ebd., und Hahn, Hoheitstitel 256 (die freilich ἐξ
ἀναστάσεως νεκρῶν rein temporal, als „den entscheidenden Wendepunkt" bzw.
„Initiationsakt" fassen möchten, dagegen vgl. Blank, Paulus und Jesus 253; Schlier,
aaO. 214). Sicher scheint mir, daß die κατά-Wendungen beide Zeilen kontrastieren
sollen, welche deshalb einen Gegensatz beinhalten. Dann meint die erste Zeile aber
nicht eine messianische Prädikation, eine (prädestinierende) Vorstufe zum Sohn-
Gottes-Sein im Sinne einer „Zweistufenchristologie", sondern die irdische Seinsweise dessen, der jetzt der Sohn Gottes ist, vgl. ausführlich Schlier, aaO. 212f; auch
Wegenast, Tradition 74f.

131 Die Formel läßt — auch in ihrer frühesten Fassung, vgl. Anm. 132 — übrigens keinerlei Differenzierungen zwischen Auferweckung und Erhöhung erkennen; die
Grundthese von F. Hahn (Hoheitstitel) wird also auch durch diese alte Überlieferung
widerlegt.

logischen Messiaskönig (vgl. Ps 2,7)[132] . Die Auferstehung, die eo ipso als eschatologisches Ereignis galt, wird nun – im Bereich des hellenistischen Judenchristentums[133] – verstanden als der Durchbruch der eschatologischen Herrlichkeitsmacht Gottes in der Person Jesu Christi (der seiner menschlichen Herkunft nach davidischen Geschlechtes war). In ihm, dem Sohn Gottes, der kraft und in der Macht der Herrlichkeit Gottes herrscht, ist dem Glaubenden und Bekennenden diese Herrlichkeitsmacht Gottes als sein eschatologisches Heil eröffnet[134] und dessen endgültiger Besitz durch die künftige Totenauferweckung, die mit der Auferweckung Jesu anhob, verbürgt. Jesus, der „dem Fleische nach" davidischer Abstammung war, in der Kraft endzeitlicher Totenauferweckung aber eingesetzt wurde zum Sohn Gottes, ist für uns zum „Ort" und Bürgen des eschatologischen Heils geworden.

Paulus bestätigt und vertieft zugleich diese Aussage der Bekenntnistradition. Für ihn ist der Sohn Gottes „in Macht" Jesus Christus „unser Herr", womit gerade im Zusammenhang des Röm-Präskripts[135] nicht nur der Herr der Gemeinde angesprochen ist, sondern der eschatologische Kosmokrator, wozu er ja auch nach dem Christuslied Phil 2,6–11 aus seinem gehorsamen Kreuzestod heraus von Gott erhöht wurde, 1Kor 15,25ff. Damit „ist der Kyrios der Repräsentant des die Welt beanspruchenden Gottes, der mit der Kirche die neue Schöpfung mitten in der vergehenden alten Welt heraufführt."[136] Das gilt um so mehr, als er ja für Paulus seinem Wesen nach der ewige Gottessohn ist, Röm 1,3a, womit gewissermaßen die theo-logische Tiefendimension des Christusereignisses angezeigt ist. Seine, Jesu Christi, des Sohnes Gottes, paradoxe Geschichte ist deshalb Offenbarung Gottes selbst; seine Auferweckung der definitive Anbruch von Gottes Herrschaft über der Welt, vgl. 1Kor 15,25ff; seine Macht die eschatologische Macht Gottes[137] .

---

132 Das war hingegen die Aussage der mutmaßlich ältesten, judenchristlichen Fassung unserer Formel (ohne die κατά-Wendungen), bei der man vielleicht von einer „Zweistufenchristologie" sprechen kann, vgl. die überzeugende Analyse von Schlier, aaO. 213–215 sowie die Erwägungen von Blank, Paulus und Jesus 254f. Linnemann, aaO. 266–269, bestreitet dagegen, daß V.3b messianischen Sinn haben könne, da hier kein Titel vorliege, vgl. jedoch E. Lohse, Art. υἱὸς Δαυίδ, in: ThWNT VIII 482–492.487f. Zum Gebrauch des Titels „Sohn Gottes" vgl. oben S. 56f.

133 Vgl. (mit unterschiedlicher Begründung) Hahn, Hoheitstitel 251; Schlier, aaO. 215.

134 Wengst, Formeln 116, und Käsemann, Röm 10, sehen in der Fo rmel ein Taufbekenntnis.

135 Vgl. die universale Perspektive in V.5f, die Linnemann (aaO. 271f) in ihrer berechtigten Kritik an der überspitzten Auslegung Stuhlmachers übersieht.

136 Käsemann, Röm 11.

137 Das gilt jedoch nicht im Sinne einer „verheißungsgeschichtlich strukturierte(n) Christologie" (so P. Stuhlmacher, Theologische Probleme des Römerbriefpräskripts, in: EvTh 27 (1967), 374–389.385), da hier weder eine Zwei- noch eine „Dreistufenchristologie" (383) vorliegt, vgl. auch Schlier, aaO. 217.

So konzentriert sich also in dieser Bekenntnistradition für Paulus die gesamte eschatologische Wirklichkeit in der Person des zum Kosmokrator auferweckten Sohnes Gottes, in Jesus Christus unserem Herrn[138]. Wenn der Apostel damit kurz den wesentlichen Gehalt seines Evangeliums angeben kann, so ist der streng christologische Ansatz der Eschatologie bzw. die prinzipielle Einheit von Christologie und Eschatologie als das Zentrum seiner Botschaft gekennzeichnet.

4. Die theologische Synthese der überkommenen Auferweckungsverkündigung bei Paulus

Mit unserer Analyse dürften die entscheidenden Traditionen, auf denen die pln. Verkündigung der Auferweckung Jesu fußt, erfaßt worden sein. Ihr sachlicher Gehalt sei abschließend nochmals thesenartig zusammengefaßt:

(1) Die Auferweckungsformel sieht im Ereignis der Auferweckung Jesu von den Toten die eschatologische Tat Gottes schlechthin, in welcher er seine rettende Treue und Gerechtigkeit, sich selbst als Gott endgültig erwiesen hat; im auferweckten Jesus ist deshalb das Eschaton angebrochen.

(2) In der Sicht des Verkündigungsschemas bzw. der „Doppelformeln", die von Tod und Auferweckung Christi sprechen, begründet die Auferweckung die eschatologische Herrschaft Jesu, des für uns Gestorbenen; die Auferweckung bringt seinen Tod zu universaler Heilsmächtigkeit in seiner – des Herrn – Person und zielt darin auf die universale Verherrlichung Gottes.

(3) Nach Röm 1,3f schließlich bildet Jesu, des Davididen, Auferweckung seine Inthronisation zum Kyrios als dem „Ort" und Bürgen der eschatologischen Herrlichkeit.

Aufs Ganze gesehen kann man also in der vorpln. Tradition eine doppelte Ausrichtung der Verkündigung der Auferweckung Jesu unterscheiden: die eine Linie betont stärker die theo-logische Dimension des Geschehens, seinen Ereignis- oder geschichtlichen Charakter als Tat Gottes. Die andere hebt, primär christo-logisch orientiert, besonders das Ergebnis dieser eschatologischen Gottestat hervor: die Heilsherrschaft Christi (aus der Macht Gottes). Die Einheit beider Aspekte, die sich in den entwickelteren Traditionssätzen wie Röm 4,25 und 1,3f mindestens ankündigt, läßt sich für Paulus etwa aus *Röm 10,9* nachweisen, wo Kyrios-Bekenntnis und Auferweckungsformel nebeneinander und gemeinsam den Inhalt des rettenden Glaubens artikulieren[139].

---

138 Das läßt sich jedoch nicht schon unbedingt für das in der Formel faßbare vorpln. Denken nachweisen; die Elemente dazu lagen aber bereit.

139 ὁμολογεῖν und πιστεύειν bezeichnen im Anschluß an die Differenzierung von V.8 (Mund und Herz) nicht verschiedene Glaubensinhalte, sondern Ausdrucksformen des einen Glaubens, vgl. z.B. Käsemann, Röm 278f (der freilich der Reihenfolge der Verben sachliche Bedeutung beimißt: Akklamation bzw. Festhalten am lernbaren Bekenntnis); Schlier, Anfänge 13f (das Zitat Jes 28,16 in V.11 scheint mir jedoch nur bedingt beweiskräftig zu sein).

Im Zusammenhang geht es um die „Gerechtigkeit aus Glauben" (V.6). Sie wird in Antithese zur δικαιοσύνη ἐκ νόμου bzw. der ἰδία δικαιοσύνη der Juden entfaltet, vgl. V.2–5, deren Prinzip das ποιεῖν (V.5, vgl. Lev 18,5), das ἐξ ἔργων (9,32), der ζῆλος θεοῦ οὐ κατ᾽ ἐπίγνωσιν (10,2) ist[140]. V.6f (Zit. Dt 30,12; ψ 106,26) klingt, zumal in der pln. Kommentierung, wie eine Illustration des jüdischen ζῆλος θεοῦ in seiner Blindheit nach und trotz dem Ereignis der Gerechtigkeit Gottes in Christus. Christus, der Inbegriff von Gerechtigkeit und Heil Gottes, *kann* gar nicht aus dem Himmel herab- oder aus der Unterwelt heraufgeholt werden: Gottes Gerechtigkeit, die allein rettet, steht ja nicht in der Möglichkeit des Menschen. Aber es bedarf auch gar nicht seiner „Werke" und seines „Eifers", denn: „nahe ist dir das Wort, in deinem Mund und in deinem Herzen" (Dt 30,14) – nämlich das von Paulus verkündigte „Wort des Glaubens" (V.8). Dieses wird nun in V.9 (im Anschluß an die Aufgliederung von Dt 30,14) inhaltlich kurz umschrieben, und zwar mit der Kyrios-Akklamation und der Auferweckungsformel. Wer Herrsein und Auferweckung Jesu glaubend bekennt, erlangt das Heil. Das bedeutet aber, daß Christi Auferweckung, seine Inthronisation zum Kosmokrator, hier „als das eschatologische Heil schlechthin betrachtet" wird[141]. Gott hat in der Auferweckungstat an Jesus seine Gerechtigkeit gegen den (eigensüchtigen) Eifer (des Juden) durchgesetzt; in diesem einmaligen, zuvorkommenden, göttlichen Ereignis wurde das Ende des Gesetzes (als Heilsweg und versklavende Macht) (10,4) besiegelt. Dadurch aber, daß Christus kraft der Auferweckung nun der Herr ist, vermag er – aus Gottes eschatologischer Macht lebend – alle reich zu machen, die ihn anrufen (V. 12f), d.h. diejenigen, denen er sich im „Wort des Glaubens" erschlossen hat zu Gerechtigkeit und Heil (V.14ff). Im Herrn und seiner Herrschaft ist also die eschatologische Offenbarung des Gottseins Gottes in der Auferweckung Jesu bleibend gegenwärtig und mächtig zum Heil für alle, die sich ihm im Glauben anvertrauen. Die Auferweckung Jesu als die Erhebung des Gekreuzigten zum Herrn ist der definitive Anbruch der Gerechtigkeit Gottes als seine weltüberlegene, heilschaffende eschatologische Macht, der definitive Selbsterweis Gottes zu aller Heil in der Person Jesu, der deshalb „das Ende des Gesetzes für jeden, der glaubt" (Röm 10,4), ist. In der Herrschaft Christi kommen Gott und (durch ihn) der Mensch zu ihrem „Recht".

Theo-logischer und christologisch-soteriologischer Aspekt der Auferweckung Jesu werden also von Paulus wesentlich als Einheit begriffen. Die Christologie (und Soteriologie) steht immer – und zwar von der Auferweckung her! – im Horizont der Theo-logie, diese ist immer christologisch

---

140   Dieses Nicht-(An)Erkennen bezieht sich auf das von Gott verfügte Ende des Gesetzes in Christus, das die unverfügbare Durchsetzung seiner Gerechtigkeit ist „für jeden, der glaubt".

141   Käsemann, Röm 279.

(-soteriologisch) ausgelegt. Auch die Eschatologie des Apostels ist in diesem Sinn einheitlich bestimmt. Das soll im folgenden genauer herausgearbeitet werden, wenn wir versuchen, die pln. Konzeption der Auferweckung Jesu und ihre Bedeutung für das eschatologische Denken des Apostels zu erfassen.

II. Das paulinische Verständnis der Auferweckung Jesu

Als äußeren Leitfaden unserer Überlegungen wählen wir den Aufriß des „Auferstehungskapitels" 1Kor 15, weil hier das Problem endzeitlicher Totenauferweckung exemplarisch auf der Grundlage des Kerygmas von Tod und Auferweckung Jesu behandelt wird. Wir wollen also zunächst die Bedeutung der Auferweckung im Rahmen des Christusgeschehens klären, mitsamt ihren soteriologischen Implikationen (vgl. 1Kor 15,12–19), um dann speziell den Zusammenhang mit der futurisch-eschatologischen Erwartung des Paulus aufzuzeigen (vgl. 1Kor 15,20–28.35ff).[142]

1. Die Auferweckung Jesu als das geschichtliche Ereignis des eschatologischen Selbsterweises Gottes

Die Auferweckung Jesu Christi von den Toten gilt dem Apostel Paulus (wie der ihm vorgegebenen Tradition und dem NT insgesamt) als geschichtliches Ereignis, genauer: als *geschichtliches Handeln Gottes an Jesus, dem Gekreuzigten.* Das wird nirgendwo deutlicher als in 1Kor 15,1–11, wo Paulus durch Anfügung einer Reihe von Erscheinungszeugen an das grundlegende Kerygma dessen Aussage über die Auferweckung Jesu absichert und damit die Einheit der apostolischen Verkündigung und des Glaubens „historisch" aufweist[143]. Gerade wenn man, wie wahrscheinlich der Apostel, die korinthische Auferstehungsleugnung als Bestreitung der Möglichkeit von Totenauferweckung überhaupt (und deshalb als Infragestellung auch der Auferweckung Jesu) versteht (vgl. V.12–19), wird klar, daß Paulus vorab die Faktizität der Auferweckung Jesu möglichst eindrücklich belegen mußte. Schon der vorausgesetzte Konnex mit der endzeitlichen Totenerweckung, die der Apostel mit seinen Zeitgenossen als zukünftiges Ereignis erwartete, fordert den Ereignis-

---

142 Zur hermeneutischen Relevanz der Argumentationsfolge von 1Kor 15 s.u. S. 157.

143 Mit ähnlichen Mitteln wahrt Paulus in Gal 1.2 die Legitimität seines Apostolats und Evangeliums, vgl. Schlier, Gal 45; Kertelge, Apokalypsis 267 A.5. Die häufig anzutreffende Alternative „(historischer) Auferstehungsbeweis – Legitimation" (vgl. jüngst Bussmann, Missionspredigt 89ff, mit einer Analyse des ὤφθη) wird dem pln. Aussagewillen also nicht gerecht. Zur Diskussion um das Ziel der Zeugenreihe in 1Kor 15,5ff vgl. Spörlein, Leugnung 53f.62f: „Es geht Paulus um die Behauptung einer Tatsache – daß Christus auferweckt wurde – und um die Sicherstellung dieser Tatsache durch gewichtige oder befragbare Zeugen." (63).

charakter der Auferweckung Jesu. Vollends wird jede Interpretaments-Hypothese dadurch widerlegt, daß Paulus (mit seiner Tradition) die Auferweckung Jesu in einer Ereignisfolge mit seinem Tod sieht[144]. Doch ebensowenig kann sie als das isolierte Mirakel der Wiederbelebung eines Toten verstanden werden. Ist sie doch — wie unsere Analyse der vom Apostel angeeigneten Auferweckungsformel ergab — *der eschatologische Selbsterweis Gottes schlechthin, der Ausbruch seiner Ewigkeits- und Lebensmacht.* Damit steht sie als Abschluß und Ziel in der Linie der geschichtlichen Heilstaten Gottes, von denen das AT-Zeugnis gibt[145]. Nur wenn man diese prinzipiell theo-logische Sicht des Ereignisses der Auferweckung Jesu zugrunde legt, zerfällt 1Kor 15 nicht in ein Arsenal divergierender Argumente, sondern ist als einheitlicher Gedankengang zu begreifen.

Veranlassung für die Ausführungen des Apostels war die Bestreitung *künftiger* Totenauferstehung seitens einer Gruppe innerhalb der korinthischen Gemeinde; dagegen kann er die Zustimmung zum Kerygma offenbar voraussetzen, wie die christologisch-soteriologischen Erörterungen der korinthischen Parole (V.12.13) zeigen (V.12—19). Diese lassen jedenfalls zusammen mit anderen Indizien erkennen, daß *Paulus* die von ihm bekämpfte These als Negation der Möglichkeit von Totenauferweckung überhaupt versteht[146];

144 In der Regel steht der Aorist ($\dot{\alpha}\pi\acute{\epsilon}\theta\alpha\nu\epsilon\nu - \ddot{\eta}\gamma\epsilon\iota\rho\epsilon\nu$ ⊦ $\dot{\eta}\gamma\acute{\epsilon}\rho\theta\eta$); zum Perfekt $\dot{\epsilon}\gamma\acute{\eta}\gamma\epsilon\rho\tau\alpha\iota$ vgl. oben Anm. 92; es kam der streng christologischen Argumentation des Paulus natürlich sehr zustatten, vgl. V. 12.13.14.16.17.20.

145 Vgl. $\kappa\alpha\tau\grave{\alpha}\ \tau\grave{\alpha}\varsigma\ \gamma\rho\alpha\varphi\acute{\alpha}\varsigma$, 1Kor 15,4, dazu Lehmann, Auferweckt 272ff: „Der Schrifthinweis zeigt ein 'Mehr' auf: Er raubt durch die Auflichtung aus der gewesenen Geschichte nichts von der Einmaligkeit und Einzigkeit *dieses* Geschehens, denn diese Einzigkeit zeigt gerade im Zusammenspiel mit dem früheren Heilshandeln Gottes, daß alles am Ende durch diese Gottestat doch eingeholt und überholt ist, was dieser 'Erfüllung' vorweggespielt hat." (281). Vgl. auch oben die Darlegungen zu Form und Sinn der Auferweckungsformel, dazu die Erwägungen von P. Stuhlmacher (Bekenntnis) zur Einheit der biblischen Theologie.

146 Das hat B. Spörlein überzeugend nachgewiesen, vgl. Leugnung bes. 63—70, und zu Recht auch als Ansatzpunkt für seine Rekonstruktion der von Paulus bekämpften Anschauungen in Korinth gewählt. Denn diese Interpretation entspricht a) am besten der Parole von V. 12.13, und man braucht b) in diesem Falle nicht mit der verbreiteten Annahme eines Mißverständnisses des Apostels zu operieren, die eine Rekonstruktion von vornherein in Frage stellt, da sie am Text selbst kaum nachzuprüfen ist. Für die Diskussion des Problems der Auferstehungsleugnung in Korinth, die hier nicht aufgenommen werden muß, sei deshalb auf die Arbeit von Spörlein verwiesen, der auch die sonstigen Lösungsversuche vorstellt und bespricht. Sp. selbst nimmt an, daß eine bestimmte Gruppe innerhalb der Gemeinde das endgültige Heil allein vom Erleben der Parusie Christi erwartet habe (ähnlich 1Thess 4,13ff) (190—196), vgl. auch Conzelmann, 1Kor 310f (der auf A. Schweitzer, Die Mystik des Apostels Paulus, Tübingen 2. Auflg. 1954,verweist). Gegenüber Sp. würde ich freilich den Zusammenhang mit dem allgemeinen enthusiastischen Selbstverständnis der Korinther, „die Gemeinde der messianischen Endzeit" zu sein (Schlier, Hauptanliegen 148), erheblich stärker betonen (vgl. immerhin 195f); das sachliche Gewicht von Kap. 15 im Gesamten der Thematik des 1Kor macht es mir sogar wahrscheinlich, daß der Enthusiasmus der eigentliche Grund für diese Reduktion der Zukunftserwartung auf das Erleben der Parusie war, von der man sich nur noch eine Bestätigung und letzte, endgültige Steigerung der prinzipiell schon gegebenen Heilsfülle erhoffte. Christus wäre dann bei der Parusie nur noch Funktionär der Vollendung der Christen. Die künftige Auferweckung wahrt demgegenüber die Differenz zwischen

und d.h. für ihn als Bestreitung der todesüberlegenen Mächtigkeit Gottes, die sich als solche ein für allemal im Christusereignis, von dem das Evangelium kündet, erwiesen hat. Der Apostel wäre – hätten jene Korinther recht – ein „falscher Zeuge Gottes" (V.15); hätte er doch im Evangelium Gott eine Wirklichkeit und Mächtigkeit zugeschrieben, die ihm gar nicht zukommen kann[147]. Im Kerygma von der Auferweckung Jesu wird umgekehrt demnach Gott in seinem wahren Wesen angesagt und ausgelegt; die Auferweckung Jesu ist auch für Paulus zentral die definitive Selbstoffenbarung Gottes; oder – wie im folgenden die apokalyptischen Vv. 23–28 zeigen – die Inauguration seiner eschatologischen Herrschaft über der Welt (und gegen ihre Mächtigkeiten, die seine Feinde sind), die er sich durch den erhöhten Herrn endgültig unterwerfen wird. So kann denn der Apostel seine Auseinandersetzung mit den Auferstehungsleugnern in dem Vorwurf zusammenfassen, daß „einige Leute"[148] Gott nicht kennen, V.34.

Daß es im Glauben an das Kerygma von der Auferweckung des gekreuzigten Christus zentral um die Anerkenntnis Gottes als Gott geht, wird vor allem im Röm deutlich. Wie wir sahen, vollzieht sich ja im glaubenden Bekennen der Auferweckungstat Gottes an Jesus (10,9) die gehorsame Unterwerfung unter die in Christus heraufgeführte Gerechtigkeit Gottes (10,3). Auch im Zusammenhang von *Röm 4*, wo Paulus die Glaubensgerechtigkeit und damit die eschatologische Verheißung am Beispiel Abrahams, des Vaters aller Glaubenden, sichern möchte, kommt dem Bekenntnis zum Tote erweckenden Gott zentrale Bedeutung zu, vgl. V. 17.24f.

Paulus versucht aus der Schrift zu erweisen, daß sich nur dem Glauben die Verheißung Gottes erschließt; denn dieser hängt ganz und gar an Gottes freier Gnade, die allein die Verheißung einzulösen vermag (während das Gesetz den eschatologischen „Zorn" einträgt, V.15), vgl. V.13–16. Ab V.17 wird nun die Grundbewegung dieses rechtfertigenden Glaubens am Beispiel Abrahams aufgezeigt. V.17 definiert im Rückgriff auf jüdische Gottesprädikationen den Glauben prinzipiell *von Gott her*; dieser Ansatz wird in V.18ff ausgeführt und in V.24f christologisch variiert auf den Glauben der Christen angewendet (gleichfalls unter Benutzung diesmal natürlich urchristlicher Bekenntnistraditionen). Abraham glaubte „vor dem Gott, der die Toten lebendig macht und das Nichtseiende ins Dasein ruft". Es sind dies die Gott in seiner Göttlichkeit exklusiv charakterisierenden Machterweise[149], die der

den Gläubigen und ihrem Herrn, zwischen gegenwärtigem Heilsempfang und künftiger Vollendung in der Herrschaft Gottes. Die Voranstellung der christologischen Tradition in V.3–5 und die christologisch orientierte Argumentation im gesamten Kapitel erhält von daher fundamentale sachliche Relevanz. Freilich – ob Paulus selbst diesen Zusammenhang zwischen Auferstehungsleugnung und Enthusiasmus wahrgenommen hat, ist nicht sicher, da antienthusiastische Polemik in 1Kor 15 nicht direkt auszumachen ist.

147 Das gilt, obwohl der Satz primär wohl „die Folgen für die κηρύσσοντες" aufzeigen will (Weiß, 1Kor 353).

148 Vgl. die τινες V.12.

149 Vgl. das Präsens; zur jüdischen Herkunft der Prädikationen s.o. S. 82f.

Apostel hier in Übereinstimmung mit dem Judentum anführt. Bezeichnenderweise steht das eschatologische „Werk", die Auferweckung der Toten, voran und trägt den Ton, wird es doch in V.24 mit der Auferweckungsformel wieder aufgenommen. Die Schöpfungsaussage bleibt ihm folglich untergeordnet und ist wohl als prinzipielle Charakterisierung der Weise göttlichen Handelns gemeint. Die präsentische Formulierung erlaubt es jedenfalls nicht, V.17b als Ausdruck des apokalyptischen Urzeit-Endzeit-Schemas zu interpretieren[150]. Auferweckung kann hier folglich nicht als „die eschatologische Wiederholung der ersten Schöpfung", Rechtfertigung nicht als „Restitution der Schöpfung" verstanden werden[151]. Auferweckung der Toten ist vielmehr die eschatologisch-endgültige Wesensoffenbarung des Gottes, der seine Macht schon immer so erweist, daß er „aus dem Nichts ins Dasein ruft"[152]. Sie ist der eschatologische Ausbruch seiner Gnade, welcher nur der Glaube zu entsprechen vermag, der Gott die Einlösung seiner Zusagen — entgegen dem hoffnungslosen Befund der vorfindlichen Wirklichkeit — zutraut. Es geht in der Auferweckung also wesentlich um die *Macht* Gottes, um sein Gottsein, seine Herrlichkeit (vgl. V.20). Insofern der Glaube das unbedingte Vertrauen auf die todesüberlegene Macht des treuen Gottes darstellt (und als solcher rechtfertigt), kommen der Glaube Abrahams und derjenige der Christen überein.

150 Geg. Käsemann, Röm 115.

151 Geg. Käsemann, ebd.

152 Insofern ist die Auferweckung Jesu auch für Paulus der eschatologische Selbstweis Gottes als des Schöpfers, vgl. oben S. 107. Andererseits kann nicht übersehen werden, daß schöpfungstheologische Aussagen im Zusammenhang der Auferweckungsverkündigung des Apostels keine deutliche Rolle spielen. Die These von H. Schwantes, der Auferweckung bei Paulus als „Schöpfung der Endzeit" deutet, um so die zentrale Stellung des Schöpfungsgedankens im Judentum auch für die pln. Theologie zu wahren, scheitert also m.E. einfach am Textbefund ($\zeta\omega\sigma\pi\omega\epsilon\tilde{\iota}\nu$, vgl. 56–61, nach S.64 ein „Hinweis" auf den postulierten Zusammenhang, ist als solcher kein spezifischer Schöpfungsbegriff). Die auch von S. nicht bestrittene Existenz eines Schöpfungsglaubens (im herkömmlichen Sinn) bei Paulus (vgl. den 1. Teil: 11–55) — mag er im Vergleich zum Judentum noch so peripher sein (was man jedoch nicht nur statistisch und motivgeschichtlich belegen sollte) — zwingt vielmehr dazu, eine evtl. endzeitliche Transposition dieses Schöpfungsglaubens in Auferstehungstheologie aus den Texten als die explizite Intention des Paulus zu belegen. Mit strukturellen Überlegungen allein (64; Durchführung 65ff) ist ein solcher exegetischer Nachweis eo ipso nicht zu erbringen. Überall wird vorausgesetzt, was zu beweisen wäre: daß Paulus schöpfungstheologisch meint, was er als Auferweckung ausdrückt. Um nur ein Beispiel zu nennen (70–74: Das Zeugnis vom Schöpfer-Gott): Daß das ‚Auferweckungszeugnis in der Form der Gottesaussage" gefaßt ist (73), wertet S. einfach als Beleg dafür, daß Auferweckung die endzeitliche Schöpfung ist, da es auch jüdischer Schöpfungstheologie zentral um Gott, nämlich den Schöpfer geht. Legitim kann hingegen aus dieser Beobachtung doch nur gefolgert werden, daß bei Paulus der Auferweckungsgedanke den zentralen Platz des jüdischen Schöpferglaubens eingenommen hat, während über das Verhältnis beider schlechterdings nichts auszumachen ist. Die Einsicht, daß die pln. Predigt „gar nichts anderes sein will als die Botschaft von der bereits begonnenen Endzeit" (62), berechtigt jedenfalls nicht zu dem fundamentalen Schluß, „daß Schöpferverkündigung ... darum bei ihm unweigerlich zur endzeitlichen Schöpfungsverkündigung (wird)" (63). Dies bedeutete ja letztlich, daß Paulus Schöpfung und Geschichte faktisch preisgibt und auflöst in „Endzeit", womit die Botschaft des Paulus, zumal seine Eschatologie, aber jeden Sinn verlöre.

Dabei darf jedoch nicht die Differenz beider Glaubensweisen vertuscht werden; sie muß nach dem Gesagten in der Weise der Selbstoffenbarung Gottes selbst begründet liegen. Wenn man etwa mit E. Käsemann[153] den Inhalt des Glaubens (auch der Christen) in V.17b findet und die Auferweckung Jesu dann lediglich eine Veränderung der „Umstände, unter denen geglaubt wird", darstellt, d.h. konkret, die extra nos verwirklichte, nunmehr öffentliche Präzisierung des Verheißungsinhaltes[154], so wäre die Auferweckungstat Gottes an Jesus zu einem „Fall" eschatologischen Schöpferhandelns geworden, durch den — analog wie zuvor „verhüllt und vereinzelt" in der Geburt Isaaks — der Glaube an den Schöpfer — nunmehr „eschatologisch" — „bestätigt" wurde[155], während die Einlösung der Verheißung Gottes (sc. die eschatologische Totenerweckung als der Erweis göttlicher Schöpfermacht) nach wie vor noch ausstände. Demgegenüber muß jedoch gerade von unserem Text her betont werden, daß christlicher Glaube sich nicht einfach auf die Verheißung richtet bzw. inhaltlich von dieser bestimmt wird[156]. Er geht vielmehr auf die eschatologische Auferweckungstat Gottes an Jesus, unserem Herrn, V.24. Christlicher Glaube ist, wie wir sahen, insofern mit dem Glauben Abrahams identisch, als es in beiden Fällen um den Erweis der Gottheit Gottes geht. Dieser Erweis ist aber in der Auferweckung Jesu endgültig und ein für allemal erbracht. Der offenkundige Bezug von V.24b auf V.17b besteht also darin, daß Gott sich in der Auferweckung Jesu *definitiv*, weil konkret-geschichtlich als der erwiesen hat, als der er sich dem Abraham „gegen Hoffnung auf Hoffnung hin" zugesagt hatte: als der Gott, der mächtig ist über den Tod und das Nichts. Die Auferweckung Jesu bildet also *die Erfüllung der Verheißung, die Einlösung jener dem Abraham gegebenen Selbstzusage Gottes.* Der Glaube der Christen ist Glaube an die in Christus erfüllte Verheißung, vgl. Gal 3,13ff. Auferweckt zu „unserem Herrn" ist Jesus die eschatologische Offenbarung der Gottheit Gottes, und zwar für alle Menschen, so daß nun der Glaube an den auferweckten Herrn bzw. darin an Gott, der ihn von den Toten auferweckt hat, die eschatologische Rechtfertigung erlangt[157]. Die dem aus Glauben Gerechtfertigten verheißene Zukunft aber ist nichts anderes als die Vollendung jenes göttlichen Erfüllungs-

---

153 Röm 115.

154 Vgl. Käsemann, Röm 120.

155 Ebd.

156 Geg. Michel, Röm 127.

157 Es besteht also für den Apostel im Ansatz ein unauflösliches Zueinander von Glaube und eschatologischer Auferweckungstat Gottes, vgl. auch Röm 10,9. μέλλει λογίζεσθαι (V.24) bezieht sich schwerlich auf den eschatologischen Gerichtstag (die Fortführung mit δικαιωθέντες, 5,1, wäre dann recht unpassend), sondern ist vom Standpunkt der Schrift bzw. Abrahams aus gesagt, geht also auf die Gegenwart, vgl. δι᾽ ἡμᾶς (ἐγράφη), geg. Michel, Röm 127; Käsemann, Röm 120.

geschehens in Christus selbst, vgl. Röm 5,1—11.bes.9ff[158]

Wir sehen: Die Auferweckung Jesu von den Toten ist für Paulus der Anbruch des Eschaton, „das Ende der Äonen" (1Kor 10,11), weil der endgültige Selbsterweis Gottes als Gott. Dieser eschatologische Durchbruch der Ewigkeits- und Lebensmacht Gottes geschah nicht jenseits der Geschichte, sondern in ihr: an und in der Person des gekreuzigten Jesus. Dieser ist von daher die Wirklichkeit des Eschaton. Denn — und damit nähern wir uns der christologischen Dimension dieser Gottestat — in der Auferweckung hat sich Gott zu diesem Gekreuzigten und seiner Gehorsamstat bekannt. Gott hat ihn und seinen Tod in seine Ewigkeits- und Lebensmacht geborgen und dadurch zur Vollendung gebracht und vor aller Welt gerechtfertigt. Gott hat sich in der Auferweckung mit dem Gekreuzigten „identifiziert". Jesus ist der Herr.

2. Auferweckung als eschatologische Vollendung von Person und Geschichte Jesu Christi

Die Auferweckung Jesu wird in der pln. Verkündigung ebenso wie in den überkommenen „Doppelformeln" grundlegend in ihrer Bezogenheit auf sein konkretes Geschick, speziell seinen Tod, ausgelegt. D.h. der Apostel verkündet die Auferweckung Jesu primär nicht apokalyptisch als kosmische Wende oder anthropologisch als Eröffnung eschatologischen Heils (so daß Christus nur eine bestimmte Funktion im Rahmen einer übergreifenden eschatologischen Aktion Gottes zukäme), sondern als die einmalige, geschichtliche Tat Gottes an dem einen Menschen Jesus, der am Kreuz starb. Dadurch, daß Gott Jesus auferweckt hat, führte er seinen Weg bis in den Tod am Kreuz zum Ziel; kraft des eschatologischen Machterweises Gottes kam die Hingabe Jesu für uns zu ihrer Vollendung. Gott hat diesen Jesus, der in seinem grenzenlosen Gehorsam unter radikaler Absage an sich selbst die Schmähungen und die Feindschaft der Welt gegen Gott in den Tod trug, nicht in der Vergeblichkeit, im Nichts des Todes versinken lassen, sondern aufgenommen in das Leben[159] seiner Herrlichkeit; Gott hat die Preisgabe Jesu angenommen und zur Erfüllung gebracht, damit aber nicht nur in ihrem Sinn enthüllt und bestätigt, sondern erst zur Sinnhaftigkeit geführt, weil der totalen Sinn-losigkeit des Todes entrissen. Gerade den, der sich im totalen Gehorsam gegen Gott in die tiefste Leere des Kreuzestodes hinein entäußerte, hat Gott über alles erhöht und zum Träger seines herrlichen Namens gemacht, zum escha-

---

158 Daß Paulus nirgends von der Erfüllung der atl. Verheißungen (stattdessen vom βεβαιοῦν, vgl. Röm 4,16; 15,8; 2Kor 1,21:20) spricht, korrespondiert der Tatsache, daß mit dem Begriff der ἐπαγγελία für ihn offenbar kein bestimmter Inhalt verbunden ist (der nun realisiert worden wäre), daß er ihn vielmehr vom Christusereignis her füllt, das dadurch selbst als das Eschaton, der Erweis der Treue und Herrlichkeit Gottes erscheint (vgl. auch die Verbindung mit dem Geist, Gal 3,14; 4,16f.28: 29; 2Kor 1,20ff); ähnlich Luz, Geschichtsverständnis 66—69.67; vgl. auch J. Schniewind/G. Friedrich, ThWNT II 573—583.

159 Vgl. Röm 5,10; 6,10; 14,9; 2Kor 13,4; auch 2Kor 4,10.11; Gal 2,20; Phil 1,21; 1Thess 5,10.

tologischen „Ort" seiner alles erfüllenden machtvollen Gegenwart, Phil 2,6–11[160]. Was Jesus, der Herr, ist, ist er ganz und gar „durch die *Herrlichkeit des Vaters*" (Röm 6,4): „der Herr der Herrlichkeit" (1Kor 2,8)[161], in dessen leiblichem Sein sich Gottes δόξα „versammelt" und uns zur eschatologischen Rettung wird (Phil 3,21). Gott hat den Gekreuzigten, da er ihn aus dem Tode befreite, in den *Geist*, die Wirk-lichkeit seiner eschatologischen Lebensfülle geborgen[162], so daß „der Herr der Geist ist" (2Kor 3,17), der in seiner Person das unverwesliche Leben göttlicher Herrlichkeit repräsentiert und erschließt, vgl. 1Kor 6,17; 15,44f; Röm 8,9–11; auch 1,4[163].

Alle diese Begriffe, mit deren Hilfe der Apostel die Macht und Sphäre der Auferweckung bzw. der Herrschaft des Gekreuzigten umschreibt, meinen nichts anderes als die Sphäre und Wirklichkeit Gottes selbst. Das tritt besonders deutlich bei jenem Terminus zutage, den Paulus am häufigsten in direktem Zusammenhang mit dem Ereignis der Auferweckung Jesu[164] verwendet: (ἡ) δύναμις (τοῦ θεοῦ).

Auch δύναμις[165], bei Paulus als Äquivalent vornehmlich von πνεῦμα geläufig[166], kann zureichend nur als Wesensbeschreibung Gottes verstanden werden: ἡ δύναμις (τοῦ θεοῦ)[167] – das ist Gott in seiner erfahrbaren[168], seinsstürzenden[169], alles bezwingenden Mächtigkeit und Wirksamkeit, Gott in seinem eschatologisch-herrscherlichen Selbsterweis als Gott[170]:

160 Im „Namen" ist das Wesen und die Wirklichkeit seines Trägers präsent, vgl. H. Bietenhardt, ThWNT V 242–283. Der „Name über alle Namen" (Phil 2,9) ist der atl. (LXX) Gottesname Kyrios, vgl. das Zitat Jes 45,23; zum Ganzen vgl. Lohmeyer, Kyrios Jesus (s. Anm. 109) 50ff; ders., Phil 97; Käsemann, Analyse 83f.

161 Vgl. dazu S. 76 Anm. 227.

162 Vgl. Röm 1,4; 1Kor 15,45f (εἰς in V.45b deutet auf die Auferstehung, vgl. Schweizer, ThWNT VI 417); zum Verhältnis πνεῦμα – ζωή vgl. Anm. 215.

163 Vgl. Anm. 217.

164 Anders bei der Auferweckung der Christen, wo πνεῦμα bevorzugt wird, s.u. S. 218ff.

165 Vgl. W. Grundmann, Art. δύναμαι κτλ., in: ThWNT II 286–318; O. Schmitz, Der Begriff ΔΥΝΑΜΙΣ bei Paulus. Ein Beitrag zum Wesen urchristlicher Begriffsbildung, in: Festgabe f. A. Deissmann zum 60. Geburtstag, Tübingen 1927, 139–167; Hermann, Kyrios und Pneuma 120–122.

166 Vgl. Röm 1,4; 15,13.19; 1Kor 2,4f; 6,14:17.19; 12,10.28.29:3.4–9; 15,44:43; 2Kor 4,7(:13); Gal 3,2f:5; 1Thess 1,5; vgl. Eph 3,16; dazu: Schmitz, aaO. 145. Weitere Parallelbegriffe sind: θειότης, Röm 1,20; δόξα, Röm 1,23; 1Kor 15,43; 2Kor 4,6:7; vgl. 4,17; Phil 3,10:21; auch Kol 1,11; ἀλήθεια, Röm 1,18.25; σοφία, 1Kor 1,24; ἀφθαρσία, 1Kor 15,42; ζωή (τοῦ Ἰησοῦ), 2Kor 4,10–12:7; χάρις, 2Kor 12,9.

167 Vgl. Röm 1,16; 9,17; 1Kor 1,18.24; 2,5; 6,14; 2Kor 6,7; 13,4(2x); auch 1Kor 4,20; 2Kor 4,7; vgl. Eph 1,19; 3,7.

168 Vgl. Röm 15,19; 1Thess 1,5; 1Kor 2,4f; auch 4,19–20; 12,10.28.29; 2Kor 13,4; dazu: Grundmann, aaO. 312f.

169 Vgl. z.B. 1Kor 1,24ff sowie generell den Gegensatz zur „Schwachheit".

170 Paulus steht damit eindeutig in der Linie des *atl.*-(jüdischen) Verständnisses der Gotteskraft, vgl. dazu Grundmann, aaO. 292–296.296–299.307.

„Nicht im Wort besteht die Herrschaft Gottes, sondern in Macht" (1Kor 4,20). δύναμις bezeichnet Gottes Sein im unvergleichlichen, ja ausschließlichen Gegensatz[171] zu allem irdischen und menschlichen, eigen-mächtigen Wesen, das vor ihm nichts anderes als ἀσθένεια ist, vgl. 1Kor 15,43; 2Kor 12,9.10; 13,4; vgl. 4,7ff[172], und damit „Schande" (1Kor 15,43) und „Verderben" (V.44) bedeutet[173]. Speziell mit dem Begriff δύναμις (θεοῦ) markiert Paulus denn auch den prinzipiellen göttlichen Vorbehalt gegen jeden Enthusiasmus[174]. Das eschatologische „Übermaß" der Macht Gottes, seiner Herrlichkeit (2Kor 4,17f), sprengt die Dimensionen und Möglichkeiten, die Perspektiven alles Irdischen und Sichtbaren, 2Kor 4,7.17f; alles „Äußere" muß vor dieser Gewalt der endgültigen Präsenz Gottes vergehen, 4,16; vgl. 4,7–12, ihr allein eignet die Ewigkeit, vgl. 4,16–18; 5,1ff[175]. Um so bedeutungsvoller erscheint nun die Tatsache, daß Paulus diese herrscherlich-eschatologische Wirkmächtigkeit Gottes im gleichen Zusammenhang *exklusiv christologisch* faßt, ja geradezu christologisch definiert und sichert: „Christus – Gottes Macht und Gottes Weisheit", 1Kor 1,24; „das Wort vom Kreuz ist ... uns, die wir gerettet werden, Macht Gottes", 1,18; vgl. 2,5:2; Röm 1,16[176]. Diese Identifikation vollzog sich in der Auferweckung des Gekreuzigten: „Gott hat den Herrn auferweckt ... *durch* seine Macht", 1Kor 6,14; Christus wurde „eingesetzt zum Sohn Gottes *in* Macht (wie Paulus eigens hervorhebt) ... kraft der Totenauferstehung", Röm 1,4. So „lebt er", der aus Schwachheit gekreuzigt wurde, nun „*aus* der Macht Gottes", 2Kor 13,4. Die δύναμις (θεοῦ) ist also nicht einfach eine Potenz, mittels derer Gott den Gekreuzigten dem Totenreich entriß; sie ereignete sich vielmehr als die selbst das Todesnichts überwältigende Präsenz des göttlichen Gottes. Auferweckung Jesu heißt Übermächtigung des Gekreuzigten durch Gottes Wirklichkeit: Gott hat sich in seiner eschatologischen Lebensmacht sozusagen mit dem gekreuzigten Christus „identifiziert"[177]. Deshalb erweist sich der Gekreuzigte nicht nur

171 Vgl. 2Kor 4,7: ἡ ὑπερβολὴ τῆς δυνάμεως.

172 Vgl. noch Röm 6,19, wo „ἄνθρωπος, σάρξ und ἀσθένεια Korrelatbegriffe" sind: G. Stählin, Art. ἀσθενής κτλ., in: ThWNT I 488–492.489.

173 Vgl. Grundmann, aaO. 317f; E. Brandenburger (Fleisch und Geist passim) hat gezeigt, daß solche Antithetik religionsgeschichtlich in der Dualisierung der Weisheitstheologie des hellenistischen Judentums wurzelt.

174 Vgl. die doppelte Betonung von θεοῦ in 1Kor 1,24; weiter 2,5; 6,14; 2Kor 4,7.

175 Röm 1,20: ἡ ἀΐδιος αὐτοῦ δύναμις καὶ θειότης.

176 „Die überschwengliche Macht, die Gott gehört", 2Kor 4,7, ist nach 4,6 „die Herrlichkeit Gottes in der Person Christi", „der das Bild Gottes ist" (4,4b), und kommt im „Evangelium (von der Herrlichkeit Christi)" zur Sprache, 4,4; vgl. 4,10ff.

177 Die Voraussetzung dieser Anschauung, die wir hier aus dem Nebeneinander der Präpositionen διά, ἐν und ἐκ in Verbindung mit dem Begriff δύναμις zu erheben versuchen, bildet die Adaption hellenistischer Substanzkategorien bzw. die Verquickung von Relations- und Substanzkategorien durch das frühjüdische Denken im Rahmen jenes Dualisierungsprozesses, dem vor allem E. Brandenburger nachgegangen ist (vgl. Anm. 173): Kraftwirkung vollzieht sich als Einbeziehung in eine (substanzhaft gedachte!) Kraftsphäre und damit als „Austausch" bzw. Verwandlung des Wesens, „aus" dem der Mensch existiert. Vgl. weiter Käsemann, Abendmahlslehre 17f u.ö.; Schweizer, ThWNT VI 415; ders., Gegenwart des Geistes 168 A.50. Brandenburger möchte dieses Substanzdenken schon für die apokalyptische Auferstehungserwartung (4Esr/sBar) in Anschlag bringen (Fleisch und Geist 78–82); im Unterschied zur Apokalyptik denkt Paulus aber nicht *kosmisch*-dualistisch (geg. Brandenburger, ebd. 82), sondern „alttestamentlich", d.h. von der personalen, Schöpfung und Geschichte gestaltenden und vollendenden Wesensmacht Gottes her, vgl. Anm. 170.

als lebendig wirksam kraft der ihm verliehenen göttlichen Machtfülle, 2Kor 13,4, sondern er bringt sich *als* Gottes Macht zur Erfahrung. Das eschatologische, rettende und richtende Machthandeln Gottes begegnet *als* die „Macht Christi", 2Kor 12,9, *als* „die Macht unseres Herrn Jesus", 1Kor 5,4. In der „Macht seiner Auferstehung" bringt er sich selbst zur rettenden existentiellen Erfahrung, Phil 3,9f, die er, kraft seiner eschatologischen Machtfülle als Kosmokrator (vgl. Phil 2,9f), zur Vollkommenheit führt in der künftigen leiblichen Gleichgestaltung mit seinem Herrlichkeitsleib (3,20f).

Wir sehen: Die Rettung des Gekreuzigten aus dem Tode in das Leben, die Herrlichkeit, den Geist, die Macht Gottes hinein[178], die Annahme und Vollendung des äußersten Gehorsams dieses einen Menschen in der Auferweckung durch Gott ist nach Paulus der von Israel ersehnte definitive Selbsterweis Gottes, mit dem er seine eschatologische Herrschaft antritt. Die Auferweckung Jesu, wie sie in diesen vielfältigen Aussagen zur Sprache gebracht wird, kann zureichend nur verstanden werden als das Ereignis der eschatologischen Selbst-mitteilung Gottes an den für uns gestorbenen Jesus: Gott, der Vater, hat sich selbst in der eschatologischen Fülle und Macht seines Wesens als der endgültige Lebensraum des Gekreuzigten eröffnet und darin seine radikale Gehorsamsexistenz zur ünüberholbaren Erfüllung gebracht. In diesem Sinn möchte ich hier von „Identifikation" sprechen: Gott *in* seinem endgültig-einmaligen Selbsterweis ist die Vollendung der Person Jesu und seines „Weges".

Daß Jesus „der *Herr*" ist, benennt in Form einer personalen Prädikation die Tatsache, daß in der Person dieses Gekreuzigten Gott als Gott eschatologisch in und über der Welt gegenwärtig ist[179].

Mit der ihm vorgegebenen Tradition verstand Paulus die Auferweckung Jesu als Erhöhung zum κύριος[180], vgl. Phil 2,9–11; Röm 10,9; 14,9; auch 1,4:5, 8,34; 1Kor 15,25ff[181]; 2Kor 4,5:6; Gal 1,1. Wo auch immer die Wurzeln dieses „Hoheitstitels" liegen mögen, die

---

178 Vgl. Schlier, Bedeutung 139f.

179 Vgl. Schlier, Bedeutung 140f. Als solcher ist Christus die εἰκὼν τοῦ θεοῦ, 2Kor 4,4(–6), vgl. dazu: Jervell, Imago Dei 214–218: „Gott ist in Christus einzigartig handelnd gegenwärtig." (218).

180 Vgl. Bousset, Kyrios Christos bes. 75–104.104–154; Kramer, Christos 61–103. 149–181; Hahn, Hoheitstitel 67–125; Ph. Vielhauer, Ein Weg zur neutestamentlichen Christologie? Prüfung der Thesen Ferdinand Hahns, in: ders., Aufsätze zum Neuen Testament (TB 31), München 1965, 141–198. bes.147–175; S. Schulz, Maranatha und Kyrios Jesus, in: ZNW 53 (1962), 125–144; Hengel, Der Sohn Gottes; Cullmann, Christologie 200–244; W. Foerster, ThWNT III 1038–1094 (mit G. Quell); dazu die Meditation von H. Schlier, Über die Herrschaft Christi, in: ders., Das Ende der Zeit 52–66.

181 An den beiden letzten Stellen Anspielung auf Ps 110,1, vgl. dazu unten S. 146f. Zur Differenzierung von Auferweckung und Erhöhung vgl. Schlier, Auferstehung 22ff.

Auferweckung ist der entscheidende Grund für seine „technische" Anwendung auf Jesus[182]. Das ganze NT bekennt ja speziell den Erhöhten als den „Herrn"[183] und will mit diesem

182 Blank, Paulus und Jesus 203ff (mit A.32): „Entscheidender Ansatzpunkt für den Kyrios-Titel sind die Begegnungen mit dem Auferstandenen und die Erfahrungen der Erscheinungen als herrscherliches Handeln des Erhöhten." (204). Mit dieser Feststellung berühren wir das historische und religionsgeschichtliche Problem des Kyrios-Titels. Eine befriedigende Lösung scheint mir auch nach der jüngsten Stellungnahme von M. Hengel noch nicht erreicht. Gewiß läßt sich die noch weithin gängige Ableitung aus den Mysterienkulten schwerlich weiter aufrechterhalten (Hengel, Der Sohn Gottes 120–125 mit A.135 und 136; vgl. 41–50) und kann andererseits die Möglichkeit einer Übertragung des atl. Gottesnamens auf Jesus schon für die früheste judenchristliche Gemeinde als erwiesen gelten (ebd. 125–130; vgl. 73–75, bes. A.92; vgl. schon Schulz, aaO. 136). Doch müßte sich dieser Befund an den formgeschichtlichen Tatbeständen erst noch bewähren, die besonders W. Kramer aufgezeigt hat (Christos §§ 15–23: 61–103). Die Akklamation „Kyrios Jesus", deren „Sitz im Leben" wahrscheinlich der Gottesdienst war (vgl. etwa Kramer, Christos 65f; Cullmann, Christologie 213ff), hat formale Parallelen offenbar allein in hellenistischen Kulten (was Hengel für 1Kor 8,6 auch zugesteht: Der Sohn Gottes 28 A.32). Vom Maranatha-Ruf des urgemeindlichen Gottesdienstes bleibt sie (auch deshalb) streng zu unterscheiden (so mit Recht Hahn, Hoheitstitel 105ff geg. Cullmann, Christologie 214ff). Der Rückgriff auf eine entsprechende Anrede des irdischen Jesus trägt zur Erklärung des nachösterlichen titularen Gebrauchs nichts bei (Bousset, Kyrios Christos 78) und vermag auch zwischen den beiden zentralen vorpln. „Haftpunkten" des Titels keine Brücke zu schlagen (auch Hengel, der sich auf Hahn beruft: Der Sohn Gottes 124f, hat die Einwände Vielhauers, aaO. 147–175. bes. 150ff, gegen diese Konzeption nicht ausgeräumt). Andererseits wird die These zweier ursprünglich eigenständiger Kyrios-Anschauungen in den ersten Jahren des Christentums immer unwahrscheinlicher (Chronologie; keine rein heidenchristliche Gemeinde). Ein Ausweg scheint mir nur dann möglich, wenn man die (notwendig?) isolierende, oft rein statistische Betrachtungsweise Kramers (aus der das nicht zu vermittelnde Nebeneinander verschiedener christologischer „Vorstellungskomplexe" m.E. fast zwangsläufig resulitert) ergänzt bzw. u.U. korrigiert durch eine an den religionsgeschichtlichen Vorgaben orientierte, sachlich-theologische Interpretation des gesamten vorpln. Befundes (dessen etwa in der Zeitebene divergierende Einzelelemente nicht schon zu eigenständigen Zeugnissen divergierender „Gemeindetheologien" erhoben werden dürfen, vgl. dagegen das Verfahren Hengels zum Sohn-Gottes-Titel: 99ff). Drei, für beide „Haftpunkte" gleichermaßen gültige Kennzeichen verdienen hier m.E. Beachtung: (1) neben der Übertragung der Anrede bzw. des Namens Gottes (Mare bzw. Qere des Tetragramms) auf Jesus, vor allem (2) das überall vorausgesetzte persönliche Verhältnis zwischen Herr und Gläubigen, das – soweit ich sehe – in den jüdischen Parallelen fehlt, dafür aber in bestimmten heidnischen Kulten Analogien hat, die als Ursprung für die urchristliche Konzeption im ganzen freilich ebensowenig infrage kommen (vgl. Hengel, Der Sohn Gottes 124 A.136) wie die persönliche Beziehung zum historischen Jesus (vgl. Foerster, aaO. 1093). Dazu paßt aber (3) die unbestrittene kultische Verwurzelung der urchristlichen Kyrios-Traditionen, die ihrerseits eine Anrufung (vgl. Röm 10,13; 1Kor 1,2; Apg 2,21; 9,14 = Zit. Joel 3,5) bzw. evtl. schon eine Anbetung Jesu für die früheste Gemeinde bezeugen (vgl. Phil 2,9–11; G. Lohfink, Gab es im Gottesdienst der neutestamentlichen Gemeinden eine Anbetung Christi? , in: BZ NF 18 (1974), 161–179); das sich darin artikulierende persönliche Verhältnis der Gläubigen zu ihrem Herrn setzt die gottgleiche Stellung Jesu voraus, welche wiederum in der Übertragung des Gottesnamens auf Jesus ihren adäquaten Ausdruck findet; die kosmische Dimension der Christusherrschaft wäre damit von vornherein gegeben (was zweifellos dem völlig unproblematischen Neben- und Ineinander von personaler und kosmischer Perspektive im ntl. κύριος-Gebrauch entspricht). Die genannten Kennzeichen fügen sich so

„Namen über alle Namen" seine gottgleiche Stellung und Macht zum Ausdruck bringen[184]. Seine Herrschaft hat entsprechend kosmische Dimensionen, Phil 2,9–11; 3,20f; 1Kor 15,25ff; vgl. Röm 1,4b:5, er ist der eine Herr aller, Röm 10,12, herrscht über Tote und Lebende, 14,9; „durch ihn ist das All und wir sind durch ihn", nämlich ausgerichtet auf den einen Gott, den Schöpfer des Alls, 1Kor 8,6[185], der als „der Vater"[186] „durch ihn" „rettend und handelnd in diese Welt eingegriffen hat"[187]. Der endgültige Vollzug dieser Herrschaft Jesu „zur Ehre Gottes des Vaters" (Phil 2,11) mündet deshalb in der Aufrichtung der eschatologischen Herrschaft Gottes, der alles in allem ist (1Kor 15,23–28). Ein spezifisch eschatologisch orientierter Titel ist ὁ κύριος jedoch bei Paulus nicht; in diesem Kontext taucht er vielmehr häufig in geprägten Wendungen auf, die vorpln. Sprachgebrauch verraten[188]. In der Regel charakterisiert ὁ κύριος vielmehr die Gegenwart und

zu einer sachlichen, die formgeschichtlichen Differenzierungen übergreifenden Einheit im urchristlichen Gebrauch des Kyrios-Titels. Sie findet ihre zureichende Voraussetzung m.E. nur in der Auferweckung Jesu, die von Anfang an als Erhöhung in gottgleiche Machtstellung verstanden wurde (vgl. z.B. Vielhauer, aaO. 167–175 geg. Hahn, Hoheitstitel passim); das entspricht nicht nur dem Zeugnis des NT, sondern hat durchaus Parallelen in jüdischen Texten, die Auferweckung bzw. Entrückung (des Henoch) als Verwandlung in göttliche, himmlische Seinsweise interpretieren, vgl. Hengel, Der Sohn Gottes 73–75; Brandenburger, Fleisch und Geist 69ff. Dieser Ansatz, der dem Befund der pln. Schriften durchweg entspricht, wäre freilich erst noch traditionsgeschichtlich zu verifizieren, was hier aber nicht geschehen kann.

183 Vgl. z.B. Foerster, aaO. 1088.

184 Ebd.; vgl. Cullmann, Christologie 241–244; Lohmeyer, Kyrios Jesus (s. Anm.109) 52–55: Kyrios „bezeichnet die Gesamtheit der göttlichen Wirklichkeit, ihre Gestalt wie ihr Sein." (52).

185 Vgl. Röm 5,2 u.a., dazu: Thüsing, Per Christum 225–232.

186 Schon in der vorpln. Tradition wird das spezifische Verhältnis des Kyrios zu Gott mit Hilfe des Vater-Namens erfaßt, vgl. Phil 2,11 sowie Kramer, Christos 89–91 (§ 21: Gott, der Vater unseres Kyrios Jesus Christos). 149–153 (§42: Salutatio des Briefpräskripts); diese auch für Paulus charakteristische Zuordnung (vgl. Schrenk, ThWNT V. 1010–1013; s. auch unten S. 156) setzt m.E. das skizzierte Verständnis des Kyrios-Titels im Sinne des atl. Gottes-Namens voraus und markiert die bleibende Differenz zwischen Gott und Jesus Christus innerhalb der einen göttlich-personalen Heilswirklichkeit. „Kyrios" liegt damit auf einer Ebene mit dem Titel „Sohn Gottes" und der Prädikation εἰκὼν τοῦ θεοῦ und dürfte auch in demselben religionsgeschichtlichen Milieu zu Hause sein, vgl. Hengel, Der Sohn Gottes 26 mit A. 29.

187 Foerster, aaO. 1090.

188 Vgl. ἡ ἡμέρα τοῦ κυρίου κτλ., 1Thess 5,2; 1Kor 1,8; 5,5; 2Kor 1,14; vgl. 2Thess 2,2; 2Petr 3,10; ἡ παρουσία τοῦ κυρίου (ἡμῶν Ἰησοῦ) o.ä., 1Thess 2,19; 3,13; 4,15; 5,23; vgl. 2Thess 2,1.8f; Jak 5,7.8; 1Petr 1,16; „Kommen" des Herrn, 1Kor 4,5; 11,26; vgl. 16,22 sowie 2Thess 1,10; vgl. dazu auch Kramer, Christos 172–174; Luz, Geschichtsverständnis 310–317. Da diese Topoi ohne Zweifel aus dem AT stammen (Tag/Kommen des Herrn) bzw. atl.-jüdisch inspiriert sind (Parusie des Herrn), belegen sie ein weiteres Mal die Übertragung des atl. Gottesnamens auf Jesus, und zwar schon für die frühe judenchristliche Gemeinde. Die Parallele zum sog. Mare-Kyrios ist evident und legt auch für ihn eine entsprechende Deutung nahe, zumal eine solche Substitution auch in Palästina nicht ohne Vorbild ist, wie jüngst M. Hengel gezeigt hat (Der Sohn Gottes 126–128). Die sachliche Übereinstimmung mit der Vorstellung des „Akklamations-Kyrios" liegt auf der Hand.

Zukunft in allen ihren Dimensionen umfassende herrscherliche Stellung Christi und deren konkreten Vollzug an den Glaubenden und der Gemeinde[189]. Er ist freilich mehr als ein „funktionaler" oder „Verhältnisbegriff". Denn was in diesen existenzbestimmenden „Funktionen" des Herrn zum Austrag kommt, was sich in diesem „herrscherlichen Verhältnis" vollzieht, ist gerade das „Wesen" der Person Jesu Christi, der als der gekreuzigte und auferweckte „Herr" die eschatologische Wirklichkeit Gottes repräsentiert. Das tritt besonders pointiert heraus in 1Kor 6,12–20. Daß wir „bar gekauft wurden" (durch den Fluchtod Jesu, Gal 3,13; 4,5; vgl. 1Kor 7,23), V.20, vollzieht sich an uns konkret so, daß wir leiblich dem Herrn (V.13b) und nicht mehr uns selbst gehören (V.19b); denn der Leib, der dem Herrn gehört, ist ja ein Tempel des heiligen Geistes, den Gott gibt, in dem er sich selbst gibt (V. 19a)[190], – eine Gabe, die uns durch die leibliche Verbindung *mit dem Herrn* ergreift, so daß wir „ein Geist (mit ihm) sind" (V.17, vgl. V.15). „Im Herrn"[191], der ja „der Geist ist", 2Kor 3,17, in seiner Person und in seinem Wirken wird die eschatologische Herrschaft Gottes, ihre Verheißung und ihr Anspruch[192], gegenwärtige Erfahrung.

Herrsein Christi bedeutet also immer eschatologische Aktion *Gottes*, welche durch das Christusereignis abschließend definiert ist, das in der Auferweckung zur unüberbietbaren Erfüllung kam[193].

a)   Die Auferweckung als der In-begriff der Existenz Jesu Christi

Hat Gott sich in seiner eschatologischen Mächtigkeit mit Jesus und seinem Gehorsamsweg, diesen vollendend, radikal identifiziert, so kann Auferweckung nicht bedeuten, daß die Geschichte Jesu, sein irdisch-konkretes Geschick bis zum Tod, nun „überwunden", d.h. als vergangen und vorläufig zurückgelassen oder gar negiert ist; selbst die Annahme, daß Christus kraft der Auferweckung „mit dem *Ertrag* seines Kreuzes und darum als der Geist, Leben und Herrlichkeit Verleihende" der Welt „wiedergegeben" ist[194],

189   Foerster, aaO. 1090–1092.

190   „Pneuma ist für ihn wie für den Hellenismus nichts als die Weise, in welcher Gott auf Erden seine Macht bekundet und selber epiphan wird.": E. Käsemann, 1. Korinther 6,19–20, in: ders., EVB I 276–279.277; vgl. zum Ganzen Hermann, Kyrios und Pneuma 63–65.

191   ἐν κυρίῳ: Röm 16,2.8.11.12(2x).13.22; 1Kor (1,31=Zit. Jer 9,24; vgl. 2Kor 10,17) 4,17; 7,22.39; 9,1.2; 11,11; 15,58; 16,19; 2Kor 2,12; Gal 5,10; Phil 1,14; 2,24.29; 3,1; 4,1.2.4.10; 1Thess 3,8; 5,12; Philm 16.20a; ἐν κυρίῳ Ἰησοῦ: Röm 14,14; Phil 2,19; 1Thess 4,1; ἐν Χριστῷ Ἰησοῦ τῷ κυρίῳ ἡμῶν: Röm 6,23; 8,39; 1Kor 15,31; 16,24vl; ἐν κυρίῳ Ἰησοῦ Χριστῷ: 1Thess 1,1; 2Thess 1,1.

192   Die Zuweisung des ἐν κυρίῳ zum „Imperativ" (des ἐν Χριστῷ zum „Indikativ") durch F. Neugebauer („In Christus" 133–149.bes.148f) systematisiert in unzulässiger Weise den Befund, daß Paulus ἐν κυρίῳ überwiegend in parakletischem Kontext verwendet; daß die „Formel" darauf nicht festzulegen ist, zeigen etwa Röm 16,8.11.13.22 (im Vergleich mit 16,7.9); 1Kor 4,17; 7,22; 2Kor 2,12; Phil 1,14.

193   Von der Auferweckung her erklärt sich damit auch die bei Paulus geläufige „Austauschbarkeit" Gottes und Christi als Subjekt bzw. Träger eschatologischer Vollzüge und Wirklichkeit.

194   Schlatter, Theologie II 314 (gesperrt von mir).

greift hier m.E. zu kurz. Durch die Auferweckung wird vielmehr menschliche Existenz[195] in ihrer ganzen geschichtlichen Vielfalt und Einmaligkeit von Gott in seine Lebens- und Ewigkeitsmacht hinein „gesammelt" und dadurch zur Vollendung gebracht, zu ewigem Leben aus der Macht Gottes. Was die Zeit des Menschen ausmacht, versinkt nicht in die Vergangenheit gegenüber dem radikal neuen Vollendungszustand des Auferweckten, sondern ist aufgenommen und gerettet in das göttliche Leben und gehört konstitutiv zum eschatologisch-endgültigen Sein des Menschen (das seinerseits prinzipiell Gabe Gottes ist, die menschliche Existenz zum Ziel und zur Erfüllung bringt). Im Auferweckten bleibt also seine Zeit, von Gott vollendet und zu ihrem Sinn geführt, endgültig aufgehoben und präsent[196]. Nur wenn man dieses Auferweckungsverständnis zugrunde legt, kann m.E. die Christologie des Apostels schlüssig interpretiert und ihr unauflöslicher Zusammenhang mit seiner Eschatologie aufgewiesen werden. Doch zunächst gilt es, unsere These an den christologischen Auferweckungstexten zu verifizieren.

Das skizzierte Grundverständnis der Auferweckung Jesu muß naturgemäß vor allem an jenen Stellen hervortreten, wo sie in Verbindung mit seinem Tod genannt wird. Unbestreitbar ist ja, daß nach Paulus beide Geschehnisse zusammen die gegenwärtige und künftige Heilsherrschaft Jesu begründen und charakterisieren[197]. *Röm 4,25*, eine traditionelle Prädikation „unseres Herrn Jesus" (V.24), läßt nun erkennen, daß erst die Auferweckung den Sühnetod Jesu für unsere Vergehen zu seinem Ziel kommen läßt; denn sie eröffnet gegenwärtig die Rechtfertigung aus Glauben, und zwar „durch unseren Herrn Jesus Christus", 5,1. Das besagt aber: der Sühnetod Christi, in welchem Gott seine heilschaffende Gerechtigkeit erwies, 3,24—26, wurde als solcher in der Auferweckung, durch die Aufnahme des Gekreuzigten in Gottes Ewigkeitsmacht vollendet, so daß im erhöhten Herrn seine einmal vollzogene Preisgabe in den Kreuzestod als unsere Rechtfertigung begegnet.

Ganz ähnlich lautet die Aussage von *Röm 7,4*, wo Paulus das Verhältnis menschlicher Existenz zu Gesetz und Christus im Vergleich mit den zuvor entwickelten Rechtsverhältnissen innerhalb der Ehe expliziert[198]. Durch das Sterben Christi am Kreuz ($\delta\iota\grave{\alpha}$ $\tau o\tilde{v}$ $\sigma\acute{\omega}\mu\alpha\tau o\varsigma$ $\tau o\tilde{v}$ $X\rho\iota\sigma\tau o\tilde{v}$)[199] wurden auch wir getötet, vgl. Gal 2,19(:3,13); 5,24; 6,14; weil das Gesetz aber auf Tote

---

195 Daß mit dieser Interpretation das pln. Auferweckungsverständnis generell erfaßt ist, soll später eigens gezeigt werden, legt sich jedoch schon wegen der konstitutiven Entsprechung zwischen unserer und Christi Auferstehung nahe.

196 Auferweckung Jesu bedeutet insofern in einem letzten Sinn „gefüllte Zeit" (von Rad, Theologie des AT II 109), nämlich eschatologisch-rückhaltlose Präsenz Gottes als die Fülle der Zeit in der vollendeten „Zeit" Jesu.

197 S.o. zu den „Doppelformeln" (S. 90ff). Zumindest Paulus hat in diesem Sinn die Erhöhungsaussage des Christushymnus Phil 2,6—11 verstanden, vgl. oben S. 100f.

198 Wichtig sind dem Apostel dabei lediglich die beiden Elemente, daß a) die Befreiung von gesetzlicher Verfügung (hier: von der Bindung an den Ehepartner) *durch den Tod* geschieht, und daß darin b) die *Möglichkeit der Bindung* an einen anderen eröffnet wird.

199 Vgl. Michel, Röm 167; Käsemann, Röm 179f; E. Schweizer, Art. $\sigma\tilde{\omega}\mu\alpha$ $\kappa\tau\lambda$., in: ThWNT VII 1024—1091.1064.

keinen Anspruch erhebt, sind wir seitdem[200] seinem Geltungsbereich entnommen. Die Folge davon ist, daß wir nun „einem anderen gehören, dem von den Toten Auferweckten". Diese (in der Taufe vermittelte, Röm 6,1ff) Zugehörigkeit zum auferweckten Herrn bildet den Grund der neuen Existenz, da sie den von der Unheilsmacht des Gesetzes befreienden Tod Christi dem Glaubenden als die entscheidende Wende zum Heil erschließt. Die „Tötung" für das Gesetz vollzieht sich also durch Übereignung an Christus, der starb und von den Toten auferweckt wurde. Die Auferweckung Christi ist jenes Ereignis, in welchem Gott den vom Gesetz befreienden Tod Christi am Kreuz zur realen Möglichkeit des Heils für uns machte. Mit der Auferweckung Jesu (und seinem dadurch gewonnenen Leben für Gott) ist also offenbar der Tod Jesu am Kreuz nicht in der Vergangenheit versunken, sondern vielmehr dem Nichts entrissen und personal im erhöhten Herrn in Gottes zeitüberlegenes Leben hinein geborgen und deshalb in seinem Sinn erfüllt und offenbar.

Blicken wir von hier aus zurück auf *Röm 6*, so wird deutlich, daß die dort verkündigte Freiheit von der Sündenmacht nur unter Voraussetzung dieser Auferweckungskonzeption schlüssig behauptet werden kann. Denn erst die definitive Überwindung des Todes in der Auferweckung macht ja die Überwindung der Sündenmacht im Tod Jesu gültig und wirksam[201] (V.9f). Die gegenwärtige Freiheit des Gerechtfertigten von der Sündenmacht gewinnt der Mensch durch Teilhabe an der Person Jesu in der Taufe, indem er, der den Tod endgültig überwunden hat, uns einbezieht in *seinen Tod*, der ihn ein für allemal der Sündenmacht entnahm, V.2ff.6—11. Auferweckung bedeutet auch hier die vollendende Einbeziehung des Todes Jesu in das eschatologische Leben Gottes und dadurch die Etablierung Jesu *in seinem Geschick* als das eschatologische Heil. Der Schluß drängt sich auf, daß die Konzeption von Christus als dem „Schicksalsträger" (E. Käsemann), die nicht nur Röm 6 prägt, im Auferweckungsverständnis des Apostels wurzelt.

In *Röm 14,7—9* läßt Paulus seine Paraklese zum Verhältnis von „Starken" und „Schwachen" (14,1ff) ausmünden in eine umfassende und prinzipielle Bestimmung der christlichen Existenz von der Herrschaft Christi her. Sein Herrsein, in welchem Gott uns angenommen und unserem Leben eine neue Richtung gegeben hat (so daß wir nicht mehr uns selbst gehören, 1Kor 6,19), ist das Ziel und Ergebnis seines Todes und seiner Auferweckung. Die Formulierung des Geschicks Jesu orientiert sich deutlich an der Kennzeichnung menschlicher Existenz in ihren umfassenden Dimensionen[202] (leben —

---

200 D.h.: seit der Taufe, vgl. die Aoriste V.4.6, dazu: Käsemann, Röm 180.
201 Vgl. Röm 4,25; 1Kor 15,17.
202 Die Ersetzung des gängigen Verbs ἐγείρειν durch ζῆν (in ungewöhnlichem, ingressivem Aorist, vgl. sonst Anm. 159) ist wohl das Werk des Paulus (anders Michel, Röm 340 A.2) und verrät sein Bemühen, Leben und Sterben des Christen an den Herrn und sein Geschick zu binden, mag der Gedankengang dadurch auch logisch schief werden. Dafür spricht auch die Reihenfolge Tote — Lebende in V.9b (die in V.7f keinen Anhalt hat und „den Vordersatz", d.h. V.9a, gerade nicht „chiastisch aufgreift": geg. Käsemann, Röm 356, der Eph 4,8ff als Parallele anführt). Auf den „Kosmokrator", der „in kosmischer Universalität Herrschaft über alles beansprucht

sterben, vgl. z.B. Phil 1,20.21): Christus hat in seinem Heilsgeschick die Dimensionen menschlicher Existenz durchmessen; das Ziel seines Weges war es, die ganze Wirklichkeit des Menschen unter seine Herrschaft zu bringen, vgl. 1Thess 5,10. Weil er also die Abgründe menschlichen Seins durchschritten und ausgekostet (,,angenommen", 15,7) hat, hat Gott ihn in der Auferweckung zum Herrn gemacht, der jedes menschliche Geschick zu bestimmen vermag, so daß es vor Gott, dem eschatologischen Richter, bestehen kann, V.10ff. Die Auferweckung erhebt also das konkret-einmalige, die Weite und Tiefe menschlichen Seins auslotende Geschick Jesu zur Wirklichkeit und zum Gesetz menschlicher Existenz, indem sie Jesus in die eschatologische, richterliche Wesensmacht Gottes birgt[203].

Auch in *2Kor 5,15* dient die Erwähnung der Auferweckung Jesu dazu, die gegenwärtige Zugehörigkeit des Christen zum Herrn in der Abkehr von sich selbst zu fundieren, welche ähnlich wie in Röm 6 und 7,4 der Teilhabe an seinem Tod entspringt[204]. ,,Nicht mehr sich selbst leben" heißt existentielle Aneignung des Todes Christi ,,für uns", in welchem ,,alle gestorben" sind, und vollzieht sich im Leben ,,für ihn, der für uns starb und auferweckt wurde". Die Auferweckung läßt also nicht den Tod Jesu als endgültig vergangen hinter sich zurück, sondern verschafft ihm erst seine intendierte (,,für uns") universale Wirksamkeit. Sie ist als Überwindung des Todes der vollendende Durchbruch der im Tod allen erwiesenen Liebe Christi zu eschatologischer Mächtigkeit; diese Liebe ist deshalb die Wirklichkeit der ,,neuen Schöpfung" (5,17).

Schließlich sei noch kurz auf das Präskript des Gal verwiesen, das durch zwei bekenntnisartige, traditionelle Aussagen erweitert ist, *Gal 1,1.4*. Gewiß dient die Erwähnung der Auferweckung Jesu primär der Begründung des pln. Apostolats, der in Galatien zusammen mit seinem Evangelium in Zweifel gezogen und bekämpft wurde[205]. Doch stellt die Prädikation Gottes als Vater deutlich die Verbindung zu V.4f her. Demnach hat Gott, der Vater, seinen Heilswillen, den Christus durch seine Hingabe vollzog, in der Auferweckung durchgesetzt; so vermag dieser uns dem gegenwärtigen bösen Äon zu entreißen und Gottes Heilswillen endgültig zu verwirklichen; kraft der Auferweckung und als Auferweckter bringt Jesus seine Hingabe für unsere Sünden zum Ziel. Im auferweckten Herrn Jesus Christus ist uns also Gottes gnädiger Heilswille, den Jesus durch seinen Sühnetod uns zugute erfüllte, eröffnet als unser

---

und in der Gemeinde verwirklicht" (Käsemann, ebd.), ist hier jedoch nicht eigens abgehoben, wenngleich diese Perspektive – wie der Gerichtsgedanke V.10ff zeigt – implizit durchaus gewahrt bleibt.

203 V.9 begründet indirekt auch die Stellung des eschatologischen Richters (V.10ff), insofern sich am Herrn alles auszurichten hat und ihm allein deshalb das Richten zusteht (V.4–8.10–12). Von der Herrschaft Christi her macht es für Paulus also keinen Unterschied, ob Gott oder Christus das Gericht hält, vgl. Thüsing, Per Christum 35f; Käsemann, Röm 356f.

204 οἱ ζῶντες sind also die, welche ,,in der Neuheit des Lebens wandeln", Röm 6,4.11; 8,12f.

205 Vgl. 1Kor 15,3–8; Oepke, Gal 18; Schlier, Gal 28; Mußner, Gal 46

eschatologisches Heil, das nichts anderes ist als der endgültige Erweis der Herrlichkeit Gottes, des Vaters, V.5.

Von dieser letzten Stelle aus kommen jetzt auch alle jene Belege in den Blick, die von der Heilsbedeutsamkeit des Todes Jesu sprechen, ohne die Auferweckung ausdrücklich zu erwähnen. Besonders aufschlußreich ist dafür die Verwendung der Wortgruppe σταυρός κτλ.. Wenn etwa nach Gal 2,19–21 das neue Leben für Gott, das Christus in mir lebt, d.h. die Freiheit vom Gesetz, darin wurzelt, daß ich mit Christus *gekreuzigt* bin, so ist dabei deutlich vorausgesetzt, daß die konkrete Liebe und Hingabe des Sohnes Gottes für mich in den Kreuzestod die Gnade *ist*, die sich mir jetzt in und durch Christus als neues Leben zuspricht. Sein Kreuz ist also in seiner Person als der Gnadenerweis Gottes gegenwärtig zum Heil für jeden, der an ihn glaubt. Diesem ist − wie es 6,14 heißt − durch das Kreuz Christi die Welt „gekreuzigt" (Perf.!), wie er umgekehrt als Gekreuzigter für die Welt erledigt und ihrem Anspruch entnommen ist. Dieses endzeitliche Geschiedensein von der Welt ist die „neue Schöpfung" (6,15), deren Wirklichkeit also genau darin besteht, daß Christi Kreuz existenzwandelnd gegenwärtig ist. Deshalb verkündigt der Apostel in seinem Evangelium zentral „Christus (als) den Gekreuzigten", 1Kor 1,23; 2,2; Gal 3,1. In der Person des erhöhten Herrn ist sein Kreuz bleibend gegenwärtig und enthüllt als der eschatologische Selbsterweis Gottes in und über der gegen ihn verschlossenen Welt, vgl. bes. 1Kor 1−4. Zum Herrn erhöht aber wurde Jesus in der Auferweckung; sie bringt sein Kreuz dadurch zur Vollendung, daß es aufgenommen wird in die Macht Gottes, aus welcher der Gekreuzigte jetzt lebt, 2Kor 13,4. Die Auferweckung bildet insofern den Grund der „Kreuzestheologie" des Apostels.

Mit den besprochenen Beispielen dürfte ein ausreichender Nachweis für unsere These erbracht sein, daß Auferweckung bei Paulus verstanden wird als der In-begriff und die Vollendung der Existenz durch die Aufnahme in das ewige Leben Gottes. Das durch die Auferweckung geschenkte eschatologische Sein ist nicht einfach eine von Gott gewährte „Endstufe" menschlicher Existenz, sondern ihre ewige Präsenz in ihrer (zeitlich-„ethischen") Ganzheit („Vollkommenheit") aus und vor Gott.

Dieser Ansatz ist nun in die folgenden Darlegungen einzubringen und näher zu entfalten. Vorab sollen jedoch kurz einige *Ergebnisse* und erste, im einzelnen noch näher auszuführende Konsequenzen der bisherigen Erörterung formuliert werden, die als Wegmarken für unsere weitere Untersuchung gelten können:

1. Als wichtigstes Ergebnis und Grundlage der folgenden Darstellung können wir festhalten: Der eschatologische Selbsterweis Gottes in der Auferweckung des gekreuzigten Jesus führt den Tod Jesu zu seinem intendierten Ziel; die schlechthinnige eschatologische Bedeutsamkeit des Todes, ja des ganzen „Weges" Jesu wird darin offenbar. Umgekehrt rückt die Auferweckung in den Sinnhorizont des Todes Jesu: sie ist der definitive Durchbruch der Liebe Gottes, des Vaters, seines Heilswillens, den Jesus in seiner Hingabe am Kreuz uns zugute erfüllte, gegen die universale Macht der Sünde und des Todes. Tod und Auferweckung Jesu bilden deshalb zusammen das eschatologische Ereignis der endgültigen Machtergreifung Gottes zum Heil der Welt; der gekreuzigte und auferweckte Herr ist die Wirklichkeit des Eschaton, das Ende und Ziel der Geschichte[206].

206 Auch Nikolainen hebt die Konzentration der eschatologischen Wirklichkeit auf die Person Jesu betont in ihrer Schlüsselstellung für die Auferstehungstheologie des Paulus hervor, vgl. etwa Auferstehungsglauben II 149.149−167 („mystische Deutung"). 171f.177 usw.

2. Daß Christus in Person, die durch seine Geschichte konstituiert und ausgelegt wird, Gottes eschatologisches Herrschertum, sein Wesen verkörpert und als Heil an-wesen läßt, wird durch die Hoheitsprädikate ὁ κύριος und ὁ υἱὸς τοῦ θεοῦ (unter verschiedenem Aspekt) titular zusammengefaßt[207].

3. Hat sich Gott darin eschatologisch geoffenbart, daß er Jesus von den Toten auferweckte, der für uns gestorben war, so stellt die Soteriologie das zentrale Interesse pln. Theologie dar, dem die „Kosmologie" funktional zugeordnet ist. Die Auferweckung der Glaubenden bildet die Vollendung der eschatologischen Selbstmitteilung Gottes in Christus.

4. Mit der Kategorie eines besonderen, nämlich eschatologischen „Zeitcharakters", der den Ereignissen des Todes und der Auferweckung Jesu zukommt[208], ist die Eigenart des Heils Gottes in Christus nicht adäquat erfaßbar, jedenfalls nicht wirklich erklärt. Sie resultiert vielmehr daraus, daß Gott in der Auferweckung Jesus in und mit seiner konkreten, einmaligen Hingabe für uns am Kreuz, ja seiner ganzen Geschichte in seine, d.h. Gottes, eschatologische Lebens- und Ewigkeitsmacht geborgen hat, welche als die „Zeit" des Schöpfers aller Zeit überlegen und gleichzeitig ist. Weil Gott ihn auferweckt hat und sich mit ihm identifiziert hat, umfaßt Jesu Zeit, welche so als Gottes Zeit offenbar ist, alle Zeit des Menschen; in seinem Tod hat er sie „angenommen" und getragen[209]. Deshalb eröffnet sich *in der Person des gekreuzigten Herrn,* der aus der Macht Gottes lebt, seine konkret-einmalige, in Sterben und Auferweckung für uns kulminierende Geschichte, die sein Wesen ausmacht, als die eschatologische Heilszukunft. Deshalb — und nicht wegen einer ungeklärten „eschatologischen" Qualität des Christusereignisses — gewinnt derjenige das endgültige Heil, der Anteil am geschichtlichen Geschehen des Todes und der Auferweckung Jesu hat (nicht nur an seinem Ertrag), das im erhöhten Herrn präsent ist. Die „Formel" ἐν Χριστῷ/ἐν κυρίῳ spiegelt in ihrer vielfältigen Verwendung die eigentümlichen zeitlichen wie sachlichen Strukturen und Dimensionen dieser eschatologischen Heilswirklichkeit Christi.

---

207 Vgl. E. Fuchs, Christus und der Geist bei Paulus. Eine biblisch-theologische Untersuchung (UNT 23), Leipzig 1932, 95: „Im Herrnbekenntnis ist die *Geschichte* des Christus im umfassenden Rahmen der Bewegung des göttlichen Handelns von ihrem Erfolg her auf ihren Erfolg hin entworfen (Phil 2,6–8 vgl. mit Röm 10,9f.)."

208 P. Siber (Mit Christus leben) sieht darin die christologische Grundlage des von ihm nahezu programmatisch in den Mittelpunkt gestellten Teilhabegedankens (vgl. schon II A.3, sowie etwa als besonders instruktives Beispiel die Exegese von Röm 6: 191ff. bes.226); ähnlich spricht U. Luz (Geschichtsverständnis) in seiner Behandlung von 1Kor 15,20ff von einer der Auferweckung Christi gehörenden Zukunft (342.349), ohne diese eschatologische Qualifikation jedoch aus dem christologischen Kerygma selbst abzuleiten.

209 Deshalb kann Paulus in 2Kor 5,14c folgern: „also sind alle gestorben".

5. Diesem Befund dürfte am ehesten die Kategorie der personalen Wesensgeschichte gerecht werden, mit der man auch den Sinn der frühesten, im Formelgut faßbaren Christologie beschrieben hat[210]. Die pln. Briefe lassen erkennen, daß sie auf einem bestimmten Auferweckungsverständnis basiert. Von der Auferweckung der „Heilsperson" Jesu Christi her gilt: „Ihr Wesen bricht durch in ihrer Wesensgeschichte. Ihre Wesensgeschichte sammelt und enthüllt sich in ihrer Wesensperson."[211]

6. Durch die Auferweckung wurde deshalb auch das absolute *zeitliche* Zuvor und extra nos der Heilstat Gottes in Christus zu einem *Wesens*moment des eschatologischen Heils in der Person Christi erhoben („Gnade").

7. Der Erfahrung der Auferweckung entspringt die pln. Konzeption Jesu als des „Schicksalsträgers"[212]. Dabei handelt es sich um eine Projektion der eschatologischen Wirklichkeit Jesu in die christliche Existenz, die deshalb unter dem „Gesetz Christi", seines Todes und seiner Auferweckung, steht und dieses „austrägt", weil sie von Christus in seinem Geschick getragen wurde. Auch die Auferweckung (das ewige Leben, die Verherrlichung) des Christen muß von daher als Vollendung der in Christus neu gegründeten Existenz durch Gott interpretiert werden[213].

8. Diese aus den pln. Texten eruierte Auferweckungskonzeption steht m.W. ohne religionsgeschichtliche Parallele da. Mit dem frühjüdischen Auferweckungsverständnis insgesamt teilt sie zwar die prinzipiell eschatologische Ausrichtung, die ja schon die urtümliche Auferweckungsformel entscheidend prägte. Wie bei dieser ist die Auferweckung Jesu aber auch hier weder als Lohn des Gerechten (Märtyrers) noch als Ermöglichung von Lohn oder Strafe, d.h. des Gerichts, verstanden. Abgesehen davon, daß die Auferweckung im Frühjudentum — wie wir sahen — nicht in derselben Exklusivität wie bei Paulus die entscheidende eschatologische Aktion Gottes bezeichnet, fehlt dort auch der Gedanke der Vollendung der Existenz zur Vollkommenheit durch Auferweckung, welche die Geschichte eines Menschen als ganze in Gottes Lebensmacht sammelt.

210 Schlier, Anfänge 46ff.

211 Schlier, Anfänge 47.

212 Vgl. Käsemann, Röm 133f.153. Man kann diesen Sachverhalt (in verschobener Perspektive) auch mit dem Stichwort „Teilhabe" erfassen (s.o. Anm. 208).

213 Dies entspricht — wie später zu zeigen sein wird — strukturell der Konzeption vom „Wandel" zur Vollkommenheit und Untadeligkeit „bei der Parusie", wie sie etwa in 1Thess und Phil vorliegt.

b) Auferweckung und Tod Jesu

Wollen wir dieses, nunmehr in seinen Ansätzen geklärte Verständnis der Auferweckung Jesu weiter vertiefen, gilt es im Sinne des Paulus, ihr Verhältnis zum Tod Jesu näher zu entfalten. Wir knüpfen hierbei Schritt um Schritt an unsere Darlegungen über den Tod Jesu und seine eschatologische Bedeutsamkeit an. Auf diesem Weg versuchen wir, den christologischen Gedanken des Apostels möglichst zu präzisieren und speziell in seinem Konnex mit der Eschatologie aufzuhellen.

(1) Besiegelung des Gerichts über die Sündenmacht

Wir sahen, daß der Tod Jesu bei Paulus in frühjüdischem Horizont als eschatologisches Gericht Gottes über die Sündenmacht interpretiert worden ist (Röm 8,3). Jesus hat in seinem Tod unsere Sünden, die Feindschaft der Welt gegen Gott, gehorsam auf sich genommen. In diesem — von außen gesehen — schändlich-sinnlosen Sterben am Verbrecherkreuz konzentrierte und offenbarte sich die Sünde in ihrer äußersten („eschatologischen") Unheils-Gewalt (2Kor 5,21). Christi Kreuz ist das unverrückbare Zeichen des Fluches Gottes über die Sünde (Gal 3,13).

Indem er Jesus von den Toten erweckte, hat Gott diesem seinem Gericht über die Sündenmacht Endgültigkeit verliehen, damit aber neues Leben in der Freiheit von der Sünde aufbrechen lassen. Denn in der Auferweckung Jesu wurde die eigentliche Mächtigkeit der Sünde gebrochen, der Tod, welcher im Tod Jesu seine Macht in unüberbietbarer Weise ausspielte. Nur wenn und wo dem Tod die Herrschaft genommen wird, ist auch die Sünde überwunden und Befreiung von ihrem Verhängnis möglich. Denn der Tod ist es, welcher der Sünde ihre versehrende Mächtigkeit verleiht, wie umgekehrt jede Sünde auf ihn zielt. Gewiß „befreit" der Tod von der Sünde, sofern er den Menschen dem Verfallensein an das Sündigen entnimmt (Röm 6,7; vgl. 7,1ff); aber er besiegelt damit nur ihr unentrinnbares Unheilsverhängnis. Wäre Jesus im Tod geblieben, so wäre sein Kreuz im Rahmen des pln. Denkens die eschatologische Etablierung des Todes als des Herrn der Welt. Gott, der seinen Sohn sandte „in der Gestalt des Sündenfleisches", um der „Sünde im Fleisch" das Gericht zu bereiten (Röm 8,3), wäre an seinem „letzten Feind" (1Kor 15,26) gescheitert. Die Macht des Schöpfers wäre der nichtenden Eigen-Macht seiner Schöpfung unterlegen. Gott wäre als Gott definitiv widerlegt. Doch in der Auferweckung des gekreuzigten Jesus hat Gott endgültig — in der und gegen die ihm feindliche Welt — erwiesen, daß er allein Gott ist[214]. In und aus dem Tod hat er sein eschatologisches Leben anbre-

---

214 Insofern steht in der Tat hinter der pln. Auferstehungstheologie „die apokalyptische Frage, wem die Weltherrschaft gehört" (Käsemann, Apokalyptik 129; vgl. Luz, Geschichtsverständnis 351f); sie ist freilich radikal christologisch und deshalb prinzipiell soteriologisch gestellt und beantwortet. Vgl. weiter unten S. 144ff.

chen lassen. Der Tod hat nicht das letzte Wort behalten, sondern wird als der letzte Feind endgültig vernichtet werden, wenn der „Sohn" endgültig die Herrschaft an den Vater übergibt, „damit Gott alles in allem ist" (1 Kor 15,26—28).

So sehen wir: Die Auferweckung des Gekreuzigten ist als die Besiegelung des Gerichtes über die Sündenmacht in seinem Tod die Inauguration der eschatologischen Herrschaft Gottes.

(2) Eröffnung der Freiheit von der Sündenmacht im Geist

In der Auferweckung von Gott bestätigt und erfüllt, ist der Tod Jesu „für unsere Sünden" zum „Ort" der Freiheit von der Sündenmacht geworden. Die Auferweckung Jesu ermöglichte die Zueignung seines Todes, der von der Sünde befreite, vgl. 1 Kor 15,17; Röm 6,1—11, und eröffnete damit die Rechtfertigung, Röm 4,25. Denn sie war der Einbruch des lebenschaffenden Geistes Gottes in diese Welt der Sünde und des Todes, *Röm 8,1—11*. Der Geist ist die Wirklichkeit des Lebens Gottes selbst, V.2, vgl. 1 Kor 2,10ff[215], das uns in den Frieden mit Gott stellt, Röm 8,6[216]; im Geist ist also die Feindschaft des „Fleisches" gegen Gott überwunden, V.7, vgl. 5,5:6ff, die Sünde erledigt. Gott hat seinen Geist, jene Gabe endgültigen Lebens und Friedens, aber in Christus der Welt eröffnet. Sein gehorsames Tragen des Gottesgerichtes über die Sünde im Fleisch (V.3) erwies sich in der Auferweckung als der Aufgang eschatologischen Lebens „aus dem Tode". „Der Geist dessen, der Jesus von den Toten auferweckte" (V.11a), ist deshalb der „Geist Christi" (V.9, vgl. Phil 1,19), in welchem sich Christus in seiner Gehorsamstat als die Befreiung von Sünde und Tod zu gegenwärtiger Erfahrung erschließt (V.2)[217]. Kraft seines eschatologischen Lebens im Geist, in den er mit der Auferweckung aufgenommen worden ist, bestimmt er den Glaubenden im Innersten[218], daß dieser ihm gehört (V.9)[219], so der Sündenmacht gestorben ist (V.10) und für die Gerechtigkeit lebt (vgl. V.10; 6,12ff), indem er nach Maßgabe

---

215 Zum Geist als der eschatologischen Lebensmacht vgl. weiter Röm 8,13; 1 Kor 15,45; 2 Kor 3,3.6; 4,12.13; Gal 5,25; 6,8; dazu unten S. 215ff sowie etwa Kabisch, Eschatologie 110—134.188—212; Bultmann, Theologie 155—166.335—340; Schweizer, ThWNT VI 413ff; Kuss, Röm 540—595; E. Käsemann, Der gottesdienstliche Schrei nach der Freiheit, in: ders., Paulinische Perspektiven 211—236; ders., Röm 202f.203ff; zum religionsgeschichtlichen Problem vgl. vor allem Brandenburger, Fleisch und Geist.

216 Vgl. Röm 5,1:5; 14,17; auch Gal 5,22; Eph 4,3.

217 Vgl. 2 Kor 3,17; 1 Kor 6,17; 15,45; dazu: Hermann, Kyrios und Pneuma bes. 38—66; Schweizer, ThWNT VI 431—433 sowie unten S. 218ff. Zum Verhältnis von Pneumatologie und Christologie bei Paulus vgl. auch Vos, Pneumatologie bes. 145 f.

218 Im „Herzen", vgl. Röm (2,29) 5,5; (8,27) 2 Kor 1,22; 3,2f.(15); Gal 4,6; vgl. Eph 3,17.

219 Vgl. Röm 14,8; 1 Kor 1,12; 3,23; 15,23; Gal 3,29; 5,24; negativ: 1 Kor 6,19:17.

und unter Führung des Geistes die „Rechtssatzung des Gesetzes" erfüllt (V.4)[220]. Wer aber solchermaßen durch den Geist Gottes in das eschatologische Leben Christi für Gott einbezogen ist, der steht – da der Leib (seit der Taufe) tot ist im Hinblick auf die Sündenmacht (V.10)[221] – unter der Macht eschatologischer Totenauferweckung. In dieser wird sich die Heilstat Gottes in Christus, die Entbindung des Geistes in der Auferweckung Jesu zu Freiheit von Sünde und Tod, an uns leiblich vollenden (V.11).

Wegen der „heilsgeschichtlichen" Identifizierung des Geistes mit Christus, deren Wurzeln wir in der Auferweckungserfahrung vermuten[222], bildet auch nach dieser Stelle die Auferweckung Jesu Begründung und Bürgschaft für unsere künftige Auferweckung[223]. In der Macht des Geistes ist Christus die alleinige und umfassende Wirklichkeit unseres neuen Lebens, sein Anfang (Gal 3,3), seine gegenwärtige existentielle „Dynamik" ($\kappa\alpha\tau\grave{\alpha}$ $\pi\nu\epsilon\tilde{\upsilon}\mu\alpha$ $\pi\epsilon\rho\iota\pi\alpha\tau\epsilon\tilde{\iota}\nu$ usw., vgl. Röm 8,4.13f; Gal 5,16.18.24f u.a.), seine Vollendung (vgl. 1Kor 15,45; Gal 6,8).

Wir dürfen festhalten: Die Auferweckung Jesu bringt seinen Sühnetod „für unsere Sünden" zur Erfüllung und erschließt seine darin gewonnene Freiheit von der Sündenmacht im Geist als das eschatologische, neue Leben im Frieden mit Gott, das sich in der Auferweckung der Glaubenden vollendet.

(3) Der eschatologische Sieg der Liebe Gottes in seinem Sohn Jesus Christus

Daß Gott durch die Sendung seines Sohnes und dessen Gehorsam bis in den Tod, in welchem dieser den Willen des Vaters erfüllte, die Freiheit von der Sünde durchgesetzt hat (die im Geist Christi allen Menschen als neuer Lebensraum eröffnet ist) – dieser eschatologische Selbsterweis Gottes im Tod Jesu uns zugute kann letztlich nur als seine Liebe adäquat beschrieben werden. Mit dem traditionellen $\dot{\upsilon}\pi\grave{\epsilon}\rho$ $\dot{\eta}\mu\tilde{\omega}\nu$ deutet Paulus (mit seiner Tradition) in ursprünglicher und umfassender Weise den Sinn des Sterbens Jesu am Kreuz: es war das Ereignis der Liebe Gottes in der Hingabe Christi.

In der Auferweckung hat Gott die gehorsame Liebe Christi bis in den Kreuzestod angenommen und gerechtfertigt, ihren eschatologischen Anspruch eingelöst. So ist die Auferweckung Jesu von den Toten der letzt-entscheidende, siegreiche Durchbruch der Liebe Gottes in seinem Sohn in und zu dieser Welt, die in Sünde und Tod gegen ihn verschlossen ist[224].

220 Dieses „ethische" Moment, vgl. Röm 2,26:29; 8,12f; Gal 5,16ff.22f; 6,7ff usw., läßt sich m.E. nicht durch den Hinweis auf das Passiv des Verbs und die Betonung der abschließenden Partizipialwendung wegdiskutieren, geg. Käsemann, Röm 208.

221 Vgl. etwa Käsemann, Röm 214.

222 Vgl. Hermann, Kyrios und Pneuma 61f.

223 Geg. Kuss, Röm 505; Spörlein, Leugnung 161.

224 „Ist der Tod Jesu Christi in diesem Licht zu sehen, nämlich als Tod der Liebe, die uns vergibt und darin geborgen sein läßt, dann ist seine Auferstehung der Erweis der todesüberlegenen Macht dieser Liebe." (Schlier, Bedeutung 139).

Nach *Röm 8,34* kam die Liebe Christi, welche ist „die Liebe Gottes in Christus Jesus unserem Herrn" (8,39), dadurch zu ihrer eschatologischen Heilsmächtigkeit, daß Christus Jesus, der starb, auferweckt wurde. Mit $\mu\tilde{\alpha}\lambda\lambda o\nu\,\delta\acute{e}$ charakterisiert der Apostel[225] die Hingabe des Sohnes durch Gott für uns (V.32) natürlich nicht funktional als in der Vergangenheit „zurückgelassene" Stufe im Heilsgeschehen, sondern hebt betont hervor, daß erst die Auferweckung die Liebestat Christi am Kreuz in ihrem eschatologischen Anspruch[226] durchsetzte und vollendete. Weil der Gekreuzigte auferweckt wurde, ist seine Liebe[227] jene Macht, von der uns keine Macht der Welt loszureißen vermag, die uns vielmehr aus allen tödlichen Anfechtungen und Gefahren als Sieger hervorgehen (V.35–39) und so die eschatologische Doxa mit Christus (V.29f) gewinnen läßt. Denn Auferweckung bedeutet als Inthronisation zur Rechten Gottes[228], daß Jesu Hingabe *für uns* im Tode aufgenommen und vollendet ist im Leben Gottes, so daß er als der Erhöhte „*für uns* eintritt"[229]. Er, „der uns geliebt hat", ist also kraft der Auferweckung mit seiner Liebe bei Gott und eröffnet uns diese bzw. sich selbst in seiner Liebe als das eschatologische, alles Unheil definitiv überwindende Heil der Herrlichkeit Gottes selbst.

Auch in Röm 5,5ff; 2Kor 5,14f (und Gal 2,20) bezeichnet Paulus die gegenwärtig (im Geist) als „Leben" erschlossene Hingabe Christi für uns in den Tod als die eschatologische Heilsmacht der Liebe Gottes bzw. Christi[230]. Von dieser spricht der Apostel also nie einfach isoliert im Blick auf das Kreuz Jesu, sondern stets von der Erfüllung her, die dieser Tod für uns im Leben Gottes gefunden hat[231]. Liebe wird damit zum umfassenden Index der eschatologischen Heilswirklichkeit in Christus. Dadurch daß Gott sich in der Auferweckung mit Jesus identifiziert hat, wird nicht nur die Hingabe Christi als *Gottes* Heilstat offenbar, sondern damit Gott selbst als Liebe ausgelegt; der erhöhte Herr verkörpert Gott in seiner Liebe[232] als unser Heil. „In Christus" ist also

225 Vgl. Käsemann, Röm 237; Michel, Röm 216.

226 Vgl. V.31f, wo V.18–30 kerygmatisch prägnant zusammengefaßt ist.

227 Gemeint ist die Liebe in seiner Hingabe, seinem Tod, vgl. den Aor. $\acute{o}\,\dot{\alpha}\gamma\alpha\pi\acute{\eta}\sigma\alpha\varsigma$ in V.37, dazu Gal 2,20 sowie Röm 5,5:6–8

228 Der Rückgriff auf den „messianischen" Ps 110,1 (sonst nur noch – in ähnlicher Funktion! – 1Kor 15,25) läßt auf die Vertrautheit des Apostels mit entsprechender urchristlicher Tradition schließen, vgl. oben Anm. 103 und unten Anm. 305, die jedoch ansonsten keine entscheidende Rolle für seine Christologie spielt.

229 Vgl. Hebr 7,25: „Daher kann er auch für immer diejenigen retten, die durch ihn zu Gott kommen, weil er allezeit lebt, um für sie einzutreten." 1Joh 2,1; vgl. noch Röm 8,26, wonach „der Geist für uns eintritt".

230 Vgl. E. Stauffer, Art. $\dot{\alpha}\gamma\alpha\pi\acute{\alpha}\omega\,\kappa\tau\lambda.$, in: ThWNT I 20:55.49f.

231 Für Paulus ist es offenbar unmöglich, weil unsinnig, ohne den Glauben an die Auferweckung Jesu von der Liebe oder „Mitmenschlichkeit" Jesu zu sprechen; die Vorbildlichkeit des „historischen Jesus" steht also nie in sich selbst, gleichsam auf menschlicher Ebene (2Kor 5,16), sondern resultiert aus der Auferweckungstat Gottes, vgl. auch 1Kor 15,14.17–19.29–34.

232 Von der Auferweckung her ist es also nicht möglich, die Bedeutung des Todes Jesu bei Paulus auf das nackte Daß und Paradox eschatologischen Gotteshandelns zu reduzieren; Tod und Auferweckung Jesu stehen für Paulus vielmehr unter dem Zeichen des „Für uns" Gottes, legen also Gott in Christus als Liebe aus, vgl. S. 46 Anm. 90.

das Eschaton als Liebe definiert[233]. „Wenn Gott für uns ist, wer ist gegen uns? " (Röm 8,31)[234].

Diese eschatologisch siegreiche Liebe Gottes wird als solche darin offenbar, daß Gott uns sein eschatologisches Heil im gekreuzigten Christus schon jetzt als neue Existenz erschließt und uns „in ihm" gegen alle Anfechtungen bis zu seiner Parusie bewahrt[235]. Dies geschieht im Zuge der Auferweckung.

Die *Erscheinungen* des auferweckten Herrn haben für Paulus nicht nur die Funktion, das Auferweckungsgeschehen in seiner Faktizität zu bestätigen und zu be-glaubigen, sondern sie begründen vor allem den *Apostolat* und das *Evangelium*, damit aber den rettenden Glauben, 1Kor 15,1–11; vgl. 9,1; 2Kor 4,6. Nach Gal 1,15f.12 hat Gott seinen Sohn – in Vorwegnahme der eschatologischen Offenbarung[236] – dem Apostel geradezu als das Evangelium enthüllt[237], so daß Gottes Sohn, in seinem Tod und seiner Auferstehung[238], in der Verkündigung des Apostels unter den Menschen präsent wird „zur Rettung für jeden, der glaubt" (Röm 1,16). In dieser Offenbarung brach die eschatologische Herrlichkeit des Schöpfers in der Person Christi in das Herz des Apostels ein (2Kor 4,6) und erstrahlt nun im „Evangelium der Herrlichkeit Christi, der das Bild Gottes ist" (4,4). So wirkt Christus durch den Apostel „zum Gehorsam der Völker, in Wort und Werk, in Macht von Zeichen und Wundern, in der Macht des Geistes" (Röm 15,18f). Die Auferweckung Jesu war ja – wie wir schon sahen – wesentlich die endzeitliche Entbindung des *Geistes*; in ihm bemächtigt sich der gekreuzigte Herr der Glaubenden, vgl. Röm 5,5; 8,10(:1–9), stellt sie existentiell unter das Gesetz seines Todes und seiner Auferweckung, Röm 6,1ff; 7,4–6; 2Kor 4,13f, und führt sie so zur Vollkommenheit des ewigen Lebens in seiner Gemeinschaft, was eine Verwandlung in seine himmlische Eikon, den Empfang des Geist-Leibes impliziert, 1Kor 15,44–46; 2Kor 5,5. Der Geist ist die Macht der geschichtlichen Anwesenheit des neuen, von der Sünde freien Lebens in Christus, weil die Dynamik seiner alles umfassenden, siegreichen Liebe. In der unaufhaltsam andringenden und auf das Ende hin durchdringenden Präsenz des Geistes wird der Sieg der Liebe Gottes in Christus über Sünde und Tod in der Welt offenbar und zur letzten Wirklichkeit erhoben.

---

233 „Sie ist die Richtung des souveränen Gotteswillens auf die Menschenwelt und ihre Rettung", Stauffer, aaO. 50.

234 Vgl. A. Grabner-Haider, Auferstehung und Verherrlichung. Biblische Beobachtungen, in: Conc(D) 5 (1969), 29–35.31: „In der Auferstehung enthüllt und erfüllt sich die verborgene Lebensmacht des Kreuzes, des Daseins-für-andere, der Liebe ... In Jesu Sterben-für-uns erscheint der Tod getötet, in seinem Dasein-für-andere geht uns sein Leben als Liebe auf. Darin nämlich wird sich Gottes Herrschaft vollenden, daß alle zu Jesu neuem Leben kommen. In der weltweiten Auferstehungswirklichkeit Christi wird sich Gottes Zukunft verwirklichen."

235 Vgl. einerseits 2Kor 5,14f; Gal 2,20, andererseits Röm 5,5–8:9–11; 8,35–39.

236 Vgl. Schlier, Gal 47f.54f; Stuhlmacher, Evangelium I 76–82; jetzt besonders Kertelge, Apokalypsis 275: „... die auf seinen Beruf bezogene Verlängerung der *einen* in Christus vorweggenommenen eschatologischen Selbstmitteilung Gottes."

237 Vgl. die sprachlich harten Wendungen καταγγέλλειν, κηρύσσειν τὸν Χριστόν o.ä., 1Kor 1,23; 2Kor 1,19; 4,5; Phil 1,17; Kol 1,28 u.a., sowie zum Ganzen: H. Schlier, Die Stiftung des Wortes Gottes nach dem Apostel Paulus, in: ders., Das Ende der Zeit 151–168.

238 Vornehmlich in diesem Kontext taucht der Titel bei Paulus auf: Röm 5,10; 8,3.32; Gal 2,20; 4,4. S.o. S. 56.

Diese summarischen Hinweise lassen jedenfalls deutlich erkennen, daß die Auferweckung für Paulus die geschichtliche Wirksamkeit und Erfahrbarkeit des Christusereignisses begründet. Aufgenommen und vollendet in Gottes ewigem Leben, erschließt sich Christus, der als Gekreuzigter der Herr der Herrlichkeit (1Kor 2,8), Gottes Eikon (2Kor 4,4) ist, aus dem unergründlichen Geheimnis Gottes heraus in die Geschichte hinein (ἀποκάλυψις) und läßt die Menschen in seiner Person das göttliche Geheimnis erfahren als das neue Leben schlechthin, dem die Herrlichkeit bereitet ist (1Ko r 2,7)[239]. Im Geist Gottes, in den der Gekreuzigte von Gott geborgen wurde, wird uns somit Christi Zeit, mitten in der Welt-Zeit als das Ende der Zeit und darin als die Zeit des Heils gewährt[240]. „Siehe, jetzt ist die willkommene Zeit, siehe, jetzt ist der Tag des Heils" (2Kor 6,2). In dieser mit der Auferweckung Jesu angebrochenen „Zeit des Geistes" geht Gott selbst durch den Apostel und sein Evangelium die der Sünde verfallene Welt beschwörend an, doch seine in Christus gnädig zuvor geschaffene Versöhnung als das Heil anzunehmen (2Kor 5,18–6,2). Denn erst da, wo Menschen glaubend Jesus als den Herrn bekennen, den Gott von den Toten auferweckt hat (Röm 10,9) wo sie, in Christus mit Gott versöhnt, „neue Schöpfung" sind (2Kor 5,17), ist Gottes Liebe in der Hingabe seines Sohnes (vorläufig) zum Ziel gekommen.

Gott handelt in Christus also nicht gegen und ohne uns, sondern radikal „für uns"[241]. Gerade die Auferweckungstat an Jesus erweist das, da sie, das Ereignis des eschatologischen Selbsterweises Gottes, nicht apokalyptisch das Vergehen des alten und die Offenbarung des neuen Äons setzte, sondern mitten in der Geschichte die Welt darin vor ihr Ende stellte, daß im erhöhten Herrn die göttliche Lebensmacht des Geistes als das eschatologische Heil (anfanghaft) erschlossen wurde. Obwohl die Auferweckung Jesu also „das Ende der Äonen" (1Kor 10,11) ist, ist sie nicht der Abbruch der Geschichte, sondern der *Aufgang neuer Geschichte,* nämlich der *letzten Entscheidungszeit zum Heil,* weil der Anbruch der unüberholbaren Zukunft der Welt im gekreuzigten Herrn. Das Ende, die Vernichtung des Alten, ist im gekreuzigten und auferweckten Herrn zum Ort und Beginn des eschatologisch Neuen geworden und greift deshalb mitten in der Geschichte Platz, indem es die Menschen in die letzte Entscheidung für oder gegen Christus, den Gekreuzigten, stellt und sie so scheidet in σῳζόμενοι und ἀπολλύμενοι (1Kor 1,18; 2Kor 2,14–16; 4,3f).

Nur eine streng christologische Interpretation kann diese pln. Sicht der eschatologischen Wirklichkeit unverkürzt durchhalten; eine Interpretation nämlich, die Tod und Auferweckung Jesu als die eschatologische Selbstent-

---

239 Vgl. Röm 5,2; 8,17ff; Phil 3,21 usw.

240 „ ... daß eine neue Geschichte, und zwar eine konkrete Endgeschichte, die Geschichte der Auferstehung Christi von den Toten, als Geschichte in diese unsere Geschichte, die damit ihrem Ende begegnet ist und ihr Ende in sich trägt, eingebrochen ist": Schlier, Hauptanliegen 152; vgl. ders., Ende bes. 74ff.

241 Geg. Käsemann, Röm 208 u.ö.

hüllung Gottes als Liebe versteht[242] : in seinem Sohn „hat" Gott für die Welt „Zeit". Die apokalyptische Perspektive — mag sie sich im einzelnen auch noch so sehr aufdrängen — ist damit im Ansatz preisgegeben bzw. selbst unterfangen und modifiziert vom Christusereignis; sie kann deshalb nicht das leitende Interesse pln. Theologie markieren[243] .

(4) Gegenwart und Zukunft

Von hieraus muß m.E. auch das Problem des Verhältnisses von Gegenwart und Zukunft in der pln. Eschatologie angegangen werden[244] . Wir haben schon gesehen, daß Paulus in Röm 5 das Wesen der Liebe Gottes darin erkennt, daß Christus, „als wir noch Sünder waren", für uns starb (5,8). Das extra nos des Heilstodes Christi ist Offenbarung der souveränen *Liebe* Gottes (und nicht nur seiner Schöpfermacht), einer Liebe, die so groß ist, daß sie nur durch Gott selbst, im Leben seiner „Herrlichkeit", eingelöst werden kann. Mit der Auferweckung Jesu erfüllte Gott diesen Anspruch; die Liebe Gottes zu seinen Feinden hat sich darin ja in der Tat als das eschatologische Leben erwiesen, freilich erst für die Person Jesu Christi. „In Christus" steht sie aber auch „für uns" offen und greift nach unserem Leben, um es endgültig vor dem Zorngericht in sein eschatologisches Leben hinein zu retten (5,9f). Erst dann wird Gott seine Liebe in Christus vollendet offenbart und durchgesetzt haben. Die *Geschichtlichkeit* des eschatologischen Ereignisses von Tod und Auferweckung Jesu ist, weil *Offenbarung der Liebe Gottes*, somit der entscheidende Grund für die eigentümliche Spannung, die zwischen der Gegenwart des eschatologischen Heils „in Christus" einerseits und seiner künftigen Vollendung bei der Ankunft Christi andererseits besteht und die Endzeit im ganzen prägt. Das dokumentiert sich namentlich in der Existenz des Glaubenden, die in der konkret-zeitlichen Ausrichtung auf die Parusie das neue Leben je tiefer aneignen muß.

242 Vgl. Schlier, Bedeutung 142–146.142: Die Welt „ist von Gott eingeholt und wird das nie überholen. Das Endgültige, der gekreuzigte und von den Toten erweckte Jesus Christus, hat *sie* schon ein für allemal überholt. Das unglaubliche Futurum ist zum Präsens geworden und hat, ob die Welt es will oder nicht, ein für allemal die Frage gestellt. Die kritische Liebe Gottes ist Weltereignis geworden."

243 Ähnliches gilt für die einseitige „heilsgeschichtliche" Sicht O. Cullmanns (Christus und die Zeit; Heil als Geschichte). Die grundlegende These eines göttlichen Heilsplanes, welcher universale Heilsgeschichte (im Sinne einer „fortlaufenden Heilslinie") konstituiert, erlaubt es gerade nicht, die radikale Konzentration des Eschaton auf Person und Geschick Jesu Christi *mit* der gleichwohl noch fortlaufenden und auf dieses Ende (das Jesus Christus ist!) zulaufenden (Heils-)Geschichte zusammenzudenken, sondern löst diese Spannung auf in ein (qualifiziertes) Vorher und Nachher der heilsgeschichtlichen Gesamtlinie. Die „Bezogenheit auf das Christusgeschehen der Mitte", welche alle Heilsereignisse als solche qualifiziert, definiert umgekehrt den eschatologischen Charakter des Christusgeschehens notwendig durch seine „Bezogenheit" auf den (von Ewigkeit her feststehenden) göttlichen Heilsplan, d.h. reduziert ihn auf seinen „Stellenwert" innerhalb der linearen Abfolge der umfassenden Heilsgeschichte.

244 Vgl. Stuhlmacher, Gegenwart und Zukunft; auch Cullmann, Heil als Geschichte 147–165; Luz, Geschichtsverständnis 359–402.

Die für die Lösung *P. Stuhlmachers* konstitutive Konzeption des Kommens Gottes, d.h. der „Prolepse" des Eschaton in Christus und dem apokalyptischen Wortereignis des Evangeliums denkt hingegen die Gegenwart des Heils von der eschatologischen Zukunft, und d.h. im vorausgesetzten apokalyptisch-kosmologischen Horizont (2-Äonenlehre): von Gott selbst her, der — wie schon immer im „Heil und Geschichte schaffenden Walten" seines Schöpferwortes (Gegenwart und Zukunft 431 A.18) — so jetzt endgültig in Christus bzw. dem Evangelium auf die Welt zukommt, um sie seinem Recht zu unterwerfen, das in der Verherrlichung des Schöpfers besteht: „Die paulinische Eschatologie ist eine proleptische und darin (!) christologische Eschatologie."(449). Christologie wird also augenscheinlich als bestimmte Funktion in einem zuvor konzipierten apokalyptisch-heilsgeschichtlichen Drama verstanden, nämlich als das „Vorlaufen" der ewig zuvor definierten absoluten Zukunft Gottes, seiner Wahrheit, des neuen Äons, in diese der Sünde und dem Tod verfallene Welt; diese proleptische „vorzeitige christologische Selbstauslegung Gottes" (443), „der mit seiner Gnade in Christus aller Geschichte schon ein für allemal voraus ist" (440), ist die definitive Inkraftsetzung seiner Verheißungen, da ja „die Zeit im ganzen ... von Paulus als Wort des kommenden Gottes erfahren (wird)" (441; vgl. 431 A.18); daher ist das Christusereignis erst der Beginn, die Herrschaft Christi im Himmel und entsprechend das christologische Epiphaniegeschehen des apostolischen Evangeliums auf Erden die eigentliche Durchführung jener „doxologischen" Aktion der Heimholung der Schöpfung zu ihrem Schöpfer (vgl. die Betonung des Kampfmotivs, dazu unten Anm.328), die neue Schöpfung ihr eigentliches Ziel. „Das In- und Miteinander von Heilsansage und Heilserwartung ist ja nur die 'Innenschau' der apokalyptisch-kosmologischen Vorstellung, daß sich in der letzten Zeit vor dem Ende neuer und alter Äon sowohl zeitlich wie räumlich in- und übereinanderschieben" (444), zusammengehalten und getragen vom geschichtsmächtigen, schöpferischen Wort Gottes.

Hier ist nicht der Ort, in eine Auseinandersetzung über diese Sicht des pln. Zeit- und Geschichtsverständnisses einzutreten[245]. Es soll auch keineswegs bestritten werden, daß Paulus Theologie im Rahmen eines (heilsgeschichtlichen) Gesamtentwurfs treibt[246]. Mir scheint es indes fraglich, ob man aufgrund der Konstatierung atl. autorisierter, apokalyptischer Begrifflichkeit in Verbindung mit der Darstellung des pln. Berufungsgeschehens (1Kor 9,16f(?); Gal 1,12—17: 429; vgl. eingehend: Evangelium I 71f.76—82) schon berechtigt ist, das proleptische Kommen Gottes im Wort zum Oberbegriff und Horizont nicht nur des Evangeliumsverständnisses, sondern der gesamten eschatologischen Verkündigung des Apostels einschließlich seiner Christologie zu erheben. Solche Funktionalisierung der Christologie im Zeichen eines apokalyptisch-kosmologischen Ansatzes und angeblichen Zentralinteresses pln. Theologie (vgl. Gerechtigkeit Gottes 209: „Christologie nur im Dienste der Gottesgerechtigkeit") müßte zumindest an christologischen Haupttexten wie Röm 5 und 2Kor 5,14ff konkret nachgewiesen werden, was m.E. kaum gelingen dürfte. Denn die Theologie des Paulus setzt — so meine ich festhalten zu müssen — insgesamt (und damit auch seine Eschatologie, sein Schöpfungsgedanke und Geschichtsverständnis) bei der Erfahrung Christi, seines Todes und seiner Auferstehung, an und dient ihrer Auslegung (Phil 3,7ff; Gal 2,15—21:1,11ff; 1Kor 15,3—5: 12ff usw.); dieses konkrete, menschlich-geschichtliche „Für uns" Gottes in Christus (von dem Paulus im Anschluß an das Kerygma ganz unapokalyptisch zu sprechen pflegt) ist die absolute Zukunft Gottes. Es geht dem Apostel nicht einfach um das Zu-seinem-Recht-Kommen Gottes, sondern prinzipiell um die konkrete „Gestalt", in der sich Gott

---

245 Vgl. dazu Luz, Geschichtsverständnis 398f.

246 Vgl. Stuhlmacher, Gegenwart und Zukunft 434—443; anders Luz, Geschichtsverständnis z.B. 262ff.400—402.

in Christus als das eschatologische Heil ausgelegt hat: seine Liebe in der Hingabe Jesu ist sein Recht und nichts anderes. In Christus ist deshalb auch die eschatologische Zukunft vorweggenommen, und diese ist nichts anderes als die vollendete Christusherrschaft[247]. Pointiert könnte man sagen: Christus in seinem konkreten Geschick ist das endgültige Kommen Gottes selbst (und zieht damit alle vorherigen Weisen des Kommens Gottes in sein Licht). Jedenfalls lassen die christologischen Aussagen des Apostels nirgends die von St. als „sicher" angenommenen apokalyptischen „kosmologischen Voraussetzungen" (444) erkennen. I.ü. kann man fragen, ob der vorausgesetzte apokalyptische Äonendualismus nicht ein volles „proleptisches" Eingehen der eschatologischen Zukunft in die Geschichte verhindert (das Paulus doch offenbar — christologisch — aussagen will), da Geschichte als solche ja der radikale, ausschließende Gegensatz des Eschaton ist. Auch die gegenwarts-eschatologischen Aussagen der qumranischen Hodajoth (427.444 mit Berufung auf H.-W. Kuhn, Enderwartung und gegenwärtiges Heil (StUNT 4), Göttingen 1966) bilden da insofern keine Ausnahme, als sie anthropologisch orientiert sind und auf der Linie des esoterisch-radikalisierten Erwählungsbewußtseins der Qumrangemeinde liegen (Tempelvorstellung, Gemeinschaft mit den Engeln); sie kommen somit höchstens als Anschauungshintergrund für die „dialektische" Auslegung christlicher Existenz in Frage, zumal diese Aussagen mit guten Gründen auch anders gedeutet werden können[248], ein apokalyptisch-kosmologisches oder gar universal-geschichtliches Interesse spiegeln sie jedenfalls schwerlich wider.

Wir können also festhalten: Daß Gott durch die Auferweckungstat am gekreuzigten Jesus die absolute Zukunft als die Macht seiner Liebe zu seiner Schöpfung enthüllte, die im konkreten Geschick der Person Jesu Christi geschichtliches Ereignis wurde, erweist sich gerade darin, daß es jetzt schon in der Herrschaft dieses Jesus Christus gegenwärtig ist, der alles dadurch zur Vollendung führt, daß er es in sein konkretes Geschick einbezieht. Tod und Auferweckung Jesu sind die Signatur der Endzeit.

(5) Das Menschsein Jesu

Von der Auferweckung aus kommt somit endlich auch die grundlegende Bedeutung des Menschseins Jesu überhaupt in den Blick. Weil das eschatologische Heil in diesem einen Menschen, der sich für uns dahingab in den Kreuzestod, begegnet, wird es „menschlich" erfahrbar als Gewähr einer neuen, letzten Entscheidungszeit. Das Menschsein Jesu ist insofern der präzise Ausdruck dafür, daß Gott sich eschatologisch als Liebe geoffenbart hat. In dieser soteriologisch-eschatologischen Ausrichtung spricht Paulus jedenfalls von der Menschwerdung des Präexistenten[249]. Weil und indem er Mensch wurde, übernahm der Sohn Gottes unsere Armut (2Kor 8,9), unsere Knechtschaft unter dem Gesetz (Gal 4,4), unser Verfallensein an Sünde und Tod (Röm 8,3), also das ganze Unheil menschlichen Daseins in der Auflehnung gegen Gott, und trug

247 S. den Nachweis unten S. 144ff.
248 K. Müller, in: BZ NF 12 (1968), 303—306; zustimmend: Vögtle, Kosmos 178.
249 Vgl. z.B. Schweizer, Erniedrigung und Erhöhung 112f; s.o. S. 54f.

es in gehorsamer Erfüllung des Heilswillens Gottes uns zugute bis zur äußersten Konsequenz, dem Tod am Kreuz (Phil 2,8), der sich in der Auferweckung als der Aufgang der eschatologischen Freiheit vom Unheilsverhängnis des menschlichen Daseins im neuen Leben für Gott erwies; durch die Auferweckung ist Christi Menschsein von Gott gerechtfertigt und vollendet; es wird uns als das neue Leben geschichtlich (-menschlich) eröffnet. Christus ist in der Tat der neue Mensch, ,,der letzte Adam" (1Kor 15,45); auferweckt ,,zum lebenschaffenden Geist" rettet er, indem er alle − nach seinem Bild − zu neuen Menschen macht, so daß sie seine Brüder und Gottes Söhne werden[250].

3. Die Auferweckung Jesu als die Inauguration der Endvollendung

Ist die Auferweckung Jesu Christi für Paulus das eschatologische Ereignis schlechthin, in welchem sich Gott endgültig in seiner Gottheit, nämlich als Liebe erwiesen hat, und ist uns deshalb Christi Zeit als letzte Entscheidungszeit zum Heil gewährt, so kann die gleichwohl noch ausstehende Endvollendung nichts anderes bedeuten und bringen als die unumschränkte und offenbare Durchsetzung der Liebe Gottes in der Herrschaft Christi gegen alle seine Feinde, und darin die vollkommene Zueignung der Heilswirklichkeit Jesu Christi an die, welche ihm gehören; sie ist die endgültige Enthüllung des Gekreuzigten als des Herrn.

a) 1Thess 1,9f

Wie wir sahen, begründete die Auferweckung Jesu schon in der vorpln. Tradition wesentlich die exklusive, eschatologische Herrscher- und Heilsmittlerstellung Jesu Christi. Der zum Sohn Gottes Erhöhte galt etwa der Formel von Röm 1,3f als der Ort und Bürge der eschatologischen Herrlichkeit. Mit der Urkirche insgesamt erwartete der Apostel aufgrund der Auferweckung brennend das Kommen des Herrn zu seiner Parusie[251], bei welcher er Gericht halten wird (1Kor 4,5) und jeder den Lohn empfängt für das, was er bei Leibesleben getan hat (2Kor 5,10); so wird er sich und seine Heilsgenossen endgültig offenbaren, vgl. 1Kor 1,9; Röm 8,19. Gewichtige Anhaltspunkte spre-

---

250 Vgl. Stanley, Resurrection 270−274 (der diesen Aspekt freilich überbetont); Scroggs, The Last Adam bes. 92−112. Nach Scroggs ,,the resurrection marks the beginning of the humanity of the Last Adam." (92). ,, ... Christ by virtue of his resurrection ist not changed from being a man; he is rather changed *into* the true man." (93). Daß die Auferweckung Jesu bei Paulus deshalb primär die Bedeutung habe, die Christen der Art ihrer neuen Existenz und des Weges dazu zu versichern, statt der Tatsache künftiger Auferweckung überhaupt (92), kann man jedoch nicht zugeben.

251 Vgl. Röm 11,26f; 13,11f; 1Kor 1,7−9; 4,5; 5,5; 11,26; 15,23; 2Kor 1,14; 5,10; Phil 1,6.10; 2,16; 3,20f; 1Thess 1,10; 2,19; 3,13; 4,15ff; 5,1ff.23 u.a.m.; vgl. S. 27f und 174 ff.

chen dafür, daß die Bestätigung und Erhebung Jesu zum messianisch-eschatologischen „Heilsfunktionär" die älteste speziell christologische Deutung war, die man dem Auferweckungsgeschehen beilegte[252].

Paulus teilt diese Sicht der Auferweckung Jesu. In dem kurzen Summarium seiner Missionspredigt in 1Thess 1,9f[253] ist die Christologie geradezu auf diese eschatologische Aussage reduziert. Jesus, der Sohn des lebendigen und wahren Gottes, zu welchem sich die Thessalonicher bekehrt haben, wird von ihnen als der Retter aus dem kommenden Zorngericht erwartet; eben dazu wurde er auferweckt[254]. Das Ereignis der Auferweckung Jesu von den Toten vollendet sich als solches im konkret-zeitlichen Geschehen (dem „Tag") der offenbaren Ankunft Jesu Christi „mit allen seinen Heiligen", 1Thess 3,13. Bemerkenswert ist, daß die Auferweckungsformel hier die theo-logische (V.9b) wie die christologisch-soteriologische (V.10) Aussage begründet und beide zu einer Einheit zusammenbindet[255]. Gott hat sich ja gerade in der Auferweckung Jesu im Gegensatz zu den Götzen als „der lebendige und wirkliche Gott" erwiesen. So hat er denen, die zum Dienst an ihm umkehren, die Zukunft zum Heil gewendet in seinem Sohn, der mächtig ist[256], aus dem unaufhaltsam näherrückenden, universalen Vernichtungsgericht des Zornes Gottes[257] zu erretten, vgl. Röm 5,9f. Darin löst Christus unsere Bestimmung

252 Vgl. vor allem Hahn, Hoheitstitel; jüngst: Vögtle, Osterglauben bes. 117–122.

253 Die verbreitete Annahme einer vorgegebenen Tradition (so schon A. Seeberg, Der Katechismus der Urchristenheit (TB 26), Neudr. München 1966, 82f; bes. G. Friedrich, Ein Tauflied hellenistischer Judenchristen, 1Thess. 1,9f., in: ThZ 21 (1965), 502–516) ist m.E. nicht ausreichend zu begründen. Die terminologischen Eigenheiten erklären sich am besten als Anknüpfung an urchristliche Missionssprache, vgl. schon Dibelius, 1Thess 7; kritisch zu Friedrich: Luz, Geschichtsverständnis 311 (A.50), der jedoch selbst im Anschluß an Kramer (Christos 120ff) mit einer vorpln. Parusieformel rechnet, in welche die Auferweckungsformel eingefügt sei.

254 „Im Zusammenhang macht die Formel deutlich, daß die Erwartung des Sohnes Gottes, der Jesus ist, 'aus den Himmeln' begründet ist und wirklich geschieht. In der Auferweckung von den Toten wird seine Zukunft schon angebahnt ... Auferweckt hat Gott den Sohn für seine Parusie ..." (Schlier, 1Thess 26; vgl. auch Kegel, Auferstehung 34). Von einer Richtertätigkeit Jesu ist hier nicht die Rede, geg. Stanley, Resurrection 84.

255 „Dem lebendigen und wirklichen Gott dienen heißt immer auch: von seiner Zukunft in seinem Sohn alles erwarten. Und alle Rettung von dieser Zukunft erwarten geschieht nicht anders als im Gehorsam gegen den Leben schenkenden, den wirklichen Gott. Zu beidem aber bekehrt sich der hin, der die Götter verlassen hat." (Schlier, 1Thess 27).

256 Vgl. das zeitlose Partizip Präsens (Bl.-Debr. § 318,2) ὁ ῥυόμενος, vgl. Röm 11,26 (Zit. Jes 59,20); auch Gal 1,4.

257 ὀργή meint hier wie sonst bei Paulus den eschatologischen Gerichtszorn Gottes, vgl. die typisch eschatologischen Stichworte ἐρχομένη und ῥύεσθαι sowie etwa Röm 2,5.8; 3,5; 4,15; 5,9; 12,19; 1Thess (2,16); 5,9; gerade in apokalyptischer Sicht war dieses „Zornereignis" der definitive Erweis göttlicher Macht, war Herrschaftsantritt Gottes über seine rebellierende Schöpfung, geg. Kegel, Auferstehung 34 A.5.

durch Gott zum Erwerb (Besitz) des Heiles ein, 1Thess 5,9[258]. Nach 4,14.16f vollzieht sich dies so, daß der auferweckte Herr auf Gottes Befehl vom Himmel herabsteigt und alle Christen — Tote und Lebende — ihm entgegen entrückt und bleibend in seine Gemeinschaft geborgen werden. Als der ersehnte σωτήρ bringt er ja in seiner Person die Herrlichkeit der himmlischen Welt, die er kraft seiner Erhöhung zum Kosmokrator besitzt (Phil 3,20f; vgl. 2,9—11; 1Kor 15,25ff.45ff). Weil Gott ihn zum Herrn auferweckt hat, vollzieht er durch ihn und seine endgültige, offenbare Ankunft die eschatologische Rettung der Glaubenden.

b) Die eschatologische „Transzendenz" der vollendeten Liebe Jesu

Diese Bindung der eschatologischen Rettung an die Person Jesu Christi wird nun vor allem von Paulus selbst dadurch tiefer erfaßt und radikalisiert, daß sie in das irdische Geschick Jesu, speziell seinen Tod zurückgebunden wird. Durch seinen Tod hat uns Gott zum eschatologischen Heilserwerb bestimmt (1Thess 5,9f), seine Hingabe zielte auf unsere Errettung aus dem gegenwärtigen bösen Äon (Gal 1,4).

Denn dieser Tod war die eschatologische Selbstmitteilung Gottes als die Liebe, die aller Eigen-macht der Welt, der Sünde und dem Tod am Ende überlegen bleibt[259]. Daß Gott die sich gegen ihn auflehnende Welt im Tod Christi („für uns") versöhnte, war ein Geschehen von solch unvergleichlicher, alles Begreifen übersteigender, überschwenglicher „Wucht" (H.U. von Balthasar), daß es in seinem Anspruch die gegenwärtige Weltzeit und ihre Bedingungen sprengte und allein durch Gott selbst und in seiner Wirklichkeit eingelöst werden kann. „Neue Schöpfung" — dies ist die innerste Intention der gekreuzigten Liebe Christi (Gal 6,14; 2Kor 5,17:14f)[260]. Diese seine „selbst-

---

258 Nach Gal 1,4 erfüllt Christus mit unserer Errettung aus diesem Äon den Willen unseres Gottes und Vaters. Wenn Christus als der kommende Retter bei seiner Parusie endlich auch „ganz Israel" von Gottlosigkeit und Sünden befreien wird (Röm 11,26f) so erweist sich Gott am Ende durch den auferweckten Herrn, welcher der Herr aller ist (10,9.12f), in seiner Treue und seinem Erbarmen als mächtiger denn der Ungehorsam und die Feindschaft aller Welt gegen ihn (11,32); er ist dann der unbestrittene Herr seiner Schöpfung (vgl. 11,33—36). Vgl. neben den Kommentaren z.St. vor allem P. Stuhlmacher, Zur Interpretation von Römer 11,25—32, in: Probleme biblischer Theologie (FS G. von Rad), München 1971, 555—570; auch Luz, Geschichtsverständnis 286ff.

259 Vgl. Röm 5,5—11(12—21); 8,31—39(:17ff!); 2Kor 5,14f: 17ff; auch Gal 2,20; Röm 14,15; 1Kor 8,11; 11,25ff.

260 Daß dies nicht „kosmologisch" gemeint ist, sei eigens angemerkt; an beiden Stellen liegt eindeutig präsentisch-soteriologischer Sinn vor, vgl. Schwantes, Schöpfung der Endzeit 26—31; G. Schneider, Neuschöpfung oder Wiederkehr? Eine Untersuchung zum Geschichtsbild der Bibel, Düsseldorf 1961, 74ff; Vögtle, Kosmos 174—183, der auch die These einer Prolepse der kosmischen Neuschöpfung (Stuhlmacher, Erwägungen 27—35; auch Schneider, aaO. 87 mit Bezug auf Röm 8,18ff) schlüssig widerlegt.

lose, grenzen-lose, bedingungs-lose Liebe" bis in den Tod bedeutete inmitten einer in sich verschlossenen, ver-liebten Welt das Ereignis des „ganz Anderen", das ihren Maßstäben und Kategorien, ihrer Weisheit und Macht radikal verborgen und inkommensurabel bleibt, das ihr — auch und gerade in seinem Anspruch auf eschatologische Rettung — nur als „Dummheit" erscheinen kann, vgl. 1Kor 1,18ff[261]. In der Auferweckung des Gekreuzigten hat Gott diesen die Dimensionen dieses Äons sprengenden, eschatologischen Anspruch seiner Liebe, der sich für Paulus wesentlich im „historischen" Zuvor des Kreuzestodes für die Feinde und Gottlosen dokumentiert, erfüllt und wahrgemacht. Diese Liebe am Kreuz hat sich nicht selbst ad absurdum geführt, sondern in der Auferweckung als das eschatologische Leben Gottes erwiesen. In der Person des gekreuzigten Herrn ist Gottes Liebe endgültig in und über der Welt aufgerichtet als die Wirklichkeit des Eschaton. Christus der Gekreuzigte ist Gottes Macht und Gottes Weisheit, bestimmt zu unserer Herrlichkeit, 1Kor 1,24; 2,7. In ihm hat Gott die Zukunft der Welt ein für allemal zum Heil entschieden.

Mit der Auferweckung Jesu ist also auch der Anspruch seines Todes auf unsere eschatologische Rettung endgültig fixiert und seine Einlösung zur Gewißheit erhoben. Es geht jetzt, „am Tag des Heils" (2Kor 6,2), nicht mehr um das Recht und die Mächtigkeit dieser Liebe Christi, sondern um die Einbeziehung aller Welt in ihre Fülle[262], worin ja die eschatologische Freiheit und

---

261 Schlier, Bedeutung 138.

262 Stuhlmacher charakterisiert hingegen — von seiner Konzeption der $\delta\iota\kappa\alpha\iota\sigma\sigma\acute{\upsilon}\nu\eta$ $\vartheta\epsilon\sigma\tilde{\upsilon}$ her — die Gegenwart als die Zeit „der eschatologischen Auseinandersetzung zwischen dem alten und neuen Äon, zwischen Evangelium und Mosetora, Christus und dem Herrn dieses alten Äons, Satan." „Der Auftrag an den Christus lautet auf Niederkämpfung der noch immer sich Gottes Urteil widersetzenden alten Welt. Die Herrschaft des Christus hat das Ziel, Gottes Gerechtigkeit = das Recht des Schöpfers an der Welt in dieser Welt auch durchzusetzen (1.Kor 15,25f.)." (Gerechtigkeit Gottes 205). Diese Sicht scheitert eindeutig am Textbefund, der das apokalyptische Motiv des eschatologischen Kampfes — wenn überhaupt — nur gelegentlich anklingen läßt (zu 1Kor 15,25f vgl. unten Anm. 328, zu Gal 5,17: Brandenburger, Fleisch und Geist 177ff). Auch der Gedanke der militia Dei/Christi, vgl. Röm 6,12; 13,12; 1Thess 5,8, macht die Gemeinde nicht zur „eschatologische(n) Kampftruppe des Christus" (ebd.), sondern zielt, wie der jeweilige Kontext eindeutig zeigt, auf die Bewährung des jetzigen Heilsstandes bis zur Erlangung der vollkommenen Rettung, vgl. Röm 6,19ff; 13,11; 1Thess 5,1—3.9f; Entsprechendes gilt für 2Kor 6,7; 10,3; Phil 2,25; (1Kor 9,7). Der auch von E. Käsemann geläufig akzentuierte anthropologische Grundgedanke der Repräsentanz und „Bekundung" der Herrschaft Christi und darin der Bereitstellung der Welt im Gehorsam für Christus, den Platzhalter Gottes (vgl. Gottesdienst im Alltag der Welt, in: ders., EVB II 198—204; Apokalyptik 129; Stuhlmacher trägt diese Deutung sogar für Phil 2,12—18 vor: Erwägungen 35) ist m.E. in den meisten einschlägigen Texten nicht zu belegen — bzw. läßt sich im besten Falle als Nebenmotiv der *soteriologischen* Argumentation anführen — und sollte ihnen auch nicht (geg. Stuhlmacher, Erwägungen 27) aufgrund einer allgemeinen Erwägung über die „typologische Bedeutung" apostolischen Seins einfach als Generalnenner übergestülpt werden.

Souveränität der Gnade Gottes in Christus zeitlich-geschichtlich zur Darstellung kommt; deshalb und insofern steht die letzte offenbare Verwirklichung der Liebe Christi noch aus. Der Geist, in dem uns die Liebe Gottes als die innerste Wirklichkeit unserer gerechtfertigten Existenz geschenkt ist, ist erst die „Anzahlung" auf die künftige Vollendung, 2Kor 1,22; 5,5, die „Erstlingsgabe" Gottes an seine „Kinder", welche ausschauen läßt nach der endgültigen Annahme an Kindes Statt, der Erlösung des Leibes, Röm 8,23[263]. „Auf Hoffnung hin wurden wir gerettet", 8,24[264], eine Hoffnung, die nicht trägt und enttäuscht, die vielmehr allen Aussichts- und Ausweglosigkeiten der Gegenwart, den Bedrängnissen, Leiden und Verfolgungen, dem Ausgeliefertsein an die Mächte der Welt, nicht nur standzuhalten vermag, sondern diese in Geduld und Bewährung als je neue Bestätigung und Antrieb ihrer selbst ergreift, Röm 5,3f; 8,17–39; 2Kor 4,16–18.

Denn in dieser Existenzbewegung der Hoffnung vollzieht sich an uns die rechtfertigende Gnade des Todes Jesu für uns (Röm 5,2), dessen innerste Intention durch die Auferweckung als die δόξα *Gottes* enthüllt und erfüllt wurde, vgl. Röm 15,3–7. Diese δόξα Gottes in der Person Christi ist das Ziel, das mit der gegenwärtigen Rechtfertigung und Versöhnung des Glaubenden gesteckt und sicher verbürgt ist[265]. Als das Wesensgeheimnis Gottes selbst, welches in seinem Sohn als die siegreiche Macht seiner Liebe zu uns erschien (Röm 8,31ff), duldet sie keinen Vergleich und keinerlei Gegeninstanz[266]. Selbst das letzte Aufbäumen der Welt in ihrer Nichtigkeit gegen Gott, die eschatologischen „Wehen" dieses Äons, müssen – fern jeder Möglichkeit, sie zu desavouieren – für die unausdenkliche Größe dieser Herrlichkeit Zeugnis geben, die mit göttlicher Gewißheit über die Schöpfung hereinbrechen wird, Röm 8,18ff. „Die Leiden der jetzigen Zeit" gelten dem Apostel nur als „ein gegenwärtiges bißchen Trübsal", weil sie ihm ein absolut „überwältigendes, ewiges Gewicht an Herrlichkeit einträgt"; in der täglichen Erneuerung des inneren Menschen – mitten im Abbruch des äußeren – kündet sich schon jetzt das Übermaß ihrer Macht an, 2Kor 4,16–18.

Diese Gegenwart der δόξα Gottes in den „irdenen Gefäßen" unserer Existenz bedeutet dem Apostel aber nichts anderes als das Einbezogensein (im Geist des Glaubens, V.13) in das Sterben und Leben Jesu (2Kor 4,7–15). Wir leiden mit Christus, um „mit ihm" verherrlicht zu werden, Röm 8,17. Dem

263 τοῦ πνεύματος ist gen. appos.: Bl.-Debr. § 167. Zu ἀπαρχή vgl. G. Delling, ThWNT I 483f; Bauer WB 161; zu ἀρραβών vgl. J. Behm, ThWNT I 474; E. Dinkler, Die Taufterminologie in 2Kor. I 21f, in: Neotestamentica et Patristica (FS O. Cullmann) (NT.S. 6), Leiden 1962, 173–191.188f; vgl. zur Sache Schweizer, ThWNT VI 420–422.

264 τῇ ἐλπίδι meint wie ἐφ' ἐλπίδι (V.20) die mit der Rettung gesetzte Hoffnung, vgl. Michel, Röm 206.

265 Vgl. noch Röm 9,23; 1Kor 2,7f; 2Kor 3,11.18; 4,4–6; 1Thess 2,12; auch Röm 3,23; vgl. weiter Schlier, Doxa bes. 317.

266 Genau dies möchte Paulus in Röm 8,18ff darlegen, vgl. Schlier, Römer 8,18–30 250f; s.u.u. S. 246ff.

Glaubenden, der durch sein Blut gerechtfertigt ist, der — als Feind! — mit Gott durch den Tod seines Sohnes versöhnt wurde, ist die Rettung in seinem Leben gewiß, Röm 5,9f. Unter der Macht der Gerechtigkeit, die Gott dem Glaubenden an Christus erschließt, zu leben vollzieht sich als Gleichgestaltung mit dem Tod Christi, als prinzipielle Entwertung, ja Vernichtung aller eigenen Werte zugunsten des Übermaßes der Erkenntnis Christi Jesu, die fortreißt in die unverfügbare Zukunft Gottes in Christus Jesus, die Auferstehung aus den Toten[267], Phil 3,7ff, die eine Auferstehung „mit Christus" ist (2Kor 4,14 usw.). Das bedeutet aber, *daß die spezifische zeitlich-qualitative Spannung zwischen dem Tod und der Auferweckung Jesu — die Spannung zwischen dem eschatologischen Anspruch der Hingabe Christi und seiner Erfüllung im Herrlichkeitsleben Gottes — kraft der Auferweckung auf die gerechtfertigte und versöhnte Existenz „in Christus" übertragen wird und ihren Vollzug strukturiert* (freilich als in Christus erfüllte!): das, was wir jetzt im Glauben sind, erhebt und verbürgt zugleich „täglich" den Anspruch auf Erfüllung, welche im Horizont dieser Weltzeit nicht erbracht werden kann, die unausdenklich ist — die Erfüllung in Gott selbst. Darin bekundet sich geschichtlich die konstitutive Differenz zwischen den Glaubenden und dem Herrn, der in der Auferweckung von Gott zum Träger seiner absoluten Zukunft für uns eingesetzt wurde.

Ja, in Röm 8,19—22 bezieht der Apostel die Schöpfung insgesamt in diese Perspektive mit ein. Die „Nichtigkeit" und die „Knechtschaft der Vergänglichkeit", der die Schöpfung mit der Sünde Adams unterworfen wurde, enthüllt sich in den Leiden der jetzigen Zeit an den Christen als sehnsüchtiges Harren nach derselben überschwenglichen δόξα, der die Christen durch ihre Teilhabe an Christus im Geist gewiß sein dürfen. V.22f interpretiert ja das Leiden der Christen *mit Christus* als Erfahrung der eschatologischen Wehen des Kosmos; d.h. aber, daß Paulus auch die Schöpfung in ihrem über sich hinausweisenden Klagen und Harren unter der Herrschaft Christi und deren eschatologischer Zukunftsmächtigkeit stehen sieht[268]. So ist auch ihre, der Schöpfung, Vergeblichkeit von seinem Leiden umfangen und wird darin zum Zeichen für die unausdenkliche Größe der absoluten Zukunft, auf welche sie mit den Christen zugeht, die Herrlichkeit der Freiheit der Kinder Gottes. Die Endzeit, für den Apokalyptiker Zeit der äußersten Kulmination der ausweglosen Unheilsverfallenheit dieses Äons, gilt dem Apostel als Zeit unter dem „Gesetz" Christi, seines Todes, der sich in der Auferweckung als der Anbruch der eschatologischen Zukunft, der Herrlichkeit Gottes erwies und als solcher im erhöhten Herrn verwahrt ist. Endzeit ist deshalb für den Christen — gerade in ihren Wehen — radikal Zeit der Hoffnung[269].

---

267 Vgl. Phil 3,9 (εὑρεθῶ ἐν αὐτῷ) mit 11; vgl. auch Gal 2,19f.

268 Dafür spricht auch, daß das στενάζειν der Christen, die darin am „Stöhnen" der versehrten Schöpfung teilhaben (πᾶσα ἡ κτίσις in V.22 umfaßt menschliche und außermenschliche Schöpfung, vgl. Vögtle, Kosmos 199), offenbar in V.26 durch die στεναγμοὶ ἀλάλητοι des Geistes aufgenommen werden. Vgl. jetzt vor allem Osten-Sacken, Römer 8 264—266.

269 Die Gewißheit des Apostels (οἴδαμεν, V.22) erhebt sich also aus dem Glauben an Christus, von dem her er die apokalyptische Weltsicht aufgreift und interpretiert, vgl. auch Vögtle, Kosmos 198f.

Hier bewährt sich der oben entwickelte Auferstehungsbegriff: Weil Jesu Geschick in der Auferweckung als ganzes von Gott in seine Herrlichkeitsmacht
gesammelt wurde und, solchermaßen vollendet, im gekreuzigten Herrn als
die Wirklichkeit des Eschaton definiert ist, läuft die gegenwärtige Weltzeit
nicht nur auf Christus als ihr Ende und ihre absolute Zukunft zu, sondern
kommt auch schon in einem bestimmten Sinn von ihm und damit von ihrem
En de her: ihre Zeit ist eingeschlossen in die Zeit des gekreuzigten und auferweckten Herrn, ist Zeit in der Spannung zwischen seinem Tod und seiner
Auferstehung – freilich allein durch die und mit den Christen, wie die Schöpfung ja auch deren Zukunft als ihre Freiheit erwartet. Die „Schöpfung" ist
nur der Spiegel der Wege Gottes mit den Menschen[270]; wegen Adam der
Nichtigkeit unterworfen, wird sie, in ihrer Vergänglichkeit, zum über sich
hinausweisenden Signum der mit Christus aufgebrochenen eschatologischen
Freiheit für die Glaubenden.

Fassen wir zusammen: Das, was die Gnade Gottes in Christus ist, ist noch
nicht in seiner vollen Tragweite offenbart und verwirklicht. Denn sie ist ein
Geschehen, das alles Gegenwärtige und Zukünftige dieser Welt unbegreiflich
übersteigt in die Fülle der Herrlichkeit Gottes hinein. Diese ist das ewige
Leben, in welchem sich die in Christus gerechtfertigte Existenz des Glaubenden erfüllt. Darin wird der eschatologische Anspruch der Liebe Gottes im
Tod Christi für uns endgültig realisiert, jener Liebe, die selbst für die Gottlosen, ihre Feinde in den Tod ging und dadurch die universale Sünden- und
Todesherrschaft aufbrach in die Übermacht der Gnade und des Erbarmens
Gottes hinein. In der Auferweckung Christi hat Gott diese Liebe Christi
als das Ende und Ziel seiner Wege mit der Schöpfung unumstößlich durchgesetzt und holt nun – in der Herrschaft des Gekreuzigten – die in ihren
Ungehorsam verschlossene Welt heim in die Fülle seines Erbarmens; es ist
die Auferstehung der Toten „mit Christus".

Damit bestätigt sich unsere grundlegende These, daß die pln. Eschatologie
nur dann in ihrer Eigenart getroffen wird, wenn man sie christologisch entwickelt, d.h. wenn man im Christusereignis die eschatologische Selbst-Darstel-
lung Gottes als Liebe sieht. Jesus, in seinem Tod und in seiner Auferweckung
„aus den Toten", ist in Person das Eschaton. Auch die Deutung der Auferweckung als vollendeter In-begriff der Existenz Jesu im Leben Gottes hat
sich nochmals als berechtigt und notwendig erwiesen: nur so kann ja die Liebe Christi in Tod und Auferweckung als die konkrete „Gestalt" des Eschaton
verstanden werden[271]. Diese gilt es im folgenden in ihren Grundzügen zu
entfalten.

---

270 Vgl. Schlier, Ende 68: „Denn für das Neue Testament und sein Denken ist die Natur nur die Exposition der Geschichte und nicht etwa umgekehrt." (Das gilt natürlich nicht für den außerchristlichen Teil der Menschheit, vgl. V.22, dazu oben
Anm. 268).

271 Daß die eschatologische Vollendung für Paulus ausschließlich in Jesus Christus
gegeben ist und das Signum seiner Geschichte trägt, ergibt auch ein Blick auf die
Begrifflichkeit, mit der Paulus das Eschaton bezeichnet. Ich greife drei Termini

c)   Der gekreuzigte und auferweckte Christus als die bestimmende Wirklichkeit künftiger Vollendung

In welcher Weise bestimmt also Christus, in seinem Tod und in seiner Auferweckung, die Wirklichkeit der noch ausstehenden eschatologischen Zukunft Gottes, d.h. das Ereignis ihrer endgültigen Offenbarung wie die „Gestalt" ihrer ewigen Gegenwart?

(1)   Das Gericht als die Endgültigkeit des Todes Christi

Der gekreuzigte Jesus, der die Sünde, den Fluch der Welt bis zur äußersten Konsequenz für uns trug, 2Kor 5,21; Gal 3,13, hat sie in ihrer gegen Gott rebellierenden Eigenmacht als dem eschatologischen Tod, der ἀπώλεια und ὀργή ausweglos verfallen geoffenbart[272]. Die künftige Endgültigkeit des Todes Christi Christi ereignet sich deshalb als universales Zorngericht Gottes, das alles Widergöttliche in den endgültigen Untergang bannt; das eschatologische Gericht Gottes im Kreuz Christi über Sünde, Gesetz und Tod, über die Rebellion des Kosmos gegen seinen Schöpfer kommt darin zum Ziel. Das Kreuz Christi ist also auch insofern, weil in der Auferweckung als ganzes von Gott endgültig bestätigt, im Eschaton nicht abgetan, auch nicht für den Christen. Der „Skandal des Kreuzes", daß Gott in diesem Jesus eschatologisch für uns gehandelt hat, impliziert ja die Entmachtung und Vernichtung, den Tod jedweden sich vor und gegen Gott behauptenden Seins[273]. Am Ende wird das Alte und Vergangene, die noch immer von der Sünde bedrohte und dem Leiden ausgesetzte σάρξ, endgültig abgetan, „getötet" und „vernichtet"; „was du säst, wird nicht lebendig gemacht, wenn es nicht (zuvor) stirbt", 1Kor 15,36; vgl. 6,13. Allein in dieser *Endgültigkeit der Teilhabe am Tode Christi* kann das eschatologische Leben in und mit Christus Platz greifen (Phil 3,10f)[274]. Die Endvollendung christlicher Existenz in der Auferweckung „mit Christus" impliziert von ihrem Ursprung her ein Gericht (1Kor 3,10–13; 4,5; 2Kor 5,10; Röm 14,10–12 u.a.), dessen Maßstab der für uns gekreuzigte Herr selbst ist[275].

heraus:
1. σωτηρία κτλ.: Phil 3,20 (σωτήρ). Röm 10,10; 13,11:14; 2Kor 1,6:5; 6,2:5,21; Phil 1,19:21.23; 2,12:6ff; 1Thess 5,8–10 (σωτηρία). Röm 5,0; 8,24:29; 10,9; 1Kor 1,18.21; 15,2; 2Kor 2,15 (σῴζειν).
2. ζωή κτλ.: Röm 6,8.10f.13; 8,12; 1Kor 15,45; 2Kor 13,4; Gal 2,19f; 5,25; Phil 1,21f; 1Thess 5,10 (ζῆν). Röm 5,10.17.18.21; 6,4.22.23; 8,2.6.10:3; 2Kor 2,16; 4,10–12; (5,4) (ζωή).
3. δόξα κτλ.: Röm 8,30 (δοξάζειν). Röm 3,23:24ff; 5,2:6ff; 8,17f.21:31f; 15,7; 1Kor 2,7f; 15,43ff; 2Kor 3,7ff:17f; 4,4–6.15–17(:10–14); Phil 3,21 (δόξα).

272   „Die Herrscher dieses Äons" und die, welche zum „Gott dieses Äons" gehören, sind deshalb καταργούμενοι (1Kor 2,6, vgl. Anm. 273) bzw. ἀπολλύμενοι (1Kor 1,18; 2Kor 2,15; 4,3), vgl. dazu Luz, Geschichtsverständnis 255–258; K.Müller, 1Kor 1,18–25. Die eschatologisch-kritische Funktion der Verkündigung des Kreuzes, in: BZ NF 10 (1966), 246–272.

273   Vgl. 1Kor 1,27f; 2,6; 15,24.26; 2Kor 3,7.11.13.14; 5,14f; Röm 6,6; 7,4; 8,10.13; Gal 2,19; 5,24; 6,14; Phil 3,7f.

274   Vgl. Röm 6,4ff; 7,4ff; 2Kor 5,14f; Gal 2,19f; 5,24:25; 6,14:15.

275   Vgl. z.B. Röm 2,16; 14,23; 1Kor 11,29ff.

(2) Jesu Auferweckung – Grund und Wirklichkeit unserer Auferweckung

Aber Gott hat das im Tod Jesu manifest gewordene Unheilsverhängnis der Welt nicht hoffnungslos als solches besiegelt, sondern endgültig durchbrochen – gerade dort, wo es sich in seiner totalen Unentrinnbarkeit entfaltete. Gott hat Jesus auferweckt „von den Toten". Sein Gericht über die der Sünde verfallene Welt im Tode Jesu war nicht der endgültige Sieg des Todes, sondern die Besiegelung seiner Vernichtung. Es war der Anbruch des eschatologischen Lebens. Denn es war das Wunder der nicht-eigenmächtigen, gehorsamen Annahme aller Feindschaft der Welt gegen Gott im Kreuz dieses Jesus; so wurde die Gerichtsverfallenheit aller Welt bloßgelegt. Es war „die Gnade Gottes und die Gabe in der Gnade des einen Menschen Jesus Christus", die sich in der Auferweckung Jesu als die eschatologische Wende vom Gericht zum Heil, von den Übertretungen zur Rechtfertigung, vom Tod zum Leben erwies[276].

Dieses Leben ist die Auferstehung „von den Toten" (Phil 3,11), die aus und in dem Nichts, das wir „mitbringen", unvergängliches Neues schafft. Jesu Auferweckung bildet Grund und Wirklichkeit unserer künftigen Auferweckung[277]. Wir empfangen sein Leben als unser eschatologisches Sein, tragen seine Eikon als die uns von Gott bestimmte ewige Herrlichkeit, werden seinem Herrlichkeitsleib gleichgestaltet[278]. Solche fundamentale Neuschöpfung unseres Seins in der Auferweckung aus den Toten bedeutet nicht, daß sich christliche Existenz in die eschatologische Wirklichkeit Christi hinein auflöst und in ihm „untergeht", von seiner Präsenz aufgesogen wird. Christus wird vielmehr „der Erstgeborene unter vielen Brüdern" sein[279], die „mit ihm" das „Erbe" Gottes teilen, Röm 8,29.17. Es war ja die konkrete Solidarität Jesu Christi mit uns, den Feinden und Gottlosen, in der Gott die Zukunft der Welt zum Heil entschieden hat. Mitten in der Verlorenheit der Geschichte hat Gott uns in seinem Sohn aufgesucht, uns ausgehalten so, wie wir waren, bis in den Tod. Diese uns, den Sündern geltende Liebe wurde in der Auferweckung Jesu in die Endgültigkeit des Lebens Gottes und damit zum Ende und zur Bestimmung aller Welt erhoben. Gerade in dieser Perspektive Gottes und seiner eschatologischen Aktion in Christus bedeutet die künftige Auferweckung der Toten nicht einfach die letzte Demonstration der ewigen Macht und Gottheit des Schöpfers, der aus dem Nichts der verlorenen Welt

---

276 Vgl. Röm 5,15ff. Der radikale Gnadencharakter des Eschaton wird von Paulus also nicht aufgrund eines apokalyptischen oder weisheitlich-hellenistischen Dualismus von gegenwärtigem und künftigem Äon bzw. Fleisch und Geist o.ä. postuliert, sondern aus der eigentümlichen Struktur des Christusereignisses begründet (und dann natürlich mit Hilfe der naheliegenden apokalyptischen oder weisheitlich-dualistischen Kategorien - freilich nicht ohne Korrekturen - entfaltet; vgl. dazu bes. Brandenburger, Fleisch und Geist).

277 Vgl. Röm 6,5; 8,11; 1Kor 6,14; 15,12ff; 2Kor 4,14; Phil 3,10f; 1Thess 4,14.

278 Vgl. Röm 5,9f; 8,29; 1Kor 15,44ff; 2Kor 3,18; Phil 3,21.

279 Geg. Kabisch, Eschatologie 281ff u.ö.: „Das Ganze ist lediglich die Parusie Christi." (282).

Kontinuitätslos-Neues schafft, an uns, seinen rebellierenden Geschöpfen, sondern unsere gnadenhafte Vollendung zu Brüdern Christi, weil die Vollendung der uns konkret-mitmenschlich in Christus annehmenden und bis in den Tod tragenden Liebe Gottes. Weil Christus unser Bruder geworden ist, werden wir seine Brüder, indem wir seine eschatologische Seinsweise empfangen und teilen.

(3) Die eschatologische Seinsweise des Sohnes Gottes

Das aber ist die Seinsweise des Sohnes Gottes; dies bedeutet — abstrakt formuliert — in und aus der Herrlichkeitsmacht des Wesens Gottes selbst zu sein durch und in einem Leben, das sich total auf Gott hin und für Gott vollzieht; es ist Sein, das sich empfängt, um zu danken[280]; es ist ganz und gar $\delta \acute{o} \xi a$[281]. In seinem „Gehorsam bis ans Ende"[282] hat sich Christus als *der* Sohn Gottes erwiesen. Er hat nicht sich selbst zu Gefallen gelebt, sondern sich rückhaltlos Gottes Sendung bis in den Tod am Kreuz zu eigen gemacht, die Schmähungen der Menschen gegen Gott getragen und so die Sünder angenommen „zur Herrlichkeit Gottes" (Röm 15,3ff; Phil 2,6ff). Seine Auferweckung „durch die Herrlichkeit des Vaters" (Röm 6,4) hat ihn in seinem äußersten Gehorsam zum Repräsentanten der Wirklichkeit Gottes als des eschatologischen Heiles gemacht; eingesetzt zum „Sohn Gottes in Macht" (Röm 1,4) lebt er endgültig „für Gott" (Röm 6,10).

„In ihm" aber ist alles Leben mit Gott versöhnt, „für Gott" da (Röm 6,11; Gal 2,19). „Denn ihr alle seid Söhne Gottes durch den Glauben in Christus Jesus" (Gal 3,26). In der Macht seines Geistes, aus und in dem er als der Sohn ewig lebt, ergreift uns dieses sein Leben; in der Taufe, die ja die neue, eschatologische[283] Wirklichkeit des Geistes eröffnet[284], haben wir „Christus angezogen" (Gal 3,27), haben wir damit „den Geist der Sohnschaft empfangen, in dem wir schreien: Abba, Vater" (Röm 8,15; Gal 4,6).

Den Kindern Gottes aber gehört sein „Erbe" (Röm 8,17; Gal 4,7; vgl. 3,14—4,7)[285], das sich im Geist, welcher Erstlingsgabe und Angeld ist (Röm 8,23;

---

280   Vgl. W. Grundmann, Das Angebot der eröffneten Freiheit. Zugleich eine Studie zur Frage nach der Rechtfertigungslehre, in: Cath(M) 28 (1974), 304—333.317: „'Sohn' meint den Menschen, der frei ist von sich selbst, nicht an sich selbst gebunden, sondern an den, dem er Sohn ist."

281   So geht auch das sehnsüchtige Harren der Schöpfung, die von ihrem Ursprung her — freilich verdeckt — immer noch den Machtglanz der Weisheit Gottes erstrahlen läßt zu Anerkennung und Dank, vgl. Röm 1,18ff; 1Kor 1,21 (dazu: Schlier, Doxa 309—311; Erkenntnis Gottes 319—324), auf die „Offenbarung der Söhne Gottes" (Röm 8,19), und ihre Freiheit von der Vergänglichkeit besteht in der „Herrlichkeit der Kinder Gottes" (8,21).

282   Cullmann, Christologie 300.

283   Vgl. Gal 3,28; 1Kor 12,13, wo Paulus sich möglicherweise an Anschauungen des urchristlichen Enthusiasmus anlehnt.

284   Vgl. 1Kor 6,11; 12,13; auch 2Kor 1,22.

285   D.h. die Königsherrschaft Gottes, vgl. 1Kor 6,9.10; 15,50; Gal 5,21 ($\kappa \lambda \eta \rho o \nu o \mu e \tilde{\iota} \nu$ $\tau \grave{\eta} \nu \beta a \sigma \iota \lambda e \acute{\iota} a \nu \tau o \tilde{\upsilon} \theta e o \tilde{\upsilon}$).

2Kor 1,22; 5,5)[286] , auf Hoffnung hin, die nicht trügt, sondern trägt, erschließt und im Geist, der Wirklichkeit der Herrschaft Gottes (1Kor 15,44ff; 6,11; Gal 5,21:22ff; vgl. 6,8), erfüllt. So werden wir, die Söhne Gottes, als Miterben Christi mit Christus verherrlicht werden (Röm 8,17) im Leben des Sohnes Gottes (Röm 5,10), das ja eine einzige Verherrlichung Gottes ist. *Dies* ist die unvergleichliche, unausdenkliche Herrlichkeit, die sich künftig an uns offenbaren soll, die Herrlichkeit der Freiheit der Kinder Gottes (Röm 8,18.21)[287]. Die absolute Zukunft des Menschen und seiner Welt ist: die Annahme an Sohnes statt[288] (in der Erlösung des Leibes), die Offenbarung der Söhne Gottes (Röm 8,23.19). Sie bringt damit die Vollendung und Enthüllung unserer Rettung, d.h. dessen, was wir, vom Geist getrieben, jetzt schon in Jesus Christus sind: die befreiten (Röm 8,1.21!), berufenen, gerechtfertigten, ja verherrlichten Kinder Gottes (Röm 8,30). Dann werden wir ganz und gar die Seinsweise des auferweckten und verherrlichten (Röm 8,17! vgl. 8,30) Sohnes Gottes unser eigen nennen und seine Brüder sein (Röm 8,29). So bringt Gott in der eschatologischen Offenbarung unseres Herrn Jesus Christus, welche die Gemeinschaft seines Sohnes gewährt (1Kor 1,7.9), seinen ewigen Heilsplan mit uns zum Ziel[289]; dazu hat er seinen Sohn (,,als die Fülle der Zeit kam'', Gal 4,4) gesandt, Röm 8,3, ihn für uns alle preisgegeben (Röm 8,32; vgl. Gal 1,4; 2,20), um in der Auferweckung sein ewiges und unüberholbares ,,Für uns'' in seinem Sohn Jesus Christus als die Herrlichkeit zu gewähren, die er uns von Ewigkeit her bestimmt hat (1Kor 2,7).

(4) Herrlichkeit Gottes

Diese Herrlichkeit ist das innerste Geheimnis des Wesens Gottes selbst[290]. Gott selbst hat sich im Gehorsam und der Liebe seines Sohnes als das Heil erschlossen. Die eschatologische Vollendung besteht deshalb darin, daß sich der Sohn mit allem, was ihm unterworfen ist, selbst dem Gott und Vater unterwirft. Diese letzte Manifestation seines Gehorsams, d.h. seines Sohnseins, bringt den eschatologischen Selbsterweis Gottes in Tod und Auferweckung seines Sohnes Jesus Christus zum letzten Ziel: Gott ist alles in allem (1Kor 15,27f).

Die absolute Zukunft von Welt und Mensch, der letzte Sinn ihres Daseins, ist also in Christus als die Herrlichkeit Gottes selbst definiert[291] : da er als

---

286 S.o. Anm. 263.

287 Zum Verhältnis Freiheit − Sohnschaft vgl. Grundmann, aaO. 318−320.

288 Vgl. Röm 9,4, wo $\upsilon\iota o\theta\epsilon\sigma\iota\alpha$ neben $\delta\acute{o}\xi\alpha$ steht.

289 Vgl. neben Röm 8,28f auch Röm 9,23; 1Kor 2,7f; Eph 1,4f.9f.11f, dazu: Kümmel, Theologie 206−209; Luz, Geschichtsverständnis 227−264. bes. 250ff.

290 Vgl. Röm 1,23:20f; 8,18 (dazu: Schlier, Römer 8,18−30 251f; dagegen Käsemann, Röm 223); 1Kor 2,7f:9ff; 2Kor 4,6; vgl. weiter G. Kittel, ThWNT II 250; Jervell, Imago Dei 100−103.173ff passim. bes. 214−218 (zu 2Kor 4,4−6).

291 Vgl. Röm 5,2; 15,7; 1Kor 2,7f; Phil 1,11; 2,11; 4,19f; 1Thess 2,12; vgl. auch die Doxologien Röm 11,36; Gal 1,5.

der Sohn Gottes in seinem gehorsamen Tod für uns sich Gottes Heilswillen zu eigen machte und erfüllte, darum aber von Gott, dem Vater, in der Auferwekkung in seine Herrlichkeitsmacht erhöht wurde und nun als der Herr, der Gottes Namen empfing, alle Welt der eschatologischen Macht seines Kreuzesgehorsams unterwirft „zur Herrlichkeit Gottes des Vaters", welche als Ziel seiner gehorsamen Liebe zu uns das ewige Heil der Söhne Gottes ist. Wir können auch abgekürzt sagen: Die Auferweckung der Glaubenden bringt die letzte Enthüllung und Erfüllung des eschatologischen Selbsterweises Gottes in der Auferweckung seines für uns gestorbenen Sohnes Jesus Christus. Das Eschaton ist so *die vollendete Einheit des Schöpfers mit seinem Geschöpf in der Person Jesu Christi.*

III. Exegetische Probe: 1Kor 15,20—28

Wir schließen dieses Kapitel über das eschatologische Zentralereignis der Auferweckung des gekreuzigten Jesus von den Toten, indem wir das gewonnene Ergebnis an einem geschlossenen Text zu verifizieren suchen. Dieser Versuch dient gleichzeitig der abrundenden Zusammenfassung unserer Darlegungen.

Der apokalyptische Passus 1Kor 15,20—28, der nach der Meinung E. Käsemanns „wie kein anderer das entscheidende Motiv der paulinischen Auferstehungstheologie bloßlegt"[292], soll im Textzusammenhang offenbar die Gewißheit unserer künftigen Auferweckung positiv begründen[293]. In seiner thetischen und unpolemischen[294] Form hebt er sich daher von der Argumentation ad hominem (J. Weiß) der vorhergehenden und folgenden Verse (12—19.29—34) deutlich ab[295]. Die Frage ist nur, ob sich darin nicht auch ein sachlich weitergehendes Interesse meldet, das den Rahmen der aktuellen Auseinandersetzung um die Möglichkeit künftiger Totenauferstehung ausweitet und vertieft in den eigentlichen, d.h. apokalyptischen Horizont pln.

292 Apokalyptik 127.

293 Vgl. etwa Luz, Geschichtsverständnis 336; Spörlein, Leugnung 70 u.ö.; auch Käsemann, Apokalyptik 127; G. Barth, Erwägungen zu 1. Korinther 15,20—28, in: EvTh 30 (1970), 515—527.517ff.

294 Vgl. Spörlein, Leugnung 73f.78, geg. Brandenburger, Adam und Christus 70—72; Barth, aaO. 520f.

295 Das geht vor allem aus der Grundlegung der Argumentation in V.20—22 hervor. V.20 — durch νυνὶ δέ als Wende zum eigentlichen Sachanliegen des Apostels gekennzeichnet (vgl. Röm 3,21 und Weiß, 1Kor 356) — stellt in thesenartiger Formulierung die entscheidende Heilsaussage voran, die im folgenden zunächst mit Hilfe der lehrhaften Antithese Adam-Christus erläutert wird (V.21f). Die Vv.23—28 schließen nicht nur syntaktisch an diese Antithese an — V.23 gehört zum Prädikat ζωοποιηθήσονται (vgl. Conzelmann, 1Kor 3,19 A.60) —, sondern legen sie im Anschluß an urchristliche Traditionen von der Herrschaft Christi (s.u.) und im Rückgriff auf apokalyptische Kategorien, die das Stichwort τὸ τέλος (V.24a) hervorruft, weiter aus. Zur Gliederung des Textes vgl. neben den Kommentaren vor allem F.W. Maier, Ps 110,1 (LXX 109,1) im Zusammenhang von 1Kor 15,24—26, in: BZ 20 (1932), 139—156.142ff; Luz, Geschichtsverständnis 339ff.

Auferstehungstheologie und Eschatologie überhaupt. E. Käsemann zufolge ist der Sinn unserer Auferweckung nach unserem Text primär „nicht ... unsere Wiederbelebung, sondern die Herrschaft Christi", die selbst wiederum „einzig dem Zwecke (dient), der Alleinherrschaft Gottes Platz zu schaffen"[296]. Das eigentliche Interesse des Apostels sei also — apokalyptisch — ein theo-logisches; Christologie und erst recht Anthropologie (Soteriologie) sind nur die vorläufigen, endzeitlichen Bekundungen und Mittel der eschatologischen Machtergreifung Gottes[297]. H. Conzelmann hat gegen diese Sicht eingewandt, daß sie sich nicht „traditionsgeschichtlich", vom Kerygma in V.3—5 her begründen lasse[298]. In der Tat ist zu fragen, wie sich für Paulus die in V.20—28 apokalyptisch „gesicherte" Auferweckungserwartung zum offensichtlich bewußt als Argumentationsbasis vorangestellten christologischen Kerygma und zu der eindeutig christologisch-soteriologischen Argumentation in V.12—19 (wie zur anthropologischen in V.29—34) verhält[299]. Konkret gilt es vor allem festzustellen, in welcher Beziehung die Aussagen über Christus als Kosmokrator und als ἀπαρχή der Entschlafenen auf diesem kerygmatischen Hintergrund zueinander stehen.

Nun ist gewiß bemerkenswert, daß der Apostel in V.23 mit dem typisch apokalyptischen Topos des τάγμα keine chronologisch-kosmologische Belehrung gibt, sondern die Wirklichkeit künftiger Totenauferstehung in Christus und

---

296 Apokalyptik 127.

297 „Die apokalyptische Frage, wem die Weltherrschaft gehört, steht hinter der Auferstehungstheologie des Apostels wie hinter seiner Paränese, die sich in der Forderung des leiblichen Gehorsams konzentriert." (Apokalyptik 129). Zum letzteren vgl. bes. 128ff: „Der Mensch ist für Paulus nie bloß er selbst. Wie er immer ein konkretes Stück Welt ist, so wird er, was er letztlich ist, von außen her, nämlich durch die Macht, die ihn ergreift, und die Herrschaft, der er sich anheimgibt. Sein Leben ist von vornherein Gegenstand der Auseinandersetzung zwischen Gott und den Gewalten dieser Welt. Es spiegelt m.a.W. jene kosmische Auseinandersetzung um die Weltherrschaft und ist deren Konkretion. Es ist als solches nur apokalyptisch zu verstehen." (130).

298 Analyse 3 A.16. In seiner Replik bestreitet Käsemann ausdrücklich einen Sachzusammenhang zwischen 1Kor 15,3—5 und 20—28 (Konsequente Traditionsgeschichte? , in: ZThK 62 (1965), 137—152.139).

299 Dieses Problem resultiert also weder aus einem „konsequent traditionsgeschichtlichen" Schriftverständnis bzw. einem Begriff von Theologie als Auslegung des Glaubens, noch erfordert es eo ipso eine solche Arbeitsweise (dagegen hat Käsemann mit Recht gerade von der Exegese her erhebliche Bedenken angemeldet), sondern es stellt sich durch den pln. Text selbst, vgl. Luz, Geschichtsverständnis 332—339. Es ist immerhin bemerkenswert, daß auch der „Obersatz" V.20, den ja letztlich die Vv. 23—28 erläutern sollen (vgl. oben Anm. 295), im wörtlichen Rückgriff auf das Kerygma formuliert ist (Χριστός ... ἐγήγερται), vgl. Conzelmann, 1Kor 316.

ihre zeitlich-sachliche Differenz zu Christi Auferstehung aufzeigt[300] . Beides wurzelt in der Tatsache, daß der Gekreuzigte in der Auferweckung zum Herrn erhoben wurde: er ist die ἀπαρχή (V.20.23)[301] . Die Vv.24−28[302] entfalten Sinn und Ziel seiner Herrschaft und interpretieren damit den Gedanken des τάγμα, durch den sie ja auch ausgelöst wurden. Die Alternative Wiederbelebung der Toten − Herrschaft Christi hat deshalb schon vom Aufbau des Textes her wenig Wahrscheinlichkeit für sich; der Sinn und das Ziel der Herrschaft Christi ist vielmehr die Wiederbelebung der Toten selbst. So spricht V.26 nicht zufällig von der Vernichtung des Todes als des letzten Feindes, womit Christus offenbar endgültig als Herr etabliert ist. Zudem kann kein Zweifel daran bestehen, daß für Paulus Ostern (und nicht die Parusie) als Herrschaftsantritt Christi gilt[303] und die Unterwerfung der Mächte[304] seitdem im Gange ist[305] . Fraglich kann nur sein, ob die Differenzierung

300 Vgl. auch δεῖ V.25 und etwa Conzelmann, 1Kor 319 (Begründung der Auferweckung mit der apokalyptischen Ordnung).
τάγμα wird am besten mit „Stellung", „Stand" wiedergegeben, vgl. G. Delling, ThWNT VIII 31−32.32. Paulus knüpft damit an einen apokalyptischen Zentralgedanken an, vgl. Luz, Geschichtsverständnis 342; E. Schweizer, 1. Korinther 15,20− 28 als Zeugnis paulinischer Eschatologie und ihrer Verwandtschaft mit der Verkündigung Jesu,in: Jesus und Paulus (FS W.G. Kümmel), Göttingen 1975, 301− 314.310 (Belege!); vgl. allgemein: Harnisch, Verhängnis 248ff. Paulus verwendet ihn freilich nur zur Erklärung der faktischen Differenz zwischen Christus und den Seinen und insofern zur Vergewisserung ihrer Auferweckung, ohne jedoch irgendwie auf den göttlichen Geschichtsplan abzuheben. Das lokale bzw. funktionale Verständnis von τάγμα als „Gruppe oder deren Versammlungsort" (H.-A. Wilcke, Das Problem eines messianischen Zwischenreichs bei Paulus (AThANT 51), Zürich/Stuttgart 1967, 76−85.78) gibt hier keinen Sinn, der Bezug von V.23a auf V.22 (83−85) erweist sich als Verlegenheitslösung (Luz, Geschichtsverständnis 339 A.78).

301 In der Auferweckung „wurde der letzte Adam lebenspendender Geist" (1Kor 15,45), vgl. dazu Stanley, Resurrection 274−277. Der Terminus ἀπαρχή ist also mit Weiß, 1Kor 356; Wilcke, aaO. 63f; Conzelmann, 1Kor 317 u.a. zeitlich und kausal zu fassen; dafür spricht auch die Nähe zu ἀρραβών, vgl. Röm 8,23 mit 2Kor 1,22; 5,5, geg. Lietzmann, 1Kor 79(?); Spörlein, Leugnung 71.

302 Zu Gliederung und Gedankenentwicklung vgl. die sorgfältige Analyse von Maier, aaO.; auch Luz, Geschichtsverständnis 339−341.

303 Vgl. etwa Röm 1,3f; 8,34ff; 10,9; 14,9; Phil 2,9−11; darauf verweist auch die Verwendung von Ps 110,1, vgl. auch R. Schnackenburg, Gottes Herrschaft und Reich, Freiburg 4.Auflg. 1965, 206f.

304 „Die Herrscher dieses Äons" sind vor dem „Herrn der Herrlichkeit" καταργούμενοι, 1Kor 2,6; vgl. 1,18; 2Kor 2,15; 4,3.

305 Vgl. auch W. Grundmann, ThWNT II 308. U. Luz hat gezeigt, daß die Verbindung von Ps 110,1 und Ps 8,7 (vgl. Eph 1,20−22; Hebr 1,13:2,6ff) als Zeugnis einer vorpln. Tradition gewertet werden muß, die Christi Erhöhung als Unterwerfung der Mächte und Gewalten verstand, vgl. Phil 2,9−11(?); Kol 2,10.15; 1Petr 3,22 (Geschichtsverständnis 343ff; die Akzentuierung der Vokabel βασιλεία gegenüber κυριότης (347) stellt freilich diese These unnötigerweise wieder in Frage, da sie unseren Text der Vergleichbarkeit mit anderen vorpln. Überlieferungen entzieht). Diese an der Dimension der Zeit desinteressierte Akklamation des erhöhten Herrn hat Paulus durch Betonung der „apokalyptischen" Zukunft „transformiert" (347f); d.h. die Auferweckung Jesu galt dem Apostel wesentlich als Eröffnung von Zeit,

unseres Textes zwischen Parusie und Telos eine zeitliche ist, die Unterwerfung der Mächte mit der Totenauferweckung also noch nicht abgeschlossen ist, oder ob diese Differenzierung nicht vielmehr die doppelte „Richtung" der Vollendung der Christusherrschaft (im Hinblick auf die Menschen und auf Gott) andeutet, und zwar in loser Fortführung des eine zeitliche Ordnung markierenden τάγμα-Gedankens[306]. Trifft das letztere zu, so ist die Parusie nicht nochmals eine, dem Ostergeschehen analoge Eröffnung der „letzten Zeit" der Herrschaft Christi, sondern − wie sonst bei Paulus − das Telos selbst; die Auferweckung der Toten bei der Parusie[307] ist nicht „die Einleitung der endgültigen Besiegung der Macht des Todes"[308], sondern seine eschatologische Vernichtung selbst[309]; V.26 bildet folglich den „Schlüssel zur Interpretation des ganzen Abschnittes" V.24−28[310]. Das wird zur Gewißheit erhoben durch die Alternative θάνατος −ἀνάστασις νεκρῶν in

nämlich der Endzeit, in welcher sich Christus, der gestorbene und auferweckte Herr, als das Ende der Zeit und die letzte Zukunft der Welt gegen die gottfeindlichen Mächte durchsetzt; die Herrschaft Christi und ihre Zeit erbringt so den Erweis, daß die Auferweckung Christi die eschatologische Wirklichkeit, das Ende der Zeit ist (vgl. Luz, Geschichtsverständnis 349; zur Modifikation s.o. Anm. 208). Die Endzeit ist also auch nach diesem apokalyptischen Text nicht nur die Zeit vor dem Ende, sondern umfaßt die gegenwärtig-zeitliche Erschließung und Durchsetzung des Endes, nämlich der Auferweckung Christi zum Herrn (geg. Käsemann, Apokalyptik 127). Insofern sichert apokalyptisches Denken hier das Kerygma, ohne daß eine Korrektur oder Polemik gegen enthusiastische Tendenzen sichtbar würde (vgl. Luz, Geschichtsverständnis 350 mit A.121; der Nachweis einer entsprechenden apokalyptischen Tradition scheint mir auch deshalb schwerlich gelungen zu sein, vgl. unten Anm. 340).

306 Die Formulierung in V.23a (ἕκαστος) trifft strenggenommen nur auf Christus und die auferweckten Christen zu, da τὸ τέλος nicht „der Rest" (der Auferweckten), sondern eindeutig „das Ende" heißt (vgl. Röm 10,4; 1Kor 1,8; 10,11; 2Kor 1,13; 3,13; 1Thess 2,16; auch 2Kor 11,25; Phil 3,19, sowie den stringenten Nachweis von Wilcke, aaO. 85−96); es wird in den beiden ὅταν-Sätzen näher bestimmt (vgl. Anm.312); εἶτα „dient" zudem „oftmals dem Zweck d. Nebeneinanderstellung unter Verflüchtigung des zeitl. Momentes" (Bauer WB s.v. = Sp.463).

307 Parusie und Auferstehung der Toten stehen zusammen auch in 1Thess 4,16f und Phil 3,20f.

308 So Luz, Geschichtsverständnis 349.

309 Die Vorstellung eines messianischen Zwischenreiches (wie etwa Apk 20; 4Esr 7,26−29; sBar 29f; 73f) hat deshalb im eschatologischen Denken des Paulus keinen Platz, ja ist m.E. nicht einmal als von Paulus korrigiertes Aussagemittel nachweisbar und möglicherweise erst nach 70 n.Chr. aufgekommen (anders z.B. Bousset/Greßmann 286−289.287), vgl. umfassend die Arbeit von Wilcke.

310 Luz, Geschichtsverständnis 348; darauf verweist auch die Einfügung des πάντας in das Zitat ψ 109,1, die durch Ps 8,7 gestützt wird und somit den krönenden Abschluß in V.28 nicht nur vorbereitet, sondern mit dem Leitthema der Totenauferweckung verknüpft, vgl. Maier, aaO. 152−155; Barth, aaO. 523f.

V.21 bzw. ἀποθνῄσκειν – ζῳοποιεῖσθαι in V.22: „auferweckt von den Toten ist Christus der Erstling der Entschlafenen" (V.20)[311]; das ist der Sinn seiner Herrschaft[312].

Nur diese Deutung steht mit der parallelen Aussage des „Mysteriums" *1Kor 15,51ff* in Einklang[313]. Das Verschlungenwerden des Todes in den Sieg[314] ist nichts anderes als die Auferweckung der Toten bzw. die korrespondierende Verwandlung der Lebenden. In diesem Geschehen, das zeitlich nicht mehr differenziert werden kann[315] – „in einem Atom von Zeit" (H.Schlier), vgl. V.52 –, bricht die Herrschaft Gottes herein (V.50). D.h.: Auferweckung der Christen, Vernichtung des Todes und Übergabe der Herrschaft an den Vater meinen – unter verschiedenen Aspekten – ein und dasselbe eschatologische Ereignis, den Sieg und die Vollendung der Herrschaft Gottes „durch unseren Herrn Jesus Christus" (V.57) bei seiner Parusie.[316]

Auch in *1Thess 4,13–18* läßt Paulus a) nicht nur Parusie und Totenauferstehung zusammenfallen, sondern argumentiert vor allem auch b) vom christologischen Kerygma her und zieht c) den apokalyptischen Gedanken einer zeitlichen Ordnung der Endereignisse (im Anschluß an ein „Herrenwort") zur Vergewisserung der eschatologischen Zukunft heran (ohne aber einen bestimmten „chronologischen Ablauf" der Endereignisse lehren zu wollen). Nimmt man hinzu, daß 1Thess 4,13ff und 1Kor 15 die einzigen Abschnitte sind, in welchen der Apostel die künftige Auferweckung der Christen gegen Zweifel und

311 Zum Verhältnis von V.20–22 zu V.23ff s.o. Anm.295 und 299.

312 Dafür spricht auch entschieden das syntaktische Verhältnis der beiden ὅταν-Sätze: der zweite (ὅταν m. Konj. Aor.) ist dem ersten als vorzeitig subordiniert: nachdem die Unterwerfung der Mächte abgeschlossen ist, gibt Christus die Herrschaft an Gott zurück (vgl. Wilcke, aaO. 100; Conzelmann, 1Kor 321; Kümmel, in: Anhang zu Lietzmann, 1/2Kor 193 (zu S.81 Z.15). Eine zeitliche Differenz zwischen Parusie und Ende, die sich wegen der Aufreihung der τάγματα nahelegt, kommt deshalb sachlich nicht in Frage (geg. H. Molitor, Die Auferstehung der Christen und Nichtchristen nach dem Apostel Paulus (NTA XVI/1), Münster 1933, 49–53; Guntermann, Eschatologie 256.260; Spörlein, Leugnung 76f). Sie widerspricht auch allen sonstigen Parusieaussagen des Apostels und sollte deshalb nicht mit dem Hinweis auf die Unausgeglichenheit seiner eschatologischen Vorstellungen im allgemeinen gerechtfertigt werden, zumal dann, wenn man konzediert, Paulus sei gar nicht an ihr interessiert (so z.B. Luz, Geschichtsverständnis 347 mit A.114; auch 340 A.83; 341).

313 Vgl. Schnackenburg, aaO. 209.

314 V.54c.55 kombiniert Jes 25,8 und Hos 13,14; zur Textfassung vgl. Conzelmann, 1Kor 349. Jes 25,8 bezeugte dem Rabbinat die Abwesenheit des Todes in der künftigen Welt, vgl. Bill III 481–483.

315 Vgl. Schnackenburg, aaO. 209.

316 Die pln. Eschatologie entspricht insofern jenem Zweig jüdischer Endzeiterwartung (vor allem der frühen Apokalyptik), der noch keine allgemeine Auferweckung kannte, wo vielmehr der Auferstehung bzw. dem ewigen Leben der Gerechten/ Israels das universale Gericht über die Feinde und Gottlosen korrespondierte, vgl. Volz 89–91 („Erlösungsgericht"); Hengel, Judentum und Hellenismus 357–369. 365.

Falschlehren innerhalb der Gemeinden verteidigt, so müssen die genannten Übereinstimmungen als die entscheidenden Anhaltspunkte für die Eruierung des Sachanliegens pln. Auferstehungstheologie gewertet werden[317].

Sieht man in der Auferweckung der Christen jenes Ereignis, durch welches sich Gott endgültig und definitiv als Gott erweisen, „alles in allem" sein wird, so ergibt sich auch für 1Kor 15,24—28 ein einheitlicher Gedankengang und eine schlüssige Verbindung zum näheren und weiteren Kontext[318]. Wie wir sahen, stand ja für Paulus mit der Bestreitung künftiger Totenauferstehung Gottes eschatologische Macht, die Wahrheit seines Gottseins selbst auf dem Spiel (V.15.34), die er in der Auferweckung des gekreuzigten Christus zum Herrn ein für allemal erwiesen hat; deshalb ist Christi Auferweckung die Inauguration der unsrigen, Christus der „Erstling der Entschlafenen". Wie uns unter seiner Herrschaft sein Sühnetod als Befreiung von unseren Sünden zugute kommt, 1Kor 15,3.17, so vollendet sie sich in der Vernichtung[319] der Mächte, zuletzt des Todes, der mit dem „Stachel" der Sünde alle ins Verderben treibt, vgl. 15,56.18[320], d.h. in der Auferweckung derer, die zu Christus gehören[321]. Christus ist in seinem Geschick der Repräsentant der eschatologischen Wirklichkeit Gottes, diese

---

317 Diese Forderung erhielte weiteres Gewicht, wenn man — wie mir wahrscheinlich — die Ursachen der Zweifel an der Auferweckung in Thessalonich und Korinth mit Spörlein für weitgehend identisch halten darf, s.o. Anm.146.

318 V.25—28 hat also m.E. keinen Exkurscharakter, anders Lietzmann, 1Kor 81; Schnackenburg, aaO. 205; Spörlein, Leugnung 76.

319 καταργεῖν heißt in eschatologischem Kontext eindeutig „vernichten", vgl. 1Kor 2,6; 6,13 (Ggs. ἐγείρειν!); 13,8.10; 2Kor 3,7.11.13f; 2Thess 2,8 u.a.; dieser Sinn dominiert auch in christologisch-soteriologischen Aussagen, vgl. Röm 6,6; 7,6; 1Kor 1,28; Gal 5,4 (geg. G. Delling, ThWNT I 452—455.454). 1Tim 1,10 und Hebr 2,14 verbinden übrigens die Vernichtung des Todes mit der Epiphanie bzw. dem Tod Christi.

320 Vgl. Schweizer, a.Anm. 300 a.O. 308f: „Auferstehung Jesu ist also auch In-Kraft-Setzung dieses Todes Jesu für die Sünden, und die noch immer vor sich gehende Unterwerfung der Mächte gründet letztlich darin, daß im Tode Jesu die Sünden überwunden worden sind. In diesem Sinne bleibt auch der Auferstandene noch der Gekreuzigte ... Obwohl also das paulinische Bild vom Reich Christi jüdisch-apokalyptischen Schilderungen näher steht, wurzelt es doch faktisch in dem Wissen um die Tatsache der Kreuzigung Jesu, die in der Apokalyptik keinerlei Parallele hat. Es wendet sich darum auch gegen alle Illusionen von einem der Gemeinde schon verliehenen himmlischen Herrlichkeitsleben."

321 Denen, „die Christus gehören", die ihr Fleisch samt den Leidenschaften und Begierden gekreuzigt haben und das Leben im Geist haben (Gal 5,24f), gehört darin schon jetzt die Herrschaft über alles — weil Christus Gott gehört, 1Kor 3,21—23 — ein weiteres Indiz für die Einheit von Herrschaft Gottes und Heil der Christen in der Herrschaft Christi. Von der Herrschaft der Christen (durch Christus) spricht Paulus auch sonst im Blick auf Gegenwart und Zukunft, vgl. Röm 5,17b; 1Kor 4,8; 6,2; hierher gehören auch die Parole πάντα ἔξεστιν, 1Kor 6,12; 10,23, die Paulus als Ausdruck seines *Freiheits*verständnisses aufnimmt und absichert (vgl. etwa 7,17—24; Gal 5,1.13ff), sowie die Gewißheit der Überlegenheit über die kosmischen Mächte und ihrer Überwindung, vgl. Röm 8,35—39.

ist durch ihn als Rettung (V.2) vor dem eschatologischen Untergang definiert (V.18) und greift als solche uneingeschränkt Platz in der künftigen Auferwekkung der Glaubenden, die „in Christus" (V.18.22) sind[322], und zwar „bei seiner Parusie", wo er seine ganze Herrschermacht offenbar zur Entfaltung bringen wird[323]. Christi Parusie ist somit nichts anderes als das Ereignis der totenerweckenden Macht Gottes, aus der er als der Herr lebt (2Kor 13,4), an uns (1Kor 6,14), ist Übermächtigung auch unserer Leiblichkeit durch den Geist, in welchem uns Gott durch den auferweckten Christus schon jetzt bestimmt (Röm 8,11; vgl. 1Kor 15,44ff), ist eschatologischer Ausbruch der Glorie des Vaters (Röm 6,4) auch an uns – durch Christus, das Bild der Herrlichkeit Gottes (2Kor 3,18; 4,4–6). Gerade von Gott und seiner eschatologischen Heilstat in Christus her gesehen, wie Paulus sie hier in betontem Anschluß an das Kerygma expliziert, kommt eine unterschiedliche Gewichtung im Vollendungsgeschehen zwischen Soteriologie und Theo-logie, zwischen „Mittel" und „Ziel", nicht in Betracht; bringt es doch eben die unbeschränkte Herrschaft Gottes *als* die Rettung und das Heil der Glaubenden – in Christus[324].

---

322 Überpointiert Nikolainen: „Das Wort 'Auferstehung der Toten' ist für Paulus nichts anderes als eine Umschreibung des Wortes 'Gott'." (Auferstehungsglauben II 140, im Anschluß an K. Barth, Die Auferstehung der Toten, München 1924, 112).

323 Maier macht zu Recht auf die Nähe von $\beta\alpha\sigma\iota\lambda\epsilon\iota\alpha/-\epsilon\upsilon\epsilon\iota\upsilon$ zum politisch-sakralen Begriff der $\pi\alpha\rho\sigma\upsilon\sigma\iota\alpha$ aufmerksam (bei Paulus sonst nur in 1Thess: 2,19; 3,13; 4,15; 5,23): bei der Parusie entfaltet sich die Macht des Herrschers in ihrem ganzen Gewicht und Glanz (aaO. 150f A.1).

324 Die Formulierung Käsemanns (Apokalyptik 129): „daß Auferweckung für Paulus nicht primär so etwas wie Wiederbelebung der Toten, sondern ein regnum Christi orientiert ist. Weil Christus herrschen muß, kann er die Seinen nicht dem Tode lassen" – akzentuiert hingegen zu einseitig und alternativ den Herrschaftsgedanken bzw. faßt „Herrschaft" einseitig „apokalyptisch" als (kämpferische) Selbstdurchsetzung Christi (Gottes), ohne sie – wie bei Paulus zu beobachten – am Christusereignis, am Kerygma zu orientieren. Wenn aber nicht das konkrete Geschick Christi für den Sinn seiner Herrschaft maßgebend ist, sondern es umgekehrt im Horizont und als Verwirklichung eines apokalyptischen Herrschaftsgedankens interpretiert wird („Weil Christus in die Welt kam und Welt für sich als Platzhalter Gottes will ...": ebd.), gerät mit der Christologie auch die Soteriologie in Gefahr, „funktionalisiert" zu werden, zumal dann, wenn der Auferstehungsgedanke in solcher, historisch nicht begründbarer Weise desavouiert wird. Auch die Apokalyptik kannte i.ü. eine soteriologische Auferweckungskonzeption, eine Erkenntnis, die davor warnt, „Apokalyptik" pauschal, ohne genaue Differenzierung der Einzelanschauungen als Horizont pln. Theologie zu reklamieren. Zur Bedeutung apokalyptischer Eschatologie bei Paulus als Auslegung und Sicherung des Kerygmas vgl. Luz, Geschichtsverständnis 357f; auch J. Becker, Erwägungen zur apokalyptischen Tradition in der paulinischen Theologie, in: EvTh 30 (1970), 593–609; G. Barth, aaO. 524f.

Solche exklusive Konzentration der eschatologischen Wirklichkeit auf Christus, die in V.23 präzise formuliert ist, *schließt die Erwartung allgemeiner Totenauferstehung* von vornherein *aus*[325]. Auch V.22 sticht nicht als Beleg, da er V.20 interpretiert, der wie das parallele ἀνάστασις νεκρῶν (V.21) ausschließlich die Auferweckung der gestorbenen Christen im Auge hat, was V.12–19 klarstellt[326]. Ebensowenig vermögen die Begriffe τάγμα und τέλος sowie die „Taufe auf die Toten" (V.29) (was auch immer damit gemeint sein mag) die Beweislast für diese These zu tragen, die immer wieder mit Berufung auf unseren Text vorgebracht wird[327]. Gerade wenn dieser letzte Brauch auf Nichtchristen (Angehörige von Gemeindemitgliedern) zielen sollte, wird ihre Unhaltbarkeit nochmals klar: Weil allein der Anschluß an Christus, der – wie natürlich auch die Korinther wußten (vgl. 1Kor 1,13ff; 6,11; 12,13; auch 10,2) – in der Taufe vermittelt wurde, eschatologische Rettung verbürgt, unterzogen sie sich in Stellvertretung der Gestorbenen dieser Kulthandlung. Die Erwartung einer allgemeinen Totenauferweckung ist mit dieser Praxis unvereinbar, hätte sie vielmehr ad absurdum geführt. Unsere Stelle teilt also das durchgehend nachweisbare Verständnis der künftigen Auferweckung bei Paulus.

Neben dieser Auferweckung in und mit Christus hat aber auch eine *Auferweckung zum Gericht keinen Platz* mehr. Das Gericht bildet vielmehr die negative Seite der Auferweckung selbst, insofern diese die Vollendung der Herrschaft Gottes in der eschatologischen Wirklichkeit Christi bringt, d.h. die Vernichtung aller Feinde impliziert; es ereignet sich folglich nach unserem Text auch schon gegenwärtig in der Unterwerfung der Mächte unter die Herrschaft Christi (V.24ff; vgl. auch Röm 1,16:18; 1Kor 1,18; 2,6; 2Kor 2,15; 4,3)[328]. In der kommenden ὀργή dokumentiert sich „negativ", daß Gott alles in allem und so unser Heil sein wird. Man wird deshalb ὀργή und θάνατος zwar nicht im Hinblick auf ihr Ergebnis für den Menschen, so doch in bezug auf ihre

---

325 Vgl. schon Kabisch, Eschatologie 267f (freilich mit der charakteristischen Begründung in der Identität der Substanz); weder die Erwartung des allgemeinen Gerichts (s.u.) noch erst recht die universale Ausrichtung des Christusereignisses (Röm 5,12ff) können dafür ins Feld geführt werden, geg. Tillmann, Wiederkunft 182–192; Molitor, aaO. 57–78; Guntermann, Eschatologie 198f; Nikolainen, Auferstehungsglauben II 206–221 (dort auch weitere Autoren).

326 Vgl. Molitor, aaO. 34–53; Wilcke, aaO. 67–75.

327 Zur Auslegungsgeschichte vgl. Molitor, aaO. 1–7.44ff; Wilcke, aaO. 69–72.

328 Auch in der jüdischen Apokalyptik galt die Unterwerfung und Vernichtung der Feinde, Mächte und Gottlosen als Vollzug des Endgerichts, vgl. Volz 89ff.309ff. Das Motiv des Messiaskampfes (vgl. die Belege bei Luz, Geschichtsverständnis 348 A.116; dazu Apk 19,11–21) bzw. allgemein einer letzten dramatischen Entscheidung zwischen Gott und seinem Volk auf der einen und seinen Feinden auf der anderen Seite um die Weltherrschaft (vgl. etwa K. Schubert, Die Entwicklung der eschatologischen Naherwartung im Frühjudentum, in: Vom Messias zum Christus, Wien 1964, 1–54.31f) spielt bei Paulus jedoch keine deutlich erkennbare Rolle und bildet auch an dieser Stelle nicht mehr als eine Reminiszenz frühjüdischen Gerichtsverständnisses im Anschluß an den christologischen Ps 110,1. Es geht jedenfalls nicht an, diesem Topos für die pln. Eschatologie im ganzen, speziell für das Verständnis der Herrschaft Christi und seiner Gemeinde, zentrale Bedeutung beizumessen (s.o. Anm. 262). Wenn man so will, war ja schon Christi Geschick dieser Kampf, der in den Sieg seiner Auferweckung mündete, vgl. auch die plastische Unterscheidung von „Victory Day" und „Entscheidungsschlacht" bei Cullmann, Christus und die Zeit 132f; ders., Immortality 33.

theo-logische und eschatologische Relevanz zu unterscheiden haben. Zweifellos hat Paulus auch den Tod als Strafe und Gericht Gottes verstanden, und als solches wird der Tod im Zorngericht vollendet, vgl. etwa Röm 1,28:2,8; dies geschieht aber dadurch, daß er selbst vernichtet wird (V.26)[329]. Paulus verbindet diesen Gedanken zwar nicht explizit mit dem Begriff der ὀργή (zumal Christus nirgends als Bringer der ὀργή erscheint), dennoch scheint mir die Sache in 1Kor 15,26 zutage zu liegen[330]. Dafür spricht entscheidend, daß die ὀργή – anders als θάνατος und ἀπώλεια – von Paulus öfters als „Macht" (ὀργὴ θεοῦ) bzw. Selbsterweis Gottes apostrophiert wird, vgl. Röm 1,18; 2,5.8; 3,5; 9,22; 12,19? ; 1Thess 2,16. Gewiß erlauben es auch diese Stellen nicht, ὀργή einfach als „Affekt" Gottes zu deuten, andererseits ist in dieser traditionellen anthropomorphen Ausdrucksweise festgehalten, daß das eschatologische Zorngericht kein nebuloses „Zornereignis" (G. Kegel) darstellt, sondern die Durchsetzung des absoluten Herrschaftsanspruches Gottes, neben dem und gegen den nichts bestehen kann[331].

Da Gottes Herrschaft aber in der Person Jesu Christi hereinbricht, kann nicht nur das Subjekt des Gerichtes wechseln[332], sondern gehört vor allem auch zur Auferweckung der Toten in Christus *eine letzte Scheidung* zwischen dem, was am Menschen Gottes Herrschaft bzw. dem „Grundstein Christus" entspricht, und dem, was ihm widerspricht und deshalb im Feuer seiner eschatologischen Präsenz ausgemerzt wird (vgl. 1Kor 3,11–13)[333]. Von 1Kor 15,20–28 her, wo Paulus ja in grundlegender Weise über die künftige Auferstehung handelt, bestätigt sich demnach unsere These, daß die Auferweckung ein Gericht „nach den Werken" umfaßt. Auf die Sache gesehen wird man zumindest bei diesen beiden eschatologischen Vorstellungen nicht von gegenseitiger „Kontaktlosigkeit"[334] sprechen können.

329 Vgl. den wohl an der Zwischenreichvorstellung orientierten Begriff ὁ δεύτερος θάνατος in Apk 2,11; 20,6.14; 21,8. Auch deshalb hat die Vorstellung einer „doppelten" Totenauferweckung mit 1Kor 15,26 nichts zu tun, geg. Molitor, aaO. 55–57; Nikolainen, Auferstehungsglauben II 217 u.a.

330 Vgl. καταργεῖν, das in eschatologischem Kontext (anders als (κατα-)κρίνειν oder ἀπολλύναι) nirgends mit direktem persönlichem Objekt verbunden wird; Gal 5,4 formuliert dagegen mit ἀπό, Röm 7,6 zeigt im Vergleich mit 6,6, daß Paulus sich offenbar scheut, die endgültige, totale Vernichtung einer menschlichen Person mit diesem Begriff zu artikulieren. Entsprechend verbindet er das Verb in 1Kor 1,28 mit dem Neutrum τὰ ὄντα. Direkte Objekte von καταργεῖν sind: die Herrscher dieses Äons und die Mächte (der Tod), 1Kor 2,6; 15,24f; 2Thess 2,8; Speise und Bauch, 1Kor 6,13; der Leib der Sünde, Röm 6,6; Prophetie, Zungenrede und Gnosis, 1Kor 13,8; das „Stückwerk", 1Kor 13,10; die Doxa des alten Bundes bzw. dieser selbst, 2Kor 3,7.11.13.14. Der auffällige Bezug auf die widergöttlichen Mächte (vgl. 2Tim 1,10; Hebr 2,14) legt den Schluß nahe, daß καταργεῖν für Paulus der radikalste Gerichtsbegriff war und in diesem Sinn nur mit ὀργή zu vergleichen ist.

331 Paulus steht also auch sachlich in der Linie des atl. und jüdisch-apokalyptischen Verständnisses, vgl. (O. Grether) J. Fichtner, ThWNT V 382–448. bes. 408–410; E. Sjöberg/G. Stählin, ebd. 413–419; auch Mattern, Verständnis 59–61. Eine forensische Szenerie, die sich etwa in Röm 14,10 und 2Kor 5,10 (βῆμα) andeutet, hat demgegenüber keinen eigenständigen Aussagewert, sondern ist lediglich traditionelles Gerichtsbild (s.u. S. 179). Freilich hat es zuweilen den Anschein, als ob gerade diese apokalyptische Vorstellung eines regelrechten Gerichtsaktes zur These von der allgemeinen Auferweckung zum Gericht bei Paulus mit beigetragen habe.

332 Vgl. etwa Röm 2,5; 3,5; 14,10–12 mit 1Kor 4,5; 2Kor 5,10.

333 Die Konzeption einer allgemeinen Auferstehung zum Gericht hat also auch in der pln. Gerichtsanschauung keinen Anhalt und muß auch keineswegs aus religionsgeschichtlichen Gründen postuliert werden, geg. Molitor, aaO. 63; vgl. Anm. 316.

334 Luz, Geschichtsverständnis 357.

Beachtet man die christologische Begründung der Identität von eschatologischer Machtergreifung Gottes und menschlichem Heil, so läßt sich von ihr her auch eine angemessene Erklärung der Einzelaussagen unserer Verse durchführen. Die zentrale Vorstellung von der *Vernichtung und Unterwerfung der Mächte und des Alls* (V.24ff) bietet in bezug auf das Subjekt einen eigentümlich schillernden Eindruck: „von vorne" gelesen scheint Christus sich selbst das All zu unterwerfen; umgekehrt, von V.28 her, ist Gott der eigentliche Akteur dieses Geschehens[335]. Der Übergang liegt in den Vv. 25—27, wo Paulus die Beziehung im Anschluß an die atl. Zitate (bewußt?) in der Schwebe läßt. Offenbar sah er hierin kein Problem: die Herrschaft Christi verwirklicht sich in der Vernichtung der Mächte und der Unterwerfung des Alls, weil sich Gott in der Auferweckung mit dem Gekreuzigten identifiziert hat, ihn zum Ort und Bürgen seiner eschatologischen Heilsherrschaft eingesetzt hat[336]. Gott herrscht also dort und insoweit, als Christus herrscht[337]. Damit zieht Paulus lediglich konsequent sein Grundverständnis des Christusereignisses in seine eschatologische Erwartung hinein aus.

Für die Deutung der *Mächte und Gewalten* an unserer Stelle heißt das, daß ihre Feindschaft gegen Gott, welche im Tod gipfelt, das Unheil für die

---

335 Entsprechend gehen die Urteile der Exegeten auseinander: während etwa Maier, aaO. 155f (aufgrund des zweimaligen, auf Ps 8,7 zurückgehenden ὑπὸ τοὺς πόδας αὐτοῦ), ab V.25 durchgehend Gott als Subjekt annimmt (vgl. Schnackenburg, aaO. 207 A.20), hat schon Lietzmann, 1Kor 81, für Christus plädiert, weil nur so die Korrektur in V.28 sinnvoll sei (zustimmend u.a. Kümmel, im Anhang 194; Wilcke, aaO. 101.105).

336 Maier hat diese Einheit von Herrschaft Christi und Herrschaft Gottes und die daraus resultierende „göttliche" Gewißheit der künftigen Auferweckung (betontes πᾶς) schlüssig als Aussageintention der Zitatenkombination Ps 110,1/8,7 und des darauf basierenden Gedankengangs in V.24—27 erwiesen, auch wenn die Beweisführung hier und dort zu spitzfindig ist (vor allem die Annahme eines regelrechten messianischen Schriftbeweises scheint mir überzogen (140), ebenso der darauf beruhende Versuch, das βασιλεύειν Christi auf atl. Schriftvorlagen zurückzuführen: 148ff) (aaO. 143—147.152—155; zustimmend Conzelmann, 1Kor 323).

337 Schnackenburg, aaO. 208f: „Darum besteht kein Gegensatz, nicht einmal eine bewußte Abhebung zwischen einem 'Reich Christi' und einem 'Reich Gottes'; βασιλεία bedeutet hier ja nur die Funktion des Herrschens, und zwar in ihrer heilsgeschichtlichen Gebundenheit an die Zeit zwischen Erhöhung und Parusie (und alle mit ihr gegebenen, von ihr nicht zu trennenden, zeitlich nicht mehr differenzierbaren eschatologischen Akte) ... So ist die gesamte heilsgeschichtliche Konzeption Pauli unter dem Basileia-Gedanken in 1Kor 15,24—28 verdichtet ...". Das dynamische Verständnis der βασιλεία entspricht übrigens demjenigen Jesu, vgl. ebd. 49ff und Vögtle, Kosmos 144ff im Anschluß an K.G. Kuhn, Art. βασιλεύς κτλ. (C. in der rabbinischen Lit), in: ThWNT I 570—573.

Menschen darstellt[338]. Wo die Mächte, zuletzt der Tod, vernichtet werden, sind wir endlich mit Gott versöhnt, aus ihrem Unheilsverhängnis gerettet. Dies geschieht „in Christus", durch die Unterwerfung von allem unter seine Herrschaft, zuletzt in der Auferweckung derer, die zu ihm gehören. Denn da er „für unsere Sünden" starb und auferweckt ist (15,3f), ist die Feindschaft, jener Grundzug der Eigenmacht der Welt, von Gott endgültig gebrochen. In Christus gibt es Freiheit von den Sünden, d.h. von der Feindschaft gegen Gott (15,17), und damit in neuer Weise die Offenheit des Lebens für Gott[339].

Paulus hat an anderer Stelle von diesem Gedanken her, der zumal sein Verständnis des Zusammenhanges von Sünde und Tod bestimmt, das christologische Kerygma interpretiert. Daß dieser christologische Ansatz auch hier leitend ist, läßt speziell die Bezeichnung Christi als *„Sohn"* erkennen[340].

338 Geg. Conzelmann, 1Kor 294 A.14: „Der Tod ist der letzte Feind: Damit ist das *objektive* Verhältnis von Tod und Mensch festgestellt: Er vernichtet mich ...", vgl. auch 322.324f. Eine solche einseitig existentiale Interpretation sog. „Elemente des Weltbildes" im Dienste der „Auslegung des Glaubens" hält m.E. unserem Text nicht stand, und zwar gerade dann, wenn man ihn (mit Conzelmann) vom Christusereignis her interpretiert. Die den einzelnen und seine Entscheidung übergreifende eschatologische Entscheidung Gottes in Christus überwindet ja das Unheil der Welt (den Tod) dadurch, daß sie ihre Feindschaft gegen Gott (die Sünde, vgl. V.3.17) bricht; die Feindschaft gegen Gott ist also das Unheil, das sich als solches geschichtlich, d.h. durch den Menschen und sein Sündigen der Schöpfung insgesamt bemächtigt (vgl. Röm 5,12ff; 8,20; 1Kor 15,21) und deshalb auch auf diesem Feld – durch den einen Menschen Jesus Christus und seinen Gehorsam – überwunden worden ist. Insofern bildet die „Kosmologie" bzw. das Mächtedenken eine (notwendige) „Projektion" der Soteriologie, die von der Versöhnung Gottes und der Menschen in Christus spricht. Dieser geschichtlich-universale Horizont der Tat Christi „für uns" kommt an unserer Stelle auch in der Adam-Christus-Parallele zum Ausdruck, V.22; vgl. Röm 5,15ff; jedenfalls ist dies – wie auch immer man die religionsgeschichtliche Einordnung dieser Konzeption vornimmt – das Verständnis des Paulus, vgl. Brandenburger, Adam und Christus 226f.244ff; auch Scroggs, The Last Adam 82–85.

339 Bemerkenswert ist, daß Paulus in diesem Zusammenhang nicht von einer Restitution der Schöpfung bzw. einer neuen Schöpfung spricht; auch die Adam-Christus-Parallele wird nicht in dieser Richtung ausgewertet, im Gegenteil: V.44ff, vgl. Vögtle, Kosmos 171f.

340 Das absolute ὁ υἱός ist bei Paulus singulär; es „ruft" zwar nicht „unwillkürlich den Gegenbegriff 'der Vater' " (V.24 ist von V.28 deutlich getrennt; außerdem heißt es hier: „der Gott und Vater": geg. Schweizer, ThWNT VIII 373; vgl. Hahn, Hoheitstitel 331), ist aber gut geeignet, die Hinordnung der Heilsherrschaft Christi auf Gott titular zusammenzufassen; wie wir sahen, unterscheidet er sich darin gerade nicht vom pln. Gebrauch des Titels „Sohn Gottes" (geg. Schweizer, ebd.). Die absolute Form „der Sohn" erklärt sich also vorzüglich aus der Aussageabsicht des Paulus selbst und verweist (trotz der sonstigen sprachlichen Eigentümlichkeiten und schwerfälligen Konstruktion in V.24) keineswegs auf eine antienthusiastische, apokalyptische Tradition, „die – wie U. Luz zugibt – nicht näher bestimmt werden kann" (geg. Luz, Geschichtsverständnis 346; Schweizer, ebd.; in Mk 13,32 ist ὁ υἱός i.ü. nach R. Pesch, Naherwartungen, Düsseldorf 1968, 190–194, redaktionell, also kein Zeugnis für Tradition).

Weil er „der Sohn" ist, mündet Christi Herrschaft in die Unterwerfung unter Gott, d.h. in die *Übergabe der Herrschaft* an den, der „*Gott und Vater"* ist, „damit Gott alles in allem sei" (V.28). Seine Unterwerfung unter Gott ist die Vollendung seines Gehorsams und darin unseres Heils; deshalb ist die Auferweckung der Christen die Vollendung der Gottesherrschaft.

Diese „heilsgeschichtliche" Deutung wird besonders von W. Thüsing verfochten[341]. Ihr Vorteil liegt unstreitig darin, daß sie die Einheit der Thematik „Totenauferstehung" für den gesamten Passus wahrt[342]. V.28 verkündet dann nicht nur „apokalyptisch" die definitive Machtergreifung des Schöpfers, sondern drückt zugleich höchste Heilsgewißheit aus[343]. Die Erwägungen Thüsings im Anschluß an den Sohnes-Titel[344] lesen jedoch m.E. unsere Stelle zu schnell mit den übrigen pln. Zeugnissen für die speziell eschatologische Aktion und Funktion Jesu als des Sohnes zusammen (1Kor 1,9; Röm 8,29; Thüsing übergeht 1Thess 1,10). Sie müssen und können am Text selbst ergänzt und weiter-

---

341 Per Christum 238—254: VI. Die Übergabe der Herrschaft an den Vater (1Kor 15,24.28).

342 Vgl. auch Schnackenburg, aaO.205ff.

343 Vgl. Thüsing, Per Christum 253f. Man kann dies m.E. jedoch nicht wie Th. mit Hilfe einer uneingeschränkt positiven Interpretation von ὑποτάσσειν begründen (242). Paulus spielt hier vielmehr mit dem Begriff und verwendet ihn — im Anschluß an den im Horizont von Ps 110,1 gelesenen Ps 8,7 — zunächst im Sinne von καταργεῖν; dann — ausgehend von Ps 8,7 selbst — gewinnt er umfassende, „kosmische" Bedeutung (wie Phil 3,21) und verleiht so der universalen Machtfülle der Herrschaft Christi und Gottes Ausdruck (V.27—28a); erst zum Schluß wird der Gedanke der positiven Hinordnung auf Gott erreicht (V.28b). Vielleicht darf man generell so differenzieren, daß nur das *Sich*-unterwerfen den Ordnungsgedanken widerspiegelt (vgl. Röm 13,1.5; 1Kor 14,34) bzw. „positiv" bewertet wird (vgl. 1Kor 16,16; Eph 5,21f; Kol 3,18; negativ: Röm 7.20; 10,3), während das Unterworfen*werden* eschatologische Vernichtung bedeutet. Der auch von G. Delling (ThWNT VIII 40—47.41) als ursprünglich apostrophierte Ordnungsgedanke, der jedoch nicht eigentlich belegt wird, spielt also nur in 1Kor 15,28 eine Rolle, muß aber auch dort vom „Gedanken des schlechthinnigen Mächtigseins Gottes" (Delling aaO. 43) her entwickelt werden.
Entsprechend ist auch die Deutung zu modifizieren, die Th. dem πάντα ἐν πᾶσιν gibt (243—246): Gott herrscht in bezug auf alles in allen, d.h. in den dem Christus in der Auferweckung gleichgestalteten Christen. Beide πᾶς-Formen sind dagegen nicht nur grammatisch, sondern auch inhaltlich als Neutrum zu fassen, weil sie nebeneinanderstehen und nur so dem πάντα des Kontexts entsprechen (das durch Ps 8,7 festgelegt ist), eine Differenzierung in beiden Fällen aber nicht deutlich wird. Vom Kontext her gehören — was Th. übergeht — schließlich auch die Mächte zu den πάντα. Legt man die πάντα-Aussage also im Zusammenhang aus, so impliziert dies nach der Auslegung Th.s, daß Gott auch in den Mächten, seinen Feinden, eschatologisch herrscht; das aber steht eindeutig in Widerspruch zu V.27. πάντα ἐν πᾶσιν ist also mit den meisten Exegeten als „Ausdruck der Fülle" zu deuten, „der sachlich ... die vollendete Gottesherrschaft meint." (Schnackenburg, aaO. 208).

344 AaO. 247.

geführt werden. Das absolute ὁ υἱός entspricht offensichtlich dem absoluten θεῷ καὶ πατρί. J. Weiß hat das Pointierte dieser Wendung, die V.28 vorwegnimmt, durch seine Übersetzung treffend herausgestellt: ,,dem, der Gott und Vater ist"[345]. Freilich ist damit noch nicht erwiesen, daß die Formulierung exklusiv die Relation Christi zu Gott im Auge hat[346]. Wenn man in ihrer Singularität den Aussagewillen des Apostels erkennt, wird man nach vergleichbaren Zeugnissen im pln. Schrifttum Ausschau halten müssen[347].

Nach Gal 1,1 hat ,,Gott, der Vater", Jesus Christus von den Toten auferweckt (vgl. Röm 6,4) und sich damit als *unser* Gott und Vater erwiesen, der durch die Annahme der gehorsamen Hingabe Christi für unsere Sünden unsere eschatologische Rettung aus dem gegenwärtigen bösen Äon verbürgt und in Gang gesetzt hat (1,4f). Er wird also deshalb ,,unser Gott und Vater" genannt (vgl. noch Phil 4,20; 1Thess 1,3; 3,11.13), weil Christi Gehorsamstat uns zugute ihn als den ,,Gott und Vater unseres Herrn Jesus Christus" (Röm 15,6; 2Kor 1,3; 11,31) offenbarte, uns aber zu Kindern dieses Vaters machte (vgl. Röm 8,15; Gal 4,6: Ἀββά, ὁ πατήρ)[348]. ,,Durch Christus" erweist er sich immer wieder als ,,der Vater der Erbarmungen und Gott allen Trostes", etwa, wenn er den Apostel ausweisloser Todesgefahr entreißt[349]; er ist ja der ,,Gott, der die Toten erweckt" (2Kor 1,3–11). Als solchem gebührt ihm Dank (2Kor 1,3.11; 11,31) und Herrlichkeit in die Äonen der Äonen (Gal 1,5; Phil 4,20)[350]. Christus, der uns ,,angenommen hat zur Herrlichkeit Gottes" (Röm 15,7; vgl. V.6!), ist kraft der Erhöhung ,,Herr zur Herrlichkeit des Vaters" (Phil 2,11). Die letzte Durchsetzung seiner Herrschaft in der Vernichtung der Mächte und Gewalten bringt deshalb für die, die ihm gehören, die vollendete Gleichgestaltung mit seinem Geschick, die Auferweckung mit ihm, die Sohnschaft, zur ewigen Verherrlichung Gottes. Denn Christus wird sich mitsamt seiner Herrschaft am Ende Gott unterwerfen[351]. So offenbart der, welcher der Sohn ist, den, der Gott und Vater ist: den, der gerade darin Gott ist, daß er unser Vater ist − als der Gott und Vater unseres Herrn Jesus Christus[352].

345 1Kor 359; auch G. Schrenk betont die Sonderstellung von 1Kor 15,24−28 (Art. πατήρ, in: ThWNT V 946−1016.1011). Die Traditionshypothese von Luz (Geschichtsverständnis 343ff A.96) ebnet diesen Befund unzulässig ein.

346 Geg. Weiß, ebd.

347 Vgl. auch Stanley, Resurrection 255−266. Zum Sprachgebrauch vgl. die Übersicht bei Schrenk, aaO. 1008−1010.

348 Speziell auf die Offenbarung des *Sohnes* Gottes (Gal 1,16) läßt sich das Bekenntnis zu Gott als dem Vater aber kaum aufgrund der pln. Texte zurückführen, geg. Stanley, Resurrection 46.256; ebensowenig erscheint die Auferweckung Jesu speziell als ,,function of God *as Father*" und *deshalb* als zentrales soteriologisches Ereignis (261ff).

349 1Thess 3,11 bittet und erwartet Paulus von ,,unserem Gott und Vater und unserem Herrn Jesus", daß er ihn endlich mit der Gemeinde zusammenführe.

350 Das verlangt auch, ,,untadelig in Heiligkeit zu sein vor unserem Gott und Vater bei der Parusie unseres Herrn Jesus mit allen seinen Heiligen" (1Thess 3,13).

351 Zum spezifisch pln. Verhältnis von Vater und Kyrios vgl. Schrenk, aaO. 1012f; freilich engt er das Vatersein Gottes für 1Kor 15,24ff zu stark auf sein Herrschersein ein; vor der Christologie her ist m.E. das gnädige Zugewandtsein Gottes zur Welt im Vaternamen zu betonen (vgl. 1021,31ff), während das Herrschaftsmoment im vorgeordneten θεός gewahrt bleibt.

352 Daß gerade die Herrschaft Christi Gott als unseren Vater erweist, spiegelt sich nicht nur in 1Kor 8,6 (dazu Thüsing, Per Christum 225−232. bes. 232), sondern auch in der Salutatio des pln. Briefpräskripts − gewiß eine geprägte, aber gleichwohl noch

Wir können also festhalten, daß der Name „Gott und Vater" bei Paulus Gott in seiner spezifischen, eschatologischen Beziehung zur Welt in Christus, dem Sohn, benennt. Dieser Name faßt prägnant die beiden aufeinander bezogenen „Pole" des einen Christusgeschehens zusammen: die Endgültigkeit der Herrschaft Gottes *ist* die endgültige Rettung in der Auferweckung der Toten. Abstrakt formuliert: die Soteriologie kann eschatologisch nicht in Theo-logie aufgelöst werden, weil die Christologie beides eschatologisch zur Deckung bringt.

Es dürfte deutlich geworden sein, daß diese Konzeption a) den apokalyptischen Abschnitt 1Kor 15,20—28 als Einheit in sich und mit dem Kontext begreifen kann, weil sie b) aus dem — paulinisch interpretierten! — christologischen Kerygma hervorgeht. Der Aufbau von 1Kor 15 spiegelt deshalb c) mehr als eine situationsbedingte Argumentationsweise des Paulus, er ist vielmehr von entscheidender hermeneutischer Relevanz für sein eschatologisches Denken überhaupt[353]. Es bricht auf an der Erfahrung des gekreuzigten und auferweckten Herrn und artikuliert die letzte, entscheidende Intention und Verwirklichung seiner Herrschaft. Das Eschaton ist für Paulus die Vollendung des Christusereignisses in allen seinen Dimensionen.

nicht abgenutzte Wendung, in deren fester Formulierung ein Grundgedanke des Apostels gültig verwahrt ist. Das gilt zumal für den Fall, daß Paulus selbst den Segenswunsch im Anschluß an briefliche und liturgische Vorlagen bildete, vgl. Kramer, Christos 149—151.

353 Vgl. Conzelmann, 1Kor 293f (daß sich diese Einsicht jedoch weder rein traditionsgeschichtlich noch existential verifizieren läßt, dürfte hinlänglich klar geworden sein), geg. Kegel, Auferstehung 33—56. vgl. bes. 56, Pkte. 4.—7.

DRITTER TEIL

ESCHATOLOGISCHE EXISTENZ ALS
GLEICHGESTALTUNG MIT DEM GESCHICK
JESU CHRISTI (PHIL 3)

„Eschatologie" begegnet bei Paulus überwiegend im Rahmen der Erörterung von Wesen und Aufgabe christlicher Existenz, d.h. vor allem in der Paraklese. Unsere Frage lautet deshalb, ob und in welcher Form das pln. Verständnis der eschatologischen Existenz christologisch begründet und geprägt ist. Wir ziehen dazu exemplarisch jenen Text heran, der innerhalb des pln. Schrifttums unsere Frage am deutlichsten reflektiert.

In Phil 3 setzt Paulus sich mit Irrlehrern auseinander, die wahrscheinlich schon Zugang zu seiner Lieblingsgemeinde von Philippi gefunden haben[1]. Mit dem Aufweis ihrer jüdischen Herkunft und Vorzüge, wobei vor allem die Beschneidung im Mittelpunkt gestanden haben wird[2], versuchen sie die Gläu-

---

1 Daß es sich um mehr als eine äußere oder erst für die Zukunft befürchtete Bedrohung der Gemeinde handelt, geht m.E. deutlich aus der ironischen Aufforderung in 3,15 (Schmithals, Irrlehrer 72—76; Gnilka, Phil 201) hervor, geg. Kümmel, Einleitung 288, der hier lediglich auf die Neigung der *Gemeinde* zum Enthusiasmus angespielt sieht (die sich i.ü. auch aus 2,3f und 4,9 schwerlich nachweisen läßt). Weiter setzt die gesamte Polemik von Phil 3 voraus, daß die Gemeinde diejenigen und zumindest gewisse Eigenheiten ihrer Wirksamkeit kennt, vor denen Paulus sie hier warnt (Schmithals, Irrlehrer 52f). Andererseits zeigt die allgemein gehaltene Mahnung von 3,17ff (wo natürlich dieselben Gegner im Blick sind, geg. Dibelius, Phil 71), daß Paulus die Bedrohung noch nicht als sonderlich akut ansah und die Gemeinde noch ganz auf seiner Seite wußte (geg. Schmithals, Irrlehrer 77ff, der diesem ganzen Passus konkrete Züge der gegnerischen Agitation entnimmt). Zur Bestimmung der gegnerischen Front in Phil 3 vgl. noch H. Köster, The Purpose of the Polemic of a Pauline Fragment (Philippians III), in: NTS 8 (1961/62), 317—332, und vor allem die ausgewogene Diskussion bei Siber, Mit Christus leben 101—110.

2 Unklar bleibt, ob die Gegner des Paulus die Beschneidung lediglich als Ruhmestitel bzw. Erwählungszeichen beanspruchten (was für jüdisch-hellenistische Missionare immerhin recht verwunderlich wäre, geg. Gnilka, Phil 186f; vgl. Kümmel, Einleitung 287; sie spielt übrigens in 2Kor keine Rolle, was Gnilka übersieht) oder gar ihre Übernahme und damit diejenige des Gesetzes forderten (so Köster, aaO. 320, der die Irrlehrer des Phil als stark judaisierende Gnostiker bestimmt, vgl. dazu bes. Schmithals, Irrlehrer 86f, der freilich selbst der zentralen Betonung der Beschneidung seitens der Irrlehrer nicht gerecht wird (62ff, da sie ja für die Gnostiker lediglich symbolische Bedeutung hatte und deshalb auch durchaus aus Opportunitätsgründen entfallen konnte; vgl. zu beiden Kümmel, Einleitung 286f); die Erwähnung des Gesetzes in V.5.6.9 in Zusammenhang mit der Frage nach der wahren Gerechtigkeit ist freilich völlig unbetont und erklärt sich m.E. hinlänglich daraus, daß für Paulus — zumal in Auseinandersetzung mit Gegnern jüdischer Provenienz — das Gesetz der Generalnenner „sarkischer" (V.3f), auf sich selbst und die eigenen Vorzüge bauender Existenz ist, vgl. z.B. Gal 3,3; 5,13; 6,8.12f; von der Brisanz der Auseinandersetzung des Gal um Werk- oder Glaubensgerechtigkeit fehlt hier jede Spur, so daß man schwerlich berechtigt ist, im Sinne des Paulus die Gegner des Phil und Gal zu identifizieren (geg. Schmithals, Irrlehrer passim; Marxsen, Einleitung 61). Vollkommen abwegig erscheint es mir aber, die dreimalige Erwähnung des Gesetzes als Hinweis auf die von den Gegnern angeblich geübte allegorische Schriftauslegung zu werten, geg. Gnilka, a.Anm. 5 a.O. 274; Siber, Mit Christus leben 105.

bigen für eine „(Christus-)Gnosis" zu gewinnen, die schon jetzt Vollkommenheit und Auferstehungsherrlichkeit[3] zu vermitteln scheint, wofür offenbar auch pneumatische Demonstrationen und Offenbarungen als „Beweis" (und als Weg) dienen mußten, vgl. 3,15. Es ist hier nicht der Ort, das verwickelte und schwerlich lösbare Problem einer genauen Bestimmung der gegnerischen Front in Philippi in extenso zu behandeln[4]. Dennoch müssen wir wenigstens kurz auf die These von J. Gnilka eingehen[5], wonach die in Phil 3 angegriffenen urchristlichen Wandermissionare den irdischen Jesus als $\theta\epsilon\tilde{\iota}o\varsigma$ $\dot{\alpha}\nu\dot{\eta}\rho$ verkündet haben, dessen Lebensmacht kraft des Pneuma in der Weise ekstatischer Offenbarungen und allegorischer Schriftdeutung seiner Verkündiger schon jetzt als Verwandlung in $\delta\acute{o}\xi\alpha$ erfahrbar sei, welche ihr Ziel in der $\tau\epsilon\lambda\epsilon\acute{\iota}\omega\sigma\iota\varsigma$ der $\gamma\nu\tilde{\omega}\sigma\iota\varsigma$ ($X\rho\iota\sigma\tau o\tilde{\upsilon}$) habe. Kreuz und Ausständigkeit des Heils in Christus wären damit eliminiert. Die häretische $\theta\epsilon\tilde{\iota}o\varsigma$ $\dot{\alpha}\nu\dot{\eta}\rho$-Christologie hätte eine „realized eschatology" zur Folge[6]. Der entscheidende Nachteil dieser Lösung liegt m.E. darin, daß das Bild der Gegner, ihrer „Lehre" und Propagandaform nur durch einen Vergleich mit dem 2Kor gewonnen werden kann[7], mit welchem Phil 3 zwar in der Tat die auch formal ähnliche Bestreitung jeglicher Ruhmestitel (vgl. V.2–6 mit 2Kor 11,22) sowie die Betonung des Leidens gemeinsam hat. Der Ausgangspunkt dieser Polemik ist jedoch völlig verschieden: in 2Kor geht es zentral um das apostolische Amt, das in Phil 3 nur am Rande in den Blick kommt (V.2.17). Dem Versuch, wegen des betonten Leidens- und Mimesis-Gedankens auf eine Bestreitung des Apostelamtes Pauli durch die philippischen Irrlehrer zu schließen[8], fehlt also (entgegen 2Kor) jeder Anhaltspunkt im Text selbst. Damit ist aber auch der Rekonstruktion einer vermeintlichen $\theta\epsilon\tilde{\iota}o\varsigma$ $\dot{\alpha}\nu\dot{\eta}\rho$-Christologie die textliche Basis entzogen (auch der Vorwurf „Feinde des Kreuzes Christi" reicht dazu keinesfalls aus, zumal $\sigma\tau\alpha\upsilon\rho\acute{o}\varsigma$ in 2Kor nicht begegnet). Das von Gnilka praktizierte Verfahren erweist sich aber auch deshalb als problematisch, weil dabei außer acht gelassen wird, daß Paulus offenbar sprachlich an

---

3   Die singuläre Formulierung in V.11 ($\dot{\eta}$ $\dot{\epsilon}\xi\alpha\nu\acute{\alpha}\sigma\tau\alpha\sigma\iota\varsigma$ $\dot{\eta}$ $\dot{\epsilon}\kappa$ $\nu\epsilon\kappa\rho\tilde{\omega}\nu$) kann gut als polemische Anspielung auf einen Zentralpunkt gegnerischer Argumentation gelesen werden (vgl. Schmithals, Irrlehrer 69; Gnilka, Phil 197); auffällig ist auch die Voranstellung der Auferstehung in V.10; da es dabei aber um eine gegenwartsbezogene Erfahrung geht, könnte auch darin die eigentümliche Fassung von V.11, der von künftiger Auferstehung spricht, begründet sein.

4   Vgl. die oben genannten jüngeren Arbeiten.

5   Erstmalig vorgetragen in seinem Aufsatz: die antipaulinische Mission in Philippi, in: BZ NF 9 (1965), 258–276; zusammengefaßt in seinem Kommentar zu Phil, Exkurs 4: Die philippischen Irrlehrer 211–218; dazu: Blank, Paulus und Jesus 231–238, auch 215–222.

6   Vgl. aaO. 274; Phil 216f.

7   Im Anschluß an Georgi, Gegner.

8   Gnilka, aaO. 267ff; dies gilt erst recht für die auf der These einer gnostischen Einheitsfront beruhenden Schlüsse von Schmithals (z.B. Irrlehrer 66).

die Verkündigung seiner Gegner anknüpft[9] ; das aber läßt auf eine genauere Kenntnis derselben schließen, die es äußerst unwahrscheinlich macht, daß Paulus nur ganz vage und höchstens andeutungsweise — wie hier — auf das Zentrum gegnerischer Argumentation (Apostelamt, Christologie, Gesetz) eingeht.

Doch läßt der Text deutlich die dem Apostel bekannten Schwerpunkte der gegnerischen Propaganda erkennen (die eingangs genannten Merkmale legt auch Gnilka seiner Untersuchung zugrunde!). Es ging dabei um die rechte Form christlicher Existenz; dazu passen sowohl die Stichworte $\pi\epsilon\rho\iota\tau\omicron\mu\acute{\eta}$, $\tau\epsilon\lambda\epsilon\acute{\iota}\omega\sigma\iota\varsigma$ und $\gamma\nu\tilde{\omega}\sigma\iota\varsigma$[10], die (an sich überraschende) Hervorhebung der Glaubensgerechtigkeit[11], wie auch der Hinweis auf die Vorbildlichkeit des Lebens des Apostels (V.17)[12], zumal die gesamte Schilderung des Existenzvollzuges in V.4ff m.E. exemplarische Bedeutung hat, wie zum einen das parakletische Resümee V.15f, zum anderen die Schilderung der „Damaskusstunde" als Existenzkehre (und nicht als Berufung wie Gal 1; 1Kor 15) zeigen[13]. Die Ruhmestitel einschließlich der Beschneidung sind dem Apostel allgemein als Zeichen sarkischer Existenz, die Leiden als Ausdruck des eschatologischen Vorbehalts des in Christus gewährten Heils wichtig. In der zumindest partiellen Vernachlässigung der bleibenden Zukünftigkeit des Heils und dem Anspruch, eschatologische Vollkommenheit schon hier und jetzt (in der pneumatisch-ekstatischen „Erkenntnis Christi") erreichen zu können, scheint der Apostel die Hauptgefahr der gegnerischen Lehre zu sehen[14]. Eine präzise Etikettierung der Irrlehrer „ist darum aufgrund der

---

9   J. Blank (Paulus und Jesus 232) möchte dagegen (im Anschluß an E. Lohmeyer) stärker die persönliche Situation des Apostels (seine Gefangenschaft) in Rechnung stellen (was natürlich die Integrität des Briefes voraussetzt: vgl. 1,20—26); doch wird man nicht nur V.2—6, sondern auch den spezifischen Gebrauch von $\gamma\nu\tilde{\omega}\sigma\iota\varsigma$ und $\tau\acute{\epsilon}\lambda\epsilon\iota\omega\varsigma$ $\kappa\tau\lambda$. schwerlich ohne die Annahme entsprechenden gegnerischen Sprachgebrauchs verständlich machen können, vgl. unten Anm. 26 und 39.

10   Hierin ist m.E. dem Ansatz von H. Köster voll beizupflichten.

11   V.9 hat also keineswegs Exkurscharakter, sondern ist schon in V.6 vorbereitet, vgl. bes. Blank, Paulus und Jesus 235 mit A.78, geg. Gnilka, aaO. 265.

12   Diese Aussage ist nicht auf das Leiden einzuschränken (geg. Gnilka, aaO. 267, der die Parallelen willkürlich auswählt, vgl. noch 1Kor 4,16; 11,1; Gal 4,12).

13   Vgl. Siber, Mit Christus leben 109; Barth, Phil 107: „An den Bedingungen, unter denen er existiert, sollen die Leser die Bedingungen erkennen, unter denen sie selbst existieren. Im Spiegel des Bildes seiner Situation sollen sie die Gesetze der christlichen Situation überhaupt sehen ...".

14   Vgl. Siber, Mit Christus leben 109: „ ... daß die Gegner für sich schon die Vollkommenheit in Anspruch genommen haben; d.h. den bereits in der Gegenwart voll erfüllten Heilsbesitz, der nicht mehr auf eine künftige Vollendung angewiesen ist". Diese Perspektive der pln. Polemik fehlt in 2Kor bzw. begegnet dort nur in Zuordnung zur Auseinandersetzung um den Apostolat, vgl. 4,7—5,11. Im Gegensatz zur „fragenden" Heilshoffnung von Phil 3,10ff kann Paulus in 2Kor 3,18 durchaus von der schon geschehenen Verwandlung in das Herrlichkeitsbild Christi sprechen (vgl. aber die Korrektur dieser wohl auch von den Gegnern geteilten Anschauung in 4,7ff). Das Schlagwort $\tau\acute{\epsilon}\lambda\epsilon\iota\omega\varsigma$ $\kappa\tau\lambda$. fehlt im ganzen 2Kor! Vgl. dagegen 1Kor 2,6; 14,20.

wenigen Andeutungen der Polemik in Phil 3 schwerlich möglich"[15]. Deshalb kann auch das Verhältnis von Christologie und Eschatologie, wie Paulus es in Phil 3 zur Sprache bringt, nicht als direkte polemische Korrektur einer entsprechenden gegnerischen Irrlehre interpretiert werden. Der Apostel polemisiert vielmehr gegen den Vollkommenheitsanspruch seiner Gegner, indem er seinerseits die γνῶσις (Χριστοῦ) dezidiert als Existenzbewegung auslegt und dabei betont, daß ihr Ziel prinzipiell jenseits jeder gegenwärtigen Erfahrung und Möglichkeit des Glaubenden liegt.

Denn diese „Erkenntnis", die Heil bedeutet, ist ausschließlich von Jesus Christus ermöglicht und getragen[16]. Paulus legt das beispielhaft an der fundamentalen Kehre seines eigenen Lebensweges dar (V.5—7). Er ist von Christus „ergriffen" worden (V.13)[17]; Christus hat sich ihm, dem untadeligen Eiferer für das Gesetz und den Verfolger der Kirche, zu überwältigender „Erkenntnis" eröffnet als die schlechthin neue, alles Bisherige überragende und im Grunde umstürzende Wirklichkeit „von Gott her"; mit ihr wurde nicht nur das überkommene religiöse Fundament seines Lebens zunichte (V.7), sondern mit dieser gänzlich unerwartbaren, überwältigenden „Erkenntnis", in welcher Christus ihn ergriffen hat, ist überhaupt jede nur denkbare Möglichkeit zerstört, sein Leben selbst in die Hand zu nehmen und aus eigener Macht („im Vertrauen auf das Fleisch", V.4) zu gewinnen (V.8). Unter der Macht Christi Jesu, des Herrn, stehen heißt, daß nicht die eigene Gerechtigkeit, sondern die Gerechtigkeit, die Gott dem Glaubenden schenkt, das neue Leben ausmacht; ein Leben, das zukunftsmächtig ist, weil es vor Gott bestehen läßt (V.9). In dieser alles überragenden Erfahrung Christi Jesu als des Herrn (V.8) geht es also nicht einfach um eine (intellektuelle) „Umwertung der Werte"[18], sondern um die reale (wenn auch nicht objektivierbare, weil im Glauben unverfügbare) Gabe neuen Seins, das sich dem Glaubenden in und mit der Person Jesu Christi, des Herrn, als tragende und bergende Heils-Macht erschließt. „Christus zu gewinnen", „in ihm erfunden zu werden", kurz: ihn (endgültig) zu „erkennen" ist deshalb das Ziel, das dem Glaubenden mit der Gabe seines neuen gerechtfertigten Daseins in Christus von Gott gesetzt ist.

Christus wird damit nicht so etwas wie eine „personale" Chiffre für Heil (die letztlich auswechselbar ist). Das zeigt schon die Intimität, mit der Paulus hier Christus Jesus „meinen Herrn" nennt (V.8). Vor allem aber stellt die doppelte Erwähnung des Geschicks Christi klar, daß Paulus die eschatologische Neuheit und seinsstürzende Mächtigkeit dieses Heils in der unverwech-

---

15 Kümmel, Einleitung 288.

16 Vgl. die Christozentrik des Phil insgesamt, gerade auch der eschatologischen Aussagen, z.B. den Terminus ἡμέρα Χριστοῦ (Ἰησοῦ), 1,6.10; 2,16; die Vorstellung des σὺν Χριστῷ εἶναι, 1,23, vgl. 1,21 (τὸ ζῆν Χριστός); auch 4,5 (ὁ κύριος ἐγγύς).

17 Vgl. Gal 1,12.15; 1Kor 9,1; 15,8.10; 2Kor 4,6; 5,14 (συνέχει); auch 1Kor 9,16; dazu Blank, Paulus und Jesus 184—238; zu unserer Stelle 215—222.

18 Die ausschließliche Betonung dieses Aspekts aufgrund des dreifachen ἡγεῖσθαι, die A. Stumpff (Art. ζημία κτλ., in: ThWNT II 890—894.892f) vertritt, isoliert V.7 unzulässig von den grundlegenden Aussagen in V.9—11.

selbaren Einzigartigkeit der Person Jesu Christi und ihres konkreten Geschicks erfahren hat (und weiterhin zu erkennen sucht) (V.10–11). So entfaltet er das γνῶναι αὐτόν als Erfahrung der Macht seiner Auferstehung und der Teilhabe an seinen Leiden (V.10)[19]. „In Christus" ist also das Heil als „Existenzgeschick" gegeben: von Christus ergriffen worden sein heißt, daß sich *sein* Geschick, *sein* Tod und *seine* Auferstehung, das in ihm, dem erhöhten Herrn, machtvolle Wirklichkeit ist, in die Existenz des Glaubenden hinein zeitigt. „Erkenntnis Christi Jesu" bedeutet, daß Christus, der Herr, zum Schicksal gläubiger Existenz wird[20]; die Gabe eschatologischer Gerechtigkeit von Gott „durch den Glauben an Christus" hat ihre konkrete Gestalt im Geschick Christi, der sich mit eschatologischer Macht[21] alles anverwandelt und so „rettet".

Wegen dieser bleibenden Vor-gabe des Heilsgeschicks Christi kann die γνῶσις Χριστοῦ Ἰησοῦ nicht auf gegenwärtiges Innewerden und Erkennen festgelegt werden[22]; die gegenwärtige existentielle Erfahrung des gestorbenen und auferstandenen Herrn richtet den Glaubenden vielmehr aus auf das künftige, endgültige „Gewinnen" Christi in Vollkommenheit. Wer von Christus ergriffen ist, setzt alles daran, selbst zu „ergreifen" und so vollkommen zu werden (V.12). Nur durch diese Orientierung in die absolute Zukunft der Gabe Christi hinein kann das „Überragende" der existentiellen Erkenntnis Christi gewahrt bleiben(V.8)[23]; anders würde sie schließlich doch wieder in menschliche Möglichkeiten hinein aufgelöst, würde Christus zu einer „Spielart" des ausweglos an sich selbst verfallenen „Fleisches", des „Irdischen", dessen Ziel Verderben ist (V.18).

Das wird für Paulus offenbar im *Kreuz Christi*, dem unverrückbaren Kriterium der Wahrheit des Glaubens (V.18). Als der gekreuzigte Herr ist Christus Grund, Wirklichkeit und Ziel christlicher Existenz. Hier ist jeder auch noch so sublime Kompromiß mit der alten, „fleischlichen" und „irdischen" Existenzweise des Sich-Rühmens und des Selbst-Vertrauens (V.2ff.19) im Ansatz verwehrt. Nach Gal 5,24; 6,14f; 1Kor 1,26ff ist im Kreuz Christi ja der Kosmos, das „Fleisch" bzw. das „Irdische" (als Lebensbasis) „gekreuzigt", d.h. gerichtet und vernichtet. Nur unter dieser Vorausstzung wird auch die Polemik

---

19 Vgl. den gemeinsamen Artikel (anders DG pl) und Siber, Mit Christus leben 111 A.51; dennoch differenziert S. insofern, als er in δύναμις speziell das Moment der Unverfügbarkeit des Auferstehungslebens für den Menschen betont sieht (117f); dies gilt aber – wie das doppelte Possessivpronomen zeigt – auch für κοινωνία, vgl. dazu Seesemann, Koinonia 83–86.

20 Vgl. die Kategorie des „Schicksalsträgers" bei E. Käsemann (z.B. Röm 153).

21 δύναμις, V.10, vgl. V.21b sowie Röm 1,4; 1Kor 4,20; 5,4; (6,14); (15,43); 2Kor 12,9; dazu: S.

22 „Der Begriff der γνῶσις, wie Paulus ihn hier gebraucht, ist das bewegte Ergriffensein von der Wirklichkeit Jesus Christus, die ihn nicht mehr freigibt und ihn ganz beherrscht." (Blank, Paulus und Jesus 233).

23 Die Parallelität von V.8a und b sichert dabei die futurisch-eschatologische Dimension des ὑπερέχον τῆς γνώσεως Χριστοῦ Ἰησοῦ (zu den verschiedenen Deutungsmöglichkeiten vgl. Blank, Paulus und Jesus 233 A.75).

von Phil 3 verständlich, daß Paulus nämlich nicht nur die ehemalige religiöse Sinnmitte seines Lebens, sondern schlechthin „alles" (V.8a.b) außerhalb und wegen Jesus Christus als „Schaden" und „Verlust" in absolutem, eschatologischem Sinn[24], als „Untergang" und „Schande" (V.19)[25] ansieht. Von Christus, der der Gekreuzigte ist, ergriffen hat nicht nur „alles" seinen Wert für das Leben des Paulus (und ebenso jedes Christen) verloren, sondern es ist in den eschatologischen Untergang gebannt. Dies geht nicht nur hervor aus den scharfen Invektiven von V.19, sondern auch aus der in V.21b erwähnten Unterwerfung des Alls, die ja nach 1Kor 15,24ff die Vernichtung allen gottfeindlichen Wesens impliziert und von daher auch hier als offenbare Vollendung des „Kreuzes" als der eschatologischen Krise des Fleischlichen und Irdischen zu verstehen ist. Ergriffen und getragen von Christus, dem eschatologischen Herrscher, lebt Paulus deshalb, d.h. vom Kreuz her, als „Entwurzelter", „Heimatloser" in dieser Welt, abgeschnitten von allem, was hinter ihm liegt (V.13), und „ausgestreckt" allein darauf, seine himmlische Berufung durch Gott in Jesus Christus als Kampfpreis in Besitz zu nehmen (V.14). Paulus sichert also die Verkündigung des Kreuzes durch die Akzentuierung der Zukünftigkeit des Heils in Christus. Weil das Kreuz Christi (als das eschatologische Heilsereignis) Destruktion alles Sarkischen und Irdischen (dessen Ziel Verderben bedeutet) ist, kann es niemals in dieser vorfindlichen Welt, sondern nur im radikal transzendenten Eschaton seine endgültige Erfüllung finden.

Das Kreuz Christi ist jedoch nicht nur Index für Gericht, „Entweltlichung" und Ausständigkeit des Heils. Als konkret-geschichtliches Geschehen markiert es ebenso die Gegenwart als den Ort, an welchem der Mensch schon anfanghaft in dieses transzendente Heil der Person Jesu Christi einbezogen wird. Das zeigt vor allem die Beschreibung der „Erkenntnis Christi Jesu" als

---

24 Vgl. zu dieser Bedeutung von ζημία/ζημιόω: 1Kor 3,15; 2Kor 7,9 und Mk 8,36pp, wo ebenfalls der Gegenbegriff κερδαίνω auftaucht, der dem Kontext entsprechend (wenn auch indirekt) den „Gewinn" eschatologischen Lebens meint, was sich hier und jetzt in der Nachfolge bzw. im Bekenntnis zu Jesus entscheidet; vgl. vor allem auch Phil 1,21 und zum Begriff: H. Schlier, ThWNT III 671f.

25 Wie im AT, dessen Sprachgebrauch das NT in diesem Falle weitgehend teilt (vgl. R. Bultmann, ThWNT I 188–190.189f), meint αἰ σχύνη hier das Gericht und die Vernichtung all dessen, was Gottes Willen zuwiderläuft, vgl. F. Stolz, Art. bosch, in: THAT I 269–272, der zeigt, daß es sich hierbei ursprünglich um ein Motiv der Feindklage handelt; vgl. dazu die bei Bultmann (aaO. 189, 13ff) zusammengestellten Äquivalente. Vgl. bei Paulus: Phil 1,20 (Gegensatz: σωτηρία); Röm 5,5 (vgl. 21,6; 24,3.20); 9,23 (Zit. Jes 28,16); 10,11 (Gegensatz: σωθήσῃ, V.9); 1Kor 1,27 (//καταργέω,V.28).

Existenzvollzug[26], dessen Sinn die totale Gleichgestaltung mit Christus ist[27]. Wie Paulus von sich selbst bezeugt, ist Christus ja für den, der an ihn glaubt, in der Macht seiner Auferstehung gegenwärtig erfahrbar, freilich nur in und unter der konkreten „Teilhabe an seinen Leiden"[28]. Menschliches Dasein in Niedrigkeit und Vergänglichkeit („unser Leib der Niedrigkeit", V.21a) ist also Ort und Gegenstand der heilbringenden Herrschaft des gekreuzigten und auferweckten Christus Jesus[29]. Er bemächtigt sich des glaubenden Menschen so, daß er ihn je tiefer in sein Schicksal, seine Leiden und seine Auferstehung hineingestaltet. Dies vollzieht sich konkret in der Übernahme der „Zufälligkeit und Begrenztheit des Menschenlebens in all seinem Ausgeliefert- und Bedingtsein, seiner Unabgeschlossenheit und Unvollkommenheit" (= $\tau \alpha \pi \epsilon i \nu \omega \sigma \iota \varsigma$)[30], bis hin zum Leiden, allgemein aber im Leben nach dem Vorbild des Apostels (V.17), d.h. auch in Gott wohlgefälligem Wandel[31]. In *beidem* geschieht die „Umwertung der Werte" (V.8b)[32], vollzieht sich die Übernahme des Kreuzes, das Gekreuzigtwerden für das Fleisch und seine Begierden (Gal 5,24), für die Welt (Gal 6,14) bzw. das Töten der Taten des

26 Vgl. R. Bultmann, Art. $\gamma \iota \nu \dot{\omega} \sigma \kappa \omega \, \kappa \tau \lambda.$, in: ThWNT I 688–719, der in Phil 3 (wie in 1/2Kor) gnostischen Sprachhintergrund vermutet, der jedoch ganz ungnostisch gebraucht sei (710f); dafür spricht der „charismatische" und Machtcharakter dieser „Gnosis" (Verwandlung!) ebenso wie, daß sie als Weg und Ziel zugleich verstanden ist; vgl. zum gnostischen Verständnis: Bultmann, aaO. 692–696. Das atl. Verständnis von restloser Anerkenntnis der göttlichen Macht und Forderung (vgl. Bultmann, aaO. 696–700) spielt nur insofern eine Rolle, als die einmal zuteil gewordene Erkenntnis Christi ständig neu existentiell bejaht und ergriffen werden muß, also nicht zu einem verfügbaren Besitz wird, vgl. Bultmann, aaO. 710f. Gnilka (Phil 193) spricht von einer Synthese altbiblischer und hellenistischer Erkenntnisweise.

27 Vgl. V.21 und Röm 8,29; 1Kor 15,48f; 2Kor 3,18 (dazu unten S. 224ff). An die Taufe (Röm 6,3–5) und die Einbeziehung in den Leib Christi ist hier nicht unmittelbar gedacht, anders J.T. Forestell, Christian Perfection and Gnosis in Phil 3,7–16, in: CBQ 18 (1956), 123–136.125f; Gnilka, Phil 196; auch Dibelius, Phil 69; dagegen Lohmeyer, Phil 139 A.2; Blank, Paulus und Jesus 236.

28 Der gemeinsame Artikel schließt Auferstehungs- und Leidenserfahrung zur Einheit zusammen.

29 Siber, Mit Christus leben 116: „ ... auch das Leiden (ist) für Paulus Teil des radikal Neuen ...". Barth, Phil 100: „Ostern erkennen heißt für den Erkennenden in aller Strenge: verwickelt werden in das Geschehen des Karfreitags." Vgl. bes. 2Kor 4,7–11; 12,7–10 und die Peristasenkataloge in Röm 8; 1Kor 4; 2Kor 6; 12; dazu: Schrage, Leid.

30 D. Georgi, Der vorpaulinische Hymnus Phil 2,6–11, in: Zeit und Geschichte (FS R. Bultmann), Tübingen 1964, 263–293.283; zustimmend Gnilka, Phil 123. Die Parallele in Phil 2,8 (vgl. auch Gal 2,20; 2Kor 10,3; 1Kor 15,42ff) liegt hier zweifellos näher als die Deutung „Todesnähe" und „Todverfallensein" im Anschluß an atl. Stellen wie ψ 9,14; 89,3(? ; doch vgl. MT); Sir 11,12, so W. Grundmann, Art. $\tau \alpha \pi \epsilon \iota \nu \dot{o} \varsigma \, \kappa \tau \lambda.$, in: ThWNT VIII 1–27.22, wenngleich sich beide Deutungen nicht ausschließen.

31 Beides begegnet ja auch in den Peristasenkatalogen nebeneinander, vgl. z.B. 2Kor 6,4f:6f; 11,23–27:28; 1Kor 4,11:12f; dazu: Schrage, Leid 155ff.

32 $\dot{\eta} \gamma o \tilde{\upsilon} \mu \alpha \iota \, \sigma \kappa \dot{\upsilon} \beta \alpha \lambda \alpha$ ist „aktiv" zu interpretieren, bezeichnet also die negative Seite des im folgenden beschriebenen Erkenntnisvollzuges, vgl. Barth, Phil 94.

Leibes (Röm 8,13) und deshalb die reale Gleichgestaltung mit dem Tod Jesu, in welchem Gott das Sünden- und Todesverhängnis von Welt und Mensch zerbrach und mitten in dieser der Sünden- und Todesmacht verfallenen Welt Leben „aus den Toten" (V.11)[33] schuf, das nun im auferweckten Herrn begegnet.

Es ist wichtig, die personale Gestalt des von Paulus aufgezeigten Erkenntnisprozesses festzuhalten. Die Gleichgestaltung mit dem Tod Jesu ist nicht einfach die Teilhabe an einem geschichtlichen Ereignis, das kraft der ihm eigenen eschatologischen Zukunft in seiner Bedeutsamkeit und Wirksamkeit erfahrbar ist[34], sondern ist streng der existentiellen Erfahrung Jesu Christi zuzuordnen, die sich, weil Jesus Christus kraft seines für menschliche Maßstäbe inkommensurablen Geschicks von Tod und Auferweckung der eschatologische *Herr* ist, in welchem allein das Heil Wirklichkeit ist, als Ergriffenwerden von seiner Person *in* ihrer einmalig-geschichtlichen Bestimmtheit und Vollendung vollzieht. Die Erfahrung des Heils in Gegenwart und eschatologischer Zukunft kann entsprechend nicht auf die Teilhabe am Tod Jesu einerseits und an seiner Auferweckung andererseits aufgeteilt werden; die polemisch bedingte Aussage in V.10b.11 ist auf der Basis der auch grammatisch regierenden Wendung γνῶναι αὐτόν zu lesen. Die doppelte, chiastisch angeordnete Explikation dieser Wendung zeigt, daß Jesus Christus, der in Person das eschatologische Heil ist, umfassend herrscht, daß in ihm, und d.h. immer: in seinem einmaligen Geschick, alle Welt und ihre Zeit eingeschlossen sind in dem Sinn, daß sie unter das Gesetz seines Todes und seiner Auferstehung gestellt sind, eben weil er in Person die absolute Zukunft der Welt, ihr Ende und Ziel ist, vgl. Röm 14,7–9. Diese „christologische" Zukunft steht nicht – wie beim Apokalyptiker – unerreichbar in sich selbst, um schließlich souverän über die Welt hereinzubrechen, welche zuerst entsprechend den von Gott festgesetzten Zeiten ihren geschichtlichen Gang in das Verderben zu Ende gehen muß, vgl. z.B. 4Esr 4,36ff; 5,48–6,6; denn sie ist im Tod Jesu und seiner Auferweckung allen zuvorkommend als die eschatologisch siegreiche Macht der Liebe Gottes definiert und geht deshalb im Herrn hier und jetzt auf den Menschen in seiner Welt zu und reißt ihn, sofern er sich ihr in seinem konkreten Tun und Erleiden glaubend anheim gibt, in ihre alles überragende, endgültig heilstiftende Macht.

---

33 Möglicherweise deutet der Apostel diesen Gedanken (polemisch? vgl. oben Anm.3) in der singulären Formulierung ἡ ἐξανάστασις ἡ ἐκ νεκρῶν an; mit ihr ist freilich eindeutig die künftige eschatologische Totenerweckung gemeint, die – wie der Vergleich mit V.10 zeigt (vgl. auch 1Kor 15,12ff) – in der Auferweckung Jesu anhob und begründet ist; der Deutung Lohmeyers (Phil 141) auf „die Seligkeit, die dem Martyrium bestimmt ist", fehlt jeder Anhalt im Text.

34 Dies ist vor allem gegen Siber (Mit Christus leben passim; vgl. auch Güttgemanns, Apostel passim, z.B. 271–279) zu betonen, der in der Gefahr steht, die Erfahrung der Auferstehung Jesu von derjenigen der Person Jesu zu lösen; zu Phil 3,10f bemerkt er z.B.: „Die Auferweckung Jesu ist selbst diese Kontinuität (sc. von Gegenwart und eschatologischer Zukunft), denn nur in ihr selbst wird der Mensch dieses Zusammenhangs zwischen der Gegenwart und der eschatologischen Zukunft ansichtig." (121).

Die christologische Grundorientierung des Heilsverständnisses ermöglicht es Paulus, *die Vollendung des Christusereignisses*, das in radikalem Sinn Gnade ist, *als die Erfüllung christlicher Existenzbemühung* zu verkünden. Die Vollkommenheit stellt ja das dem Glaubenden im himmlischen „Ruf Gottes in Christus Jesus" gesteckte Lebensziel dar, das er sich unter Aufbietung aller Kräfte erkämpfen muß. Überhaupt muß in Phil 3 angesichts der starken Betonung der Unverfügbarkeit des Heils auffallen, wie sehr Paulus gleichzeitig die Aktivität des Menschen im Vollzug der Erkenntnis Christi hervorhebt. Paulus sucht Christus zu gewinnen, zur Auferstehung aus den Toten zu gelangen, zu „ergreifen", weil er von Christus ergriffen ist usw.[35]. Es geht darum, das in der Herrschaft Christi verwahrte Heil der Geschichte Jesu Christi personal anzueignen, wobei der Glaubende jedoch „nur" nachvollziehen und einholen kann, was Gott ihm in Christus zuvorkommend und endgültig geschenkt hat. Das bedeutet aber, daß „Geschichte" als Geschehen und (existentielle) Verwirklichung der vom Herrn gestifteten eschatologischen Freiheit des Christen konstitutiv zur Gestalt des im Herrn angebrochenen „Endes" gehört und sich als „Gespräch" des Menschen mit seinem Herrn vollzieht, wobei diesem jedoch in jeder Hinsicht die Initiative gehört. „Erkenntnis Christi Jesu" als Entscheidung und Tat des Glaubenden heißt deshalb, sich radikal freizugeben für die verwandelnde Macht Christi und seiner Geschichte. In dieser Freigabe an den Herrn empfängt der Glaubende die

---

35 Im einzelnen begegnen folgende Begriffe und Wendungen:
$\dot{\eta}\gamma\epsilon\tilde{\iota}\sigma\theta\alpha\iota$ $\sigma\kappa\dot{\upsilon}\beta\alpha\lambda\alpha$, V.8;
$\kappa\epsilon\rho\delta\alpha\dot{\iota}\nu\omega$, V.8, vgl. oben Anm. 24;
$\kappa\alpha\tau\alpha\nu\tau\dot{\alpha}\omega$, V.11, vgl. Apg 26,7; Eph 4,13; 1Clem 63,1; auch 1Kor 10,11; 14,36; dazu: O. Michel, ThWNT III 625–628;
$\lambda\alpha\mu\beta\dot{\alpha}\nu\omega$, V.12 (//$\tau\epsilon\lambda\epsilon\iota\dot{o}\omega$);
$\kappa\alpha\tau\alpha\lambda\alpha\mu\beta\dot{\alpha}\nu\omega$, V.12.13, vgl. Röm 9,30 (//$\varphi\theta\dot{\alpha}\nu\omega$, V.31); 1Kor 9,24; dazu: G. Delling, ThWNT IV 10: „endgültig habhaft werden (bei $\kappa\alpha\tau\alpha\lambda\alpha\mu\beta\dot{\alpha}\nu\omega$ schwebt noch das Bild des Einholens vor ...)"; vgl. bes. auch 1Tim 6,12 ($\dot{\epsilon}\pi\iota\lambda\alpha\beta o\tilde{\upsilon}$ $\tau\tilde{\eta}\varsigma$ $\alpha\dot{\iota}\omega\nu\dot{\iota}o\upsilon$ $\zeta\omega\tilde{\eta}\varsigma$).
$\delta\iota\dot{\omega}\kappa\omega$, V.12.14, wo A. Oepke (ThWNT II 232f) wegen des objektlosen Gebrauchs die spezielle Bedeutung „ich eile (dem Ziel entgegen)" annimmt (233; dazu 232,40ff die entsprechenden Parallelen).
$\dot{\epsilon}\pi\epsilon\kappa\tau\epsilon\dot{\iota}\nu o\mu\alpha\iota$, V.13;
$\dot{\epsilon}\pi\iota\lambda\alpha\nu\theta\dot{\alpha}\nu o\mu\alpha\iota$, V.13;
$\varphi\theta\dot{\alpha}\nu\omega$, V.16, vgl. Röm 9,31; 2Kor 10,14; 1Thess 2,16. Den Vv. 13–14 liegt das Bild vom Wettlauf im Stadion zugrunde, vgl. 1Kor 9,24f; es gehört zum Kreis jener vom Wettkampf bestimmten Begrifflichkeit, die vor allem von Paulus und den Deuteropaulinen aus der Diatribe und der jüdisch-hellenistischen Propaganda aufgegriffen und für die eigene Verkündigung fruchtbar gemacht wurde, vgl. bes. Phil 1,27–30; (4,3); 1Thess 2,2; Kol 1,29; 2,1; 4,12; 1Tim 4,10; 6,12; 2Tim 4,7; dazu: Bultmann, Stil 90f; H. Thyen, Der Stil der Jüdisch-Hellenistischen Homilie (FRLANT 65), Göttingen 1955, 55.94.103; E. Stauffer, Artt. $\dot{\alpha}\gamma\dot{\omega}\nu$ $\kappa\tau\lambda$, in: ThWNT I 134–140; $\dot{\alpha}\theta\lambda\dot{\epsilon}\omega$ $\kappa\tau\lambda$., ebd. 166f; $\beta\rho\alpha\beta\epsilon\tilde{\iota}o\nu$, ebd. 636f. „Voran steht immer der Gedanke des Zieles, das nur mit dem äußersten Einsatz der Kräfte erreicht werden kann." (137). Dieses von Gott in der Berufung gesetzte eschatologische Ziel gibt dem Menschen und „seiner Arbeit den Sinn, seinem Leben die Richtung"; „der Mensch (ist) aufgerufen zu höchster Aktivität". „Der Menschenwille wird frei und zukunftsmächtig in dem Augenblick, da er eingeht in den Gotteswillen, und Gott kommt zum Ziel, indem der Mensch zum Ziele kommt (Phil 2,12f)." (637). Auch darin zeigt sich, daß die „Geschichte" des Glaubenden, den Christus ergriffen hat, zur Gestalt des Eschaton selbst gehört, das im Herrn Wirklichkeit ist.

Gabe der eschatologischen Gerechtigkeit Gottes in Jesus Christus. Nur so kann christliche Existenz endlich auch ihren Sinn und ihre Erfüllung errei- chen: wenn der Mensch in allem, was er ist, in Gottes Gabe in Jesus Christus hinein verfügt ist, d.h. wenn er restlos in Christi Tod hineingestaltet ist und die Macht seiner Auferstehung ihn deshalb restlos ergreifen und verwandeln kann.

Das zeigt sich deutlich in der Weise, wie unser Text von der künftigen Vollendung spricht. Das „Ziel", dem der Christ nachjagt, ist nichts anderes als der „Siegespreis", den Gott für die Glaubenden und ihren Lebenskampf ausgesetzt hat. Diese $\mathring{a}\nu\omega$ $\kappa\lambda\tilde{\eta}\sigma\iota\varsigma$ $\dot{\epsilon}\nu$ $X\rho\iota\sigma\tau\tilde{\omega}$ _ Ἰησοῦ zu gewinnen bzw. zu ergreifen steht nicht in der Macht des Menschen, sondern ist selbst die höchste Form und Erfüllung des „Griffes" Jesu nach uns: nur durch sein Kom- men „vom Himmel her" kann die endgültige Enthüllung und Vollendung seiner Herrschaft als der souveränen, neuschaffenden Gnade und Gabe Gottes geschehen. Das geht vor al- lem aus der terminologischen Entsprechung von V.10 und V.21 hervor (die schwerlich zufälliger Natur ist): erfährt der Christ sein begrenztes und hinfälliges Dasein im Glauben an Christus, seine Leiden und Mühen als Gleichgestaltung mit Christi Tod, welche ihn die- ser Welt entreißt und radikal auf die Gabe der Auferstehung von den Toten ausrichtet, auf welche er hoffen darf, weil der Gekreuzigte als der auferstandene Herr machtvoll sein Leben bestimmt und trägt, so wird sich diese stets gebrochene, unvollkommene, immer über sich hinausweisende Erfahrung der Person Jesu Christi vollenden, wenn Jesus Christus, der Herr, dieses hinfällige und doch von seiner Macht ergriffene Dasein gleich- gestaltet[36] der Herrlichkeit seines ihm kraft der Auferweckung eignenden Seins[37], in

36 $\sigma\acute{v}\mu\mu o\rho\varphi o\varsigma$ knüpft deutlich an V.10 an: in der Gleichgestaltung mit dem Herrlich- keitsleib Christi, die nach Röm 8,23(:29) die Erlösung des Leibes darstellt, bringt Christus (Subjekt!) die rettende Verwandlung des Christen in seine Wesensgestalt, welche durch Kreuz und Auferstehung definiert ist, zur Vollendung. Zur Ver- wandlungsvorstellung s.u. S. 221ff.

37 Vgl. Röm 8,23.29; 1Kor 15,48f; 2Kor 3,18; auch 5,1ff. „$\Sigma\tilde{\omega}\mu a$ bezeichnet an die- ser Stelle offenbar den Menschen in seiner Bezogenheit und Ausrichtung auf die ihn prägende und zeichnende Welt wie auf den Kyrios, wie umgekehrt $\sigma\tilde{\omega}\mu a$ $\tau\tilde{\eta}\varsigma$ $\delta\acute{o}\xi\eta\varsigma$ den Kyrios in seiner teilgebenden und Leben gewährenden Seinsweise zur Sprache bringt. Dieser christologisch gewendete $\sigma\tilde{\omega}\mu a$-Begriff kommt unverkenn- bar dem nahe, was der Apostel an anderen Stellen die $\epsilon\grave{\iota}\kappa\acute{\omega}\nu$ des Sohnes Gottes bzw. $\tau o\tilde{\nu}$ $\grave{\epsilon}\pi o\upsilon\rho a\nu\acute{\iota}o\upsilon$ heißt." (Bauer, Leiblichkeit 135). In jedem Fall belegt unse- re Stelle das konstitutive personale Gegenüber von Christus und den Christen, das in der konkret-geschichtlichen Sicht von Person und Geschichte Jesu Christi bei Paulus wurzelt. E. Güttgemanns sucht seine Grundthese, „daß $\sigma\tilde{\omega}\mu a$ derjenige Be- griff des Paulus sei, der die Differenz zwischen Erlöser und Erlöstem einhält" (Apostel 240), Paulus demnach die leibliche Auferweckung Jesu nicht kenne (247ff), angesichts unserer Stelle dadurch aufrecht zu erhalten, daß er in Phil 3,20f einen vorpln. Hymnus nachweisen möchte (240–247; vgl. schon Loh- meyer, Phil 157; N. Flanagan, A Note on Philippians 3,20–21; in: CBQ 18 (1956), 8f; G. Strecker, Redaktion und Tradition im Christushymnus Phil 2,6–11, in: ZNW 55 (1964), 63–78.75ff). Aber abgesehen davon, daß damit ja keineswegs schon über das pln. Verständnis entschieden ist, kann die Existenz eines vorpln. Hymnus auch durch den (zum größten Teil schiefen) Vergleich mit Phil 2,6–11 hier kaum wahrscheinlich gemacht werden; die etwas ausgefallene Wortwahl er- laubt es lediglich, von traditionellen Reminiszenzen zu sprechen, die Stilisierung erklärt sich gut aus der Schlußstellung des Textes; auch J. Becker, Erwägungen zu Phil. 3,20–21, in: ThZ 27 (1971), 16–29 („ein vollständiges urchristliches 'Vertrauenslied' ": 29) führt trotz der Detailliertheit seiner Untersuchung nicht

welchem der Christ seine „Heimat" findet[38]. Darin bricht die eschatologische Herrscher-macht Christi über das All endgültig und in Offenbarkeit hervor. Paulus möchte damit an dieser Stelle höchstens implizit die endgültige Machtergreifung des Schöpfers über seine Schöpfung hervorheben (vgl. 1Kor 15,28); es geht ihm vielmehr, wie die Folgerung in 4,1 zeigt, um die Bestärkung der Gemeinde zur Ausdauer im gelebten Glauben an diesen Herrn, der in Kreuz und Auferstehung die Macht und die Zwänge dieser Welt durchbro-chen hat und der sich diese Welt endgültig unterwerfen wird, um uns die Herrlichkeit seines Seins als die Vollkommenheit[39] unserer Existenz zu schenken.

Christliche Existenz steht also im ganzen, in Tun und Erleiden unter dem „eschatologischen Vorbehalt" und trägt diesen aus; darin bringt sich die Grundtatsache des Glaubens zur Geltung, daß Christus in Person die unver-fügbare Wirklichkeit und Gabe des eschatologischen Heils von Gott her ist.

über die bisherigen Argumente hinaus. Vgl. ausführlich Gnilka, Phil 208−210; Siber, Mit Christus leben 122−126 (der freilich für V.20 „die Anlehnung an eine Tradition" annimmt: 123); Bauer, Leiblichkeit 135ff.

38 Zu πολίτευμα vgl. H. Strathmann, Art. πόλις κτλ., in: ThWNT VI 516−535.535: Das Wort ist hier „im Sinn von Staat oder Gemeinwesen als Bild gebraucht, um die innere Fremdheit der Christen ... gegenüber dem irdischen Bereich und ihre Zugehörigkeit zum himmlischen Reiche Christi zu beschreiben, dem sie sozusa-gen staatsrechtlich angehören." Der spezielle Gebrauch im Sinne von Ausländer-kolonie (dazu 519), den Dibelius (Phil 71f) anklingen hören will, ergibt dagegen hier keinen Sinn; ebensowenig ist eine „politische" Antithese beabsichtigt, vgl. auch Gnilka, Phil 206. Von der Fremdlingschaft der Christen in der Welt − einem Grundmotiv des NT − spricht in ähnlicher Terminologie besonders der 1Petr: 1,1.17; 2,11; vgl. Hebr 11,13; dazu: W. Grundmann, Art. παρεπίδημος, in: ThWNT II 63f; K.L. und M.A. Schmidt, Art. πάροικος κτλ., in: ThWNT V 840−852. P.Ch. Böttger (Die eschatologische Existenz der Christen, in: ZNW 60 (1969), 244−263) bestreitet diesen Gedanken aufgrund einer umfassenden philologischen Analyse unseres Begriffs, derzufolge πολίτευμα den „Staat in erster Linie als *dynamische* Größe, als Subjekt politischer Machtausübung" meine (253, analog βασιλεία τοῦ θεοῦ), nirgendwo aber „Heimat" bzw. nur selten „Bürgerrecht" (245−253). Als Kontrast zu V.19 (οἱ τὰ ἐπίγεια φρονοῦντες) (durch Röm 8,5−7 erläutert) meine πολίτευμα keine lokale Gegebenheit im Himmel, sondern das *gegenwärtige* Bestimmtsein der Christen, letzlich durch Christus selbst (257), vgl. auch 1Kor 4,8; 6,12; 10,23 (259). Der Begriff selbst entstamme gegnerischem Sprachgebrauch (259ff). Gegen diesen Auslegungsversuch spricht m.E., daß ἐξ οὗ, wenngleich als constructio ad sensum auf ἐν οὐρανοῖς zu beziehen, auch πολίτευμα „räumlich" bestimmt, d.h. als Ziel christlicher Existenzbewegung, vgl. auch das statische ὑπάρχει. Der Gedanke der Fremdlingschaft resultiert überdies aus dem qualitativen (nicht lokalen) Gegensatz τὰ ἐπίγεια − ἐν οὐρανοῖς und nicht primär aus dem Begriff πολίτευμα (er ist auch in 1Petr nicht lokal orien-tiert, vgl. dagegen Hebr 11,13:14).

39 Vgl. zum Begriff τέλειος κτλ. 1Kor 2,6; 13,10; 14,20; Eph 4,13; Kol 4,12 u.a. Er dürfte wie im 1Kor dem Sprachschatz der Gegner entnommen sein, wie vor allem das ironische ὅσοι οὖν τέλειοι in V.15 zeigt, vgl. Gnilka, Phil 198.200f. Zum Hintergrund vgl. Reitzenstein, HMR 338f; Wilckens, Weisheit 53−60 (Exk. τέλειος in der Gnosis ...); Schmithals, Irrlehrer 72ff; Gnilka, Mission (S.Anm.5) 274 (A.55!), die auf den Umkreis der Mysterienreligionen bzw. die Gnosis verwei-sen, während Köster (aaO. 322−324) von „perfection through fulfilment of the law" spricht und darin den stark jüdischen Charakter der Irrlehre bestätigt findet (324). G. Delling sieht hier dagegen die (im Urteil) „reifen Christen" angesprochen (ThWNT VIII 77; vgl. 68−85, wo Vollkommenheit konsequent als Ganzheit, Voll-ständigkeit interpretiert wird).

Das spiegelt sich auch in der christologischen Aussage von V.20. Wird der Herr Jesus Christus hier als der erwartete *Retter*[40] bezeichnet — dieser „Titel" wird in V.21 expliziert —, so ist christliches Dasein damit zwar nicht als letztlich noch im Unheil befangener Zustand begriffen[41], wohl aber seine radikale Verwiesenheit auf die unverfügbare Gnade Jesu Christi, die freie Gewähr seiner Person als des Heils, deutlich gemacht. Gegenwärtige existentielle „Heilserkenntnis" gibt es also nur unter dem Vorbehalt der unaussprechlichen, „alles Begreifen übersteigenden" (4,7) Heilserfahrung, die Christus uns an seinem Tag gewähren wird. Nur in Christus selbst kann der gute Anfang, den Gott mit den Christen in Christus gemacht hat, zur Vollendung gelangen. Denn Christus Jesus ist das Ende und Ziel des Menschen und seiner Welt, sein Tod und seine Auferstehung sind die von Gott verfügte Weise ihrer eschatologischen Rettung und deshalb absoluter Maßstab und Gestalt christlicher Existenz. „Eschatologische Existenz" ist also Dasein unter der zuvorkommenden und alles souverän umgreifenden und bestimmenden Gnadenherrschaft des gekreuzigten und auferstandenen Herrn Jesus Christus.

---

40 Vgl. W. Foerster (G. Fohrer), ThWNT VII 1004—1022, der die durchgehende Beziehung dieses „Titels" auf konkrete Rettungstaten überzeugend herausarbeitet; zu Phil 3,20 vgl. 993 (Art. σῴζω); Dibelius/Conzelmann, Past 74—77.74: „σωτήρ (hat) hier keinen hellenistisch-technischen Sinn."

41 So versteht Güttgemanns (Apostel 245) das σῶμα τῆς ταπεινώσεως, dagegen mit Recht Bauer, Leiblichkeit 134 A.16.

VIERTER TEIL: DIE CHRISTOLOGISCHE GESTALT UND DER SINN DES ESCHATON

Haben wir bisher die eschatologische Bedeutsamkeit der pln. Christologie untersucht und dabei „Eschatologie" als Konsequenz und Auslegung des Christusereignisses selbst begreifen gelernt, so stellt sich uns jetzt die Aufgabe, die pln. *Eschatologie* auf ihre Bestimmtheit durch Person und Werk Jesu Christi hin zu befragen. Wir gewinnen so zugleich die Möglichkeit, unser vorläufiges Ergebnis zu überprüfen und zu vertiefen.

Die eschatologische Vorstellungswelt des Apostels läßt sich zwanglos in drei Gruppen aufgliedern. An erster Stelle behandeln wir den pln. Gerichtsgedanken, der noch stark in traditionellen — jüdischen bzw. urchristlichen — Bahnen läuft und vor allem über die Vorstellung der Parusie zur Person Jesu Christi in Beziehung gesetzt wird. Wir greifen deshalb an dieser Stelle unsere anfängliche Erörterung des pln. Parusiegedankens nochmals auf und versuchen so einen sachlichen Rahmen für die weitere eschatologische Thematik der pln. Verkündigung zu gewinnen. Die Erwartung der eschatologischen Gemeinschaft „mit Christus" und die Vorstellung künftiger „Auferweckung und Verherrlichung" sind bei Paulus kaum streng zu trennen, bieten sich aber wegen ihres ursprünglich unterschiedlichen Vorstellungsgehaltes als zwei gesonderte Themenbereiche an. Obwohl das Mit-Christus-Sein das Ergebnis von Auferweckung und Verherrlichung beschreibt, stellen wir seine Interpretation voran, weil es sich a) um einen relativ eng umgrenzten Kreis von Aussagen handelt und vor allem b) die uns interessierende Verknüpfung mit der Christologie hier ungleich schwächer ausgeprägt ist als beim Auferweckungsgedanken, der ohne Zweifel die Mitte pln. Eschatologie markiert.

A. DAS GERICHT

Die Erwartung des endgültigen Gerichtes Gottes über Welt und Mensch bildet ein zentrales, unaufgebbares Element nicht nur der Eschatologie, sondern der Theologie des Apostels Paulus insgesamt. Dem einstigen hellenistischen Juden pharisäisch-apokalyptischer Provenienz wie dem in der urkirchlichen Tradition lebenden Heidenmissionar war der Gerichtsgedanke selbstverständlicher Besitz[1].

---

1   Zum Gerichtsgedanken im Frühjudentum vgl. Bill IV 1093–1118.1199–1212; Bousset/Greßmann 202–301. bes. 257–259; Volz 272–309.309–320.332–338; E. Sjöberg/G. Stählin, Art. ὀργή, in: ThWNT V 382–448.413–419; Braun, Gerichtsgedanke 2–14.32ff; Mattern, Verständnis 9–50 (die sich freilich auf die unhaltbaren Thesen von D. Rössler stützt); für die hellenistisch-jüdische Missionsliteratur vgl. Bussmann, Missionspredigt 143–163. bes. 147–150.

Denk- und Ausdrucksformen sind entsprechend stark durch die jüdisch-ur-christliche Überlieferung geprägt[2], erheblich stärker zumal als die eschatologische Heilsverkündigung des Apostels. Gleichwohl kann die Gerichtserwartung nicht von dieser geschieden werden, denn sie bildet — wie vor allem die Eingangskapitel des Röm zeigen, 1,18—3,20:3,21ff — die notwendige Voraussetzung und den bleibenden Verstehenshorizont des Evangeliums von der Rechtfertigung des Gottlosen aus Glauben an Jesus Christus[3]. Heil bedeutet für Paulus prinzipiell eschatologische Rettung aus dem Zorngericht, das über die Gottlosigkeit der Welt hereinbricht, vgl. 1Thess 1,10; Röm 5,9; 8,1 usw. Pln. Heilsbotschaft reduziert den Gerichtsgedanken also keineswegs auf eine bloße, mit ihr überwundene Voraussetzung ihrer selbst, sondern thematisiert gerade die endgültige Entscheidung Gottes über Heil und Gericht, wobei das Gericht den alleinigen, göttlichen Grund und die ausschließlich göttliche Wirklichkeit des eschatologischen Heils (gegen jede menschliche Vereinnahmung) sichert.

I. Das Gericht als die eschatologische Selbstoffenbarung Gottes in seiner ewigen Macht und Gottheit

Mit dem AT und dem Judentum[4] versteht Paulus Gericht als ureigenes Handeln Gottes[5], in welchem seine unumschränkte Macht und Souveränität Ereignis wird, alles in ihren Bann schlägt und damit in der Wahrheit seines Seins oder Nichtseins vor seinem Schöpfer endgültig offenbart.

Ein kurzer Überblick über die Gerichtsterminologie[6] und ihre pln. Verwendung macht die grundlegend theozentrische Sicht des pln. Gerichtsgedankens deutlich. So heißt das unentrinnbare eschatologische Gericht explizit τὸ κρίμα τοῦ θεοῦ, Röm 2,2.3, und Röm 2,16; 3,(4)6; 1Kor 5,13 sprechen geradezu lehrsatzmäßig[7] vom κρίνειν Gottes[8], vgl. das passivum divinum Röm 2,12; 3,7. Der kommende „Zorn", vgl. Röm 2,8; 4,15; 5,9; 1Thess 1,10; 5,9, ist die ὀργὴ θεοῦ, Röm 1,18; 2,5, die Gott „heraufführt", Röm 3,5, und „erweist" zum Untergang, Röm 9,22. Gott ist es, der Speise und Bauch „vernichten" wird, 1Kor 6,13[9], der den Zerstörer seines eschatologischen Tempels und Frevler gegen seinen heiligen Geist „zerstören" wird, 1Kor 3,17; vgl. 1Thess 4,7f, der „den Satan unter

---

2   Vgl. dazu etwa Bultmann, Theologie 77—79.80f; Luz, Geschichtsverständnis 310—317.

3   Vgl. G. Bornkamm, Die Offenbarung des Zornes Gottes (Röm 1—3), in: ders., Ges. Aufsätze I 9—33; Mattern, Verständnis 74f.

4   Vgl. (O. Grether) J. Fichtner, Art. ὀργή im AT, in: ThWNT V 392—410.408ff; Sjöberg/Stählin, ebd. 413—419.

5   Vgl. Braun, Gerichtsgedanke 41ff.

6   Vgl. die detaillierte Aufstellung (mit Lit.) unten Anm. 34.

7   Vgl. Michel, Röm 97.

8   κύριος als Subjekt: 1Kor 4,4f; 11,31f.

9   Vgl. das adversative ὁ δὲ θεός.

euren Füßen in Kürze zermalmen wird", Röm 16,20[10]. Gott ist der, „der jedem nach seinen Werken vergelten wird", Röm 2,6[11], der die Vertauschung seiner Wahrheit in die Lüge dadurch beantwortet, daß er die Menschen „preisgibt" an ihre Gottlosigkeit und Ungerechtigkeit, die in den Tod führt, Röm 1,24.26.28[12]. Gott gehört die Rache, er wird vergelten (Dt 32,35; vgl. Hebr 10,30)[13], Röm 12,19, vgl. 1Thess 4,6[14]. Das Gericht ist also das exklusive Herrschaftsrecht Gottes (bzw. des Herrn), ein Recht, das — wie der Apostel zu betonen nicht müde wird — keinem sonst, auch nicht dem Pneumatiker und Charismatiker, zusteht, ja das auch dem einzelnen, der Gott über sich selbst Rechenschaft geben muß (Röm 14,13), und seinem Wissen um sich selbst prinzipiell entzogen ist[15].

Das künftige Urteil Gottes bildet so den uneinholbaren Vorbehalt gegenüber allem menschlichen Urteilen und Selbstbewußtsein; alles irdisch-zeitliche Sein, auch die Existenz des aus Glauben Gerechtfertigten, ist vor ihm nur Stückwerk und Rätsel (vgl. 1Kor 13,10.12).

Denn dieses „Urteil" ist mehr als die gültige „Erkenntnis" und Fixierung von Wahrheit und Lüge, von Recht und Unrecht, und entsprechende Vergeltung in Lohn und Strafe. Dies alles hat für Paulus nur Gültigkeit als (traditionelle, aber durchaus notwendige) Entfaltung des theozentrischen Ansatzes seiner Gerichtsverkündigung: Gericht ist der abschließende und alles ergreifende Selbsterweis des göttlichen Gottes in seiner „ewigen Macht und Gottheit" als die Wahrheit der Schöpfung, die in der fundamentalen Ungerechtigkeit und Dankvergessenheit der Menschen bestritten und verfinstert ist, Röm 1,18ff. Im Gericht wahrt Gott sein Herrschaftsrecht und seine Verfügungsgewalt über seine Schöpfung, d.h. über den Kosmos im ganzen wie über jeden einzelnen[16]: „So wahr Gott die Welt richtet" (Röm 3,6), die als ganze — in Juden und Heiden — vor ihm schuldig ist (3,19), jedes

10 Vgl. das adversative ὁ δὲ θεὸς τῆς εἰρήνης.

11 Vgl. ψ 61,13; Prv 24,12; Sir 35,19—22(LXX); Mt 6,4.6.18; 16,27; (20,8); 2Tim 4,(8).14; Apk 22,12; 1Clem 34,3.

12 Zu παραδίδωμι als Gerichtstopos vgl. Popkes, Christus traditus 23f.45f.83ff. Zur „(adäquaten) Vergeltung", die auf den sog. weisheitlichen „Tun-Ergehen-Zusammenhang" zurückgeht, vgl. G. von Rad, Weisheit in Israel, Neukirchen 1970, 170ff; K. Koch, Gibt es ein Vergeltungsdogma im Alten Testament? , in: ZThK 52 (1955), 1—42; Bousset/Greßmann 293ff.298ff; Volz 124ff; E. Klostermann, Die adäquate Vergeltung in Rm 1,22—31, in: ZNW 32 (1933), 1—6; J. Jeremias, Zu Römer 1,22—32, in: ders., Abba 290—292.

13 Vgl. G. Schrenk, Art. ἐκδικέω κτλ., in: ThWNT II 440—444 (zum Zitat: 443,13ff. 45ff).

14 κύριος meint hier wie in Röm 12,19 und 14,11 wahrscheinlich Gott, vgl. Schrenk, aaO. 442,47f; anders Foerster, ThWNT III 1090.

15 Vgl. Röm 14,1ff; 1Kor 3,7—9; 4,1—5; 2Kor 10,7ff; Gal 6,3—5:1. Das gilt auch für 1Kor 14,23—25, wo mit typischer Gerichtsterminologie (ἐλέγχω, ἀνακρίνω, τὰ κρυπτὰ τῆς καρδίας αὐτοῦ φανερὰ γίνεται) die „Überführung" und Bekehrung von Ungläubigen durch die „Prophetie" beschrieben wird: sie führt zur Huldigung des in der Gemeinde gegenwärtigen Gottes (V.25; vgl. Röm 14,11; Jes 45,14).

16 Vgl. Röm 14,1ff; 1Kor 3,8; 4,1—5 sowie die Aufforderung zur Selbstprüfung: Röm 14,22; 1Kor 9,27; 11,28; 2Kor 13,5—7; Gal 6,4f.

Knie wird sich vor ihm beugen und jede Zunge wird Gott huldigen[17], d.h. jeder wird für sich selbst Rechenschaft ablegen, Röm 14,11f; Gal 6,3f; 2Kor 5,10. Hier, im Bekenntnis eines jeden vor dem Gericht des offenbarten Gottes verschafft sich der Schöpfer die endgültige Anerkennung seiner Schöpfung. Auch in Röm 3,4—8 ist diese theozentrische Perspektive des Gerichts leitend. Im Gericht setzt sich die Wahrheit, Gerechtigkeit, Herrlichkeit und Treue Gottes durch gegenüber der Lüge und Ungerechtigkeit der Welt; dann ist Gott allein im Recht (3,5.8) und selbst der Mund derer gestopft (3,19), die ihr Unrecht als Erweis der Gerechtigkeit Gottes in teuflischer Verdrehung meinen rechtfertigen zu können (3,5—8)[18]. Vor dem göttlichen Gott schwindet nicht nur jede Appellationsinstanz, er schlägt dem Menschen jede Möglichkeit eines Appells aus den Händen. „O Mensch, wer bist du denn eigentlich, der du Gott widersprichst?" (Röm 9,20). Wenn Gott seinen Zorn erweist, ist jedes Rechten und Fragen von vornherein abgeschnitten. Denn in der $\dot{o}\rho\gamma\dot{\eta}$ läßt er seine Macht erfahren ($\tau\dot{o}$ $\delta\upsilon\nu\alpha\tau\dot{o}\nu$ $\alpha\dot{\upsilon}\tau o\tilde{\upsilon}$)[19], die inappellable, unwiderstehliche Macht seines, des Schöpfers, *Willen* gegenüber seinen Geschöpfen, die vor ihm sind wie der Ton in der Hand des Töpfers, Röm 9,19—22.

Damit ist aber die Vorstellung vom Gericht als einer starren, gesetzmäßigen Vergeltung im Ansatz preisgegeben[20]. Im Gericht offenbart sich Gott vielmehr in der unverrechenbaren Freiheit seines Willens. Und das heißt für Paulus — wie gerade Röm 9,22ff zeigt[21] —: Gott ist auch frei gegenüber seiner ewigen Vorherbestimmung zum Untergang, Gott ist frei auch gegenüber seinem gerechten Gerichtszorn. Dieses unergründliche Geheimnis seines Willens ist es, das die Geschichte im ganzen trägt (Röm 11,33—36). Die endgültige Selbsterschließung Gottes in dieser seiner Freiheit aber ist das Gericht, die definitive Entscheidung über den Menschen und seine Welt, über Heil und Unheil, Recht und Unrecht der Schöpfung.

17 Vgl. H. Schlier, Art. $\gamma\dot{o}\nu\upsilon$ $\kappa\tau\lambda.$, in: ThWNT I 738—740; O. Michel, Art. $\dot{\alpha}\nu\theta o\mu o\lambda o\gamma\epsilon\tilde{\iota}\sigma\theta\alpha\iota$ und $\dot{\epsilon}\xi o\mu o\lambda o\gamma\epsilon\tilde{\iota}\sigma\theta\alpha\iota$ $\tau\tilde{\omega}$ $\theta\epsilon\tilde{\omega}$, in: ThWNT V 213—215; auch H. Greeven, Art. $\pi\rho o\sigma\kappa\upsilon\nu\dot{\epsilon}\omega$ $\kappa\tau\lambda.$, in: ThWNT VI 759—767.766.

18 Vgl. G. Bornkamm, Theologie als Teufelskusnt, in: ders., Ges. Aufsätze IV 140—148.

19 Vgl. 1Kor 1,25.26ff; 3,18ff.

20 Damit steht Paulus in prinzipiellem Gegensatz zum Gerichtsverständnis der Apokalyptik, das am Gesetz orientiert war, s.o. S. 6f.

21 Vgl. die Hervorhebung der $\mu\alpha\kappa\rho o\vartheta\upsilon\mu\dot{\iota}\alpha$ (V.22) und den anakoluthischen Übergang zur Berufung, dazu etwa Käsemann, Röm 258ff.

II. Das Gericht als das Ereignis der endgültigen Ankunft Gottes in Jesus Christus

Die unumschränkte Souveränität und Freiheit Gottes wird nun dadurch aller Welt zum Gericht, daß sie *zeitlich-konkretes Ereignis* wird. Paulus steht dabei in atl.-jüdischer Tradition, wenn er vom „Tag"[22] oder „(rechten) Zeitpunkt"[23] des Gerichts spricht, das unaufhaltsam, aber unverrechenbar „kommt", vgl. 1Thess 1,10; 5,2; Eph 5,6; Kol 3,6[24], und die Zeit im ganzen begrenzt[25]. Dieses „Kommen" macht das Geschehen dieses „Tages" aus, macht ihn zum Tag schlechthin: er ist jenes Ereignis, das zwar sicher andringt, Röm 13,11f, aber völlig unverrechenbar, unerwartbar, unerfindlich ist, 1Thess 5,1–3, das als solches nicht das Ergebnis und der Höhepunkt der geschichtlichen Entwicklung bildet, sondern nur als radikal göttliches Offenbarungsgeschehen begriffen werden kann:[26] Zeit und Tag Gottes, an dem deshalb alle Zeit und jeder Tag versammelt ist „vor Gott", dem Schöpfer und Herrn der Geschichte, „aus dem und durch den und auf den hin alles ist." (Röm 11,36; vgl. 1Kor 8,6). So ist die Zeit Gottes das Ende der Zeit, der kritische Augenblick der Geschichte, weil der, der alle Zeit in Händen hält, in seiner zeitlich-offenbaren Präsenz alle Zeit mitbringt und vor sich versammelt und in ihrer Wahrheit offenbar macht[27]. Unentrinnbar (Röm 2,3; 1Thess 5,3) und allumfassend[28] ist das Gericht also deshalb, weil es im strengen Sinn das Ereignis Gottes des Schöpfers und Herrn der Geschichte ist, – und nicht etwa deshalb, weil alle Menschen in der Endlichkeit des Todes solidarisch sind. So enthüllt sich am Ende Gott selbst in seiner ewigen Macht und Gottheit als die Fülle der Zeit, in der alles zu Heil oder Untergang entschieden, endgültig als Sein oder Nichtsein enthüllt, gerechtfertigt oder verurteilt ist.

Als solcher aber „kommt" Gott im gekreuzigten und auferweckten Christus Jesus, im „Herrn". Es ist bezeichnend, daß Paulus das Gericht zwar überwiegend als Handeln Gottes beschreibt, daß er aber die konkret-zeitliche Dimension dieses äußersten Gotteshandelns fast immer mit dem Herrn verbindet:

---

22 S. dazu oben S. 9ff.

23 ὁ καιρός als „Zeit" der Parusie: 1Kor 4,5; 1Petr 1,5; 5,6; vgl. Röm 13,11(?); Gal 6,9; 1Thess 5,1; 2Thess 2,6; 1Tim 6,15; 1Petr 4,17; dazu: G. Delling, ThWNT III 456–465.460ff; Schlier, Eph 244.

24 Vgl. 1Thess 2,16 (φθάνω); Röm 1,18 (ἀποκαλύπτομαι); 13,11.12 (ἐγγύτερον/ ἤγγικεν); 16,20 (ἐν τάχει). Zu ἔρχομαι in eschatologischem Sinn vgl. J. Schneider, ThWNT II 662–682.672; zu ἥκω (Röm 11,26; vgl. Mt 24,14; 2Petr 3,10; Apk 2,25; 3,3; Hebr 10,37) ders., ThWNT II 929f.

25 Vgl. 1Kor 4,5 (ἕως ἄν); 11,26 (ἄχρις οὗ) sowie oben S. 14.

26 Vgl. bes. 1Kor 3,13; ἐν πυρὶ ἀποκαλύπτεται, dazu unten S. 179 Anm. 54 u. 55.

27 Vgl. vor allem Schlier, Ende 67–71.

28 Röm 1,18–3,20; 1Thess 5,1–3 sowie das charakteristische ἕκαστος (z.B. Röm 2,6; 1Kor 3,8.10.13; 4,5; 2Kor 5,10; Gal 6,4f) und πᾶς (z.B. Röm 1,18; 2,9f; 3,4.9.19; 14,10; 2Kor 5,10).

der Tag des Zornes und gerechten Gerichtes Gottes (Röm 2,5), an dem er das Verborgene der Menschen richtet (2,16), indem er es im Feuer seiner eschatologischen Souveränität offenbar macht (1Kor 3,13), ist der Tag des Herrn Jesus Christus, seine Offenbarung (1Kor 1,7) und herrscherliche Ankunft (1Thess 2,19; 3,13; 4,15; 5,23; 1Kor 15,23). Nie spricht der Apostel vom „Kommen" Gottes, dagegen geläufig vom Kommen des Herrn (1Kor 4,5; 11,26; vgl. 2Thess 1,10). Um sein Kommen fleht die im Herrenmahl versammelte Gemeinde mit dem aramäischen Ruf Marana tha (1Kor 16,22)[29]. Es ist also das Kommen, die offenbare und endgültige Gegenwart dieses Jesus Christus, der sich für uns in den Kreuzestod gab und in seinem Blut den Neuen Bund stiftete (1Kor 11,24f), das alle Welt in das eschatologische Gericht Gottes stellt[30]. Der absolute Gebrauch des Hoheitstitels ὁ κύριος in 1Kor 4,5; 11,26 (16,22) bringt dabei die (selbstverständlich vorausgesetzte) Konzentration der unumschränkten Hoheitsmacht Gottes in der Person Jesu Christi scharf zur Geltung[31]. Seine, des Gekreuzigten Herrschermacht, ist die kritische Grenze aller Zeit (vgl. 1Kor 4,5; 11,26), die Macht seiner Hingabe für uns wird mit seinem Kommen das Geschick des Kosmos entscheiden, seine Liebe beherrscht den Tag, in dem alle Tage versammelt sind und in ihrer Wahrheit erscheinen. Der Herr Jesus in seinem zeitlich-konkreten Geschick wird − „an seinem Tag" − zum zeitlich-konkreten Geschick aller Zeit; in ihm und seiner „Zeit" bricht Gottes kritische „Zeit" endgültig über die Welt herein.

In diesem Zusammenhang verdient es Beachtung, daß Paulus die Parusie des Kyrios, die das Gericht impliziert, vgl. 1Thess 2,19; 3,13; 5,23, des öfteren ausdrücklich als zeitlich (-räumlichen) Vorgang beschreibt. Das gilt neben Röm 11,26 (= Jes 59,20) und Phil 3,20 vor allem für 1Kor 15,23ff und 1Thess 4,16f. Die letzte Stelle spricht vom „Herabsteigen" des Kyrios „vom Himmel" (vgl. 1,10; Phil 3,20; auch Röm 11,26: ἥξει ἐκ Σιών), das eine entsprechende Gegenbewegung von seiten der Glaubenden auslöst. Wichtig ist, daß Paulus damit im Anschluß an ein „Herrenwort" (V.15) seine grundlegende Heilszusage konkretisiert, die er in V.14 aus dem Kerygma von Tod und Auferstehung Jesu gefolgert hatte. D.h. hier entsprechen sich das konkret-zeitliche Sterben und Auferstehen Jesu und der konkret-zeitliche Vorgang der Ankunft des Herrn, in welchem Gott selbst unsere Bestimmung zum Heilsbesitz, die er im Tod Jesu für uns getroffen hat, einlöst (5,9f). Ja, man wird im Blick auf 1Thess 4,13ff die These wagen dürfen, daß Paulus das unverfügbare und alles ergreifende, zeitliche „Kommen" des Eschaton, das er fast durchweg mit der Person des Kyrios verbindet, im allen zuvorkommenden und betreffenden, zeitlichen Geschick Jesu Christi begründet sah. Das unableitbare geschichtlich-kontingente Zuvor der Heilstat Gottes in Christus wird im Ereignis der Parusie Christi als das bleibende Zuvor der eschatologischen Macht Gottes offenbar.

29   Vgl. Did 10,6; Apk 22,20, dazu: G. Bornkamm, Zum Verständnis des Gottes-
       dienstes bei Paulus, in: ders., Ges. Aufsätze I 113−132.124f; K.G. Kuhn, ThWNT
       IV 470−475.

30   An der Gegenwart des für uns gekreuzigten Herrn im eucharistischen Brot werden
       deshalb jetzt schon die (im Gericht) „Bewährten offenbar" (1Kor 11,19; vgl.
       Kümmel, in: Anhang zu Lietzmann, 1/2Kor S. 185 zu S. 56 Z. 14), d.h. der Herr
       vollzieht kraft seiner vorläufigen Präsenz ein vorläufiges („pädagogisches") Gericht
       über die Christen, vgl. 1Kor 11,27ff.

31   Vgl. den theo-logischen Gebrauch in den Gerichtstexten Röm 12,19; 14,11;
       1Thess 4,6.

Aufgrund dieser Bindung des eschatologischen Ereignisses Gottes an die Person und Geschichte Jesu Christi verwundert es nicht, wenn Paulus z.T. auch vom *Gericht Christi* spricht, 1Kor 4,4f; 2Kor 5,10[32]; es ist die Konsequenz und der Vollzug seiner eschatologischen Herrscherstellung[33]. Es fällt jedoch auf, daß der Apostel sich offenbar scheut, dem Herrn Jesus Christus das eschatologische *Vernichtungs*gericht über die Sünder zuzuschreiben[34]. Gewiß ist dieser Gedanke überall dort sachlich eingeschlossen, wo Christus als Richter genannt wird, und es lassen sich auch mehr oder weniger eindeutige Belege dafür namhaft machen, z.B. 1Thess 5,1–3; 2Kor 5,10; 13,3f.10; 1Kor 10,22[35]. Andererseits kann es kein Zufall sein, daß Paulus Christus nie etwa als den Bringer der ὀργή nennt, sondern ihn im Gegenteil gerade als den Retter aus Zorngericht und Verurteilung verkündet, Röm 5,9; 1Thess 1,10;

32   Vorläufiges Gericht Christi: 1Kor 5,4f; 11,32.

33   Vgl. 1Kor 15,24ff sowie die Bevorzugung des Kyrios-Titels im Gerichtskontext; zur Begründung in der Auferweckung Jesu s.o. S. 114ff.

34   Es begegnen folgende Begriffe:
αἰσχύνομαι, Phil 1,20 (αἰσχύνη, Phil 3,19?);
καταισχύνομαι, Röm 5,5; 9,33; 10,11; 1Kor 1,27; dazu: R. Bultmann, ThWNT I 188–190 (bezeichnet im NT wie im AT meist „die Erfahrung des Gerichtes Gottes", und zwar im objektiven Sinn: 189; vgl. zum AT: F. Stolz, Art. bosch, in: THAT I 269–272).
ἀπόλλυμι, Röm 2,12; 14,15; 1Kor 1,18f; 8,11; 10,9f; 15,18; 2Kor 2,15; 4,3.(9); ἀπώλεια, Röm 9,22; Phil 1,28; 3,19; dazu: A. Oepke, ThWNT I 393–396.
ἀποθνῄσκω, Röm 8,13; 1Kor 15,22; vgl. Röm 5,15; 7,13; 1Kor 15,32; θάνατος, Röm 1,32; 6,16.21.23; 7,10.13.24; 8,2.6; 1Kor 15,21; 2Kor 2,16; 3,7; 7,10; dazu: R. Bultmann, ThWNT III 7–21.15ff.
κρίνομαι, Röm 2,12; κατακρίνω, Röm 2,1; 8,(3).34; 14,23; 1Kor 11,32; κρίμα, Röm (2,3) 3,8); 1Kor 11,29.34? ; Gal 5,10; κατάκρμα, Röm 5,16.18; 8,1; κατάκρισις, 2Kor 3,9; dazu: F. Büchsel (V. Herntrich), ThWNT III 920–955.
ὄλεθρος, 1Thess 5,3 (1Kor 10,10).
ὀργή, Röm 2,5.8; 3,5; 4,15; 5,9; 9,22; 1Thess 1,10; 5,9; dazu: s.o. Anm. 4.
θλῖψις καὶ στενοχωρία, Röm 2,9; vgl. 2Thess 1,6.
θυμός, Röm 2,8.
φθείρω, 1Kor 3,17 (2Kor 11,3); φθορά, Gal 6,8; dazu: G. Harder, ThWNT IX 94–106.
καταργέω, vgl. dazu oben S. 149 Anm. 319 und S. 152 Anm. 330. Vgl. Braun, Gerichtsgedanke 33ff; Mattern, Verständnis 59ff; auch Guntermann, Eschatologie 201–204.
Diese Aufstellung macht deutlich, daß Paulus das Gericht radikal als definitive, wirksame Entscheidung über das eschatologische Sein oder Nichtsein des Geschöpfes verstanden hat, vgl. Braun, Gerichtsgedanke 44–59. Die vermeintlich „neutrale" Begrifflichkeit, mit der Paulus die Vergeltung (Röm 2,6; 12,19) umschreibt (ζημία/ζημιόω, Phil 3,7f; 1Kor 3,15; dazu: A. Stumpff, ThWNT II 890–894; μισθός/ἀντιμισθία, Röm 1,27; 4,4; 1Kor 3,8.14; 9,17.18; dazu: H. Preisker/A. Würthwein, ThWNT IV 699–736.726ff; ἔπαινος, Röm 2,29; 1Kor 4,5; κομίζομαι, 2Kor 5,10; καύχημα, 2Kor 1,14; Phil 2,16; Gal 6,4; καύχησις, 1Thess 2,19; dazu: R. Bultmann, ThWNT III 646–654) erlaubt als solche nicht die Unterscheidung des Gerichts über die Christen von dem die Möglichkeit der Vernichtung implizierenden Gericht über den Kosmos; die Einteilung von Mattern (Verständnis 59ff: „radikale Gerichtsbegriffe") ist deshalb irreführend.

35   Die Lösung Guntermanns, der Christus nur die Funktion des Prüfens zuschreibt, während Gott der eigentliche Richter sei (Eschatologie 205), kommt also nicht in Frage.

5,9; Röm 8,1; 11,26; vgl. Phil 3,20f. Genau darin besteht sein primäres richterliches „Werk"[36]. In diesen Zusammenhang gehören dann auch die Aussagen 1Kor 15,24–27 und Phil 3,21, die von der Unterwerfung des Alls und d.h. von der Vernichtung „jeder Herrschaft und jeder Gewalt und Macht" bis hin zum letzten Feind, dem Tod, durch den Parusie-Christus sprechen: sie sind zweifelsfrei soteriologisch orientiert[37]. Dazu paßt schließlich, daß Paulus in 1Kor 5,5 und 11,32 von einem vorweggenommenen Gericht des Herrn an den sündigen Christen weiß, das der eschatologischen Rettung dient[38]. Diese Beobachtungen stimmen zudem genau mit unseren früheren Ergebnissen überein, daß Paulus den „Tag", die „Parusie", die „Offenbarung" Jesu Christi im Ansatz als *Heils*geschehen verstanden hat. So bestätigt sich auch von dieser Seite aus, daß das Gericht die letzte und unwiderlegliche, geschichtliche Durchsetzung Gottes in seiner göttlichen Wesensmacht ist, wie er sie uns im Herrn Jesus Christus und seiner Geschichte allem zuvor und ein für allemal als Heil erwiesen hat. Das Gericht im Sinne der Vernichtung bildet sozusagen die „negative Seite" dieses eschatologischen Machtereignisses Gottes in Christus: dem Untergang und Verderben fällt anheim, was nicht der alles ergreifenden Schöpfermacht Gottes entspricht; eschatologische Vernichtung heißt Trennung und Ausschluß aus dieser alle Welt in ihre endgültige Gegenwart einschließenden Wirklichkeit Gottes in Christus[39]. Im Horizont der eschatologischen Selbstoffenbarung Gottes im kommenden Herrn, die das Gericht des Kosmos ist, steht die endgültige Verurteilung also nicht als gleichgewichtige Alternative neben der endgültigen Rechtfertigung und Rettung[40], sondern ist nur als „Grenzvorstellung" aussagbar: als das „Jenseits" der alles umfassenden, grenzenlosen Gegenwart des Schöpfers in Christus, wo selbst der Tod vernichtet ist[41]. Es ist in radikalem Sinn das „Nichts".

---

36 Vgl. Röm 8,34: Eine Verurteilung ist unmöglich, weil Christus, zur Rechten Gottes erhöht, für uns eintritt. Vgl. den klar differenzierten Gebrauch des Begriffs des eschatologischen „Tages": in Röm 2,5.16 und 1Kor 3,13f, wo die christologische Determinante fehlt, gilt er eindeutig als Gerichtstag (S.o. S. 9f).

37 S.o. S. 153f.

38 Ähnlich 1Kor 3,15: „Aufbauen" auf dem Grundstein Christus kann zwar zur Strafe führen, vereitelt aber nicht die Rettung; erst die „Zerstörung" des Tempels Gottes zieht die eschatologische „Zerstörung" nach sich, und zwar durch Gott! (3,17). S.u. S. 181f.

39 Vgl. Röm 8,35.39 (χωρίσαι ἀπό); 9,3 (ἀνάθεμα εἶναι ἀπό); Gal 5,4 (καταργεῖσθαι ἀπό).

40 Vgl. Stählin, ThWNT V 423.

41 Zu 1Kor 15,26 s.o. S.151f.

III. Der Vollzug des Gerichts

Nun stellt sich die Aufgabe, den theozentrischen und christozentrischen Ansatz des pln. Gerichtsverständnisses in seinen Konsequenzen für Welt und Mensch zu entfalten.

Wir haben gesehen, daß sich das Gericht durch die unmittelbare Offenbarung der machtvollen Wirklichkeit Gottes an der Schöpfung vollzieht; alles, was dieser Gegenwart Gottes in Christus entspricht, ist gerettet. D.h. aber, daß *das Kommen, die Präsenz Gottes in Christus* selbst *Vollzug und Norm des Gerichtes* zugleich ist. Diese Folgerung läßt sich ohne weiteres anhand jenes „Begriffes" absichern und vertiefen, den Paulus am häufigsten als Norm des Gerichts anführt: die ἀλήθεια (Gottes)[42]. Diese „Wahrheit" meint grundlegend die offenbare, erfahrbare Wirklichkeit Gottes selbst, in deren Licht alles im „Rechten" ist, weil es in der „Lauterkeit"[43] auf Gott hin steht. In dieser „Wahrheit" der huldvollen Selbsterschließung Gottes in seiner ewigen Macht und Gottheit hat Schöpfung ihr Sein, sofern sie es in Verherrlichung und Dank wahr-nimmt. In Röm 1,18ff (vgl. 1Kor 1,21) hat der Apostel diesen Gedanken ein wenig entfaltet, freilich im Interesse der Ankündigung des Gotteszornes über die Geschichte[44]. Die Schöpfung kommt nicht mehr als solche vor, sie hat ihre Wahrheit verlassen und hält sie in Ungerechtigkeit nieder; denn sie hat Gottes Wahrheit in die Lüge verkehrt, Schöpfer und Geschöpf im Hochmut ihres uneinsichtigen Herzens vertauscht. Gott aber „gab sie preis", wie Paulus refrainartig wiederholt (V.24.26.28), an die versehrende Macht ihrer Lüge, an das Verhängnis der Ungerechtigkeit und wahrt in diesem Gericht seine, des Schöpfers Wahrheit. Diese Wahrheit aber wird er am Ende gegen alle Lüge und Ungerechtigkeit siegreich durchsetzen, Röm 3,4–8. Wenn sich der lebendige und wahre Gott (1Thess 1,9)[45] endgültig in der Wahrheit seines Wesens offenbart, dann kommt mit ihm die „Wahrheit", die unverstellte Wirklichkeit von allem an den Tag. In diesem Sinn beschreibt Paulus in Röm 1 und 2 das Gericht als *adäquate Vergeltung;* das Gericht Gottes ergeht „gemäß der Wahrheit" (2,2), indem es die Lebensintention des Menschen offenlegt und fixiert, vgl. 2,7–11[46].

Konstitutiv für den Gerichtsgedanken ist freilich auch hier, daß nicht von einer immanenten Vergeltung die Rede ist, sondern stets der persönliche Gott der Richter bleibt. Die *unentrinnbare Unmittelbarkeit Gottes* macht nach Paulus das Gericht und seine Wahrheit aus. Das läßt sich aus einer Vielzahl charakteristischer Wendungen belegen.

42 Vgl. R. Bultmann (G. Quell/G. Kittel), ThWNT I 233–251, bes. 240–242 (Entwicklung zum dualistisch-eschatologischen Begriff des Ewigen, Göttlichen).

43 εἰλικρίνεια ist Parallelbegriff von ἀλήθεια: 1Kor 5,8; 2Kor 1,12; 2,17; vgl. F. Büchsel, ThWNT II 396.

44 Vgl. Schlier, Erkenntnis Gottes 319ff; Bornkamm, a.Anm.3 a.O. 12ff.

45 Vgl. dazu Bultmann, ThWNT I 250; Theologie 71f; Rigaux, 1/2Thess 391; Bussmann, Missionspredigt 174–176.

46 Vgl. weiter 1Kor 3,14f.17; 4,5; Gal 6,7ff.

Hier ist zunächst an jene Stellen zu erinnern, wo die Vorstellung eines regelrechten gerichtlichen Szenariums durchschimmert: „Wir alle werden vor den Richtstuhl Gottes treten" ($\pi\alpha\rho\alpha\sigma\tau\eta\sigma\acute{o}\mu\epsilon\theta\alpha$), Röm 14,10[47], „vor dem Richtstuhl Christi offenbar werden", 2Kor 5,10. Daß Paulus nicht an der Vorstellung eines Gerichtsaktes als solcher interessiert ist, sondern sie als bildliche Darstellung des einen entscheidenden Gerichtsvollzuges, der Unmittelbarkeit zu Gott bzw. Christus, versteht, geht aus dem Kontext klar hervor[48]. Auch sonst fehlt so gut wie jede Spur, die auf eine eigenständige Bedeutung dieses traditionell-apokalyptischen Gerichtsbildes im pln. Denken schließen läßt[49]. Bemerkenswert ist vielmehr die fast formelhafte Kargheit und Strenge der entsprechenden Gerichtsaussagen. Einfache präpositionale Bestimmungen, deren Anschauungsgehalt auf ein Minimum reduziert ist, dominieren: $\check{\epsilon}\mu\pi\rho\sigma\theta\epsilon\nu$, 1Thess 1,3; 2,19; 3,13; 2Kor 5,10; $\dot{\epsilon}\nu\acute{\omega}\pi\iota o\nu$, Röm 3,20; 14,22; 1Kor 1,29; 2Kor 4,2 (Gal 1,20); $\kappa\alpha\tau\acute{\epsilon}\nu\alpha\nu\tau\iota$, 2Kor 2,17; 12,19. Obwohl nicht durchweg auf den eschatologischen Gerichtsakt bezogen, definieren diese Wendungen die Wahrheit und den letzten Wert menschlichen Daseins von Gott und seiner allbeherrschenden Gegenwart und Erkenntnis her (vgl. noch 1Kor 8,3; 13,12; Gal 4,9). „Vor Gott" ist alles in seinem Sein offenbar und enthüllt.

Das Gericht der unmittelbaren Präsenz Gottes in Christus wird von Paulus entsprechend als „offenlegen" ($\delta\eta\lambda o\tilde{u}\nu$), 1Kor 3,13[50], „sichtbar machen" ($\varphi\alpha\nu\epsilon\rho o\tilde{u}\nu$), 1Kor 4,5; vgl. 2Kor 5,10[51], „ans Licht bringen", 1Kor 4,5, und „prüfen", 1Kor 3,13[52], des „Verborgenen" (Röm 2,16; 1Kor 4,5)[53] bestimmt. In 1Kor 3,13–15 hat der Apostel dies mit Hilfe überlieferter Gerichtsbilder in dramatischer Form geschildert[54]. Das „Feuer" des eschatologischen Gerichtstages ist hier wie im AT „Darstellungsform der unnahbaren

47 In eschatologischem Kontext ist $\pi\alpha\rho\acute{\iota}\sigma\tau\eta\mu\iota$ sonst Heilsbegriff: 1Kor 8,8 (Ggs. $\dot{\alpha}\pi\acute{o}\lambda\lambda\upsilon\mu\iota$); 2Kor 4,14; 11,2; vgl. 4Makk 17,18 und (wenngleich primär präsentisch gebraucht) Eph 5,27; Kol 1,22.28 (2Tim 2,15); dazu: Bauer WB Sp. 1244–1246; auch B. Reicke (G. Bertram), ThWNT V 835–840. bes. 839.

48 Vgl. Röm 14,7–9; 2Kor 5,6ff.

49 Vgl. immerhin Phil 4,3 ($\beta\acute{\iota}\beta\lambda o\varsigma\ \zeta\omega\tilde{\eta}\varsigma$) (dazu: Volz 290–293.303; Bousset/Greßmann 258) und 1Kor 4,5, wo das eschatologische Gericht mit einem „menschlichen Gerichtstag" verglichen wird (V.3).

50 Vgl. R. Bultmann, ThWNT II 60f.

51 Vgl. 1Kor 11,19(:27ff); 14,25; R. Bultmann/D. Lührmann, ThWNT IX 3–6; zum jüdischen Hintergrund s. Volz 304.

52 Vgl. 1Kor 11,19 (dazu: Kümmel, in: Anhang zu Lietzmann, 1/2Kor 185 zu S.56 Z.14); 1Thess 2,4 sowie die Aufforderung zur Selbstprüfung; vgl. W. Grundmann, ThWNT II 258–264. bes. 260.

53 Vgl. A. Oepke, ThWNT III 959–979. bes. 976ff.

54 Paulus verbindet hier die traditionellen Motive vom göttlichen Gerichtsfeuer, der Feuerprobe und „die sprichwörtliche Redewendung vom Gerettetwerden durchs Feuer" (F. Lang, ThWNT VI 927–948.944; dort auch reiche Belege, vgl. 935f.937ff. 934,38ff; vgl. auch Weiß, 1Kor 82.83f).

Heiligkeit u(nd) überwältigenden Herrlichkeit Jahwes", vgl. 2Thess 1,8[55]. Gottes epiphane Hoheit durchdringt prüfend das Lebenswerk eines jeden Menschen und legt es in seiner Wahrheit bloß, die sich darin erweist, ob es „bleibt" oder „verbrannt wird". Im Gericht geht es also primär um Sein oder Nichtsein, nicht um ein Mehr oder Weniger an Lohn und Strafe[56] : es geht darum, „vor Gott", im „Feuer" seiner Wahrheit zu bestehen[57].

Was aber macht den Wert des Menschen vor Gott aus? Paulus nennt hier zunächst in Übereinstimmung mit dem AT und dem Judentum die „Werke": Gott „wird jedem nach seinen Werken vergelten", Röm 2,6; 2Kor 11,15; vgl. Röm 1,32; 2,1ff.21ff; 7,15ff; 13,3f.10; 1Kor 3,10—15; 2Kor 5,10; 13,7; Gal 5,17.21; 6,4.10 u.a.m.[58] . „Werke" und „Tun" sind ja nichts anderes als der Vollzug menschlicher Existenz[59]. Als solche aber sind sie immer Ausweis und konkrete Verwirklichung der *Grundintention* menschlichen Daseins; von dort her gewinnen sie ihre eschatologische Entscheidungsqualität: im Tun „(steht) der Mensch selbst auf dem Spiel"[60]. So kommt nach Röm 2,7—9 im „geduldigen guten Werk" die Ausrichtung des Menschen[61] auf Herrlichkeit und Ehre und Unverweslichkeit zum Ausdruck, während die böse Tat dem aufgebrachten Ungehorsam gegen die Wahrheit entspringt und das Verfallensein des Menschen an die Ungerechtigkeit vollzieht. Das Gericht „nach den Werken" enthüllt und erfüllt diesen jeweiligen Grundzug menschlicher Existenz, indem es „das Herz" und seine verborgenen Strebungen ans Licht bringt, Röm 2,16; 1Kor 4,5; das Herz ist ja als der ursprüngliche „Ort" der

55   Lang, aaO. 934; dafür spricht vor allem der unmittelbar folgende prophetische Rechtssatz V.17a, der allein vom Gerichtshandeln Gottes spricht; vgl. auch die Einordnung dieser Stelle oben S. 9f.

56   Vgl. Braun, Gerichtsgedanke 48—59.

57   στήκω bzw. ἵστημι – nach W. Nauck (Das οὖν-paraeneticum, in: ZNW 49 (1958), 134f) ein „Topos der urchristlichen Paränese" – begegnet bei Paulus häufig im Sinne des eschatologischen Heilsstandes: Röm 5,2; 11,20; 14,4; 1Kor 7,37; 10,12; 15,1; 16,3; 2Kor 1,24; Gal 5,1; Phil 1,27; 4,1; 1Thess 3,8; vgl. Eph 6,(11.13)14; Kol 4,12 vl; 2Thess 2,15. Als die den „Stand" ermöglichende „Heilssphäre" (ἐν) werden genannt: κύριος, Phil 4,1; 1Thess 3,8; vgl. Röm 14,4; πίστις, Röm 11,20; 1Kor 16,13; 2Kor 1,24; εὐαγγέλιον, 1Kor 15,1; χάρις, Röm 5,2; vgl. Gal 5,1:4. Vgl. W. Grundmann, ThWNT VII 635—652. bes. 647f.650ff. Gegensatz ist (ἐκ-)πίπτω, Röm 14,4; 1Kor 10,12; Gal 5,1:4, vgl. dazu: W. Michaelis, ThWNT VI 161—174.

58   Vgl. Braun, Gerichtsgedanke 53ff; Bousset/Greßmann 259; G. Bertram, ThWNT II 631—649.642ff.

59   Vgl. bes. Röm 9,11; 2Kor 5,10 sowie E. Lohmeyer, „Gesetzeswerke", in: ders., Probleme paulinischer Theologie 31—74.57f.

60   Schlier, Gal 249f; das gilt auch von den „Werken des Gesetzes": „'Werke' sind durch die Offenbarung des Gesetzes die gottgeschenkte Möglichkeit, seinem Willen zu leben und darum im strengen Sinne erst zu 'sein'. In ihnen ist also der Sinn aller Geschichte faßbar und greifbar" (Lohmeyer, aaO. 57; vgl. Schlier, Gal 179f. 187f).

61   Zu ζητεῖν vgl. Röm 3,11; 10,20; Kol 3,1 (dazu: H. Greeven, ThWNT II 894—896. 895); vgl. φρονεῖν/φρόνημα, Röm 8,5—7; 12,3; Phil 2,5; 3,15.19; Kol 3,2; θέλειν, Röm 7,15ff; Gal 5,17; αἱ βουλαὶ τῶν καρδιῶν, 1Kor 4,5.

Wahrheit Gottes im Menschen, vgl. Röm 1,21, die ihm selbst nie adäquat erfaßbare Entscheidungsmitte seines Daseins, vgl. 1Kor 4,1–5; Röm 8,27[62]. In diesem Sinn ergeht das Gericht auch ohne Unterschied in Beurteilung und Vergeltung über alle Menschen „nach den Werken", auch über die „ohne Werke (des Gesetzes)" gerechtfertigten Glaubenden, vgl. 1Kor 3,10–15; 2Kor 5,10; Gal 5,17.21; 6,7–10.

Die Differenzierung zwischen einem Gericht, das „urteilt, *ob* der Christ Christ war", also (wie das Gericht über den Kosmos) heilsentscheidend ist, und einem Gericht, das „urteilt, *wie* der Christ Christ war", also das Werk des Christen – unabhängig von der grundsätzlichen Rettung – belohnt oder bestraft[63], hat m.E. in den pln. Texten keinen Anhaltspunkt, sondern dürfte wohl aus dem Zwang einer einseitig reformatorischen Sicht der pln. Rechtfertigungsbotschaft geboren sein. Es geht jedenfalls nicht an, aufgrund der Stellen, die dem Christen ausdrücklich die Freiheit vom Vernichtungsgericht zusprechen (76ff), und mangels einer Aussage, die positiv mit dem Untergang auch von Christen rechnet (z.B. 138), diese Möglichkeit faktisch zu bestreiten. Denn zum einen betont Paulus ja immer wieder, daß ein solches Urteil niemandem außer Gott zusteht, 1Kor 4,4f; Röm 14,1ff. Wichtiger ist zum anderen, daß hier das pln. Verständnis christlicher Existenz fast quietistisch vereinseitigt wird. Das sola gratia schließt bei Paulus aber die Werke nicht aus, sondern ein, und zwar durchaus in soteriologischer Perspektive, vgl. nur Phil 2,12f[64], und es ist gerade die Aufgabe einer Interpretation der pln. Gerichtstexte, diese komplexe Einheit in ihrer spezifischen Gewichtung zu entfalten[65].

Von dieser Grundeinsicht aus muß auch die schwierige Stelle *1Kor 3,10–17* angegangen werden, die von einer Rettung des Christen spricht, obwohl sein „Werk" im Gerichtsfeuer zerstört und er entsprechend bestraft wird (V.15). Vorweg sei betont, daß diese Au ssage unter den pln. Gerichtstexten eine Sonderstellung einnimmt; gerade 1Kor 5,5 und 11,31 können nicht wie so oft als Parallelen herangezogen werden, weil dort ja eben durch vorläufiges Gericht das ewige Verderben abgefangen werden soll, das die notwen-

---

62 Vgl. H. Schlier, Das Menschenherz nach dem Apostel Paulus, in: ders., Das Ende der Zeit 184–200.184ff.198f.

63 So Mattern, Verständnis 213ff (Teil B) (die Klammern im Text beziehen sich auf diese Arbeit). In religionsgeschichtlicher Hinsicht entspricht diese Lösung offenbar den problematischen Thesen von D. Rössler (Gesetz und Geschichte (WMANT 3), Neukirchen 1960), die M. einfach übernimmt (9ff); zur Kritik vgl. bes. A. Nissen, Tora und Geschichte im Spätjudentum. Zu Thesen Dietrich Rösslers, in: NT 9 (1967), 241–277.

64 Die Behandlung der „Werke" bei L. Mattern (Verständnis 141–151) leidet m.E. darunter, daß sie von der Problematik Rechtfertigung „ohne Werke" – Gericht diktiert wird und deshalb die Bezogenheit des Tuns auf die Grundorientierung menschlicher Existenz nicht in den Blick bekommt, die „vor" der zweifellos auffälligen Differenzierung von „Werk" und „Werken" bei Paulus liegt. I.ü. bleibt die Untersuchung vor allem des singularischen Wortgebrauchs zu schematisch, wenn sie das „Werk" des Christen als Partizipieren am „Werk" Gottes interpretiert und damit gegen die einzelnen Taten absetzt (147–151.150f); ebenso wie (κατ-)ἐργάζεσθαι, Röm 2,9.10; 13,10; Gal 6,10; Eph 4,28, ποιεῖν, Röm 13,3.4; 2Kor 13,7; Gal 5,17; 6,9, und πράσσειν, Röm 13,4; 1Kor 5,2; Phil 4,9, meint auch ἔργον etwa in Röm 2,7 und 13,3 (vgl. Eph 2,10; Kol 1,10) die (einzelne) Tat, das Tun. Erst als Vollzug der gegen Gott verschlossenen, eigensüchtigen Grundorientierung des der Sünde verfallenen menschlichen Daseins erhalten die „Werke" ihre negative Qualität; das wird für Paulus in den „Werken des Gesetzes" offenbar.

65 Zur „kosmologischen" Lösung des Problems bei Stuhlmacher, Gerechtigkeit Gottes 228–236 s. S. 183f.

dige Strafe für ein mit dem Christsein unvereinbares Werk darstellt[66]. Als Kronzeuge für die (generelle) These von L. Mattern eignet sich 1Kor 3,13ff aber vor allem deshalb nicht, weil hier in ein und demselben Argumentationszusammenhang zwei auf den ersten Blick einander ausschließende Gerichtsaussagen unmittelbar aufeinander folgen, ohne daß Paulus hier einen Widerspruch empfunden bzw. sichtbar gemacht hätte. Damit scheidet auch die Lösung aus, die V.13–15 auf den Sonderlohn der Verkündiger bezieht; allein die Betonung der knappen Rettung des bestraften Christen (ὡς διὰ πυρός) zeigt, daß nicht ein Sonderfall, sondern der pln. Gerichtsgedanke am Beispiel der Verkündiger verhandelt wird[67]. M.E. läßt sich das Problem von 1Kor 3,13ff nur lösen, wenn man existentielle Grundintention und „Werk" insofern unterscheidet, daß dieses zwar im Gericht seinen Wert (ὁποῖόν ἐστιν) von jener her empfängt, die „Werke" aber dieser Grundintention je verschieden gerecht werden (und sogar im Widerspruch zu ihr stehen können)[68]. Gerichtsnorm ist an unserer Stelle Christus, 3,11. Im Gericht geht es dann um die Ausrichtung der Gesamtexistenz an dem ein für allemal gelegten „Grundstein", Jesus Christus, um das „Aufbauen" auf diesem Fundament (V.10.12). Sofern dies irgendwie unter aller „praktischen" Verdeckung und Verleugnung im Gericht zutage tritt (auch „Gras" und „Rohr" werden ja noch auf dem Grundstein aufgebaut)[69], ist Rettung – freilich nur „wie durchs Feuer hindurch" – möglich. Wo aber Christsein sich radikal, prinzipiell und praktisch, gegen seinen Ursprung kehrt, wo es diesen und damit Gottes endzeitliches Werk „zerstört" (V.17a), dort antwortet Gott im Gericht mit „Zerstörung". Gewiß geht auch diese Deutung nicht restlos auf. Letztlich wird man den vermeintlichen Widerspruch von V.15 und V.17a nur von Gottes Freiheit her auflösen können, die im Gericht Ereignis wird (s.o.) und der der Mensch in allem, was er lebt, entsprechen muß[70].

Dieser Gedanke der Grundintention menschlichen Daseins, welche sich in den Werken realisiert, gewinnt auf dem Hintergrund des pln. „Mächte"-Denkens entscheidendes Profil: der Mensch ist nie einfach er selbst, alles, was

---

66 Auch sonst schließt das Gericht über Christen bei Paulus immer die Möglichkeit der Vernichtung ein: 1Kor 3,16f; 6,9–11; 10,1–13.16:22; 16,22; Gal 1,8f; 5,4–6.10. 21b; 6,7–10; Phil 3,18f. Diese Stellen verbieten es, nicht absolut eindeutige Aussagen wie Röm 14,10–12; 1Kor 4,4f und 2Kor 5,9f als Sondergericht über Christen auszulegen, in dem nur das „Wie" des Christseins in Frage stände; jedenfalls geben diese Stellen zu einer solchen Unterscheidung keinerlei Handhabe, geg. Mattern, Verständnis 151ff.

67 Vgl. V.10b: ἕκαστος, V.13: ἑκάστου. Die (recht spärlichen) Belege für einen „Sonderlohn" des Verkündigers, vgl. 1Kor 3,8; 9,12–18; 2Kor 1,14; Phil 2,16; 1Thess 2,19, sind i.ü. keineswegs eindeutig; gerade die Fortsetzung der Hauptstelle 1Kor 9,12ff zeigt, daß Paulus seinen Verzicht auf Entgelt, der sein Ruhm und Lohn ist, als Beispiel für die restlose Hingabe an sein Amt sieht, das geradezu schicksalhaft auf ihm lastet: er tut alles um des Evangeliums willen, um an ihm Anteil zu bekommen, 11,23, d.h.: endgültig gerettet zu werden (V.22!); deshalb kann er sich auch der Gemeinde als Vorbild empfehlen, 11,24ff.

68 Vgl. die wertende Aufzählung der Materialien V.12; im Gericht entscheidet freilich nur Bleiben oder Verbranntwerden.

69 Paulus spricht bewußt vom ἐπ᾽οικοδομεῖν, um die absolute Vorrangigkeit des Grundsteins herauszustellen (V.11), vgl. Michel, ThWNT V 150.

70 Von einer „Inkonsequenz" im pln. Gerichtsgedanken (so Braun, Gerichtsgedanke 89–98.96) sollte man deshalb nicht sprechen, weil sein Ansatz eben die nicht „konsequent" verrechenbare Freiheit des rechtfertigenden Gottes ist.

er tut, ist Ausweis und Entscheidung zugleich für die ihn beherrschende (kosmische) Macht, seien es Gesetz, Sünde und Tod, seien es Gnade und Gerechtigkeit mitsamt ihrem am Ende offenbar werdenden Telos, vgl. Röm 6,21.22. Im Hinblick auf das eschatologische Gericht (nach den Werken) ist vor allem der weisheitlich-dualistische Gegensatz von Fleisch und Geist von Bedeutung[71]. Nach Gal 5,17 liegen beide Mächte im Streit um das Tun des Christen, ein Streit, der, wie V.19ff zeigt, eben *im* Tun des Christen ausgetragen und entschieden wird. So sind die Laster, die der Katalog in V.19–21 aufzählt, „Werke" des Fleisches, wie umgekehrt die „Tugenden" V.22 „Frucht des Geistes" genannt werden; in seinen Taten (οἱ τὰ τοιαῦτα πράσσοντες) entscheidet der Christ somit über sein eschatologisches Geschick, das Erbe der Gottesherrschaft, weil diese die jeweilige Macht, die das Dasein bestimmt, und ihre Intention, Tod oder Leben (vgl. Röm 8,6), zur Entfaltung kommen lassen. In Gal 6,7–10 bringt Paulus diesen Gedanken durch eine spezifische Variation des alten, gemeinantiken Bildes der Entsprechung von Saat und Ernte[72] zur Geltung. Haftet das Bild in V.7b an dem, was gesät und geerntet wird, so begründet V.8 diese weisheitliche Regel, indem er das Säen als Entscheidung für die jeweilige Daseinsmacht interpretiert[73], deren inneres Wesen[74] — Verderben oder ewiges Leben — die Ernte ist, die der Mensch im Eschaton davontragen wird[75]. Bemerkenswert ist die starke Betonung des Werkes (6,4.10) bzw. des Tuns (6,9) und der Verantwortung des einzelnen (6,1b.3.4f) im unmittelbaren Kontext. Diese rein ethisch-soteriologische Perspektive, unter der Paulus hier den Gegensatz Fleisch — Geist aufgreift und die i.ü. die gesamte Paraklese des Gal beherrscht, läßt nichts erkennen von einem „Machtkampf Gottes des Schöpfers mit den Mächten dieser Welt", der in dem „mit der Taufe gesetzte(n) und auf das Endgericht zuführende(n) Kampf des Christen" ausgefochten werde[76]. Auch die Kennzeichnung der σάρξ als σάρξ ἑαυτοῦ an unserer Stelle[77] verbietet eine solche „kosmische" Interpretation, welche die spannungsvolle Einheit von Macht und Werk in der pln. „Ethik" zumindest tendenziell zugunsten der (kosmischen) Macht auseinanderreißt. Einer solchen Lösung des Problems „Recht-

---

71   Vgl. Brandenburger, Fleisch und Geist, der das leitende Interesse der „dualistischen Weisheit" so wiedergibt: „Was hier vertreten wird, ist der Gedanke ursprungshafter Verwurzelung gerechten oder ungerechten, sündigen Verhaltens vor Gott in einer machtausübenden Substanz." (227).

72   Vgl. F. Hauck, Art. θερίζω, θερισμός, in: ThWNT III 132f.

73   σπείρειν εἰς; vgl. πνεύματι ἄγεσθαι, 5,17, bzw. στοιχεῖν, 5,25.

74   Vgl. Schlier, Gal 277.

75   Auch in V.9 ist θερίζειν auf weisheitlichem Hintergrund zu verstehen; für den apokalyptischen Gerichtstopos der Ernte (vgl. Mt 13,30.39; Mk 4,29; Apk 14,15f; auch Joh 4,35; Mt 3,12; vgl. sBar 70,2; 4Esr 4,28ff; 9,17) ist dagegen wesentlich, daß sie immer von Gott bzw. seinen Beauftragten vorgenommen wird.

76   Stuhlmacher, Gerechtigkeit Gottes 228–236.231.

77   Vgl. Röm 6,19; 7,18; 11,14; 2Kor 4,11; 7,5; Gal 4,14; 6,8.13; Eph 2,3.14; Kol 1,22.24; 2,13.18.

fertigung und Gericht" widersetzt sich an unserer Stelle endlich auch die ein-
leitende, sprichwörtliche Wendung in V.7a[78] . Sie zeigt, daß für Paulus *über*
den widerstreitenden, eschatologisch entscheidenden Mächten Fleisch und
Geist Gott selbst steht. Er wahrt seine richterliche Hoheit gegenüber aller
Verachtung des Menschen, indem er ihn „in seinen Taten sich sein Geschick
selbst besorgen (läßt). Er gibt ihm die Freiheit zu säen, worauf er will, und
also zu ernten, was er will. Darin besteht seine Herrschaft über den Menschen,
daß er auf das Gesetz von Saat und Ernte achtet."[79] So tritt Gott „zu seiner
Zeit"[80] (V.9) in Verderben und ewigem Leben seine Herrschaft an.

Diese aber werden nur diejenigen in Besitz nehmen[81] , die sich „vom Geist führen lassen" (Gal 5,18) und „das Fleisch samt seinen Leidenschaften und Begierden gekreuzigt haben" (5,24): es sind diejenigen, „die Christus Jesus gehören"[82] . „In Christus" hat Gott die Welt mit sich versöhnt, „in ihm" können wir „Gerechtigkeit Gottes" werden, 2Kor 5,19.21; vgl. Röm 5,9f. Im
Heilsraum seiner Person steht der Mensch „vor Gott"[83] und damit in der
Lauterkeit und Wahrheit (1Kor 5,8; 2Kor 1,12; 2,17), die am Tag des Gerichts bestehen läßt, vgl. noch Phil 1,10[84] . Wer den Geist Christi hat, lebt

78   μὴ πλανᾶσθε leitet hier wie in 1Kor 6,9; 15,33; Jak 1,16; IgnRöm 16,1; Philad
       3,3 ein Zitat oder eine sprichwörtliche bzw. feste Wendung ein und besitzt wie
       in der Diatribe „fast den Wert einer Interjektion": H. Braun, ThWNT VI 230–
       254.245.

79   Schlier, Gal 277.

80   Zu καιρῷ ἰδίῳ im Sinne des allein in Gottes Verfügung stehenden Zeitpunktes
       des Gerichts vgl. 1Tim 6,15; Mt 13,30; auch 1Kor 4,5; 1Thess 5,1; 2Thess 2,6;
       1Petr 1,5; 5,6.

81   Vgl. 1Kor 6,9.10; 15,50; Mt 25,34; auch Eph 5,5, wofür sonst bei den Synopti-
       kern κληρονομεῖν ζωὴν αἰώνιον gebräuchlich ist, Mt 19,29; Mk 10,17; Luk 10,25;
       18,18. Paulus gebraucht die Wendung an allen Stellen formelhaft, und zwar in ne-
       gativer Form, darüber hinaus in 1Kor 6,9f und Gal 5,21, vgl. Eph 5,5, in Zusam-
       menhang mit Lasterkatalogen, die an die altisraelitischen „Torliturgien" (Ps 15;
       24; Jes 33,14–16) gemahnen könnten, ein Zusammenhang, den W. Zimmerli für
       Mk 10,17–31 aufgezeigt hat (Die Frage des Reichen nach dem ewigen Leben, in:
       ders., Gottes Offenbarung (TB 19), München 1963, 316–324). Daß die βασιλεία
       θεοῦ nicht nur eine streng futurische Größe darstellt, vgl. noch 1Thess 2,12;
       2Thess 1,5, sondern im Sinne des Paulus eine mit dem Geist und seinen Gaben prä-
       sente Wirklichkeit, zeigen Röm 14,17 und 1Kor 4,20, die gleichfalls formelhaft an-
       muten (οὐ γὰρ ἔστιν). Die klare Trennung der beiden traditionellen (?) Wendun-
       gen hinsichtlich ihres Zeitaspekts hat Paulus doch wohl bewußt vollzogen. Die
       eschatologische Zukunft versteht er demnach als von Gott im Gericht entschiede-
       ne und gewährte Inbesitznahme (κληρονομεῖν) oder volle Aneignung dessen, wo-
       von der Christ schon jetzt so ergriffen ist, daß er es – so lange er Zeit hat – stän-
       dig neu und immer weiter ergreifen muß, vgl. 1Thess 5,9 (περιποίησις) und die
       Korrespondenzaussagen 1Kor 13,12b; Gal 4,8; Phil 3,12f. Zur Sache vgl. R.
       Schnackenburg, Gottes Herrschaft und Reich, Freiburg 4. Auflg. 1965, 199ff.

82   Vgl. 1Kor 1,12; 3,23; 15,23; 2Kor 11,7.

83   Vgl. 2Kor 2,17; 12,19: κατέναντι θεοῦ ἐν Χριστῷ.

84   Vgl. 2Kor 13,5:8: Wenn Christus Jesus in euch ist, seid ihr bewährt, d.h. ihr ent-
       sprecht der Wahrheit, welche die eschatologisch-richterliche Macht des Herrn ist
       (vgl. 13,3f.10; 10,4–6; 12,9f).

in Gottes Wohlgefallen, Röm 8,9:8, für ihn gibt es keine Verurteilung mehr, Röm 8,1. Denn in Christus ist die Grundintention menschlichen Daseins mit Gott versöhnt. Aus der Feindschaft gegen Gott, die in den Tod führt, Röm 8,5–8; 1Kor 15,26, ist in ihm, dem Sohn, das „für Gott" der Gerechtigkeit geworden, vgl. Röm 6,10f, das uns im Geist der Sohnschaft ergreift und alle „Furcht" zerstreut, Röm 8,14–16. Diese Liebe und Hingabe Christi an Gott ist, weil Gott in ihr seine Wahrheit als die Liebe zu uns geoffenbart hat, die eschatologische Wirklichkeit, an der sich Rettung oder Untergang eines jeden menschlichen Daseins entscheidet, sie ist das absolute Kriterium des eschatologischen Gerichts („nach den Werken").

Diese Grundeinsicht ist im pln. Schrifttum reich entfaltet. In *Phil 2,12–16* beschwört der gefangene Apostel die Gemeinde von Philippi, „in Furcht und Zittern ihr Heil zu wirken" (V.12), d.h. Gottes „fehlerlose Kinder" zu werden, die „untadelig und ohne Makel" (V.15)[85] am Tage Christi bestehen können (V.16). Dies vollzieht sich aber im *Gehorsam* (V.12), jener Wirklichkeit also, die „auch in Christus Jesus gilt" (V.5). Der Gehorsamsweg Christi aus göttlichem Sein bis in den Tod und zur Verherrlichung, den der von Paulus aufgenommene Hymnus 2,6–11 besingt, wird so zur Grundlage und zum Vorbild eschatologischer Existenz[86]; denn „die Manifestation des Erniedrigten und Gehorsamen (war) das eigentlich eschatologische Ereignis", vgl. V.9–11[87]. Die eschatologische Wirklichkeit des „Herrn Jesus Christus" (und seines Gehorsamsweges) ist also die σωτηρία (vgl. 1,28; 3,20), die ζωή

---

85 ἄμεμπτος wird auch in 1Thess 3,13; 5,23 von der eschatologischen Unbescholtenheit gebraucht. ἄμωμος ist Umformung des zugrundeliegenden Zitates Dt 32,5LXX (ἡμάρτοσαν οὐν αὐτῷ τέκνα μωμητά, γενεὰ σκολιὰ καὶ διεστραμμένη); auch diesem, hier präsentisch gebrauchten Begriff kommt eschatologisches Gewicht zu, vgl. Kol 1,22; Jud 24; auch Eph 1,4; 5,27 (dazu: Schlier, Eph 51, und F. Hauck, ThWNT IV 836). Kultische und religiös-sittliche Bedeutung sind kaum streng zu trennen, sondern als Nuancen eines einheitlichen Grundsinnes zu beurteilen.

86 Vgl. ὥστε (zu Stellung und Funktion vgl. 1Kor 5,8; 10,12; 11,33; 14,39; 15,58; Phil 4,1; 1Thess 4,18; 1Petr 4,19). Die exemplarische Bedeutung des Christushymnus – seit Käsemanns Analyse häufig bestritten (vgl. z.B. Gnilka, Phil 108.148) – kann für das Verständnis des Paulus (das freilich meistens gar nicht diskutiert wird) m.E. unmöglich geleugnet werden (es ist damit natürlich noch nicht erschöpfend beschrieben, vgl. etwa Röm 15,3ff; 2Kor 8,9). Dies geht unübersehbar aus der Korrespondenz der Zentralgedanken von 2,6–11 und 2,12ff hervor (obgleich man nicht so weit wie Lohmeyer gehen kann, der in 2,12–16 „eine formale und sachliche Analogie zu dem vorangegangen Psalm" (99f) bis in die einzelnen Wendungen hinein meint feststellen zu können: Phil 100ff). So entspricht ὑπηκούσατε (V.12) dem zentralen Stichwort des Hymnus ὑπήκοος (V.8) (in beiden Fällen fehlt das Gegenüber des Gehorsams!), das seinerseits m.E. sachlich im εἰς δόξαν θεοῦ πατρός aufgenommen wird (vgl. Anm. 89). Die Widerlegung des einseitigen Vorbildgedankens für das ἐν Χριστῷ Ἰησοῦ in 2,5 berechtigt noch nicht zu seiner generellen Bestreitung für das pln. Verständnis des Hymnus. Vgl. die Analyse von G. Strecker, Redaktion und Tradition im Christushymnus Phil 2,6–11, in: ZNW 55 (1964), 63–78.62ff: „Es ist daher festzuhalten, daß der Hymnus der redaktionellen Intention nach im ganzen, d.h. unter Einschluß der indikativischen Elemente, eine ethische Akzentuierung besitzt." (67f) (die Rekonstruktion des Hymnus durch St. scheint mir freilich nicht haltbar.)

87 Käsemann, Analyse 79.

(2,16; vgl. 1,21), welche der Hymnus in der Anerkennung des gehorsamen Christus als des Kosmokrator zum Ziel kommen sieht und die uns „im Bereich Christi Jesu" (2,5)[88] zu „wirken" aufgegeben wurde. Weil er gehorsam war „bis zum Tod, zum Tod am Kreuz" und als solcher seine Herrschaft ausübt „zur Herrlichkeit Gottes des Vaters", müssen auch die Christen, die zu ihm gehören, den Gehorsam als die Wirklichkeit und Gestalt des neuen Lebens „in Christus Jesus" übernehmen und so − „in Furcht und Zittern"[89] − ihr Heil wirken (2,12)[90]. Diese eschatologische Heils-Wirklichkeit des Gehorsams Jesu Christi ist in jedem Sinn Gottes Werk, denn sie brach von Gott her in der Selbstentäußerung des Gottgleichen in diese Welt ein und zerbrach so ihren Unheilszwang. Deshalb ist es auch allein Gott, der das gehorsame „Wirken" des Heils durch die Christen ermöglicht und ins Werk setzt[91], so daß ihr Dasein sein Wohlgefallen findet (2,13)[92] „am Tage Christi", der über der Welt

88 Zu ὁ καὶ ἐν Χριστῷ Ἰησοῦ vgl. bes. Strecker, aaO. 66f.

89 Vgl. H.R. Balz, Art. φοβέω κτλ., in: ThWNT IX 186−216.210: „Die vorbildhafte Selbsthingabe Christi (2,8) ermöglicht für die Glaubenden keine andere Haltung als die der demütigen Hinnahme (μετὰ φόβου καὶ τρόμου) des Willens Gottes, der in der Gemeinde nicht selbstherrlichen Eifer, sondern gegenseitige Liebe will (2,1−4)". B. spricht von der „Furcht als Korrelat des Glaubens" (ebd.). In der besagten Wendung dürfte auch hier „der bedrohliche Ernst des Gerichts Gottes" (209), der auch über dem Leben des Christen steht, mitzuhören sein, wenngleich die konkrete atl. Bedeutung damit natürlich nicht aufgenommen ist, vgl. Ex 15,16; Dt 2,25; 11,25; Ps 55,6; Jes 19,16; Jdt 2,28; 4Makk 4,10; dazu: G. Wanke, ThWNT IX 194−201. 195,31ff. ὑπηκούσατε bezieht sich also nicht auf den Apostel, sondern auf Gott. Gemeint ist der Gehorsam als der Inbegriff christlichen Lebens (vgl. Lohmeyer, Phil 101), wofür vor allem auch die sonstige pln. Verwendung von μετὰ φόβου καὶ τρόμου (in 2Kor 7,15 und Eph 6,5 Charakterisierung des Gehorsams, sonst bei Paulus: 1Kor 2,3, vgl. Lohmeyer, Phil 102 A.1) und V.14−15 sprechen (χωρὶς γογγυσμῶν καὶ διαλογισμῶν). Doch selbst wenn sich ὑπηκούσατε auf den Apostel beziehen sollte (so u.a. Gnilka, Phil 148; die Beziehung auf die Parenthese vertritt freilich das μή, das diese grammatisch dem Imperativ des Hauptsatzes zuordnet, vgl. Lohmeyer, Phil 102), behält unsere Lösung insofern ihr Recht, als der Gehorsam gegen Gott bzw. Christus sich konkret nicht zuletzt im Gehorsam gegen den Apostel (und sein Evangelium) vollzieht, vgl. Bultmann, Theologie 308f.

90 Diese Aussage erhält in V.13 sofort ihr notwendiges Pendant; die Bagatellisierung Barths (Phil 67: „als Christ leben, sich als das, was man als Christ ist, zeigen und bewähren") ist deshalb ungerechtfertigt.

91 Vgl. dazu Bornkamm, Lohngedanke 90−92; Braun, Gerichtsgedanke 62.

92 ὑπὲρ τῆς εὐδοκίας ist in jedem Fall auf Gott zu beziehen. Meist wird εὐδοκία dann als „Wille", „Ratschluß" gefaßt, und unsere Wendung wäre dann wiederzugeben: „zur Verwirklichung des Ratschlusses (Gottes)" (Riesenfeld, ThWNT VIII 517; vgl. G. Schrenk, ThWNT II 736−748.744; Gnilka, Phil 150 u.a.). εὐδοκία hat − als Übersetzung von rason − in LXX häufig die Bedeutung „(göttliches) Wohlgefallen", vgl. 1Chron 16,10; ψ 18,15; Sir 1,27 (//φόβος κυρίου); PsSal 3,4. Besonders im Rahmen der Opfersprache charakterisiert rason (griech. meist δεκτός) das Werk oder Leben des Menschen, das „Gefallen vor Gott" findet (vgl. Schrenk, aaO. 741,15ff). Eben dieser Gedanke findet sich aber auch Phil 2,15 (ἄμωμος, vgl. Lev 22,19.21), so daß man von daher Phil 2,13b paraphrasieren darf: „um vor Gott Wohlgefallen zu finden" (am Tage Christi, V.16); vgl. Dibelius, Phil 64: „er (sc. Gott) wirkt in euch, so wie er euch haben will". Dies würde jedenfalls zur Aussage der folgenden Verse passen (vgl. V.16: καύχημα ...). Schwierigkeit bereitet jeder Interpretation das ὑπέρ. Es ist bei unserer Lösung allgemein als „für"

als ihr endgültiger Entscheidungstag steht. Im Gehorsam vermögen die Christen also deshalb vor dem Forum des endgültigen Gerichtes zu bestehen, weil er die völlige Entäußerung an die Herrlichkeit Gottes, des Vaters, ist, die im Herrn Jesus Christus und seiner Selbsterniedrigung eschatologisches Ereignis wurde, vor dem alle Macht des Kosmos das Knie beugt[93]. Der vollendete Gehorsam der Christen (vgl. noch 2Kor 10,6) ist die Vollendung der eschatologischen Herrschaft Gottes in Christus und die Unterwerfung, das Gericht des Kosmos[94].

Dieser Gehorsam, der im Gericht bestehen läßt, ist der Gehorsam des *Glaubens*[95], in dem sich der Mensch (in allen seinen Lebensvollzügen)[96] der Gerechtigkeit Gottes in Christus überläßt[97] und so gerechtfertigt ist, vgl. Röm 1,5; 6,13.16ff; 15,18; 16,19(26); 2Kor 10,5f[98]. Deshalb kann Paulus in Röm 14,22f den Glauben als die entscheidende Gerichtsnorm bezeichnen, die „vor Gott" gilt; gemeint ist der Glaube daran, daß Gott uns „angenommen" hat in der Hingabe Christi, 14,3.7–9; 15,3.7, somit unser Leben und Sterben (bis hin zu Essen und Trinken!) dem Herrn gehört, 14,5–9, und sich allein an ihm entscheidet („steht oder fällt"), 14,4[99]. In unerhörter Engführung wird hier das eschatologische Kriterium christlicher Existenz in allen ihren Vollzügen „personalisiert": im gestorbenen und auferstandenen Herrn (vgl. 2Kor 5,14f:9f). Die parakletische Anwendung in V.13ff läßt näher erkennen, was Wesen und Vollzug der Herrschaft Christi ausmacht (deren Vollendung die definitive Entscheidung Gottes über alle Welt ist, 14,7–9:10–12): die *Liebe*, die im Sterben Christi für uns geschah, 14,15. Diese den Bruder und seine Schwächen konkret annehmende und

---

oder „zu" zu übersetzen, vgl. Riesenfeld, aaO. 516f (vgl. von den dort besprochenen Stellen vor allem Röm 15,8 (//εἰς τό...); 2Kor 1,6; 12,19; 1Thess 3,2; Joh 11,4). In dieser Auslegung käme der eschatologische Tenor von V.13 noch stärker zur Geltung.

93 Vgl. Röm 14,11 (=Jes 45,23). Dem entspricht 2,15: Inmitten eines verbrecherischen und verdorbenen Geschlechts leuchten die Christen wie Sterne in der Welt. Vgl. Lohmeyer, Phil 108f.

94 Von hieraus wird man vielleicht auch 1Kor 6,2.3 sachlich einordnen können: „die Heiligen" (Ggs. Ungerechte, 6,1.7.8.9; vgl. 5,9–13) sind es, die den Kosmos und seine Gewalten, die Engel, richten werden (zu den Engeln in diesem pejorativen Sinn vgl. 11,10); es sind die, die „abgewaschen", „geheiligt" und „gerechtfertigt" sind „im Namen des Herrn Jesus Christus und im Geist unseres Gottes" (6,11) und denen damit „alles gehört", sofern sie nur selbst Christus gehören, der Gottes ist (3,22f). Heilig sein heißt demnach: an Christus und in ihm an Gott und seine Herrschaft (6,9.10) enteignet sein. Vgl. 1Kor 1,2; Phil 1,1; 4,21 (Heilige in Christus Jesus).

95 Vgl. dazu Bultmann, Theologie 315ff.

96 Vgl. Röm 6,13.19: μέλη.

97 Vgl. παριστάνειν, Röm 6,13.16.19; 12,1.

98 Zur forensisch-eschatologischen Bedeutung der Glaubensgerechtigkeit vgl. Kertelge, Rechtfertigung 112–160.

99 Vgl. Röm 2,16; 1Kor 1,18ff; 2Kor 2,15f; 4,3f; Gal 1,8f; 5,7–9, wo das *Evangelium* als Norm und Macht des Gerichts erscheint.

aushaltende Liebe „im Dienst Christi" macht uns „Gott wohlgefällig", 14,18[100], und „stellt uns vor Gott", 1Kor 8,8.11, diese aufbauende[101] Liebe entreißt der eschatologischen Vernichtung, Röm 14,15; 1Kor 8,11[102]. Diese demütige, den anderen stets vorziehende und auf seinen Nutzen bedachte Liebe ist die konkrete Weise, in der die Christen den Grundzug ihrer neuen Existenz in Christus Jesus, den Gehorsam, wahrnehmen und ihr Heil wirken; denn Selbsterniedrigung war die konkrete Gestalt des eschatologisch triumphierenden Gehorsams Jesu Christi, Phil 2,1—5:6—11. Nach Gal 5,4—6 erlangt der Mensch die eschatologische Gerechtigkeit (im Gericht)[103] allein im „Glauben, der sich durch die Liebe wirksam erweist"; das ist es, was „in Christus Jesus zählt", der in Person das Heil ist, V.2.4[104], da er uns durch seinen Tod von der Knechtschaft und dem Fluch des Gesetzes befreit hat, 5,1; vgl. 3,13f; 4,4f. Sein Tod für uns ist selbst diese Freiheit[105], für die er uns befreit hat (5,1) und in die wir hineingerufen wurden (5,13); die Liebe seiner Hingabe für uns ist die Gnade (2,20f; 5,4), in der wir den rechten (Heils-)Stand (vor Gott) gewonnen haben, 5,1b[106]. Diese befreiende Gnade der Liebe Christi, die sich unserer im Geist bemächtigt[107], nimmt nun der Glaube wahr, der sich in der Freigabe von sich selbst für den anderen, in der Liebe, verwirklicht. Liebe ist gelebte Gnade, 5,6[108]. Im gegenseitigen Dienst

100 Vgl. Röm 12,1f; 2Kor 5,9; Phil 4,18; Eph 5,10; Kol 3,20; Tit 2,9; Hebr 13,21 (εὐάρεστος); Röm 8,8; 1Thess 2,4.15; 4,1 (θεῷ ἀρέσκειν); dazu oben S. 24.

101 Röm 14,19; 1Kor 8,1; vgl. Röm 15,2; 1Kor 10,23; 14,3—5.12.17.26; 2Kor 10,8; 12,19; 13,10; 1Thess 5,11; vgl. O. Michel, ThWNT V 139—150. bes. 143ff.

102 Vgl. 1Thess 3,12; Phil 1,9, wo Paulus im Blick auf die Lauterkeit und untadelige Heiligkeit, die am Tag des Herrn gefordert ist, um das Wachsen in der Liebe betet.

103 Vgl. noch 1Kor 4,4; Röm 2,13 (δικαιοῦν).

104 Χριστός nimmt chiffrenartig die Aussage 5,1a auf (vgl. V.4, wo Χριστός mit ἡ χάρις wechselt), welche die Argumentationsbasis bis V.6 bildet (zur Textfassung von 5,1a vgl. die Diskussion bei Oepke, Gal 117f, und Schlier, Gal 229). ὠφελεῖν dient auch im sonstigen urchristlichen Sprachgebrauch als Umschreibung des Heils, vgl. Röm 2,25 (3,1: ὠφέλεια); 1Kor 13,3; Mk 8,36pp; Joh 6,63; Hebr 4,2; 13,9, und ist hier, in futurischer Formulierung, sicher streng eschatologisch gemeint, vgl. Mt 16,26 (diff Mk 8,36/Luk 9,25); Did 12,5; Barn 4,9; IgnRöm 6,1.

105 „... das Geschehen des sich im Gehorsam gegen Gottes Willen bis zur Konsequenz des fluchbeladenen Todes dem anderen Menschen hingebenden Lebens Jesu Christi ... *ist* —richtig verstanden — unsere Freiheit" (Schlier, ThWNT II 495, zu Gal 5,1; 3,13; 4,4).

106 S.o. Anm. 57, und Mußner, Gal 343.

107 ἡ χάρις (V.4) erläutert Χριστός, vgl. Schlier, Gal 232, und wird selbst wiederum durch πνεύματι (V.5) aufgenommen. Konkreter Ausdruck dieser Identität von χάρις und πνεῦμα ist 5,22 (ὁ καρπὸς τοῦ πνεύματος; Gegensatz: ἔργα τῆς σαρκός, V.19).

108 „Sich alles von Gott schenken lassen, Gottes Gabe aber weitergeben, ausmünzen in einem wahrhaft sittlichen, von selbstverleugnender Liebe getragenen Leben, ohne dabei nach dinglichem Lohn außer und neben Gott zu schielen — das ist das wahre Christentum. Damit kann man vor Gott bestehen." (Oepke, Gal 121).

der Liebe, der ersten Frucht des Geistes, 5,22, ergreifen die Glaubenden die ihnen in Christus eröffnete eschatologische Freiheit von der tödlichen Macht des Fleisches und des Gesetzes, 5,13.18.23b.24. Gerechtfertigt durch Glauben an Jesus Christus (und nicht „im Gesetz", 5,4) können sie so, frei von sich selbst und der eigenen Leistung und frei für Gott und den Nächsten, die endgültige Gerechtsprechung im Gericht zuversichtlich erhoffen. Wer in der Liebe, im gegenseitigen Tragen der Lasten, das *Gesetz Christi*[109] als das Gesetz seines Lebens übernimmt und erfüllt, 6,2[110], dem ist die Ernte des ewigen Lebens, 6,8b, das Erbe der Gottesherrschaft gewiß, 5,22:21; denn in der Liebe gehört er Christus und seiner Liebe, von der uns nichts in der Welt zu trennen vermag, Röm 8,35.37–39[111].

Die Liebe Christi ist ja die Macht der neuen Schöpfung, 2Kor 5,14f:17; vgl. Gal 6,14:15; ihr Leben, das neue Leben (Röm 6,4), besteht in der Absage an sich selbst und in der Übergabe an den, der für uns gestorben ist und auferweckt wurde, 2Kor 5,15. Im Gericht der Liebe Christi ist der Mensch (sich selbst) gestorben, 5,14c. Will er endgültig seine Heimat beim Herrn finden, 5,6–8, muß er ihm „wohlgefällig sein", 5,9, und d.h.: (in der Liebe) das Gute tun, 5,10; vgl. Röm 12,9.17.21; 13,10[112]. So steht der Mensch, der die Liebe übt, schon immer im Offenen der kritischen Wahrheit Gottes[113] und realisiert in seinem „Leibesleben" die „Furcht des Herrn", 5,11.13 (vgl. Phil 2,12; Gal 6,7), d.h. die vollkommene Enteignung an Christus, den eschatologischen Richter, der in seiner siegreichen Liebe die absolute Norm des Gerichts, weil die eschatologische Wirklichkeit selbst ist: „Wenn einer in Christus ist, dann ist er neue Schöpfung; das Alte ist vergangen, siehe, es ist neu geworden." (2Kor 5,17).

Denn „die Liebe fällt niemals" (1Kor 13,8), sie ist das Ewige, das „bleibt" (13,13), „die Substanz aller Wirklichkeit", die als solche die kritische Macht über alles hat, ohne die auch die höchsten Vollzüge des Menschseins nichts sind (13,1–3). Wenn die Liebe, „das Vollkommene", kommt, wird alles Vorläufige „vernichtet" (13,10), d.h. alles, was nicht Liebe ist bzw. nicht in ihr Erfüllung findet (wie Glaube und Hoffnung) (vgl. 13,7!)[114]. Die Liebe

---

109 Vgl. dazu H. Schürmann, „Das Gesetz des Christus" (Gal 6,2). Jesu Verhalten und Wort als letztgültige sittliche Norm nach Paulus, in: Neues Testament und Kirche (FS R. Schnackenburg), Freiburg 1974, 282–300.

110 Vgl. 1Kor 9,21. Insofern ist die Liebe die „Erfüllung des Gesetzes", Röm 13,8–10; Gal 5,14, das δικαίωμα, nach welchem Gottes gerechtes Gericht ergeht, vgl. Röm 8,4; 1,32; 2,26 (vgl. Schlier, Gal 180).

111 S.o. Anm. 39.

112 Vgl. zu ἀρέσκειν in diesem Sinn: Röm 15,1–3; 1Kor 10,33; dazu: 1Kor 7,32–35.

113 Vgl. 1Kor 8,3: „Wenn einer Gott liebt, der ist von ihm erkannt."

114 Vgl. zur Begründung im einzelnen H. Schlier, Über die Liebe (1. Kor 13), in: ders., Die Zeit der Kirche 186–193, der mit Recht betont, daß in 1Kor 13 nicht zwischen Gottes und Christi Liebe und der (im Geist eröffneten) Liebe zu Gott und der Liebe zum Nächsten geschieden werden kann (186f). Vgl. auch G. Bornkamm, Der köstlichere Weg (1. Kor 13), in: ders., Ges. Aufsätze I 93–112.

ist das Gericht, in dem der Mensch Gott „von Angesicht zu An gesicht" erfahren wird und sich damit selbst so empfängt, wie er von Gott immer schon erkannt ist, 1Kor 13,12; vgl. 8,3; Gal 4,9. Die Liebe, die „kommt" und „bleibt", ist das letzte, unmittelbare „Begegnis" von Schöpfer und Geschöpf und somit die universale Durchsetzung Gottes in seiner Wahrheit, welche sich als die Wahrheit und Wirklichkeit allen Seins („richterlich") enthüllt.

So setzt Gott am Ende in der Liebe, die er uns in Jesus Christus erwiesen hat und die wir im „Werk des Glaubens" und in der „Geduld der Hoffnung" als die konkrete Wirklichkeit des neuen Lebens übernehmen (1Th ess 1,3), seine Anerkenntnis als Gott in der Schöpfung durch. Die Liebe ist das Gericht, der endgültige Sieg der Wahrheit Gottes über die nichtige Lüge, die gottlose Ungerechtigkeit der Welt: „Gott hat alle in den Ungehorsam eingeschlossen, damit er sich aller erbarme." (Röm 11,32). Denn sie ist die Tiefe des Wesensgeheimnisses Gottes, die unumschränkte, unerforschliche und unaufspürbare Freiheit seiner Entscheidungen und Wege (Röm 11,33), die am Ende — wenn Christus, „der Retter vom Zion kommt" und schließlich auch die Gottlosigkeit Jakobs vernichtet (11,26) — alle in ihm und seiner Herrlichkeit münden (11,36).

B. „MIT CHRISTUS"

Die Wendung σὺν Χριστῷ (σὺν Ἰησοῦ, σὺν κυρίῳ, σὺν αὐτῷ) entspricht formal der geläufigeren pln. „Formel" ἐν Χριστῷ und ihren Derivaten. Ihr vergleichsweise geringes Vorkommen[1] beschränkt sich auf das pln. bzw. pln. beeinflußte Schrifttum[2]. Ihre eigenständige sachliche Bedeutung im Rahmen der Theologie des Apostels geht darüber hinaus aus den zahlreich anzutreffenden Komposita mit σύν hervor, die entweder Neubildungen sind oder doch einen neuen, am „Zusammen" mit Christus orientierten Sinn haben[3] Dieser Befund sowie das Fehlen jeder direkten sprachlichen Parallele[4] legen es nahe, die „Formel" als Neubildung des Paulus anzusehen[5], die natürlich in sprachlicher und besonders vorstellungsmäßiger

1 Insgesamt 8x bei Paulus (Röm 6,8; 8,32; 2Kor 4,14; 13,4; Phil 1,23; 1Thess 4,14. 17; 5,10) und 4x in Kol (2,13.20; 3,3.4). Dagegen zähle ich für ἐν Χριστῷ und seine Äquivalente 92 Belege (ohne 1Thess 1,1; Phil 3,3; 4,13; 1Kor 1,31b/2Kor 10,17 =Jer 9,24), vgl. auch Neugebauer, In Christus 48 und die Zusammenstellungen 65−72 und 131−133.

2 Zu den Äquivalenten in der sonstigen ntl. Literatur (bes. Apk 3,21; 14,1; 17,14; 20,4.6 = μετά) vgl. W. Grundmann, Art. σύν − μετά κτλ., in: ThWNT VII 766−798.795ff; auch E. Lohmeyer, ΣΥΝ ΧΡΙΣΤΩΙ, in: Festgabe für Adolf Deissmann zum 60. Geburtstag, Tübingen 1927, 218−257.231ff.

3 Vgl. Schnackenburg, Heilsgeschehen 172; Hoffmann, Die Toten in Christus 301f. Es finden sich folgende Termini (vgl. die Zusammenstellung bei Grundmann, aaO. 786f): συναποθνῄσκω, 2Tim 2,11; vgl. 2Kor 7,3; συσταυρόω, Röm 6,6; Gal 2,19; συνθάπτομαι, Röm 6,4; Kol 2,12; συνεγείρω, Kol 2,12; 3,1; Eph 2,6; συζωοποιέω, Kol 2,13; Eph 2,5; συγκαθίζω, Eph 2,6; συμβασιλεύω, 2Tim 2,12; συζάω, Röm 6,8; 2Tim 2,11; vgl. 2Kor 7,3; συνδοξάζω, Röm 8,17; συμπάσχω, Röm 8,17; vgl. 1Kor 12,26; συγκληρονόμος, Röm 8,17; vgl. Eph 3,6; Hebr 11,9; 1Petr 3,7. σύμφυτος, Röm 6,5; συμμορφίζομαι, Phil 3,10; σύμμορφος, Röm 8,29; Phil 3,21. Bei den letzten drei Begriffen intensiviert das Präfix συν- den Wortgehalt eher als daß es ihn prägnant im Sinne personaler Gemeinschaft bestimmt.

4 Auch der geläufige Ausdruck griechischer Frömmigkeit σὺν θεῷ bzw. σὺν θεοῖς (vgl. Lohmeyer, aaO. 226−229; Grundmann, aaO. 772f) wird schwerlich die Bildung der pln. Formel sprachlich beeinflußt haben, da sein Grundsinn ein ganz anderer ist, geg. Grundmann, aaO. 767.780. Vgl. i.ü. unten die religionsgeschichtliche Erörterung.

5 Vgl. die Übersicht über die Diskussion bei Grundmann, aaO. 781f A.79; auch Hoffmann, Die Toten in Christus 302, plädiert z.B. für pln. Ursprung, während Käsemann die „Formel" für vorpaulinisch hält, weil Paulus weder für die Beschreibung der gegenwärtigen noch der zukünftigen Lebensgemeinschaft mit Christus auf sie angewiesen sei (Röm 152). Ob man in dieser Wendung eine „Formel" erblickt (dagegen z.B. Dupont, L'union 100−110; Grundmann, aaO. 782 A.79; Hoffmann, Die Toten in Christus 302; Gnilka, Phil 76) ist letztlich eine Frage der Terminologie. Jedenfalls handelt es sich um einen festen, geprägten Topos, der in sachlich eng begrenzten Zusammenhängen Verwendung findet, offenbar also auch mit einem spezifischen Bedeutungsgehalt verknüpft ist, vgl. Siber, Mit Christus leben 9.95f („eine Art Kennwort": 96). Dies bietet freilich keine Möglichkeit, zu einer gesicherten Entscheidung bezüglich der Herkunft der Wendung zu kommen (vgl. die formelhaften Wendungen ἐν Χριστῷ (dazu Neugebauer, In Christus 47) und διὰ τοῦ Χριστοῦ bzw. ihre Varianten).

Hinsicht durchaus anderweitig beeinflußt sein kann; das legen vor allem die auch sprachlich differenzierten Anwendungsbereiche bei Paulus nahe[6].

So begegnen sämtliche Komposita[7] allein im Rahmen der sakramentalen[8] oder „existentiellen"[9] Reihe der pln. σὺν Χριστῷ-Aussagen, während σὺν Χριστῷ (o.ä.) nur einmal (Röm 6,8) in diesem Zusammenhang als eigenständige Wendungen zu belegen ist[10]. Durchgehend ist von einem („dynamischen") Geschehen am Menschen die Rede, nämlich von heilschaffendem Handeln Gottes[11], das — wie die aoristischen und perfektischen Tempora in je verschiedener Abzweckung deutlich machen — seinen eigentlichen Ort in der Taufe hat und von daher das (neue) Leben des Christen bestimmt. Denn in der Taufe wurde er der Herrschaft Christi unterstellt und damit in dessen Heils-Geschick von Tod (Grab) und Auferweckung (wie es im apostolischen Kerygma proklamiert wird, 1 Kor 15,3f) einbezogen; von daher ist Christi Schicksal die Signatur gerechtfertigter Existenz in neuem, eschatologischem Leben[12]. Umstritten ist, ob Paulus mit diesem Gedanken der Schicksalsgemeinschaft, den er deutlich zunächst nur im Zusammenhang mit der Taufe formuliert, die urchristliche Vorstellung von der Taufe „auf den Namen Christi"[13] unter seiner „Leitidee" von der corporate personality vertieft[14], oder ob man nicht eher mit dem Einfluß von Mysterienvorstellungen bzw. einer dem Paulus vorgegebenen Deutung der Taufe als Mysteriengeschehen rechnen muß[15]. In beiden Fällen ist jedoch nicht mehr als ein allgemeiner Denk- und Sprachhorizont aufweisbar, während jede terminologische Parallele fehlt[16].

6   Vgl. die breite Besprechung des Hintergrundes der eschatologischen Formel bei Dupont, L'union 79–100, sowie Hoffmann, Die Toten in Christus 95–174 (mit besonderer Berücksichtigung der Jenseitsvorstellungen).

7   S. Anm. 3.

8   Röm 6,4.(5).6.8; Gal 2,19.

9   Röm 8,17; (Phil 3,10). Gal 2,19 (s.o.) (Perfekt!) zeigt deutlich den ursprünglichen Zusammenhang dieser beiden Anwendungsbereiche; so dient auch Röm 6 der Begründung des rechten Lebensvollzuges unter der Herrschaft der Gnade, vgl. z.B. Schnackenburg, Heilsgeschehen 27 u.ö.; auch er stellt die sakramentalen und präsentischen οὖν-Aussagen in eine Reihe: 171ff; vgl. Gnilka, Phil 78.

10   Sonst nur in eschatologischem Kontext, doch vgl. Kol 2,13.20; 3,1.3.

11   Vgl. das häufige Passiv, dazu: Schnackenburg, Heilsgeschehen 163–167.

12   Vgl. Röm 6; Kol 2,10ff.

13   εἰς τὸ ὄνομα ist hier als Übereignungsformel verstanden, vgl. ausführlich Schnackenburg, Heilsgeschehen 15ff, der von hier aus auch die Wendung βαπτίζειν εἰς Χριστόν (Gal 3,27; Röm 6,3) deuten möchte, dagegen z.B. Käsemann, Röm 156.

14   So u.a. Schnackenburg, Heilsgeschehen 107f, und bes. Neue Studien 378ff (mit Verweis auf die Adam-Christus-Typologie Röm 5,12–21); Grundmann, aaO. 789; Gnilka, Phil 81; dagegen z.B. Brandenburger, Adam und Christus 140–143; Käsemann, Röm 132ff u.ö. Zur „Stammvater"-Vorstellung vgl. Schweizer, Erniedrigung und Erhöhung 67–71.

15   Vgl. den ausführlichen Exkurs „Mit Christus" von Kuss, Röm 319–381 (mit differenzierter und vorsichtiger Zustimmung: 374ff); dezidiert Käsemann, Röm 151–153; dagegen vor allem G. Wagner, Das religionsgeschichtliche Problem von Römer 6,1–11 (AThANT 39), Zürich 1962.

16   Die Deutung im Anschluß an die Mysterienkulte hat m.E. den Vorteil, enger am Taufgeschehen selbst orientiert zu sein.

Im Unterschied dazu wird für die eschatologische Aussagenreihe heute fast allgemein der von E. Lohmeyer namhaft gemachte apokalyptische Hintergrund zugestanden[17]. Wichtig ist, daß hier ebenso wie bei Paulus nicht primär von eschatologischem Geschehen, sondern vom *Zustand*[18] der Vollendung in der Gemeinschaft mit Gott, seinen Engeln oder dem Menschensohn bzw. dem Messias gesprochen wird[19]. Wie die Einzelexegese zeigen wird, ist jedoch für den pln. Gedanken die Bindung an die geschichtliche Person Jesu und ihr „Heilswerk" grundlegend[20]. Hier liegt auch der sachliche Ansatzpunkt für die unbestreitbare gegenseitige Durchdringung von eschatologischer und gegenwartsbezogener Aussagenreihe, worauf nicht zuletzt auch die einheitliche Terminologie verweist[21]. Freilich empfiehlt es sich, beide Aussagenreihen zunächst getrennt zu behandeln, um den Grad und die Art der gegenseitigen Beeinflussung sowie die dafür maßgebenden Motive möglichst genau erfassen zu können[22]. Dabei interessiert uns naturgemäß primär der eschatologische Anwendungsbereich, während der präsentische nur insofern von Bedeutung ist, als er jenen erhellen hilft.

---

17 Vgl. 1Hen 39,4—7; 62,13f (eschatologisches Mahl: Jes 25,6; 65,13; Mk 14,25pp; Mt 8,11=Luk 13,28f; Apk 3,20; sBar 29,8; Aboth 3,20; dagegen kommt 1QSa 2,17—22 (Mahl mit dem Messias b. Israel), vgl. 1QS 6,2—6; Jos bell. 2,129—131, nicht als Parallele in Betracht, da „das Qumran-Mahl ... keinerlei Bezug zur Eschatologie erkennen (läßt)", so Maier, Texte II 159f); 1Hen 71,15—17; 104,2— 7; 105,2 (christlich? vgl. Grundmann, aaO. 781 A.77); Apk 3,4.21; 21,3; dazu: Lohmeyer, aaO. 241ff; Grundmann, aaO. 781; Dupont, L'union 87—90, vgl. auch 82—87, wo der Topos der eschatologischen Herrschaft der Gerechten besprochen wird, vgl. Röm 5,17; 1Kor 4,8.

18 Vgl. die charakteristischen Verben εἶναι (1Thess 4,17; Phil 1,23) und ζῆν (1Thess 5,10; 2Kor 13,4; vgl. Röm 6,8; Kol 3,3); vgl. auch Lohmeyer, aaO. 222.

19 Der Topos vom eschatologischen Kommen Gottes mit seinen Heiligen, den Dupont (L'union 34—36.97f) als Wurzel dieser apokalyptischen Vorstellung postuliert (Dt 33,2LXX; Sach 14,5; 1Hen 1,9; 4Esr 7,28 (13,52); 1Thess 3,13 (μετά); Apk 17,14) gehört also nicht hierher; der Versuch E. Schweizers (Die „Mystik" des Sterbens und Auferstehens mit Christus bei Paulus, in: ders., Beiträge zur Theologie des Neuen Testaments 183—203.192.195), die pln. σύν-Aussagen einheitlich vom apokalyptisch-theozentrischen Gedanken des endzeitlichen Kommens und Handelns Gottes her zu entwickeln (Taufe = Äonenwende), ist deshalb verfehlt.

20 Vgl. Röm 8,32; 2Kor 4,14; 13,4; 1Thess 4,14; 5,10. Diese geschichtliche Vorgegebenheit und Herrschaftlichkeit des Heils der Person Jesu (vgl. die Kategorie des „Schicksalsträgers", die Käsemann, Röm 133, einführt, vgl. 153), bildet auch den wesentlichen Unterscheidungspunkt zu den oben genannten Vorstellungen der Bilderreden des 1Hen, zumal dann, wenn man mit H.R. Balz im Henoch-Menschensohn „eine aus der Schrift und der Überlieferung herausgewonnene und spekulativ verdichtete Verkörperung ihres (sc. der Henochanhänger) eigenen Selbstverständnisses als Heilsgemeinschaft der allein Gerechten und Frommen" sehen darf (Eschatologie und Christologie. Modelle apokalyptischer und urchristlicher Heilserwartung, in: Das Wort und die Wörter (FS G. Friedrich), Stuttgart 1973, 101— 112.105).

21 Zu den Unterschieden s.o.

22 Dies wird — soweit ich sehe — in der neueren Literatur zum Thema prinzipiell zugestanden.

Bevor wir in die Besprechung der Einzelbelege von σὺν Χριστῷ eintreten, verschaffen wir uns einen kurzen Überblick über die sonstige Verwendung der Präposition σύν bei Paulus[23]. Man kann dabei folgende Bedeutungen unterscheiden (die natürlich ineinander übergehen): (1) „mit" als Ausdruck der Begleitung, 1Kor 16,4.19; 2Kor 9,4; Gal 2,3; Kol 4,9; (2) als (positive) Akzentuierung der Gemeinschaft („zusammen mit"), 1Kor 1,2; 11,32; 2Kor 1,1.21; 4,14b; Phil 1,1; 2,22; Eph 3,18; (3) in der Bedeutung „bei" (vgl. aber auch jeweils unter (2)), Röm 16,14.15; Gal 1,2; Phil 4,21; Kol 2,5; (4) in der Bedeutung „zugleich mit", 1Kor 10,13, bzw. „einschließlich", Gal 5,24; Eph 4,31; Kol 3,9[24]. Dieser Befund zeigt eindeutig, daß σύν bei Paulus fast durchgehend[25] die Gemeinsamkeit von Personen bezeichnet[26]; an keiner Stelle ist dagegen speziell auf den Nebensinn „Beistand" oder „Hilfe" abgehoben[27]; ebensowenig ist dabei der Gedanke der Teilhabe nachweisbar[28].

I. Die eschatologische Gemeinschaft mit Christus als die Vollendung der Solidarität Christi mit uns

Wir setzen ein bei *1Thess 4,17b*: „ ... und so werden wir immer beim Herrn sein" (σὺν κυρίῳ ἐσόμεθα). Dieser Halbvers umschreibt mit nüchternen Worten, die wahrscheinlich als pln. Eigenformulierung zu beurteilen sind, das Ziel des in V.16f mit ungewöhnlicher apokalyptischer Farbigkeit ausgemalten Parusiegeschehens. Der κύριος-Name nimmt die christologische Titulatur des Kontexts auf, die verbindende und folgernde Überleitung

23 Vgl. Grundmann, aaO. 781,34–48.

24 Vgl. dazu auch Bauer WB s.v. 4.a. (Sp.1548).

25 Außer in der Bedeutung (4). Zu 1Kor 5,4 s.u. Anm. 72.

26 Dieser Sprachgebrauch entspricht dem allgemein griechischen: „Die Grundbedeutung der Präposition mit soziativem Dativ ist *mit* und trägt personalen Charakter. Sie sagt die Gemeinsamkeit von Personen aus, die zusammen sind, zusammenkommen, einander begleiten, zusammenwirken, indem sie gemeinsam an einer Handlung teilnehmen, an einem gemeinsamen Schicksal teilhaben, einander beistehen und einander helfen." (Grundmann, aaO. 770, 11–15).
Schnackenburg (Heilsgeschehen 173) erläutert „die sprachliche Möglichkeit des σύν" durch die Komposita in 1Kor 12,26.

27 Dieser Sinn ist dagegen für das griechisch-hellenistische σὺν θεῷ bzw. σὺν θεοῖς konstitutiv; auch von daher wird die Annahme Grundmanns (aaO. 767.780) unwahrscheinlich, die pln. Wendung lehne sich sprachlich an diese antike Formel an, vgl. oben Anm. 4.

28 Das gilt wie für 1Kor 12,26 (geg. Schnackenburg, Heilsgeschehen 173) auch für σὺν τῷ πιστῷ Ἀβραάμ, Gal 3,9, womit Paulus das ἐν σοί des Zitates aus Gen 12,3LXX in V.8 aufnimmt; es hat primär den Sinn „ebenso wie" (Bauer WB s.v. 2.c. = Sp. 1548) bzw. „zusammen mit"; diese Gemeinschaft gründet in der Verheißung Gottes (an Abraham für alle Völker) und dem von ihr erwirkten Glauben, vgl. Schlier, Gal 131. Einen Zusammenhang mit der Formel σὺν Χριστῷ sollte man also nicht herstellen, auch nicht über Gal 3,13–20: geg. Grundmann, aaO. 781 A.78.

καὶ οὕτως zeigt vollends an, daß das σὺν κυρίῳ εἶναι, dessen Gehalt der Apostel offensichtlich als bekannt voraussetzen kann[29], von der Vorstellungswelt des „Herrenwortes" (V.16f) her auszulegen ist. Paulus greift es auf, um mit Hilfe seiner Autorität und Bildkraft der um ihre toten Mitglieder trauernden Gemeinde die Teilnahme auch der „Toten in Christus" am Parusiegeschehen zuzusichern, welches selbst in der endgültigen Gemeinschaft der ganzen Gemeinde mit ihrem Herrn mündet. Der Vorgang der Parusie selbst wird dabei in räumlichen (und zeitlichen) Kategorien beschrieben[30]: das Kommen des Herrn vom Himmel löst die Vereinigung von lebenden und toten Christen (durch die Auferweckung) aus, um sie gemeinsam „zur Einholung des Herrn in die Luft" zu entrücken. Gerade dieses letzte Bild der eschatologischen ἀπάντησις τοῦ κυρίου, an das V.17b (καὶ οὕτως) resümierend anknüpft, sichert die Bedeutung des σὺν κυρίῳ εἶναι[31]: es meint die endgültige, ewige (πάντοτε) und offenbare Gemeinschaft der Christen mit ihrem Herrn, worin sich ihre Zugehörigkeit zu Christus im Glauben erfüllt und ihre Gemeinschaft untereinander vollkommen sein wird. Das ἄμα σὺν αὐτοῖς ist im σὺν κυρίῳ εἶναι endgültig offenbare Wirklichkeit (vgl. 2Kor 4,14). Als streng eschatologische Kategorie impliziert das Mit-Christus-Sein endlich auch das Moment absoluter Gnadenhaftigkeit: durch die allein in Gottes Willen gründende Gewähr seiner Person „vom Himmel her" reißt der Herr die Gläubigen empor („in die Luft") in den heilsamen Bereich seiner ewigen Nähe und Gemeinschaft und bringt darin die Erwählung der Liebe Gottes (vgl. 1Thess 1,4) zur Erfüllung. Das Eschaton ist der Herr

---

29 Vgl. Lohmeyer, aaO. 229.

30 Dies wird besonders von Lohmeyer akzentuiert (aaO. 223 o.ö.). Siber bemüht sich (Mit Christus leben 35ff und passim), die apokalyptische Vorstellungswelt des Herrenwortes V.16f (vgl. 1Kor 15,51f; Phil 3,20f) als eine Sprachform zu erweisen, die Paulus lediglich aus aktuellem Anlaß in paränetischem Interesse aufgreife; deshalb dürfe „man auch nicht die vorstellungsmäßigen Linien vom Herrenwort zu diesem paulinischen Interpretament durchziehen ..." (58). So richtig es ist, wenn S. die fundamentale Bedeutung des Christusereignisses gerade auch im Zusammenhang der eschatologischen Aussagen hervorhebt, so wenig überzeugt die Entgegensetzung von apokalyptischer Vorstellungswelt und genuin pln. Aussage gerade in 1Thess 4,13—18, wo doch beides — mag hier auch nachträglich literarkritisch geschieden werden können — ineinander übergeht. Zudem ermangelt die Kategorie der personalen Gemeinschaft mit Christus (30.55) keineswegs jedes Anschauungsgehaltes, wie unmittelbare Wort-bedeutung und apokalyptischer Hintergrund zeigen. Hier rächt es sich, daß S. die semantische und religionsgeschichtliche Einordnung der eschatologischen σύν-Aussage versäumt und daß der Gedanke der Teilhabe an den christologischen Heilsereignissen (Tod und Auferweckung Jesu) von vornherein zum Schlüssel der ganzen Untersuchung erhoben wird (11f), womit die *personale* Dimension des Heils zu kurz kommt und deshalb auch jeder nur mögliche Anschauungsgehalt zurückgedrängt wird, vgl. Anm. 37.

31 Vgl. Käsemann, Röm 152.

Jesus Christus in Person[32] , der überraschend aus Gottes Geheimnis kommend die Glaubenden gnädig in seine Gemeinschaft heimholt, die das endgültige Heil ist.

Die Vorstellung der Gleichheit (bzw. ursächlichen Vorbildlichkeit) des Geschicks Christi und der Christen liegt dagegen unserer Stelle fern, mag aber insofern vorausgesetzt sein, als die Parusie nach 1Kor 15,51f, einem sachlich und vorstellungsmäßig nahe verwandten Text, die Verwandlung aller Christen „nach dem Bild des himmlischen (Menschen)" (V.49), d.h. Christi, bringen wird, ein Gedanke, der im Rahmen des Abschnitts 1Thess 4,13–18 und seiner Intention nicht notwendig ausgesprochen werden mußte[33] .

Die christologische Verwurzelung der eschatologischen Mit-Christus-Aussage wird hier besonders deutlich in *1Thess 4,14*: „Denn wenn wir glauben, daß Jesus gestorben und auferstanden ist, so (glauben wir) auch (daß) Gott die Entschlafenen durch Jesus in seine Gemeinschaft führen wird" (διὰ τοῦ Ἰησοῦ ἄξει σὺν αὐτῷ). Diese Aussage bildet die theologische Mitte des gesamten Abschnitts; die folgenden Darlegungen im Anschluß an das oben besprochene Herrenwort erläutern V.14 und applizieren ihn auf das aktuelle Problem der Thessalonicher. Nach dem wahrscheinlichsten Verständnis des grammatisch nicht ganz klaren V.14b ist ὁ θεός ... διὰ τοῦ Ἰησοῦ ἄξει pln. Kurzfassung des in V.16f mit Hilfe eines „Herrenwortes" ausführlich dargestellten Paru-

---

32 Vgl. Lohmeyer, aaO. 229, der aufgrund dieser personalen Konzentration („Christus ist ... der religiöse Inbegriff jener göttlichen Welt, zu der hinüberzuwandern die sehnsüchtige Hoffnung des Christen ist.") des eschatologischen Heilsgedankens eine bestimmte (traditionelle) Christologie als Basis der gesamten pln. σὺν Χριστῷ-Aussagen postuliert: „Christus war ein göttliches Wesen, das aus dem Himmel zur Erde hinabstieg, um die Spanne eines irdischen Lebens zu durchlaufen, und nach dem Ende dieses Lebens wieder zu Gott erhöht wurde. Er ist darum jetzt 'verborgen in Gott' und 'mit ihm' das Leben seiner Gläubigen (Kol. 3,3)." (230). Dieses Postulat einer ungeschichtlichen Wesenschristologie, nach welcher Christus die Offenbarung eines von den Gläubigen im eigenen Dasein nachzubildenden gültigen und göttlichen Vorbildes des Heiles ist (vgl. z.B. 230.247) und deren Spuren nicht nur bei Paulus (z.B. Phil 2,6–11), sondern auch in Joh und Apk (in der Gestalt des Menschensohns) zu finden sein sollen (231–248), soll es ermöglichen, den (gegenüber ἐν Χριστῷ) spezialisierten Gebrauch von σὺν Χριστῷ einheitlich vom Begriff des dreifachen Kommens des Herrn (zu je verschiedener Gegenwärtigkeit) her zu erklären. Der Hauptfehler dieser Interpretation liegt m.E. in ihrer metaphysisch-dualistischen Grundkonzeption, die der in beiden Aussagereihen zu beobachtenden Verwurzelung des „mit Christus" im Geschick der Person Jesu (Tod und Auferweckung) zuwiderläuft (vgl. z.B. 1Thess 4,14; 5,10); so auch Siber, Mit Christus leben 58. Zur Auseinandersetzung mit Lohmeyer vgl. bes. Schnackenburg, Heilsgeschehen 167–171.

33 Geg. G. Klein, Apokalyptische Naherwartung bei Paulus, in: Neues Testament und christliche Existenz (FS H. Braun), Tübingen 1973, 241–262, der die Traditionsgebundenheit von 1Kor 15,51f polemisch als „herkömmliches Urteil" meint abtun zu können (250), ohne diese Position durch einen Vergleich mit 1Thess 4,16f wenigstens sachlich zu diskutieren, und deshalb zu Unrecht den Gedanken der Verwandlung (1Kor 15,51f) gegen denjenigen der Auferweckung (1Thess 4,16f) ausspielt (254ff); vgl. auch unten S. 228f.

siegeschehens, das wie V.17b sein Ziel im σὺν αὐτῷ hat[34]. διὰ τοῦ Ἰησοῦ ist formelhafte Aufnahme von V.14a; das eschatologische Geschehen, das im σὺν αὐτῷ mündet, hat seinen Grund und seine machtvolle Wirklichkeit in Jesus, der starb und auferweckt wurde. Das σὺν αὐτῷ ist Ziel und Vollendung der Heilstat Gottes in Christus, ihre endgültige Durchsetzung, indem Gott durch Jesus alle die in seine Macht zieht, die jetzt — ob gestorben oder lebend — in Christus sind (V.16), d.h. vom Ereignis seines Todes und seiner Auferweckung herkommend auf ihn hin leben. Trotz der stenogrammartigen Kürze der Aussage ist also der Vorstellungsgehalt von σὺν αὐτῷ in seinen Grundzügen erkennbar. Wie in V.17b bedeutet es primär die Gemeinschaft mit dem gestorbenen und erhöhten Herrn[35]; diese wird von Gott realisiert im eschatologischen Ereignis der Parusie, in dem Christus die Gemeinde endgültig unter die Macht seines Todes und seiner Auferstehung, die das eschatologische Heil ist, stellt[36]. Der Gedanke der Teilhabe am heilbringenden Geschick der Person Jesu Christi ist demnach Voraussetzung und Strukturmoment des σὺν Χριστῷ εἶναι, insofern er es erst ermöglicht, die personale Gemeinschaft mit Jesus als die Endgültigkeit und Offenbarkeit des in Tod und Auferweckung schon realisierten und vom Christen im Glauben (πιστεύομεν) ergriffenen Heils Gottes zu verstehen[37]. Es geht also im mit σὺν αὐτῷ beschriebenen Eschaton um die offenbare Vollendung der Gnadenmacht Gottes im gekreuzigten und auferweckten Jesus, die sich alle Glaubenden so anverwandeln wird, daß sie gewürdigt werden, die Gemeinschaft des Herrn zu teilen.

---

34 Von hieraus dürfte sich auch das seltsame ἄξει erklären; es ist an V.16f orientiertes Äquivalent zum üblichen ἐγερεῖ, vgl. Röm 10,7; Hebr 13,20 (Zit. Jes 63,11, doch LXX: ἀναβιβάσας), vgl. Dibelius, 1Thess 25; Harnisch, Eschatologische Existenz 35 A.33; ähnlich auch Siber, Mit Christus leben 30. Zu σὺν αὐτῷ als Zielangabe (1Thess 4,14; 2Kor 4,14) vgl. die atl. Wendung ἐκοιμήθη μετὰ τῶν πατέρων, die in Entsprechung zur hebräischen Vorlage interpretiert werden muß: „er entschlief, (so daß er) mit den Vätern (vereinigt ist)" (Hoffmann, Die Toten in Christus 194).

35 So die meisten Ausleger, z.B. Lohmeyer, aaO. 248f (doch vgl. Anm. 32); Schnackenburg, Heilsgeschehen 171; Hoffmann, Die Toten in Christus 217; Gnilka, Phil 77; Siber, Mit Christus leben 30; Käsemann, Röm 152.

36 Grundmann, aaO. 782: „Der Ausdruck σὺν αὐτῷ (v 14) sagt hier: zusammen mit ihm haben sie an seinem Leben und an seiner Herrlichkeit und an seinem Sieg teil."

37 Geg. Schnackenburg, Heilsgeschehen 174, vermag ich hier aber nicht die Beeinflussung durch die Aussagen vom Mitsterben usw. zu entdecken. Siber (Mit Christus leben 34) läßt die Auferstehungshoffnung ganz im *vergangenen* Heilsgeschehen des Todes und der Auferstehung Jesu begründet sein, versäumt es aber zu erhellen, warum die Vollendung des Christusereignisses und des darin angebrochenen Heils eben die personale Gemeinschaft mit Jesus ist, wohl u.a. auch deshalb, weil er der Formel jeden Anschauungsgehalt abspricht (vgl. oben Anm. 30).

Im Rahmen von 1Thess 4,13—5,11 begegnet die σύν-Formel ein drittes Mal in *1Thess 5,10:* ,, ... damit ... wir zugleich mit ihm leben" (ἄμα σὺν αὐτῷ ξήσωμεν). Anders als 4,14 und 17 ist die eschatologische Deutung hier keineswegs sicher. Sie empfiehlt sich aber[38] (1) im Blick auf die sachliche Zusammengehörigkeit von 5,1—11 mit 4,13—18, zumal (2) hier wie dort eine tröstende Ermunterung des Apostels an die σύν-Aussage anschließt, und (3) V.10 eindeutig zum Thema von 4,13—18 zurücklenkt; zudem ist (4) ἄμα σὺν αὐτῷ ξήσωμεν Interpretation der unzweifelhaft eschatologisch gemeinten περιποίησις σωτηρίας (V.9), welche uns (5) (analog 4,14) von Gott durch Jesus, der uns zugute starb, als *Ziel* unseres neuen Seins in der Zugehörigkeit zum Tage des Herrn aufgetan wurde. Paulus spricht wohl bewußt von περιποίησις (σωτηρίας), um die eschatologische Vollendung vom gegenwärtigen Heilsstand als ,,Söhne des Tages" und ,,Söhne des Lichts" (V.5—8) zu unterscheiden. Es geht also um volle Aneignung[39] dessen, wovon die Christen schon jetzt ergriffen sind, so daß sie in Entsprechung dazu ihr neues Leben führen müssen[40]. Daß damit eschatologisches Leben gemeint ist, welches man als solches nur im Empfang ,,hat", geht eindeutig daraus hervor, daß die gegenwärtige Heilsmacht hier mit dem Tag des Herrn identifiziert wird, der ja das Ereignis des ,,Endes" selbst ist: Gottes absolute Zukunft hat uns schon jetzt in ihrer heilsamen Gewalt. Wie die Terminologie erkennen läßt[41], ist sie im Sinne des Paulus streng christologisch definiert. Das wird vollends klar in V.9f, wenn das Heil und unsere Bestimmung dazu im Tod des Herrn Jesus Christus uns zugute begründet wird[42]; *hier* ist das Licht des eschatologischen Tages angebrochen, durch Christus, den gekreuzigten Herrn und in ihm wird es sich unverfügbar, aber sicher als das Letzte und alles Entscheidende durchsetzen, vgl. 4,14—16f. Wird dieses Ereignis in soteriologischer Hinsicht zugleich als Inbesitznahme des (uns jetzt schon bestimmenden) Heils gedeutet, so ist damit das Eschaton, der Tag des Herrn, als offenbares Ereignis des Heils Gottes verstanden, welches in Christus Gnadenmacht und voll realisierte Freiheit umschließt und vereint. Als christologische Deutung der σωτηρία muß auch σὺν αὐτῷ ξῆν diese Doppelstruktur teilen: die eschatologische *Gemeinschaft* mit Christus ist deshalb die Vollendung, weil darin das Heil in Jesus Christus, der für uns starb, in seiner absoluten herrscherlichen Gnadenhaftigkeit so zum Ziel kommt, daß die Menschen, die sich jetzt schon, von ihm

---

38 Vgl. Grundmann, aaO. 783; Gnilka, Phil 77f, und bes. Siber, Mit Christus leben 59—64; geg. Schnackenburg, Heilsgeschehen 171.174 u.a.

39 Das gilt unabhängig davon, ob man in περιποίησις mehr das Moment des Erwerbens oder des Besitzes betont sehen möchte, vgl. Bauer WB s.v. 2. und 3. = Sp.1289.

40 Vgl. Phil 3,12.

41 Im Gegensatz zum zeitgenössischen Judentum verwendet Paulus den atl. Begriff ἡμέρα κυρίου, wobei der κύριος eindeutig Christus ist, vgl. 5,9 und die Häufung des κύριος-Titels in 4,13ff: V.15 (2x).16.17 (2x).

42 Vgl. auch Grundmann, aaO. 783; Siber, Mit Christus leben 64; zum Kontrast von Tod Jesu und Leben der Gläubigen vgl. die (freilich präsentischen) Aussagen Röm 14,7—9; 2Kor 5,15.

bestimmt, darauf einlassen, dieses eschatologische Leben aus dem Tod Jesu Christi als ihr eigenes Leben und Ganz-Sein in Besitz nehmen dürfen und so zusammen mit ihm, dem Herrn ewig leben können[43]. Im σὺν Χριστῷ ζῆν erfüllt sich das Heil Gottes in Person und Geschichte Christi als unzerstörbares Ganz-und Heilsein des Menschen durch die gnädige Gabe seiner Person zu ewig bergender Nähe. Damit entspricht das ἅμα σὺν αὐτῷ ζῆν genau dem Sinn des σὺν αὐτῷ von 4,14 bzw. σὺν κυρίῳ εἶναι von 4,17.

Eine halbwegs gesicherte Deutung der folgenden drei Belege von σὺν Χριστῷ ist dagegen mit großen, je verschiedenen Schwierigkeiten belastet. In *2Kor 4,14* (,, ... daß der, der Jesus[44] auferweckt hat, auch uns mit Jesus auferwecken wird und mit euch zusammen (vor sich) hinstellen wird": σὺν Ἰησοῦ ἐγερεῖ) stehen drei Deutungsmöglichkeiten für σὺν Ἰησοῦ zur Debatte: a) die eschatologische (,,in die Gemeinschaft mit Jesus", vgl. 1Thess 4,14b); b) die (am Teilhabegedanken orientierte) ,,mystische" in eschatologischer Fassung, analog Kol 2,12.13; 3,1; Eph 2,5f; c) eine abgeschliffene Bedeutung des σύν im Sinne eines begründenden und vergleichenden ,,ebenso wie". Sicher erscheint mir, daß σὺν Ἰησοῦ einerseits die christologische Auferweckungsaussage (V.14a) und die soteriologisch-eschatologische Folgerung in V.14b sachlich verknüpfen soll[45], und sich zum anderen dafür wegen des Charakters einer eschatologischen Formel anbot[46]. Damit wird es aber un-

---

43 Siber entnimmt der Präposition σύν, ,,daß es Paulus um den Gedanken des Teilhabens an Jesu eigenem Auferstehungsleben geht" (Mit Christus leben 65), und beruft sich dafür vor allem auf die dem Gegensatz Tod Jesu — Leben der Gläubigen zugrundeliegende Pistisformel, die auch von der Auferweckung Jesu spricht (64). Damit wird aber — unter dem selbstgewählten Zwang des Teilhabeschemas — der genannte Kontrast eingeebnet; er wird im Sinne des Paulus umfangen durch die Person des auferweckten und kommenden Herrn, in dem das ,,für uns" seines Todes eschatologische Wirklichkeit ist. Wegen dieser personalen Konzentration des Heils konnte Paulus es auch als eschatologische Lebens*gemeinschaft* mit Christus fassen, ohne ausdrücklich auf den ,,Vorgang" zu reflektieren, ,,durch den wir einst am schon geschehenen Auferstehungsleben Jesu Anteil bekommen werden" (eine Bedeutung, die σύν m.E. unmöglich leisten kann: geg. Siber, ebd. 65f); dasselbe gilt für die Interpretation von 2Kor 4,14 (67–76. bes. 72).

44 So mit p[46]B 33 pc r vg Or Tert, vgl. Kümmel, in: Anhang zu Lietzmann, 1/2Kor 202 zu S.116 Z.20; κύριον könnte Angleichung an 1Kor 6,14 sein.

45 Dafür spricht besonders das einfache Ἰησοῦς, vgl. 1Thess 4,14. Lösung c) wird nicht der auffälligen Betonung gerecht, die dem σὺν Ἰησοῦ in unserem Text zukommt, wie ein Vergleich mit 1Kor 6,14 zeigt; das einfache καὶ ἡμᾶς hätte auch hier genügt, um ,,die Zusammengehörigkeit unserer Auferweckung und der Christi" herauszustellen (Windisch, 2Kor 149), sofern dies nicht in 1Kor 6,14 durch die κύριος-σῶμα-Relation für Paulus gesichert schien.

46 Nach Schweizer (a. Anm. 19 a.O. 184) ist die Verbindung der Formel mit eschatologischen Ereignissen schon stereotyp (mit Hinweis auf 2Kor 4,14 und Kol 3,4); ähnlich, wenngleich weniger pointiert und differenzierter z.B. Kümmel, in: Anhang zu Lietzmann, 1/2Kor 202 zu S.116 Z.22–24; vgl. auch das pauschale Urteil Lohmeyers (aaO. 248 u.ö.). Jedenfalls ist σὺν Ἰησοῦ hier auf den eschatologischen Akt unserer Auferweckung bezogen, also nicht auf unsere gegenwärtige Gemeinschaft mit Jesus im (Geist des) Glauben(s), wovon dagegen V.10–13 spricht.

möglich, den Gehalt dieses eschatologischen Stichwortes *allein* von V.10–12 her als endgültiges Einbezogenwerden in das „Leben Jesu" zu interpretieren. Das entscheidende Argument gegen diese Auslegung bleibt jedoch das sprachliche. σύν ist in diesem Sinn sonst nur als Deutung des Taufgeschehens zu belegen[47], während Paulus in Zusammenhang mit der Darlegung eschatologischen Geschehens den christologischen Heilsgrund mit διά oder ἐν anzugeben pflegt[48]. Auch das unmittelbar parallele σύν ὑμῖν ist dieser Interpretation nicht günstig[49]. Man wird andererseits auch den weiteren Kontext von V.14 beachten müssen. Die Vv. 13–15, die an die Antithese von V.12 anknüpfen, erfüllen im Rahmen von 4,7–18 (5,1–10) ja die primäre Funktion, die Gleichheit von Apostel und Gemeinde im Glauben und entsprechend hinsichtlich des endgültigen Heils zu sichern[50]. Wenn Paulus damit zugleich die tragende Macht seines mühevollen apostolischen Wirkens nennt[51], so wird man die Auferweckung des Apostels σύν Ἰησοῦ ohne Zweifel mit (der Offenbarung) der ζωή τοῦ Ἰησοῦ in sachlichen Zusammenhang bringen müssen[52]. Man wird diesen verschiedenen Beobachtungen wohl am besten gerecht, wenn man σύν Ἰησοῦ wie in 1Thess 4,14.17 und 5,10 als Topos für die eschatologische Gemeinschaft mit Jesus versteht, die als solche impliziert – und dies steht hier sogar im Vordergrund –, daß Jesus in seiner Lebensmacht, zu der er von Gott auferweckt wurde, Grund und Wirklichkeit unserer Auferweckung ist[53]; eschatologisches Leben, das als „Leben Jesu" das ewige Leben der Glaubenden im Vollsinn ist[54], gibt es also – jetzt im Glau-

---

47 Vgl. Röm 6,8; Kol 2,13.20; 3,3.4 und die charakteristischen Komposita in Röm 6; Gal 2,19; Kol 2; 3 und Eph 2, die alle auf ein einmaliges, vergangenes Geschehen am Menschen σύν Χριστῷ zurückblicken; zum unterschiedlichen religionsgeschichtlichen Hintergrund s.o.

48 Vgl. 1Thess 4,14; 1Kor 15,22; Röm 5,9f.17.21; 6,11.23 u.a.

49 Vgl. ähnlich 1Thess 4,17.

50 Vgl. auch Windisch, 2Kor 147f; vgl. τὸ αὐτὸ πνεῦμα (V.13) und σύν ὑμῖν (V.14b), woran V.15 anknüpft (wir beziehen also τὸ αὐτό nicht wie die meisten Exegeten auf das Zitat Ps 115,1LXX, sondern zurück). Dagegen bezieht sich καὶ (ἡμᾶς) auf Jesus, nicht auf die Gemeinde, vgl. oben Anm.45.

51 Vgl. auch 1,8–11.

52 So auch Lietzmann, 1/2Kor 116; bes. Siber, Mit Christus leben 75f: „In der künftigen Auferweckung mit Jesus vollstreckt sich nur noch abschließend die Offenbarung der Auferweckung Jesu an uns" (75); geg. Kümmel (in: Anhang zu Lietzmann, 1/2Kor 202 zu S.116 Z.22–24), der allein den Gedanken der Gemeinschaft mit Christus ausgedrückt findet, spricht auch die Beziehung des σύν Ἰησοῦ auf den Akt der Auferweckung.

53 Vgl. oben Anm.45. Der Tod des Christus für uns ist hier aber nicht als Grund der eschatologischen Heilsgemeinschaft im Blick: geg. Grundmann, aaO. 783.

54 ἡ ζωή τοῦ Ἰησοῦ (V.10.11) wird in V.12 durch einfaches ἡ ζωή aufgenommen, vgl. 5,4.

ben und einst im Schauen, vgl. 4,18; 5,7 – nur in der Bindung an die Person Jesu, welche sich als Gemeinschaft mit ihm und deshalb mit den „vielen" bleibend erfüllt zur Verherrlichung Gottes (V.15)[55].

In der Linie dieser Erklärung ist σὺν Ἰησοῦ sachlich auch auf παραστήσει σὺν ὑμῖν zu beziehen[56]. παρίστημι meint wie 1Kor 8,8 und 2Kor 11,2 die eschatologische Präsentation vor Gott, die als Aufnahme in seine Herrschaft und Herrlichkeit (1Thess 2,12) die Heiligkeit der Gemeinde voraussetzt und als solche auf die Verherrlichung Gottes zielt[57], worin sich Gottes Gnade, die seine Herrlichkeit ist (4,6) und die sich als „Leben Jesu" paradox im apostolischen Wirken offenbart, überschwenglich durchsetzt[58]. Nur durch Christus und in seiner Gemeinschaft, oder: durch uns, weil durch Christus (1,20f), wird die Verherrlichung Gottes als Ziel und Sinn unseres und aller Welt Dasein endgültige Wirklichkeit.

Diese Interpretation von σὺν Ἰησοῦ läßt sich weiter erhärten durch einen Vergleich mit 5,6–10, wo das Verschlungenwerden des Sterblichen vom Leben (V.4) in räumlichen Kategorien als Heimkehr „zum Herrn" beschrieben wird[59]. Die antienthusiastische Betonung von Verantwortlichkeit und Gericht in 5,9f kehrt das auch im Eschaton bleibende und konstitutive Gegenüber zu Christus, dem Herrn im Vergleich mit 5,1–5 unübersehbar hervor[60]. Wie 4,13[61] nennt auch 5,5 das πνεῦμα als die Macht der Gegenwart der ζωή (im Glauben)[62], die zugleich auf ihre endgültige Gabe ausrichtet[63].

55 So berechtigt die Akzentuierung des Teilhabegedankens hier auch ist, mit dem Hinweis auf den „besonderen, nämlich eschatologischen Zeitcharakter der Auferweckung Jesu" ist der Begründungszusammenhang von Jesu und unserer Auferweckung noch nicht hinreichend geklärt, geg. Siber, Mit Christus leben 72 (A. 198); dieser ist vielmehr allein in der Person des auferweckten Jesus gegeben; σὺν Ἰησοῦ ist deshalb nicht als Vorgang des Teilbekommens an Jesu Auferweckung, sondern „personal" als Gemeinschaft mit ihm zu interpretieren, welche uns sein Auferstehungsleben erschließt. Vgl. oben S. 122.

56 Aus der Doppelung der σύν-Aussagen – wobei im Zusammenhang des Textes der Akzent auf σὺν ὑμῖν liegt – könnte sich auch die Stellung und der abbreviatorische Charakter des σὺν Ἰησοῦ erklären; ἐγερεῖ καὶ παραστήσει dürfte in diesem Fall ein einheitliches Geschehen beschreiben, vgl. 1Thess 4,14 (ἄξει).16f.

57 παρίστημι hat hier also nicht wie Röm 4,10 unmittelbar forensische Bedeutung, vgl. B. Reicke, ThWNT V 839; Siber, Mit Christus leben 74 A.202 (die Auferweckung des Apostels ist aber damit nicht als Vorbedingung des eschatologischen Heils der Gemeinde gesehen, geg. Siber, ebd. 75); geg. Lohse, Kol 108 u.a.

58 V.15 ist als erläuternde Fortführung von παραστήσει σὺν ὑμῖν zu interpretieren, vgl. die Anknüpfung mit δι᾽ ὑμᾶς. Da V.13–14 gerade die Gleichheit von Apostel und Gemeinde betont, bezieht sich τὰ πάντα auf das „Werk" der Gnade im Lebenskampf des Apostels, schwerlich aber auf die Auferweckung und Präsentation des Paulus (geg. Windisch, 2Kor 150).

59 Zu ἐνδημέω bzw. ἐκδημέω vgl. Bauer WB s.v. = Sp.521 bzw. 472; vgl. auch Jervell, Imago Dei 270.

60 Vgl. ἔμπροσθεν, 5,10; 1Thess 2,19 (sonst auf Gott bezogen).

61 Vgl. oben Anm. 50.

62 Vgl. Röm 8,2.6.10.11.13; 1Kor 15,45; 2Kor 3,(3).6; Gal 6,8.

63 Vgl. ἀρραβών, 5,5 (1,22; ἀπαρχή, Röm 8,23); 4,13:14.

Diese wird Christus als den überschwenglichen Ertrag des Daseins im Glauben an ihn gewähren (5,10), indem Gott den Glaubenden kraft der Auferweckungstat an Jesus in seine ewige Gemeinschaft stellt. Die Identität unseres eschatologischen Lebens mit dem „Leben Jesu" und seine bleibende Bindung an die Person des gestorbenen und auferweckten Jesus, die wir chiffrenhaft in der eschatologischen σὺν Ἰησοῦ-Wendung ausgesagt fanden, ist also Wirklichkeit durch und im πνεῦμα. In ihm ist — formal gesprochen — die Einheit des soteriologischen und personalgeschichtlichen Charakters des Eschatons in Jesus Christus verwahrt[64].

Wie in 1Thess 4,14.(17); 5,10 und 2Kor 4,14 wird das σὺν Χριστῷ auch in *2Kor 13,4* durch eine eigenständige christologische Aussage begründet: „ ... er wurde gekreuzigt aus Schwachheit, doch er lebt aus der Macht Gottes. Denn auch wir sind schwach in ihm, doch wir werden mit ihm leben aus der Macht Gottes euch gegenüber" (ζήσομεν σὺν αὐτῷ). Im Gegensatz zu den genannten Parallelen bezieht sich 2Kor 13,4 eindeutig auf die Gegenwart; das wird durch das sicher ursprüngliche εἰς ὑμᾶς[65] und den Kontext klargestellt, in dem Paulus denen in Korinth, die seine apostolische Vollmacht in Frage stellen, einen „Beweis" des in ihm redenden Christus ankündigt. Mit ζῇ ἐκ δυνάμεως θεοῦ (V.4b) nennt Paulus den Grund und die Quelle des δυνατεῖ ἐν ὑμῖν (V.3b)[66], worin man vielleicht die Anspielung auf ein selbstbewußtes Schlagwort der Korinther erblicken darf[67], das der Apostel dann hier korrigiert durch den Hinweis auf den machtvoll über seiner Gemeinde herrschenden Christus[68]. Das εἰς ὑμᾶς von V.3 greift Paulus in V.4d wieder auf. ζήσομεν σὺν αὐτῷ entspricht demnach dem „Erweis des in mir redenden Christus" (V.3), meint also den wirksamen Erweis der Lebensmacht Christi[69], die vom Apostel — gerade in seiner Schwachheit —

---

64 Man kann diesen pln. Grundgedanken auch mit E. Käsemann dahin umschreiben, daß die Gabe des Heils nie von ihrem Geber zu trennen ist, sondern immer an ihn gebunden bleibt als an den Herrn (vgl. z.B. Gottesgerechtigkeit bei Paulus, in: ders., EVB II 181—193.186), sofern man dies nicht (wie K.) primär kritisch und polemisch versteht („Ihr gehört euch nicht selbst", 1Kor 6,19), um so die bleibende Priorität von *Gottes* Schöpferrecht und Wahrheit gegenüber menschlichem Heilsverlangen zu wahren, sondern „positiv" soteriologisch in dem Sinn, daß wir uns selbst neu gegeben sind, weil sich Christus, der für uns starb und von den Toten auferweckt wurde, uns in Person gegeben hat und uns seine Nähe bleibend gewährt, so daß wir uns deshalb auch nur in der Enteignung des Glaubens an ihn als den Herrn, der unser Leben ist (Phil 1,21; Gal 2,20; Kol 3,4), „besitzen". Der Gedanke der Macht, mit der Gott in Christus, dem Herrn, von den Glaubenden heilsamen Besitz ergreift, ist also von der Soteriologie her zu interpretieren, nicht umgekehrt.

65 Die Streichung in BD³r arm ist als Erleichterung zu beurteilen.

66 Vgl. Windisch, 2Kor 418.

67 So Windisch, ebd.; vgl. auch Siber, Mit Christus leben 169f.

68 Siber (Mit Christus leben 173) interpretiert schon V.3b „polemisch" wie V.4.

69 Die beiden parallel gebauten Aussagen über Christus und den Apostel sind durch ἐν αὐτῷ und σὺν αὐτῷ miteinander in ein Begründungsverhältnis gesetzt, vgl. 1Thess 4,14; 2Kor 4,14; erst unter dieser Voraussetzung ist die *Parallelität* zwischen dem Weg Christi und dem Weg des Apostels bzw. der Gemeinde, ihre Schicksalsgemeinschaft, ein Movens der Hoffnung (so Grundmann, aaO. 784), vgl. Schnackenburg, Neue Studien 375f.

Besitz ergriffen hat (12,9f) und an der er im Eschaton – σὺν αὐτῷ – endgültig teilhaben wird[70]. Die eigentümliche Ausdrucksweise von V.4 erklärt sich daraus, daß Paulus 1. (ähnlich wie 1Thess 4,14 und 2Kor 4,14) bewußt das Geschick Christi (V.3) und dasjenige seines Apostels in Parallele setzt und daß er dabei 2. formelhaft-gebunden spricht (σὺν Χριστῷ ζῆν, vgl. 1Thess 5,10; 4,17; auch Phil 1,23).[71] Im Kontrast zu (ἀσθενοῦμεν) ἐν αὐτῷ beinhaltet σὺν αὐτῷ (ζήσομεν) offenbar wesentlich die Vorstellung eschatologischen Machtbesitzes[72]. Daß dieser „in Gemeinschaft mit ihm" zur Geltung gebracht wird (und nicht „durch ihn" oder „in ihm"), stellt das doppelte ἐκ δυνάμεως θεοῦ klar: wie der gekreuzigte Herr, so werden auch wir das Leben aus Gottes Macht erlangen; wir haben es freilich hier und jetzt nur so, daß wir „in ihm" schwach sind, Anteil an seinem Kreuz haben; denn nur so „ist er stark in euch", nur so wohnt Christi Macht im Apostel, so daß er schon jetzt stark ist (12,9f), um notfalls den Erweis des in ihm redenden Christus zu erbringen. Auch hier sind also für die Vorstellung des σὺν Χριστῷ ζῆν sowohl die Verwurzelung in Gottes Gnade („in ihm") wie auch die Gleichheit (in Hinsicht auf Gottes Macht) und personale Eigenständigkeit gegenüber Christus konstitutiv; erst durch die Einheit beider Gesichtspunkte wird der Gedanke der eschatologischen Gemeinschaft mit Christus, die das Leben schlechthin bedeutet, wirklich sinnvoll. Damit ist zugleich die Zugehörigkeit unserer Stelle zur eschatologischen Reihe der Mit-Christus-Aussagen gesichert[73].

Diese wird dagegen für das σὺν αὐτῷ in *Röm 8,32* häufig bestritten[74]. Für die eschatologische Deutung spricht aber einmal die im Kontext vorausgesetzte Gerichtssituation[75], dann das τὰ πάντα, das man kontextgemäß (8,29f)

---

70   Vgl. Kümmel, in: Anhang zu Lietzmann, 1/2Kor 213 zu S. 161 Z.14: „Paulus wird die in seiner gegenwärtigen apostolischen Wirksamkeit trotz der ἀσθένεια sich schon auswirkende δύναμις des Auferstandenen den Korinthern gegenüber zur Auswirkung bringen können (V.3b). Auch in der Wirklichkeit des apostolischen Wirkens zeigt sich so das Vorauswirken der eschatologischen Teilhabe an der Herrlichkeit Christi, die Gegenwart der eschatologischen Zukunft." Vgl. Siber, Mit Christus leben 175f.

71   Daraus erklärt sich auch das im Zusammenhang eigentlich unpassende ζήσομεν, das nur durch die Bestimmung ἐκ δυνάμεως θεοῦ und auf dem Hintergrund des Kontexts (εἰς ὑμᾶς) aktiven Klang erhält („sich als lebendig wirksam erweisen" o.ä.), geg. W. Grundmann, Art. δύναμαι κτλ., in: ThWNT II 286–318.316.

72   Vgl. auch Käsemann, Röm 152.– 1Kor 5,3–5 bietet eine aufschlußreiche „praktische" Parallele zu unserer Stelle: der Apostel verkündet und vollzieht eschatologisches Gottesrecht (εἰς ὄλεθρον τῆς σαρκός ...), und zwar „im Namen des Herrn Jesus ... *mit* (σύν) der Macht unseres Herrn Jesus". Lohmeyer, aaO. 228, interpretiert dies freilich auf dem Hintergrund der frommen antiken Formel σὺν θεῷ bzw. σὺν θεοῖς, dagegen schon Weiß, 1Kor 128.

73   Vgl. Siber, Mit Christus leben 168–177 („Grenzformulierung: 176), geg. Schnackenburg, Heilsgeschehen 171; Hoffmann, Die Toten in Christus 309; Gnilka, Phil 78.

74   Vgl. z.B. Wengst, Formeln 61f, der in 8,31ff jedes echte Futur bestreitet; Käsemann, Röm 237.

75   Vgl. Michel, Röm 214.

als „Umschreibung des Erbes bzw. des ganzen eschatologischen Heiles"[76] fassen wird, und schließlich das Futur χαρίσεται[77]. Nimmt man hinzu, daß σὺν αὐτῷ in sprachlicher Hinsicht deutlich an die dreifache σύν-Aussage von 8,17 anknüpft, welche ihrerseits in 8,19.23 und sonderlich in 29 präzisiert wird, wobei am streng futurischen Charakter dieser Aussagen kein Zweifel sein kann, so wird man das σὺν αὐτῷ in Röm 8,32b mit großer Wahrscheinlichkeit „technisch" in der Linie der bisher besprochenen eschatologischen σὺν Χριστῷ-Wendungen verstehen müssen[78]. Wir beziehen deshalb den näheren und weiteren Kontext von Röm 8 in die Interpretation des σὺν αὐτῷ mit ein[79]. V.29 ist gleichfalls eschatologisch zu verstehen[80]. Er spricht von unserer „eine Ewigkeit zuvor"[81] geschehenen Bestimmung durch Gott zum endgültigen Heil in der Teilhabe an der Seinsweise seines Sohnes: die, die Gott lieben, werden jene Herrlichkeitsgestalt erlangen, die Gottes Sohn kraft der Auferweckung von den Toten schon jetzt besitzt[82], um sie einst über uns als verwandelnde Macht in Offenbarkeit hereinbrechen zu lassen[83]. Seine vollendete Herrlichkeitsgestalt – und nichts sonst – wird unser eschatologisches Wesen ausmachen; sie – und nichts sonst – ist das Ziel, das Gott uns (und der Schöpfung, V.21) von Ewigkeit her gesetzt hat. Darin ist zugleich und in Einheit das radikale Ergriffen- und Verwandeltsein durch Christus wie auch das bleibende Gegenüber zu Christus enthalten. Das geht

---

76   Michel, Röm 215 A.1.

77   Auf πῶς οὐχί könnte natürlich rein grammatisch gesehen ebenso gut ein logisches Futur folgen, vgl. z.B. 2Kor 3,8. Die Futura in V.33a.35.39 unterstützen aber insofern unsere Deutung von χαρίσεται, als sie jeweils ein Geschehen von eschatologischer Relevanz beschreiben.

78   Vgl. Michel, Röm 215 mit A.1; ebenso Grundmann, aaO, 785.786; Hoffmann, Die Toten in Christus 303 A.68; Gnilka, Phil 76(?); gegen den von Lohmeyer (aaO. 219 A.4: „additive Funktion"); Schnackenburg, Heilsgeschehen 167 A.447; Kuss, Röm 319; Käsemann, Röm 236, bevorzugten abgeblaßten Gebrauch von σύν spricht auch, daß er bei Paulus nur noch 1Kor 10,13, und zwar gerade nicht in personaler Verbindung, zu belegen ist, und daß der Apostel diesen Gedanken wohl eher mit ἐν Χριστῷ zum Ausdruck gebracht hätte (besonders dann, wenn man mit Käsemann den Gegenwartsbezug von Röm 8,32b vertritt), vgl. Röm 6,23. Auch Phil 1,21 (ἐμοὶ ... τὸ ζῆν Χριστός) stellt keine ernsthafte Gegeninstanz gegen unser Verständnis dar, da es in V.23 durch das technische σὺν Χριστῷ εἶναι aufgenommen wird.

79   Vgl. die eingehende Interpretation unten S. 245ff.

80   Vgl. z.B. Michel, Röm 212; Schlier, Römer 8,18–30 267; geg. Käsemann, Röm 234 („So stellt der Finalsatz unmißverständlich heraus, daß das (sc. die Gleichgestaltung mit Christus) bereits in unserer irdischen Existenz geschieht."). Von der Gegenwart des Heils sprechen aber erst die Aoriste in V.30 (zum Postulat eines liturgischen Traditionsstückes vgl. die ausführliche Diskussion unten S. 252 Anm. 180).

81   Schlier, Römer 8,18–30 267.

82   Vgl. Siber, Mit Christus leben 157; vgl. Röm 1,4; 6,4; 8,11; 1Kor 15,48f; Phil 3,11.21.

83   „Im Bild liegt also eine Macht, die verwandeln kann" (Michel, Röm 212), vgl. 1Kor 15,48f; 2Kor 3,18; 4,4. Vgl. Eltester, Eikon bes. 22–25.165f, sowie die ausführliche Erörterung unten S. 222ff.

klar aus V.29b hervor. Christus als dem Erstgeborenen, d.h. einzigerwählten Geliebten Gottes, werden viele Brüder zugesellt; durch die Gleichgestaltung mit ihm, der das Ziel ihres Daseins ist, werden sie ihm gleichgestellt[84], werden sie im endgültigen Sinn das sein, was sie jetzt schon im Geist (der Sohnschaft), aber nur in Angefochtenheit und auf Hoffnung hin, sind, worauf sie deshalb noch, mit der und für die Schöpfung, ausspähen: Gottes Söhne und Kinder sind sie erst vollgültig durch die „Erlösung des Leibes" (V.23); in dieser Offenbarung der unausdenklichen Glorie Gottes, seines ewigen Wesensgeheimnisses (V.18)[85], das er uns jetzt schon durch das Angeld des Geistes verborgen zuweht (V.30), wird sich zugleich unser Herrlichkeitswesen als Söhne Gottes offenbaren, werden wir also uns selbst neu geschenkt (V.19). Diese herrliche Freiheit der Kinder Gottes (V.21) meint auch das „emphatische"[86] τὰ πάντα in V.32b[87]. Diese neue, unausdenkliche Wirklichkeit, die Gott uns in der offenbaren Gemeinschaft mit seinem Sohn auftut[88], hat nach V.32 ihren Grund darin, daß Gott seinen geliebten Sohn nicht schonte, sondern uns allen zugute dahingab. Hier, in diesem äußersten Erweis der unergründlichen Liebe Gottes, ereignete sich jene Gnade Gottes, die am Ende „alles in allem" sein wird, weil sie selbst als die gnädige Zuwendung Gottes zu uns in seinem Sohn das „Ende" ist, das uns, verwandelnd und neuschaffend, in seine ewige Herrlichkeit bergen wird[89]. Weil aber der gestorbene und auferweckte Christus Jesus (V.34) diese Herrlichkeit für uns repräsentiert, gibt es diese nur in der *Gemeinschaft* der Söhne Gottes mit ihm, dem erstgeborenen Sohn. σὺν αὐτῷ impliziert also auch hier einerseits die absolute Gnadenhaftigkeit des eschatologischen Heilsstandes, der andererseits aber, wegen seiner Definition in Person und Geschichte Jesu Christi, nicht Auflösung in Christusgestalt (bzw. Auflösung der Person Jesu Christi in eine antlitzlose Heils-Chiffre) bedeutet, sondern höchste

---

84 „ἐν πολλοῖς ἀδελφοῖς zeigt an, daß diese Verwandlung Gleichstellung mit Christus bedeutet (V.17)" (Michel, Röm 212). Das Ehrenprädikat πρωτότοκος sichert dabei den bleibenden „Primat (Christi) in der Gemeinschaft des Gottesvolkes": Käsemann, Röm 234; vgl. W. Michaelis, ThWNT VI 872–882.878: „ ... er wird der πρωτότοκος sein, ihnen gleich und doch an Rang und Würde überlegen und übergeordnet, weil er ihr Herr bleibt." Anders als für den jüdischen Messiastitel ist also hier auch die (Heils-) Beziehung für den „Erstgeborenen" wesentlich, vgl. auch Kol 1,15 und 1,18; Apk 1,5; vgl. Michaelis, aaO. 875.878 A.39.

85 Vgl. dazu unten S. 248f.

86 Käsemann, Röm 236.

87 Vgl. auch 1Kor 15,28c (θεὸς πάντα ἐν πᾶσιν); vielleicht ist hier auch der Gedanke der eschatologischen Herrschaft mitzuhören, so Michel, Röm 215 A.1, wenngleich τὰ πάντα nicht unmittelbar „das All" heißt (wie Röm 11,36; 1Kor 8,6; 15,27.28 usw.); anders z.B. Grundmann, aaO. 785.

88 „Auch das Erbe bleibt ein Akt der freien Gnade Gottes" (Michel, Röm 215); χαρίζομαι bezeichnet den Gnadenerweis Gottes, vgl. 1Kor 2,12; Gal 3,18; Phil 1,29; 2,9; Philm 22.

89 Von einer „Parallelität" zwischen Christus und den Christen (so Grundmann, aaO. 785; Hoffmann, Die Toten in Christus 306) kann man in Röm 8,32 gerade nicht sprechen.

Freiheit und Eigenständigkeit in der Schau des herrlichen Wesensbildes seiner Person[90]; es heißt leben wie und mit Christus, weil durch ihn[91].

In diesem Sinn können auch die drei Komposita in *Röm 8,17* verstanden werden: Gott „schafft ... die Gemeinschaft und die Gleichstellung mit dem Sohn und Erben Jesus Christus"[92]. Das σύν greift also die Kategorie des Sohn- bzw. Kindseins Gottes auf, das im Geist der Sohnschaft, welcher der Geist des Sohnes ist (Gal 4,6), gegenwärtig erfahrbare Wirklichkeit ist. Ein Vergleich mit Gal 3,26—29 zeigt unzweideutig, daß diese Anschauung im Taufgeschehen wurzelt, das σύν also dem Sprachgebrauch der Tauftexte Röm 6 und Kol 2 zuzuordnen ist, für den der Gedanke der Teilhabe am (Heils-)Geschick Christi leitend ist[93]. Das geht hier deutlich aus V.17c hervor (εἴπερ συμπάσχομεν ἵνα καὶ συνδοξασθῶμεν), vgl. Röm 6,4.5.8.11. Die gegenwärtigen Leiden und Nöte der Christen, diese letzten „Wehen" der vor ihrem Ende stehenden Welt (8,18.22), sind Unterpfand kommender Herrlichkeit, weil sie Erfahrung des gekreuzigten Christus sind, in dessen Wesensgestalt die verwandelt werden, die im Geist jetzt schon Söhne Gottes sind[94]. Für sie, die schon jetzt in den Zug dieser eschatologischen Glorie in Christus geraten sind, gilt es deshalb auch, „dem Fleisch leidend (zu) widerstehen"[95] und so die bereits vollzogene Rettung in der Hoffnung zu bewähren (8,24)[96]. Als wesentliches Ergebnis können wir festhalten, daß Paulus hier nicht nur den Gedanken der sakramentalen Teilhabe am Heilsgeschick Christi zeitlich-

---

90   Der Gemeinschaftsgedanke wird an unserer Stelle schließlich noch durch den Gegensatz in V.35.39 gesichert: die Trennung von der Liebe Christi bzw. Gottes in Christus ist das eschatologische „Verderben", vgl. Röm 9,3; 2Kor 11,3; Gal 5,4; auch Käsemann, Röm 238, bringt beides in einen Zusammenhang.

91   „In dem Mit-Christus steckt grundsätzlich mehr oder weniger immer auch ein kausales Element, in dem 'mit ihm' ein 'durch ihn', in dem 'wie er, so auch wir' immer auch ein 'weil er, deshalb auch wir' ": Kuss, Röm 321.

92   Michel, Röm 199.

93   Vgl. Michel, Röm 199; Kuss, Röm 330, und die bei Siber, Mit Christus leben 182f, vermerkten Autoren. Trotz der Annahme von Tauftradition in Röm 8,14—17 (135ff) bestreitet Siber einen „unmittelbaren Text- (sc. und Sach-)zusammenhang mit dem in Röm 6 auf die Taufe bezogenen Mitsterben mit Christus" (185) und sieht hier und Phil 3,10f „eine eigene, selbständige Denklinie innerhalb der paulinischen syn-Aussagen" (188, vgl. 182—188). In συγκληρονόμος scheint dagegen stärker der Gemeinschaftsgedanke betont zu sein, vgl. Gal 4,1—7 sowie W. Foerster, ThWNT III 767; Bauer WB s.v. = Sp. 1533.

94   „Das Leiden ist kein Hindernis mehr, weil es als Teilhaben an Christus schon die paradoxe Form des Heils ist": Siber, Mit Christus leben 168, der mit Recht den im Leiden gesetzten eschatologischen Vorbehalt betont (157ff).

95   Käsemann, Röm 219 (mit Verweis auf Kuss, Röm 607, der hier eine paränetische Tendenz erkennt); dagegen z.B. Siber, Mit Christus leben 139f (mit Hinweis auf die vorauszusetzende Tauftradition); Osten-Sacken, Römer 8 135 A.18.

96   Dieses συμπάσχειν ist also mehr als Nachbildung des „ewige(n) Vorbild(es) Christi": geg. Lohmeyer, aaO. 247 (vgl. den Verweis auf Hebr 12,2: 248), der aufgrund der von ihm postulierten Menschensohn-Christologie (die einem metaphysischen Gegensatz zweier Welten, von Zeit/Raum und Ewigkeit entspricht) einseitig das Gegenüber zu Christus im σύν Χριστῷ-Gedanken betont.

existentiell auslegt, d.h. in die eschatologische Zukunft hinein auszieht (wie Röm 6,8, s.u.), sondern daß er zugleich diese künftige Teilhabe an der Herrlichkeit Christi durch die Verbindung mit dem Topos der Söhne/Kinder Gottes im Sinne der sonstigen eschatologischen Mit-Christus-Aussagen als Gemeinschaft mit Christus interpretiert (vgl. Röm 8,29). Beide — sakramental-präsentische wie eschatologische — Gruppen der pln. σύν-Aussagen sind also trotz ihrer divergierenden Ansätze nicht nur miteinander vereinbar, sondern entsprechen sich im Grundgedanken und gehören deshalb im Ganzen der pln. Theologie zusammen.

Endlich ist auch *Phil 1,23* der eschatologischen Gruppe der Mit-Christus-Aussagen zuzurechnen: ,, ... ich sehne mich danach aufzubrechen und mit Christus zu sein" (σὺν Χριστῷ εἶναι). Das geht nicht nur aus der ,,statischen" Formulierung mit εἶναι hervor (vgl. 1Thess 4,17b), sondern unmittelbar aus den Parallelaussagen V.19 und V.21, die zweifellos von eschatologischem Heil sprechen[97]. P. Hoffmann hat überdies den religionsgeschichtlichen Nachweis erbracht, daß Auferstehungshoffnung und Vollendung unmittelbar nach dem Tod auch in der jüdischen Apokalyptik nebeneinander begegnen und jeweils eschatologisches Heil ansagen[98]. ἀναλῦσαι[99] einerseits, μενῶ καὶ παραμενῶ πᾶσιν ὑμῖν (V.25) andererseits legen auch für σὺν Χριστῷ εἶναι die räumliche Vorstellung von einem ,,Ort" nahe, zudem man im Tode aufbricht[100]. Wie 1Thess 4,17b heißt σὺν Χριστῷ εἶναι hier also ,,in der Gemeinschaft mit, bei Christus sein". Sofern das eschatologische Leben für den Apostel aber Christus selbst ist (V.21), darf auch hier vorausgesetzt werden, daß die Gemeinschaft mit Christus die gnädig gewährte Erfüllung des gegenwärtigen Seins in Christus ist[101]. Das Sein ,,mit Christus" ist also nach Phil 1,23 deutlich vom Sein ,,in Christus" zu unterscheiden (vgl. 2Kor 13,4).

97 Vgl. z.B. Gnilka, Phil 66.71: ,,Christus ist die Ermöglichung und der tragende Grund des Lebens, das für Paulus allein in Frage kommt. Man wird dann sicher sagen können, daß Χριστός die σὺν Χριστῷ εἶναι-Formel des V 23 einleitet und vorbereitet, wenn auch beide ihrem Inhalt nach nicht identisch sind, da Χριστός eben noch das irdische Leben mit umgreift, während σὺν Χριστῷ εἶναι im jenseitigen ausruht." V.21a gibt auch den sachlichen Grund für V.21b (τὸ ἀποθανεῖν κέρδος) an, vgl. ebd. und Hoffmann, Die Toten in Christus 294f.

98 Die Toten in Christus bes. 95—174.315—318; vgl. auch Lohmeyer, aaO. 241ff; geg. Käsemann, Röm 152, nach dem Phil 1,23 ,,gerade nicht apokalyptisch" ist. Damit erübrigt sich auch die Deutung K. Barths (Phil 31ff) auf das Sterben als den höchsten Akt des μεγαλυνθῆναι Christi, die das εἶναι nicht berücksichtigt; zudem wird das Sterben bei Paulus nie durch σύν positiv qualifiziert (auch Phil 3,10 nicht).

99 ἀναλύω ist Euphemismus für ,,sterben", vgl. Bauer WB s.v. 2. = Sp.114, sowie die Grabinschrift aus Mysien (2. Jhdt. n. Chr.): ἐς δὲ θεοὺς ἀνέλυσα καὶ ἀθανάτοισι μέτειμι· ὅσσους γὰρ φιλέουσι θεοὶ θνήσκουσιν (ἄωροι) (Epigr. Graec. 340,7f, bei Grundmann, aaO. 781,14f). Zur Auseinandersetzung mit Dupont (L'union), der Phil 1,23 mit der griechischen Idee der Heimkehr der Seele zu Gott aus dem Kerker des Leibes, von dem sie sich im Tod trennt (= ἀπολύω, λύω), in Verbindung bringt, vgl. Hoffmann, Die Toten in Christus 296ff; Gnilka, Phil 73ff.

100 Vgl. bes. Lohmeyer, aaO. 223 u.ö.; Hoffmann, Die Toten in Christus 312f; anders wiederum Siber, Mit Christus leben 90.93f.

101 Eine weitergehende Ausdeutung der Stelle verbietet sich jedoch, vgl. Hoffmann, Die Toten in Christus 290.

Speziell die Wendung ἐν Χριστῷ Ἰησοῦ (o.ä.) εἶναι (Röm 16,11; 1Kor 1,30; vgl. 2Kor 5,17) bezeichnet das gegenwärtige Eingegliedertsein in den Machtbereich der Person Jesu Christi und ihrer Heilstat, beschreibt aber nie das erhoffte zukünftige Ziel christlicher Existenz, den Zustand der Heilsvollendung[102]. Auch wenn Paulus von der bleibenden Zugehörigkeit zum Herrn spricht (Röm 7,4; 14,8f; 2Kor 5,15), so hat diese Definition des Heilsstandes doch keineswegs den spezifischen Gehalt und die Prägnanz der σὺν Χριστῷ-Formel[103]; daß diese andererseits natürlich nicht die einzige im Sinne des Paulus vollgültige Definition des eschatologischen Heilsbesitzes ist, spricht nicht gegen ihren unauswechselbaren Stellenwert im Denken des Apostels[104]. Aus Phil 1,23 geht schließlich klar hervor, daß die Vorstellung des eschatologischen σὺν Χριστῷ εἶναι ursprünglich nicht von der Vorstellung der Schicksalsgemeinschaft mit Christus aus konzipiert ist[105], was eine sachliche Kongruenz im pln. Denken nicht ausschließt.

G. Stählin rechnet auch die knappe Aussage 2Kor 7,3 („ ... ihr seid in unseren Herzen, um mitzusterben und mitzuleben") zum Kreis der pln. Mit-Christus-Aussagen und deutet sie auf die gegenwärtige Gemeinschaft mit dem gestorbenen und auferstandenen Herrn[106]. Obwohl die Reihenfolge der Verben für einen Ausdruck unbedingter Gemeinschaft (zwischen Apostel und Gemeinde) recht ungewöhnlich ist und das Verständnis Stählins stützen könnte (vgl. Röm 14,9b), scheitert es m.E. daran, daß es im Kontext völlig unvorbereitet ist und Christus nicht − wie sonst in allen Fällen − genannt wird[107]. In 2Kor 7,3 dürfte Paulus deshalb die Gemeinschaft zwischen seiner Person und der Gemeinde im Blick haben, vgl. Phil 4,14[108].

---

102 Mögliche Ausnahmen: Röm 6,23; Phil 3,9.

103 Geg. Käsemann, Röm 152.

104 Geg. Käsemann, Röm 153, nach dem die Formel „nicht konstitutiv zur paulinischen Theologie" gehört und sich darum u.a. mit der Formel ἐν Χριστῷ überschneide.

105 Geg. Siber, Mit Christus leben passim; vom Christusereignis und Auferstehungsleben, an welchem Paulus teilzugewinnen hoffe (89), ist hier nicht explizit die Rede.

106 „Um mitzusterben und mitzuleben". Bemerkungen zu 2Kor 7,3, in: Neues Testament und christliche Existenz (FS H. Braun), Tübingen 1973, 503−521.

107 Ein anderes Urteil ergäbe sich vielleicht, wenn die ganz ähnlich lautende Folge in Röm 8,17c („wir leiden mit, um auch mitverherrlicht zu werden") als vorpln. erwiesen werden könnte, wofür man auf das εἴπερ, das zum feststehenden Tatsache anführt (Bl.-Debr. § 454,2), verweisen kann (in 1Kor 15,15 leitet es das Zitat der gegnerischen These ein!); freilich macht die Beziehung zum Kontext (V.18) eine solche Annahme unbeweisbar.

108 συγκοινωνέω, dazu: Seesemann, Koinonia 33f.

II. Die Einheit der paulinischen Mit-Christus-Aussagen

Eindeutig unter dem Aspekt der Schicksalsgemeinschaft ist die eschatologische Mit-Christus-Aussage in *Röm 6,8* entwickelt: „Wenn wir mit Christus gestorben sind, so glauben wir, daß wir auch mit ihm leben werden" (συζήσομεν αὐτῷ); dieses Urteil gilt unabhängig davon, ob man das „mit Christus" auf die Taufe[109] oder unmittelbar auf das Geschehen des Heilstodes Jesu am Kreuz und seine Auferweckung bezieht (vgl. 2Kor 5,14f)[110]. Das eschatologische Leben „mit Christus" gründet in der Übernahme seines Todesschicksals „zuungunsten der Sündenmacht" (in der Taufe) (V.4.5.11); damit wurden wir der Sündenherrschaft entrissen und unter die Macht des Lebens des auferweckten Herrn „für Gott" gestellt, das in unserer Auferweckung zum Ziel kommt[111]. Wesentlich ist, daß die Teilhabe an diesem einmalig-eschatologischen Heilsgeschehen von Tod und Auferweckung Jesu als Eingliederung in den eschatologischen Herrschaftsbereich Gottes beschrieben wird[112], der — weil „in Christus Jesus" gegeben (V.11) — Christus und seinen irdischen Weg „zum Schicksal unserer Existenz"[113] werden läßt.

Bei den unbezweifelbar eschatologischen Mit-Christus-Aussagen wie 1Thess 4,14.17; 5,10; Phil 1,23 vermochten wir diesen Gedanken dagegen lediglich als Implikation namhaft zu machen; umgekehrt kommt dem dort herrschenden Gemeinschaftsgedanken zumindest im Kontext von Röm 6 keinerlei Bedeutung zu[114]. Man mag das Neben- und Ineinander beider Anschauungen bei Paulus so erklären, „daß die Gleichgestaltung mit dem Christusschicksal, die sich nur für die Glaubenden realisiert, als die eigentlich paulinische Glaubensaussage in den gegenwartsbezogenen σύν-Formulierungen ihren eigentlichen Ort hat und von da aus auf die eschatologischen übergriff"[115], zumal beide Aussagereihen unmittelbar im Christusereignis begründet werden (vgl. neben Röm 6 auch 1Thess 4,14; 5,9f; 2Kor 4,14; 13,4; Röm 8,32). Damit ist die entscheidende Sachfrage aber noch nicht beantwortet, warum

109 Vgl. z.B. Schnackenburg, Heilsgeschehen 169; Kuss, Röm 305; Michel, Röm 155; Gnilka, Phil 78.

110 So z.B. Hoffmann, Die Toten in Christus 305(ff) mit A.87.

111 Die Futura in V.5 und 8 umschließen Gegenwart und künftige Vollendung der ζωή, vgl. etwa Schnackenburg, Heilsgeschehen 36.160; G. Bornkamm, Taufe und neues Leben bei Paulus, in: ders., Ges. Aufsätze I 34-50.43; Grundmann, aaO. 792.

112 Vgl. bes. Schweizer, a. Anm.19 a.O. 197ff.

113 Käsemann, Röm 153.

114 Das mit σὺν Χριστῷ charakterisierte Geschehen begründet ja das ἐν Χριστῷ Ἰησοῦ bzw. ist unter dem Gesichtspunkt der Schicksalsgemeinschaft mit diesem identisch, vgl. Käsemann, Röm 152.153. Das gilt auch für die Belege des Kol (vgl. Lohse, Kol 158: „... nimmt die Wendung σὺν Χριστῷ nahezu dieselbe Bedeutung wie die Formel ἐν Χριστῷ an"), während Eph 2,5f differenziert (vgl. Schlier, Eph 111).

115 Gnilka, Phil 81; ähnlich schon Schnackenburg, Heilsgeschehen 173ff.

sich die Teilhabe am Heilsgeschick Christi als *Gemeinschaft* mit ihm bleibend erfüllt[116]. Das zur Erklärung meist herangezogene Stammvater-Modell kennzeichnet m.E. höchstens das allgemeine Milieu des Teilhabegedankens, versagt aber bei der eschatologischen Reihe und trägt deshalb nichts dazu bei, den Zusammenhang beider Aussagegruppen aufzuhellen.

Denn in den entsprechenden jüdischen bzw. jüdisch-hellenistischen Texten[117] findet sich — soweit ich sehe — keine Parallele zu dem doch entscheidenden Gedanken des Apostels, daß das eschatologische Heil in der Person und dem einmaligen („historischen") Geschick des „Stammvaters" Jesus Christus selbst besteht und sich deshalb dem einzelnen in der Unterwerfung unter seine Herrschaft erschließt, so daß nur der an diesem Heil Anteil hat, der sich „mitkreuzigen" läßt, d.h. das Heils-Geschick Christi als die Signatur seines neuen Seins übernimmt. Beim Stammvater-Modell geht es lediglich um Ansage und Erfahrung von Segen (oder Fluch) kraft der im einzelnen verschieden gedachten Zugehörigkeit zum Stamm eines bestimmten Ahnherrn, dessen „historische" Konturen sich um so mehr ins Idealtypische zu verflüchtigen scheinen, je stärker seine Heilsträgerfunktion akzentuiert wird, so daß „die echte historische Vorgängigkeit des Ahnherrn" zwar pro forma „gewahrt" bleiben mag[118], aber keine wesentliche Rolle für die Konzeption selbst spielt[119]. Im Unterschied dazu begründet für Paulus das konkret geschichtliche Zuvor der Solidarität Christi mit uns (das Sterben am Kreuz uns zugute) das bleibende Zuvor seines Herrseins[120]. Paulus vertieft diesen Ansatz bei der Erfahrung der konkreten Hingabe Jesu für uns durch den Präexistenzgedanken[121]; in Jesus Christus, der für uns starb und auferweckt wurde, brach Gottes eschatologisches Heil in diese Welt der Sünde und des Todes ein und zerbrach ihre Unheilsmächtigkeit, indem Christus diese in den Tod trug und so im Tod das Leben als den eschatologischen Sieg der Liebe Gottes brachte[122]. Weil Gott also allem zuvorkommend das Heil in Person und Geschichte Jesu Christi durchgesetzt und endgültig definiert hat, bedeutet Heil einerseits Anschluß an den erhöhten Herrn und Einbeziehung in sein Heilsgeschick (in der Taufe), die in der künftigen leiblichen Gleichge-

---

116 Daß es sich dabei nicht etwa um einen traditionellen „Rest" im pln. Denken handelt, zeigt eindeutig z.B. Röm 8,29:32 oder Phil 1,23.

117 Vgl. z.B. Schweizer, Erniedrigung und Erhöhung 67—71; ders., Die Kirche als der Leib Christi in den paulinischen Homologumena, in: ders., Neotestamentica 272—292.274ff bzw. 277ff (= eschatologische Verwendung).

118 Schnackenburg, Neue Studien 379.

119 Schnackenburg (Neue Studien 380) gibt dies auch zu: „Für den Grundansatz dieses Denkens ist das zeitliche Moment unwesentlich".

120 Im Anschluß an Grundmann (aaO. 789f) wird oft hervorgehoben, daß das σὺν Χριστῷ im ὑπὲρ ἡμῶν gründet, vgl. Hoffmann, Die Toten in Christus 309f; Schnackenburg, Neue Studien 380; Gnilka, Phil 80f. Es ist allerdings falsch, wenn Grundmann behauptet, die Konzeption Christi als „korporativer Person" begründe das Χριστὸς ὑπὲρ ἡμῶν (so aaO. 789f).

121 Vgl. im Umkreis der hier besprochenen Texte vor allem Röm 8,32.

122 Vgl. dazu oben S. 45ff.

staltung mit ihm vollendet wird; andererseits folgt aus dem grundlegenden und bleibenden personal-geschichtlichen Zuvor und Gegenüber des Heils Gottes in Christus, daß diese Vollendung als Gemeinschaft mit Christus konzipiert ist. Für die eschatologischen Mit-Christus-Aussagen, die die Heilsvollendung beschreiben, ist also die Einheit von Gleichgestaltungs- und Gemeinschaftsgedanken konstitutiv, wobei jedoch das zweite Moment überwiegend den Akzent trägt; es hebt betont hervor – und darin liegt das eigentliche Spezifikum der Mit-Christus-Aussagen gegenüber den anderen pln. Vollendungsvorstellungen –, daß in der gnädig gewährten Gleichstellung und Gemeinschaft mit Christus das Heil und Leben Gottes in Christus ganz und gar *unser* Heil und Leben geworden ist[123]. Darin kommt zugleich und in Einheit die Herrschaft Christi als die befreiende Macht der Liebe Gottes zu uns *und* unser Leben im Glauben an ihn „zur Deckung", d.h. zur Vollendung[124]. Im eschatologischen σὺν Χριστῷ ist somit gesichert, daß die endgültige Durchsetzung der Heilstat Gottes in Christus, welche das Eschaton ist, mit der Erfüllung unseres Seins in Christus und der Teilhabe an seinem Geschick (die verwahrt wird im Glauben an ihn) identisch ist, ohne daß Christus zur Heilschiffre degradiert oder umgekehrt menschliche Freiheit überspielt, statt erst eigentlich gewährt ist[125]. Wenn Christus der Erstgeborene unter vielen, seine Wesensgestalt mit ihm teilenden Brüdern ist (Röm 8,29), dann ist Gott mit seiner Gnade endgültig am Ziel, die er umsonst und zuvor in der Preisgabe seines einzigen Sohnes für uns hat anbrechen lassen (8,32). Die Gemeinschaft „mit Christus" ist die Vollendung der eschatologisch siegreichen Solidarität Gottes mit uns in seinem Sohn, der unser Bruder wurde und mit uns das Dasein unter Sünde und Tod teilte und darin Gottes Heil brachte.

---

123 Vgl. bes. unsere Erörterungen zu 1Thess 5,10; 2Kor 13,4; Röm 8,29.32, sowie Phil 3,10f.12 und die Korrespondenzformeln 1Kor 13,12; 8,3; Gal 4,9. Hoffmann (Die Toten in Christus 311) spricht von einer „Christologisierung und Personalisierung der eschatologischen Erwartungen".

124 Vgl. Gal 2,20: „Nicht mehr ich lebe, Christus lebt in mir. Was ich aber jetzt (noch) im Fleische lebe, lebe ich im Glauben an den Sohn Gottes, der mich geliebt und sich für mich dahingegeben hat."

125 Vgl. auch die von Schnackenburg (Heilsgeschehen 149–159) entwickelte „Leitidee" (158).

C. AUFERWECKUNG UND VERHERRLICHUNG

I. Die Auferweckung der Glaubenden als das Ereignis der abschließenden Selbstoffenbarung Gottes

Die eschatologische Auferweckung der Toten galt dem Apostel Paulus als die ureigene Tat Gottes. Paulus erwartete sie als den endgültigen, alles entscheidenden und vollendenden, offenbaren Selbsterweis Gottes in seiner unumschränkten Macht und Herrlichkeit. In ihr wird Ereignis, wozu Gott von Ewigkeit her „die, welche ihn lieben", erwählt hat[1]. Als solches Ereignis ist sie das in Gottes alleiniger Verfügungsmacht stehende, konkret-zeitliche Geschehen des Endes aller Zeit[2], welches der Schöpfung von ihrem Schöpfer gesetzt ist als die Offenbarung ihrer Wahrheit und die gnädige Rechtfertigung der „Dialektik" ihrer Geschichte[3]. „Auferstehung der Toten"[4], „Leben aus den Toten"[5], „ewiges Leben"[6] – dies ist der definitive, unwiderstehliche Durchbruch, der totale Sieg der Herrschaft Gottes[7]. Dann – und nur dann – ist „Gott alles in allem" (1Kor 15,28).

Wie wir sahen[8], steht Paulus damit in einem breiten Strom jüdischer Erwartungen, die Gott als den bekannten, „der die Toten lebendigmacht", Röm 4,17; 2Kor 1,9. Der Apostel hat diesen Glauben an den Tote erweckenden Gott und seine Treue von seiner Rechtfertigungslehre her radikalisiert. Denn er unterstreicht die göttliche Exklusivität dieses Vollendungsgeschehens noch, indem er es den „Werken", der Macht und den Möglichkeiten, den Wünschen, Hoffnungen und Ansprüchen der Menschen radikal kontrastiert.

Schon in der frühesten uns zugänglichen Darlegung der pln. Auferstehungshoffnung, *1Thess 4,13–18*, trägt dieser theo-logische Aspekt einen bedeutsamen Akzent. Paulus stellt die christliche Erwartung ausdrücklich der Hoffnungslosigkeit der „übrigen" entgegen (4,13:14), einer Hoffnungslosigkeit,

---

1   Vgl. Röm 8,28f; 1Kor 2,7:9, auch Röm 11,15:26ff.

2   Vgl. bes. die apokalyptischen Texte 1Kor 15,23–28.50–52; 1Thess 4,14:15–17; vgl. 5,1–3 (!).

3   Vgl. Röm 11,15:26ff; 8,18ff, sowie die Verbindung von Parusie/Gericht und Auferstehung in 1Kor 15,23; 2Kor 5,1–4:9f; Phil 3,20f; 1Thess 4,16f; dazu unten S. 217f.

4   ἀνάστασις, Röm 6,5; (ἡ) ἀνάστασις (τῶν) νεκρῶν, Röm 1,4; 1Kor 15,12.13.21.42; ἡ ἐξανάστασις ἡ ἐκ νεκρῶν, Phil 3,11; vgl. Luk 20,35; Apg 4,2; alle drei Formen bezeichnen bei Paulus die künftige Auferstehung der Christen; die Differenzierung zwischen „allgemeiner" und „partieller" Auferstehung bei Spörlein, Leugnung 33f, hat im Text keinen Anhalt.

5   Röm 11,15; auch 6,13.

6   Röm 2,7; 5,21; 6,22.23; Gal 6,8.

7   Vgl. 1Kor 15,50:52ff; bei den Synoptikern ist das „(ewige) Leben" bekanntlich Äquivalent der Gottesherrschaft, vgl. etwa die Sprüche vom „Eingehen" in die Gottesherrschaft bzw. das Leben, Mt 18,3:8f; 19,17:23f usw.

8   Vgl. oben S. 82ff.

die natürlich nicht den Ausfall jedweder „menschlichen" Sehnsucht oder Zukunftserwartung meint, sondern – wie die Trauer der Gemeinde zeigt – im Fehlen der einen, einzig tragenden Hoffnung besteht, die nur Gott zu schenken vermag. Die Hoffnungslosigkeit der Heiden gründet in ihrer Gottlosigkeit, 4,5; vgl. Eph 2,12[9], und kann deshalb nur überwunden werden durch die Hinkehr zum lebendigen und wahren Gott, mit der zugleich die Aussicht auf eschatologische Rettung eröffnet ist, 1,9f. Christliche Hoffnung gründet allein in Gott. Die inkonzinne Konstruktion von 4,14 (Subjektwechsel; „objektive" Formulierung) bringt diesen Gedanken pointiert zur Geltung und stellt damit klar, daß Sterben und Auferstehung Jesu, die hier in singulärer Weise ohne jedes Interpretament genannt sind, nur als (Heils-) Tat Gottes[10] den Glauben und so auch die Hoffnung zu begründen und zu tragen vermögen. In Tod und Auferweckung Jesu hat Gott sich als der Herr der absoluten Zukunft erwiesen; ihm gehört selbst die absolute Zukunftslosigkeit des Menschen, der Tod, „in Christus" (4,16b) ist auch sie aufgebrochen in seine „Herrschaft und Herrlichkeit" hinein (2,12)[11]. Weil Gott „durch Jesus" (4,14) in allem die Initiative hat[12], kann es für den Glaubenden keine heidnische Hoffnungslosigkeit geben[13] : „Gott wird die Entschlafenen durch Jesus in seine Gemeinschaft führen" (4,14b)[14].

Schärfer tritt diese theo-logische Grundorientierung der pln. Auferweckungserwartung in der *Auseinandersetzung mit dem urchristlichen Enthusiasmus* in den Blick. In *1Kor 6,12–20*[15] wird Auferweckung geradezu zum entscheidenden Gegensatz gegen jedes denkbare Vollendungsbewußtsein, das sich schon im Besitz eschatologischer Machtfülle wähnt, vgl. 4,8; 3,21 usw. Denn Auferweckung reserviert die Vollendung einzig und allein Gott und seiner Macht, vgl. 6,12:14. Das zweifache ὁ δὲ θεός in 6,13 und 14 nennt den unaufhebbaren Vorbehalt gegenüber allem menschlichen Sein und Tun: die eschatologische Zukunft, die allein Gott selbst ist, wie er sich – in „Vernichtung" und „Auferweckung" – an uns offenbaren wird. Auferweckung ist das (rettende) Ereignis Gottes in seiner Machtfülle[16] bis in unsere Leiblichkeit hinein (und damit Vollendung unserer totalen Enteignung an Gott in Christus, vgl. 6,13b.15ff).

---

9   Schlier, 1Thess 76.

10 Vgl. das verknüpfende und begründende οὕτως καί.

11 Vgl. 1Thess 5,9f: *Gott* hat uns durch den Tod Christi zum (ewigen) Leben in seiner Gemeinschaft bestimmt; vgl. die Auferweckungsaussage 1,10.

12 Das kommt auch in der apokalyptischen Beschreibung des Parusiegeschehens zum Ausdruck: der Befehl Gottes löst die Ankunft des Herrn usw. aus, V.16f.

13 Vgl. noch 5,24 (πιστὸς ὁ καλῶν ὑμᾶς).

14 Vgl. weiter oben S. 196f.

15 Zu 1Kor 15 vgl. oben S. 144ff.

16 Vgl. 6,9.10 (βασιλεία θεοῦ); wegen dieses theo-logischen Auferweckungsverständnisses konnte Paulus auf eine Differenzierung zwischen Toten und Lebenden verzichten; ein Schwinden der Naherwartung läßt sich unserer Stelle keineswegs entnehmen.

Die Erwartung künftiger Auferweckung steht jedem Versuch des Menschen entgegen, sein Leben, im Vertrauen auf sich selbst, in die Hand zu nehmen und mit eigener Kraft zur „Vollkommenheit" zu gelangen[17]. Denn das Selbstvertrauen des Menschen endet spätestens am Tod, der Tod bedeutet das Ende jeder menschlichen Möglichkeit. Nur Gott ist fähig, aus seiner vernichtenden Gewalt zu erretten, vgl. 2Kor 1,10f; auch Röm 7,24. Nur in dem, „der die Toten erweckt", kann Hoffnung auf ewiges Leben begründet sein. Das jüdische Bekenntnis zu „Gott, der die Toten erweckt" (2Kor 1,9) wird durch diese Antithese zum menschlichen Selbstvertrauen und Werk von Paulus zum unverwechselbaren Ausdruck der Gottheit Gottes vertieft und in die Mitte seiner eschatologischen Hoffnung gerückt. *Röm 4,17* zeigt, daß dies *im Horizont der Botschaft von der Rechtfertigung des Gottlosen* geschieht. Der Apostel windet so diese Gottesprädikationen dem Judentum aus der Hand. Denn er interpretiert sie nicht im Zusammenhang der Bestätigung eigener Erwählung als Belohnung des (aus Werken) Gerechten, vgl. 4,1ff, sondern im Gegenteil als das Ereignis der *Gnade* Gottes[18], die in jedem Sinn unverfügbar, unerwartet, umsonst ist[19]. Auferweckung der Toten umschreibt eine Hoffnung, die keinerlei Anhalt in der dem Menschen verfügbaren Wirklichkeit hat, gegen die vielmehr alles spricht; eine Hoffnung, die allein in Gott selbst ihren Anhalt und Grund hat und auf seine Zusage hin lebt, Röm 4,18–21. Es ist die Hoffnung des Glaubenden, der allein Gott die Ehre gibt, 4,20, und ganz auf das gnädige Recht Gottes setzt, 4,13.22; vgl. 3,21ff. Die Auferweckung der Toten ist also jenes Ereignis, in welchem sich Gott endgültig und offenbar zur Geltung bringt als der er ist: der dem Nichts und dem Tod so sehr überlegen ist, daß sie zum „Ort" und Erweis seiner göttlichen Lebens-Macht und Wirklichkeit werden. In ihr kommt die Rechtfertigung des Gottlosen zum Ziel[20]. Auferweckung der Toten ist das eschatologische Ereignis Gottes des Schöpfers.

Das kommt vor allem auch dort zur Geltung, wo die Macht oder Sphäre der Auferweckung genannt wird. Die entsprechenden Termini umschreiben exklusiv die Sphäre und Wirklichkeit Gottes, „seine ewige Macht und Gottheit" (Röm 1,20)[21]. Auferweckung vollzieht sich darin[22], daß die Glaubenden

17 Phil 3,9.11:14.
18 Vgl. Röm 4,16:17; 2Kor 1,11 ($\tau\grave{o}$ $\epsilon\grave{\iota}\varsigma$ $\dot{\eta}\mu\tilde{a}\varsigma$ $\chi\acute{a}\rho\iota\sigma\mu a$!):9f; auch Röm 5,21; 6,23 (ewiges Leben als „Gnade").
19 Vgl. auch die Antithese in Gal 1,1.
20 Vgl. Phil 3,10f:9; zum Verhältnis von Rechtfertigung und Leben vgl. bes. J.Blank, Warum sagt Paulus: „Aus Werken des Gesetzes wird kein Fleisch gerecht"? , in: EKK.V 1, Einsiedeln/Neukirchen 1969, 79–95.86ff.
21 Vgl. $\pi\nu\epsilon\tilde{v}\mu a$ ($\theta\epsilon o\tilde{v}$), Röm *8,11*(2x); 1Kor 6,17.*19*; 15,44.45.46; 2Kor 3,18; vgl. 17; 4,13; *5,5*.
    $\delta\acute{v}\nu a\mu\iota\varsigma$ ($\theta\epsilon o\tilde{v}$), 1Kor *6,14*; 15,43; 2Kor *13,4*.
    $\delta\acute{o}\xi a$ ($\theta\epsilon o\tilde{v}$), Röm *(6,4)*; 8,18ff; 1Kor 15,43a; 2Kor 3,18; (4,17); Phil 3,21.
    $\zeta\omega\acute{\eta}$, Röm 8,10; 11,15; (1Kor 15,45); 2Kor 5,4.
    $\dot{a}\varphi\theta a\rho\sigma\acute{\iota}a$, 1Kor 15,42.53f.
    $\dot{a}\theta a\nu a\sigma\acute{\iota}a$, 1Kor 15,53f; vgl. auch 1Kor 15,47.48.49; 2Kor 5,1f; Phil 3,20; 1Thess 4,16 (vgl. 1,10) ($\dot{\epsilon}\pi o\upsilon\rho\acute{a}\nu\iota o\varsigma$, $\dot{\epsilon}\xi$ $o\dot{\upsilon}\rho a\nu o\tilde{v}$) und 2Kor 5,1f ($\dot{\epsilon}\kappa$ $\theta\epsilon o\tilde{v}$).
    Vgl. oben S. 111ff.
22 Das geht aus der selbstverständlichen Variation der Präpositionen $\dot{\epsilon}\nu$, $\delta\iota\acute{a}$ und $\dot{\epsilon}\kappa$ hervor, vgl. oben S. 113.

übermächtigt werden durch das πνεῦμα, die ἀφθαρσία, die δύναμις, die δόξα Gottes (1Kor 15,42ff): Gottes Wirklichkeit wird unsere leibhaftige Wirklichkeit, bildet die letzte Vollendung unserer neuen Existenz. Die Gedankenfolge von Röm 8,18ff läßt diesen Sachverhalt gut erkennen. „Die Erlösung unseres Leibes", auf die wir, beschenkt mit dem Geist der Sohnschaft (V.15), warten (V.23), ereignet sich in der künftigen Offenbarung der δόξα an uns (V.18; vgl. V.17), die das Wesensgeheimnis Gottes selbst ist[23]. Eben in dieser δόξα besteht die Freiheit der Kinder Gottes (V.21), in ihrer Offenbarung werden die „Söhne Gottes" offenbar (V.19:18). D.h.: Gott selbst in seinem Wesensgeheimnis eröffnet sich in der künftigen Auferweckung als die unausdenkliche, eschatologische Wirklichkeit der Glaubenden (und damit der Schöpfung insgesamt, V.19—22)[24].

Denn Gott hat sich schon in seiner Ewigkeitsmacht als der totenerweckende Schöpfer erwiesen: er hat den für uns gestorbenen Jesus Christus von den Toten auferweckt. Was wir bis hierhin für die Sicht der künftigen Totenerweckung bei Paulus erarbeitet haben, deckt sich in allen Zügen mit seinem Verständnis der Auferweckung Jesu. Hier hat Gott seine Zusage eingelöst, Röm 4,24:20; vgl. 2Kor 1,19—22, seine Herrschaft anbrechen lassen, 1Kor 15,24ff, in Jesus Christus, seinem Sohn, ist er endgültig in seiner Gottheit begegnet. So lautet nun sein Name, in welchem sich seine Gottheit bekundet: ὁ ἐγείρας Ἰησοῦν ἐκ νεκρῶν. Für Paulus besagt dies nun aber, daß sich in der Auferweckung Jesu Gott selbst für unsere Auferweckung verbürgt hat; sein Name, der im Lobpreis der Gemeinde angerufen und verherrlicht wird, impliziert die unumstößliche Zusage künftiger Auferweckung, 2Kor 4,14; Röm 8,11. Das Nebeneinander von Auferweckung Jesu und Auferweckung der Glaubenden, das sich gleichfalls in 1Kor 6,14 und 1Thess 4,14 findet, ist aufgrund dieses theo-logischen Ansatzes nicht nur paradigmatisch, sondern kausal zu interpretieren[25]: Jesu Auferweckung bildet Grund und Wirklichkeit unserer Auferweckung, weil Gott sich in ihr uns definitiv zugesagt hat in seiner eschatologischen Lebensfülle, die ihm und als πνεῦμα an uns Ereignis wird[26]. Der Geist ist die Macht künftiger Totenauferweckung als „der Geist dessen, der Jesus von den Toten auferweckt hat", Röm 8,11a: b. Im Geist begegnet Gott so, wie er sich in der Auferweckung Jesu endgültig geoffenbart hat, als der Gott, der auch der Sünde und dem Tod überlegen bleibt (Röm 8,2.3) und aus ihnen zu retten vermag in die Freiheit hinein, die Leben und Frieden bedeutet (Röm 8,2.6)[27]: in der Macht des Geistes eröffnet sich uns Gott, „der Jesus von den Toten auferweckt hat", als unsere unausdenkliche, eschatologische Zukunft.

23 Vgl. G. Kittel, ThWNT II 250; Schlier, Römer 8,18—30 251f (dagegen Käsemann, Röm 223); Jervell, Imago Dei 100—103.173ff passim, bes. 214—218.

24 S.u. S. 248. Nach Guntermann „liegt" in der Charakterisierung des Auferstehungsleibes durch den Begriff δόξα (1Kor 15,43a) „eine gewisse Verähnlichung mit Gott, eine Vergottung ausgesprochen." (!) (Eschatologie 169).

25 Geg. Güttgemanns, Apostel 277; Spörlein, Leugnung 161.

26 Das πνεῦμα ist die Macht der ζωή: Röm 8,2.6.10.11.13; 1Kor 15,45; 2Kor 3,3.6; Gal 5,25; 6,8; auch Röm 6,4:7,6; 7,10:14; 2Kor 5,4:5.

27 Vgl. 2Kor 3,3: πνεῦμα τοῦ θεοῦ ζῶντος.

Das πνεῦμα, die eschatologische Wesensmacht Gottes, ist die Wesensmacht der Auferweckung Jesu, ihre spezifische Dimension, ihr Zeit-Raum: die Macht der himmlischen Welt, der Zukunft Gottes, die hier und jetzt menschliche Existenz beschlagnahmt und wunderbar aufbricht in seine Verheißung, in Leben und Frieden hinein. So erschließt sich im Geist das eschatologische Ereignis der Auferweckung Jesu vorläufig als die neue, eschatologisch-endgültige Definition des Menschen, der „glaubt an den, der Jesus unseren Herrn auferweckt hat aus den Toten", Röm 4,24; vgl. 10,9[28]; durch den Geist (des Glaubens) gewinn diese definitive Selbstzusage Gottes jetzt schon Macht über unser Dasein, vgl. 2Kor 4,13:14. Gott hat uns den Geist ja geschenkt als die „Erstlingsgabe", mit der wir der künftigen Gabe seiner δόξα gewiß sein dürfen, Röm 8,23; mit der „Anzahlung des Geistes" hat Gott sich sozusagen rechtlich auf die volle und offenbare Einlösung im ewigen Leben verpflichtet, 2Kor 1,22; 5,5; vgl. Eph 1,13f[29]. Der Geist läßt Gott in seiner eschatologischen Treue als tragende Macht unseres Daseins erfahren, vgl. 2Kor 1,22: 19ff; Röm 5,5; indem er „bei Gott für die Heiligen eintritt", führt der Geist die ewig zuvor getroffene Erwählung der Glaubenden durch Gott ihrer Erfüllung entgegen, Röm 8,27:28ff. Gott, der Jesus von den Toten auferweckt hat, aber bleibt sich dadurch treu, daß er „durch seinen in euch wohnenden Geist" schließlich auch „eure sterblichen Leiber lebendigmachen wird", Röm 8,11. Gott wird also an den Glaubenden genau das vollziehen, was er an Jesus getan hat; das einmalig-göttliche Geschehen der Auferweckung Jesu geschieht dann an uns: Gott in seiner Wesensmacht, dem Geist, gibt sich uns als die Vollendung unseres leiblichen Daseins. Darin besteht Gottes Treue: Die künftige Auferweckung der Toten ist der abschließende Vollzug dessen, was in der Auferweckung Jesu geschah, an den Glaubenden: des eschatologischen Selbsterweises Gottes in seiner unumschränkten Herrlichkeit in und an Jesus Christus.

Kann die Auferweckung Jesu also nach Paulus adäquat nur im Horizont der eschatologischen Gottesherrschaft erfaßt werden, welche in der Auferweckung der Glaubenden offenbares Ereignis wird, 1Kor 15,50ff, so ist umgekehrt die Herrschaft Gottes und ihre künftige Apokalypse ausschließlich von der Auferweckung Jesu her definiert und allein in ihrem Horizont adäquat verstehbar. Der Anspruch der Auferweckung Jesu ist kein anderer als daß „Gott alles in allem" sei (1Kor 15,28), dies wird — weil in der Auferweckung Jesu begründet — nicht anders Ereignis als in der Auferstehung der Toten: in ihr vollendet und enthüllt sich das Christusereignis als die eschatologische Machtergreifung Gottes. Der gestorbene und auferstandene Christus erweist sich in der künftigen Auferweckung der Toten als die Wirklichkeit der absoluten Zukunft von Welt und Mensch, als die endgültige Offenbarung Gottes selbst in seiner unumschränkten Wesensgewalt.

---

28 Zum Verhältnis von πνεῦμα und δικαιοσύνη vgl. Röm 8,10; 1Kor 6,11; Gal 5,5, sowie Bu ltmann, Theologie 332ff; Schweizer, ThWNT VI 422ff; Stuhlmacher, Gerechtigkeit Gottes 221f.

29 Zu ἀπαρχή und ἀρραβών vgl. oben S. 137 Anm. 263.

Diese radikal christologische Definition des eschatologischen Selbsterweises Gottes, die im spezifisch pln. Verständnis der Auferweckung Jesu wurzelt und sich u.a. darin spiegelt, daß Paulus ganz selbstverständlich unsere Auferweckung als Folge und (auch terminologisch verdeutlichte) Entsprechung zur Auferweckung Jesu verkündigt, – diesen für seine Theologie eigentümlichen Sachverhalt bringt er aber auch sonst fast überall zur Geltung, wo er von der künftigen Auferweckung der Glaubenden spricht, natürlich in unterschiedlicher Form und Intensität. Daraus erwächst uns die Aufgabe, die Auferstehungstheologie des Apostels in ihren entscheidenden Elementen als die Konsequenz seines christologischen Ansatzes verständlich zu machen. Wenn irgendwo, dann muß sich hier die christologische Prägung der pln. Eschatologie zeigen.

II. Die Auferweckung der Glaubenden als Vollendung der Herrschaft des gekreuzigten und auferweckten Christus

1. Auferweckung der Glaubenden und Parusie Christi

Diese Bestimmtheit durch die Christologie bekundet sich zunächst darin, daß Paulus die künftige Totenauferweckung z.T. ausdrücklich an das Ereignis der endgültig-offenbaren Ankunft Christi bindet. „Bei seiner Parusie" werden auch die offenbar[30], d.h. lebendiggemacht (V.22), „die zu Christus gehören", 1Kor 15,23. 1Thess 4,16f schildert Paulus dies mit den apokalyptischen Farben eines „Herrenwortes" als konkret-zeitlichen Vorgang[31]: das durch Gottes Befehlsruf veranlaßte Kommen des Herrn „vom Himmel" löst, sozusagen als „Gegenbewegung", die Auferstehung der „Toten in Christus", ihre Vereinigung mit den Lebenden und die gemeinsame Entrückung „dem Herrn entgegen in die Luft" zur ewigen Gemeinschaft mit ihm aus. Bemerkenswert ist, daß Paulus damit nicht nur seine Grundthese von V.14b entfaltet, sondern diese selbst offenbar schon unter dem Einfluß des Herrenwortes und seiner Parusieschilderung formuliert hat, wenn er davon spricht, daß „Gott auch die Entschlafenen *durch Jesus führen* wird ($ἄξει$)". Phil 3,20f geht noch einen Schritt weiter und beschreibt die Verwandlung direkt als das Werk des aus den Himmeln ersehnten Herrn.

Diese Zuordnung zum apokalyptischen Geschehen der Parusie des Herrn lehrt einmal, daß Paulus die künftige Totenauferweckung wesentlich als universales, den Menschen und seine Geschichte insgesamt betreffendes Endgeschehen verstanden hat und nicht als postmortale Vollendung gläubiger Individuen. Auferstehung (des Leibes!) ist keine jüdisch-christliche Variante antiken Jenseitsglaubens[32]. Sie ist das Ende und Ziel dieser Welt-Zeit, Röm

---

30 Vgl. Kol 3,4; 1Joh 3,2.

31 O. Cullmann betont mit Recht, daß das Problem von 1Thess 4,13ff sonst keine Bedeutung gehabt hätte: Immortality 38; zur sachlichen Wertung vgl. 1Kor 15,52.

32 Vgl. Cullmann, Christus und die Zeit 206ff; Immortality bes. 36ff.

11,15, das Geschehen des eschatologischen „Tages", der die Welt umstellt hat und dessen unberechenbarer Präsenz niemand entgehen wird, 1Thess 5,1–3:4,16f. Auferstehung der Toten ist im strengen Sinn das *Ereignis* der *eschatologischen* Zukunft.

Diese aber bricht herein mit dem Kommen des Kyrios und Retters, 1Thess 4,16f; Röm 11,15:26ff, genauer: in seiner das Doxa-Wesen Gottes repräsentierenden Person. Im Retter Christus erwarten die Christen ihre Rettung, Phil 3,20f, die Auferstehung der Toten, 1Kor 15,20–23. Das Kommen „vom Himmel her", 1Thess 4,16; Phil 3,20, markiert die absolute Unverfügbarkeit, den göttlich-freien Gnaden-Charakter dieses eschatologischen Geschehens. Auferweckung der Toten liegt allein in der weltüberlegenen Verfügungsmacht des Herrn beschlossen, vgl. Phil 3,21. Sie bildet jedoch nicht nur ein mit der Parusie verknüpftes „Werk" des Herrn (neben dem oder in Hinblick auf das Gericht) bzw. ihr soteriologisches Korrelat und Ergebnis, sondern – wie vor allem 1Kor 15,23–28.50ff zeigt[33] – die offenbare Vollendung, den Sinn und das Ziel seiner eschatologischen Herrschaft über die Welt, den endgültigen Sieg Gottes in seinem Sohn über Sünde und Tod.

Mit dieser zeitlichen Fixierung der Totenauferstehung auf die Parusie des Kyrios ist im Grunde schon die gesamte pln. Engführung der eschatologischen Wirklichkeit auf Jesus Christus hin (in apokalyptischen Kategorien) vollzogen. Sie tritt in anderen Zusammenhängen jedoch ungleich stärker zutage.

2. Der Geist Gottes als die todesüberwindende Wesensmacht des gekreuzigten Herrn

So wird die exklusiv göttliche Machtsphäre der künftigen Auferweckung verschiedentlich explizit als die Machtsphäre des (auferweckten) Christus ausgelegt. Wie wir jetzt schon „die Macht seiner Auferstehung" erfahren (Phil 3,10), so ereignet sich die künftige „Auferstehung aus den Toten" (3,11) als Ausbruch seiner das All umspannenden Macht (3,21)[34]. Das künftige „Leben aus den Toten" (Röm 11,15), „das ewige Leben" wird uns nicht nur geschenkt „durch Jesus Christus unseren Herrn" (Röm 5,21; vgl. 5,17.18), bzw. „in" ihm (Röm 6,23; vgl. 6,11; 8,2), sondern „*sein* Leben" wird – wie es uns jetzt schon verborgen trägt (2Kor 4,10–12) – unsere Rettung sein (Röm 5,10)[35] in der Auferweckung „mit ihm" (2Kor 4,14)[36].

33 Vgl. oben S. 145ff.
34 ἐνέργεια bezeichnet „das Wirken oder Am-Werke-Sein des Vermögens" (δύναμις/δύναμαι) (Schlier, Eph 85; vgl. G. Bertram, ThWNT II 649–651.649); in Eph 1,19f; Kol 2,12 ist es auf die Auferweckung Jesu bezogen (vgl. noch Mk 6,14 = Mt 14,2: „Auferstehung" des Johannes), die die Erhöhung über die Mächte einschließt (Eph 1,22: Zit. Ps 8,7, vgl. Phil 3,21; 1Kor 15,27); Auferweckung wird hier also – mit Hilfe atl. Anschauungen – gut hellenistisch und gerade nicht apokalyptisch verstanden: Heil als Befreiung aus kosmischer Versklavung.
35 Vgl. Röm 6,10:11.13; Gal 2,20; Phil 1,21.
36 Vgl. die eschatologischen Mit-Christus-Aussagen: S. 194ff.

Bemerkenswert erscheint schon bei diesen Beispielen, daß sie das eschatologische Leben nicht nur und in erster Linie als Frucht und Ergebnis des Christusereignisses bzw. als Gabe des Erhöhten kennzeichnen, sondern es dabei vielmehr so untrennbar an die Präsenz seiner Person binden, daß diese selbst zum In-begriff der eschatologischen Heilswirklichkeit Gottes wird. Für den Apostel „ist das Leben Christus" (Phil 1,21; Gal 2,20), ihn erfährt er in der Macht seiner Auferstehung und der Teilhabe an seinen Leiden (Phil 3,10), um ihn dadurch endlich ganz zu gewinnen (Phil 3,8.12) und „in ihm" die eschatologische Vollkommenheit der himmlischen Berufung Gottes (3,14).

Daß die eschatologische Heilswirklichkeit Gottes, die in der künftigen Totenauferweckung Ereignis wird, in der Person Jesu Christi „konzentriert" ist, bringt Paulus am klarsten zur Geltung durch den Begriff des $\pi\nu\epsilon\tilde{u}\mu a$, dem deshalb grundlegende Bedeutung für die christologische Fassung der Auferstehungserwartung zukommt[37]. Schon bei oberflächlicher Betrachtung muß auffallen, daß an sämtlichen einschlägigen Stellen die Wirklichkeit des Geistes sowohl Gott als auch Christus zugeordnet ist, ohne daß hier irgendwo eine Spannung oder ein Widerspruch empfunden würde bzw. eine Differenzierung vorgenommen wäre, vgl. Röm 8,9–11; 1Kor 6,17.19; 15,45.46[38]. Kennzeichnend ist vielmehr – und deshalb erübrigte sich von vornherein eine solche „Klärung" –, daß der Geist nicht nur die eschatologische Macht ist, aus welcher Christus lebt und sich zu unserem Heil wirksam erweist, sondern daß Christus (fast) ausnahmslos explizit mit dieser eschatologischen Lebensmacht des Geistes Gottes in eins gesetzt wird. Der selbstverständliche (wenngleich sicher bewußte) Wechsel von $\pi\nu\epsilon\tilde{u}\mu a \;\theta\epsilon o\tilde{u}$ – $\pi\nu\epsilon\tilde{u}\mu a$ Χριστοῦ – Χριστός – $\tau\grave{o} \;\pi\nu\epsilon\tilde{u}\mu a \;\tau o\tilde{u} \;\grave{\epsilon}\gamma\epsilon\acute{\iota}\rho a\nu\tau o\varsigma \;\tau\grave{o}\nu \;{}^{\prime}I\eta\sigma o\tilde{u}\nu \;\grave{\epsilon}\kappa \;\nu\epsilon\kappa\rho\tilde{\omega}\nu$ in *Röm 8,9–11* bildet den eindrücklichsten, weil theologisch differenziertesten Beleg für diese These[39]. Wir haben schon gesehen, daß die künftige Auferweckung an unserer Stelle interpretiert wird als Übermächtigung unserer Leiblichkeit durch Gott in seiner eschatologischen Wesensmacht, im Geist[40]. Diese Wesensmacht Gottes ist aber – weil in der Auferweckung Jesu durchgebrochen als die Freiheit von Sünde und Tod – der „Geist Christi" (V.9b)[41], die Macht, in welcher Christus in seinem Geschick die Bestimmung unserer Existenz wird (V.10)[42]. In der Auferweckung Jesu hat Gott sich ja in seiner

---

37 Vgl. Hermann, Kyrios und Pneuma 114–122; Schweizer, ThWNT VI 415ff.431ff; Gunkel, Wirkungen 97–100; Kuss, Röm 577ff; auch F. Büchsel, Der Geist Gottes im Neuen Testament, Gütersloh 1926, 402–410; E. Fuchs, Christus und der Geist bei Paulus (UNT 23), Leipzig 1932, 95–106.

38 Vgl. auch 2Kor 3,18:5,5; 4,13:10f.

39 Vgl. Hermann, Kyrios und Pneuma 65f.

40 Vgl. noch Schniewind, Leugner 135: „Pneuma ist die Leben schaffende Gottesgegenwart"; Büchsel, aaO. 399f.

41 Vgl. noch Phil 1,19; Gal 4,6; 1Kor 2,16 ($\nu o\tilde{u}\varsigma$ Χριστοῦ) und 2Kor 3,17 (dazu unten).

42 $\tau\acute{o} \;\pi\nu\epsilon\tilde{u}\mu a$ meint in V.10b die Lebensmacht des $\pi\nu\epsilon\tilde{u}\mu a \;\theta\epsilon o\tilde{u}$; der Kontext schließt m.E. eine anthropologische Deutung aus, vgl. etwa Michel, Röm 193. Zur Interpretation von V.10 vgl. unten S. 242ff.

eschatologischen Lebensfülle, in der Macht seines Geistes, entäußert und mit-
geteilt an den, der in der gehorsamen Erniedrigung in die Gestalt des Sündenfleisches Gottes Gericht über die Sünde im Fleisch trug und verwirklichte
(V.3); was Gott in der Sendung seines Sohnes tat, kam in der Auferweckung
zum Ziel: die eschatologische Vollendung von Person und Geschichte Jesu
ist der definitive Durchbruch des Geistes Gottes, der die Freiheit von Sünde
und Tod gewährt (V.2). Christus (in seinem Geschick, V.3) ist deshalb die
wirkmächtige Repräsentation Gottes in seiner eschatologischen Selbstoffenbarung und rettenden Lebensfülle. Von der Auferweckung Jesu her ist das
$\pi\nu\varepsilon\tilde{\upsilon}\mu\alpha$ prinzipiell als die andringende Wirklichkeit der eschatologischen
Heilstat Gottes *in Christus* bzw. Christi als der eschatologischen Selbst-
mitteilung Gottes zum Heil zu verstehen. Auferweckung der Toten durch[43]
den Geist Gottes heißt deshalb Übermächtigung der sterblichen Leiber durch
die Wirklichkeit des gestorbenen und auferstandenen Christus.

Dieses Ergebnis wird an den übrigen Stellen, die in unserer Frage anzuführen
sind, voll bestätigt. Nach *1Kor 6,17* ist der Geist, durch dessen Gabe Gott
sich unser leiblich-konkretes Dasein als Ort seiner Gegenwart eingeräumt hat
(V.19)[44], die erfahrbare Präsenz Christi als des Herrn[45]. Christus teilt sich
uns in der göttlichen Gabe des Geistes, ja als Geist mit als die neue Wirklichkeit unserer Existenz, so daß wir mit ihm „ein Geist sind"[46]. Der Geist ist
die Dimension und der Vollzug der Herrschaft Christi, der uns gerade in unserer konkreten Leiblichkeit beansprucht und zu seinen Gliedern macht
(V.13b.15)[47]. Denn kraft der Auferweckung „durch die Macht" Gottes

43   Diese Version (sin ACP[2] u.a.) verdient m.E. als schwierigere LA den Vorzug (anders
     z.B. Schweizer, ThWNT VI 419 A.591); $\delta\iota\dot{\alpha}$ c. acc. (BDGKP[+]Ψ u.a.) schließt glatter
     an den Konditionalsatz V.11a an; sachlich besteht kein Unterschied, vgl. Käsemann,
     Röm 215.

44   Nach 3,16 ist die Gemeinde Wohnstätte Gottes, d.h. der Geist Gottes wohnt in ihr,
     vgl. auch 2Kor 6,16f sowie Conzelmann, 1Kor 96f. Die stoischen und jüdisch-helle-
     nistischen Parallelen (Conzelmann, 1Kor 97 A.90; Weiß, 1Kor 166 A.1) erlauben es
     freilich kaum, an unserer Stelle von einer Individualisierung eines primär ekklesiolo-
     gischen Gedankens zu sprechen, geg. Conzelmann, 1Kor 136; die jeweilige Einlei-
     tung $o\dot{\upsilon}\kappa$ $o\ddot{\iota}\delta\alpha\tau\varepsilon$ läßt sich als eine dem Paulus geläufige Wendung der Diatribe (dazu:
     Bultmann, Stil 13,65) diesen Schluß ebensowenig zu wie die Vermutung einer Erin-
     nerung an das Tempellogion Mk 14,58, geg. Michel, ThWNT IV 890. Zur Vorstel-
     lung von der „Einwohnung" des Pneuma vgl. Brandenburger, Fleisch und Geist
     128–140. bes. 137 mit A.2.

45   Vgl. Hermann, Kyrios und Pneuma 64.

46   V.17 bildet formal die genaue Parallele zu V.16a (vgl. V.13a:13b.14): die „Verbun-
     denheit der Glaubenden mit Christus" wird hier also „völlig analog der geschlecht-
     lichen Vereinigung mit der Dirne gesehen" (Schweizer, ThWNT VI 416); das Ver-
     bum $\kappa o\lambda\lambda\dot{\alpha}o\mu\alpha\iota$ entspricht genau dieser Aussageabsicht, da es hier einerseits Paulus
     von Gen 2,24 her in die Feder fließt (vgl. Mt 19,5; LXX: $\pi\rho o\sigma$-$\kappa o\lambda\lambda\eta\theta\dot{\eta}\sigma\varepsilon\tau\alpha\iota$, vgl.
     Eph 5,31; Mt 19,5 vl), andererseits aber keineswegs auf die sexuelle Bedeutung
     festgelegt war, vgl. K.L. Schmidt, ThWNT III 822; zur Bedeutung von Gen 2,24
     bzw. seiner jesuanischen Neuinterpretation für den gesamten Passus vgl. Chr. Mau-
     rer, Ehe und Unzucht nach 1.Korinther 6,12–7,7, in: WuD NF 6 (1959), 159–169.

47   Die Aussage V.17 entspricht durchaus der enthusiastischen Parole $\pi\dot{\alpha}\nu\tau\alpha$ $\mu o\iota$
     $\ddot{\varepsilon}\xi\varepsilon\sigma\tau\iota\nu$, V.12, vgl. 10,23; der Apostel eignet sie sich an, indem er sie an die alleini-
     ge $\dot{\varepsilon}\xi o\upsilon\sigma\dot{\iota}\alpha$ des Kyrios zurückbindet, vgl. 3,21–23.

(V.14) ist er der Herr, in seiner Person[48] begegnet Gottes Macht, wie sie in der Auferweckung Ereignis wurde: Herrsein Christi heißt „leben aus der Macht Gottes" (2Kor 13,4)[49]. Wenn Gott uns auferwecken wird „durch seine Macht" (1Kor 6,14), handelt es sich deshalb nicht einfach um einen zweiten, der Auferweckung des Herrn vergleichbaren Machterweis Gottes, sondern um den endgültig-offenbaren Durchbruch der Auferweckung Jesu, die in der Herrschaft Jesu verwahrt und uns zum Heil eröffnet ist. Unter dieser Voraussetzung erhält die Auferweckungsaussage in 1Kor 6,14, die zunächst wie eine durch das Stichwort σῶμα motivierte Kontrastbildung zu V.13b anmuten könnte, ihre unverwechselbare Stelle in der Gedankenfolge von 1Kor 6,12–20, formuliert sie doch prägnant Ursprung und Ziel, den eigentlichen Sinn der gegenwärtigen Herrschaft Christi im Geist.

In *1Kor 15,44–46* macht Paulus diese Identifikation der eschatologischen Lebensmacht des Geistes Gottes mit Jesus, welche sich in der Auferweckung vollzog, geltend als die entscheidende Voraussetzung für die künftige Auferstehung der Toten. Der Apostel greift hier nochmals auf die Antithese der beiden „Urmenschen" und Schicksalsträger Adam und Christus zurück, V.45, vgl. V.21–22; Röm 5,15ff[50], und nimmt damit die kosmisch-dualistischen Antithesen von V.42–44 auf, wobei er πνεῦμα (πνευματικόν) offenbar als zusammenfassenden Begriff für die Wirklichkeit der Auferstehung (ἀφθαρσία, δόξα, δύναμις) wählt, vgl. V.44–46. V.45 spricht die Identifikation direkt aus: „der letzte Adam wurde − in der Auferweckung − lebenschaffender Geist"; Christus verkörpert nun die schöpferische Lebenswirklichkeit Gottes[51], die dem Verderben, der Schande, der Schwachheit und dem „Psychischen" unvergleichlich überlegen ist und es in der Auferstehung der Toten definitiv überwinden wird. Christus ist als lebenschaffender Geist nicht nur die Ermöglichung, sondern die Wirklichkeit des σῶμα πνευματικόν[52]. Auferstehung heißt: das Wesens„bild" des zweiten, himmlischen (Menschen) tragen − in umgekehrter Entsprechung dazu, daß wir als die irdischen, sterblich-vergänglichen Menschen, die wir sind, das Wesens„bild" des ersten irdischen Menschen (Adam) austragen, 15,47–49[53].

48 Vgl. Hermann, Kyrios und Pneuma 65 (mit A.33).

49 δύναμις ist Äquivalent von πνεῦμα, markiert aber in der Regel stärker als dieses den exklusiv göttlichen Charakter der eschatologischen Heilswirklichkeit und dürfte deshalb auch hier mit der exklusiv göttlichen Tat der Auferweckung verbunden sein, vgl. oben S.113; ein Gegensatz zur eschatologischen Herrschaft Christi im Geist ist damit nicht angedeutet.

50 Die Erweiterung und Fortführung des Zitates Gen 2,7 in 1Kor 15,45 setzt die Antithese der beiden Adam-Anthropoi voraus, vgl. Brandenburger, Adam und Christus 70–77(74). 153–157; Conzelmann, 1Kor 337ff; der Rekurs von Scroggs auf rabbinische Deutungen von Gen 1,27 ist dagegen eine reine Verlegenheitslösung (The Last Adam 86f, vgl. 55).

51 Vgl. Phil 3,21: σῶμα τῆς δόξης.

52 Vgl. Käsemann, Leib 166: „Das erwartete σῶμα πνευματικόν ist die Eikon des himmlischen Anthropos." Die Differenzierung Jervells (Imago Dei 269) zwischen Geistleib und auferstandenem Menschen in Totalität (der Abbild Christi sei) widerspricht dem pln. σῶμα-Begriff.

53 Vgl. dazu Jervell, Imago Dei 257–271; Eltester, Eikon 23f.165f.

In der Auferstehung der Toten schafft Christus, der letzte Adam, in und aus der Wirklichkeit seiner Person, welche die eschatologische Lebensmacht Gottes ist, die neue, eschatologische Menschheit der Herrschaft Gottes (vgl. 15,50ff). Nirgends bringt der Apostel radikaler den Gedanken zum Ausdruck, daß Gott selbst in Jesus Christus die Vollendung des Menschen ist (vgl. 15,28)[54] ; nirgends wird auch die Voraussetzung dieses Gedankens deutlicher: die Identifikation des Geistes Gottes mit Christus (in der Auferweckung).

Mit größtmöglicher Prägnanz kommt diese Konzeption schließlich in *2Kor 3,17f* zur Sprache. Wir hören hier von einem schon in der Gegenwart anhebenden Prozeß der Verwandlung der Glaubenden in das δόξα-Wesen des Kyrios durch die unverstellte Schau dieser δόξα, wie sie im apostolischen Evangelium erstrahlt, vgl. 4,4—6. δόξα umschreibt an unserer Stelle die göttliche Wesensgestalt des Kyrios, in welcher sich Gott als im unergründlichen Geheimnis seines Wesens menschlicher Erkenntnis offenbart[55] . Als ,,der Herr der Herrlichkeit" (1Kor 2,8) ist Christus die Eikon Gottes (2Kor 4,4), ,,Gottes Erscheinungsform, die Gott verhüllt und offenbar zugleich zu sehen, d.h. zu erfahren gibt"[56] .

---

54 Zur religionsgeschichtlichen Herkunft dieses Denkens in gegenseitig inkommensurablen, radikal abgeschlossenen, ja feindlichen (substanzhaft gedachten) Macht- und Seinsbereichen vgl. Brandenburger, Fleisch und Geist 123ff sowie die Zusammenfassung 222—235.

55 Vgl. 4,4.6, dazu: Jervell, Imago Dei 214—218.216: ,,Die göttliche Doxa ist ... Wesens- und Wirkungsart, das heißt Gott selbst. Wenn von der Doxa Christi die Rede ist, bedeutet das, daß Gott selbst in Christus anwesend ist. So kann man sagen, die Doxa Christi sei nichts anderes als die Doxa Gottes, als Gott selbst."

56 Schlier, Doxa 312; vgl. Eltester, Eikon 131—136.133; Jervell, Imago Dei 218; Schweizer, Kol 1,15—20, in: ders., Beiträge zur Theologie des Neuen Testaments 113—144.117—123. Das Christusprädikat εἰκών τοῦ θεοῦ meint hier anders als Kol 1,15 den erhöhten Herrn (betont von Jervell, Imago Dei 214 u.ö.), wie die betonte Aufnahme durch κύριον V.5 beweist (zur Nähe von εἰκών bzw. μορφὴ θεοῦ-Vorstellung und Kyrios-Titel vgl. Phil 2,6:11, dazu: Jervell, Imago Dei 206ff). Relativische Form und selbstverständliche Einführung weisen auf vorpln. Sprachgebrauch; da die Parallelen Kol 1,15 und Phil 2,6 den präexistenten Christus im Auge haben, scheint mir die Zuweisung an den Taufhymnus der hellenistischen Gemeinde (so bes. Jervell, Imago Dei 197—213.209; meint 2Kor 4,4.6 noch nicht wie in der alten Kirche die Taufe, vgl. Conzelmann, ThWNT IX 349, geg. Jervell, Imago Dei 196f) jedoch nicht sicher. Jedenfalls ist der ,,Titel" hier nicht unmittelbar von Gen 1,27 her zu interpretieren (Christus als ,,der neue Mensch": geg. Scroggs, The Last Adam 98: ,, ... Christ is the reality of true humanity ... Paul now knows Christ to be true man, and this means that Christ ist the image and glory *of God.* To see God one looks to Christ; thus the true humanity now realized in Christ is the true revelation of God."). Die spezifische Verwendung als Heils- und Offenbarungsbegriff verweist in das Milieu des hellenistischen Judentums und seiner Sophia-Spekulationen; zentrale Bedeutung hat er als solcher in der Gnosis und ihrer Lehre vom himmlischen Anthropos erlangt, vgl. die Darstellungen bei Eltester, Eikon 13—129; Jervell, Imago Dei 15—170, sowie G. Kittel (H. Kleinknecht/G. von Rad), ThWNT II 378—396; E. Lohse, Imago Dei bei Paulus, in: Libertas Christiana (FS F. Delekat) (BEvTh 26), München 1957, 122—135; Scroggs, The Last Adam 97—100.

Christus ist in Person die δόξα, die uns Gott seit Ewigkeit bestimmt hat, 1 Kor 2,7, in seinem „Wesensbild" wird uns Gottes Herrlichkeitswesen zum vollendeten Wesen unseres Seins, 2Kor 3,18[57]; vgl. Röm 8,17.18ff.29.30; Phil 3,21[58]. Das πνεῦμα aber ist die Macht, mit der uns Christus in die göttliche δόξα seiner Person[59] gegenwärtig einbezieht[60], das πνεῦμα ist das Ereignis des Herrn als der lebenschaffenden (3,6b), befreienden (3,17b), seinswandelnden εἰκὼν τοῦ θεοῦ. Von daher werden Identität wie Differenz von κύριος und πνεῦμα in 2Kor 3,17 verständlich. Der Geist ist „die irdische praesentia des erhöhten Herrn"[61]. Im Geist gestaltet der Herr die Seinen in seine Herrlichkeit hinein[62].

57 τὴν αὐτὴν εἰκόνα (zum Akk. vgl. Bl.-Debr. § 159,4) nimmt τὴν δόξαν κυρίου auf. Auch sonst verwendet Paulus εἰκών- und δόξα synonym, vgl. Röm 1,23; 1Kor 11,7; auch Röm 8,29:30. Beachtet man ferner, daß εἰκὼν τοῦ θεοῦ die δόξα τοῦ Χριστοῦ erläutert (vgl. Windisch, 2Kor 137; Bultmann, 2Kor 109) und daß in 3,18 ebenso wie in 4,4 von der Schau dieser δόξα die Rede ist (αὐγάσαι= κατοπτρίζεσθαι, vgl. Windisch, 2Kor 136 u.a.), so wird man εἰκών in 3,18 nicht grundsätzlich anders als εἰκὼν τοῦ θεοῦ in 4,4 interpretieren können. Im Blick auf die Schöpfungsaussage (Gen 1,3, vgl. Jes 9,1LXX) in 4,6 wird man deshalb durchaus von der eschatologischen Erneuerung der ursprünglichen Gottebenbildlichkeit des Menschen sprechen dürfen, vgl. Jervell, Imago Dei 173ff. Das pln. Aussageinteresse ruht hier jedoch zweifellos nicht auf diesem Gedanken. Das gilt erst recht für Röm 8,29 und 1Kor 15,49; der Begriff εἰκών allein kann eine solche These jedenfalls nicht begründen. S.u. Anm. 184.

58 Vgl. Jervell, Imago Dei 189–194; auch Eltester, Eikon 23f; Windisch, 2Kor 137.

59 δόξα τοῦ θεοῦ ἐν προσώπῳ Χριστοῦ meint dasselbe wie ἡ δόξα τοῦ Χριστοῦ ὅς κτλ., 4,4 (Windisch, 2Kor 140; vgl. auch Röm 8,35:39); πρόσωπον erhält dadurch m.E. fast die Bedeutung „Person", und zwar insofern sie uns gewandt und offenbar ist. Möglicherweise formuliert Paulus hier in bewußter Antithese zu 3,7.13 (vgl. Ex 34,33.35): die δόξα des Neuen Bundes, die der δόξα des Mose unvergleichlich überlegen ist, ja als das Bleibende diese zum Untergang verurteilt, ist gegenwärtig in Christus, den Paulus als Herrn verkündigt; in ihm wird Gott in seiner Wesensmacht erfahren (vgl. dagegen Ex 33,20.23!), Christus ist das Angesicht Gottes. Zu πρόσωπον vgl. E. Lohse, ThWNT VI 769–779.

60 Diese Differenzierung von (eschatologischer!) δόξα und πνεῦμα ist Paulus geläufig, vgl. Röm 5,2:5; 8,18:23; 1Kor 2,7:10ff; 2Kor 4,13:17 (nur unter eschatologischem Aspekt werden beide identifiziert: 1Kor 15,43–45). Sie wird in 2Kor 3,18 christologisch ausgewertet; καθάπερ ἀπὸ κυρίου πνεύματος bindet den Verwandlungs-„prozeß" ἀπὸ δόξης εἰς δόξαν an die Person des κύριος, der sich im Geist als der Träger der eschatologischen Wirklichkeit erschließt, vgl. Windisch, 2Kor 129.

61 E. Käsemann, Art. Geist IV. Geist und Geistesgaben im NT, in: RGG[3] II 1272–1279.1274.

62 ἀπὸ δόξης εἰς δόξαν ist mehr als eine rhetorische Floskel; es kennzeichnet die δόξα als die umfassende Dimension, in der sich das Verwandlungsgeschehen vollzieht, vgl. Röm 1,17 (ἐκ πίστεως εἰς πίστιν); 2Kor 2,16 (ἐκ θανάτου εἰς θάνατον/ ἐκ ζωῆς εἰς ζωήν); 4,17 (καθ' ὑπερβολὴν εἰς ὑπερβολήν), vgl. noch Jer 9,2; ψ 83,8; Joh 1,16. Erst in diesem Rahmen wird man indirekt auch von einem Verwandlungsprozeß sprechen können, dessen Ziel die totale, auch leibliche Überkleidung mit δόξα in der Auferstehung ist, vgl. Phil 3,10:21 sowie Jervell, Imago Dei 192–194; anders Lohse, a. Anm.56 a.O. 134 A.51; von einer „stufenweisen Entfaltung" (Windisch, 2Kor 129; ähnlich Bultmann, 2Kor 98) ist hier jedoch nichts angedeutet.

Eine solche „Metamorphose" menschlichen Wesens in die Wesensgestalt Christi erwartet Paulus sonst erst als den Anbruch der eschatologischen Zukunft, vgl. Röm 8,29; 1Kor 15,42–53; Phil 3,21. So erhebt sich die Frage, wieso der Apostel in 2Kor 3,18 dieses eschatologische Geschehen als schon gegenwärtigen Prozeß schildern kann. Mit der (m.E. unwahrscheinlichen) These, Paulus lasse sich in 2Kor 3,7ff in kritischer Form auf (gar schriftlich fixierte) Gedankengänge seiner Gegner ein[63], ist diese mit der Terminologie gestellte Sachfrage noch nicht beantwortet. Aber auch mit einer religions- und traditionsgeschichtlichen Sondierung der Begrifflichkeit läßt sich noch keine zureichende Klärung gewinnen. Gewiß entstammen diese Anschauungsformen dem Milieu hellenistischer (Mysterien-)Kulte[64]; sie hatten sich aber schon längst zum Allgemeingut der religiösen Koine verselbständigt und waren auch in den Sprachschatz des Judentums eingegangen[65], wo sie den verschiedensten Anliegen entgegenkamen und auch dienstbar gemacht wurden. So tauchen in der Apokalyptik entsprechende Vorstellungen auf, um den Vollendungszustand der auferweckten Gerechten zu schildern[66], während sie im Diasporajudentum etwa zur theologischen Deutung der Bekehrung zur jüdischen Gemeinde herangezogen wurden (JosAsn)[67]. Von hieraus dürfte sich auch die zweigleisige Verwendung[68] der Verwandlungs- und Auferstehungsvorstellung im Urchristentum her-

63 Vgl. S. Schulz, Die Decke des Moses, in: ZNW 49 (1958), 1–30; Georgi, Gegner 274–282; dagegen Luz, Geschichtsverständnis 128–130, der selbst mit einer im einzelnen nicht weiter bestimmbaren vorgegebenen Auslegung von Ex 34,29ff rechnet. Jedenfalls dürfte sich die These der Bearbeitung einer schriftlichen Vorlage nicht halten lassen, auch deshalb nicht, weil – wie Bultmann (2Kor 82) mit Recht hervorhebt – erst ab V.12 eine Abschweifung vom Thema der $\delta\iota\alpha\kappa o\nu\acute{\iota}\alpha$ festzustellen ist. Vielleicht deutet der unpolemische, lehrhafte Charakter auf beginnende pln. Schultradition (H. Conzelmann, Paulus und die Weisheit, in: NTS 12 (1965/66), 231–244.235f); so würde sich auch zwanglos die präsentisch-eschatologische Aussage von V.18 erklären, die – für Paulus ungewöhnlich – doch nicht von ihm korrigiert wird.

64 Vgl. die Stichworte $\mu\epsilon\tau\alpha\mu o\rho\varphi o\tilde{\upsilon}\sigma\theta\alpha\iota$, 2Kor 3,18; Röm 12,2; $\sigma\acute{\upsilon}\mu\mu o\rho\varphi o\varsigma \ \kappa\tau\lambda.$, Röm 8,29; Phil 3,10.21; $\mu\epsilon\tau\alpha\sigma\chi\eta\mu\alpha\tau\acute{\iota}\zeta\epsilon\iota\nu$, Phil 3,21 (vgl. $\dot{\alpha}\lambda\lambda\acute{\alpha}\sigma\sigma\epsilon\sigma\theta\alpha\iota$, 1Kor 15,51f) sowie die Konzeption der Wesensverwandlung durch Schauen, dazu: Reitzenstein, HMR³ 39f.262–265.357f; Windisch, 2Kor 127–130; J. Behm, ThWNT IV 762–767; W. Grundmann, ThWNT VII 787–789; J. Schneider, ThWNT VII 957–959; Bultmann, 2Kor 93–97.

65 Hengel, Der Sohn Gottes 46.

66 Vgl. z.B. Dan 12,3; 1Hen 108,11ff; sBar 51,1ff; auch Sap 3,7; vgl. weiter Bousset/Greßmann 276–278; Volz 396–401; Brandenburger, Fleisch und Geist 78–82.

67 Vgl. Brandenburger, Auferstehung 24–27.

68 Neben den bisher angezogenen Beispielen wäre für den eschatologischen Gebrauch vor allem auf die Vorstellung vom „Ausziehen" des irdischen „Hauses" bzw. Wesens und „Anziehen" des himmlischen „Hauses" bzw. der Unsterblichkeit hinzuweisen, 2Kor 5,1–4, was ja auch nach 1Kor 15,53f mit der Verwandlung bzw. Auferstehung identisch ist (vgl. 2Kor 5,6–9: Auszug aus der Fremdlingschaft in die Heimat, vgl. Phil 3,20.21; zum religionsgeschichtlichen Hintergrund vgl. vor allem Brandenburger, Fleisch und Geist 154–177.197.–216). Gerade diese Vorstellung findet sich aber andererseits, und zwar mit dem persönlichen Objekt Christus, in Gal 3,27f als Interpretation des Taufgeschehens, vgl. 1Kor 12,12f, von daher auch in der Paraklese, Röm 13,14 (vgl. das „Anziehen des neuen Menschen", Kol 3,10; Eph 4,24, bzw. die Erneuerung des inneren Menschen, 2Kor 4,16). In Verbindung mit der Taufe spricht die hellenistische Gemeinde dann auch von einer schon geschehenen Auferweckung mit Christus, Eph 2,5f; Kol 2,12f; 3,1; vgl. Röm 6,4.5.11.13.

leiten[69]. Freilich unterscheidet sich 2Kor 3,18 nicht nur durch das Tempus deutlich von vergleichbaren Taufaussagen. Der Motivkomplex δόξα – εἰκών – μεταμορφοῦσθαι ist bei Paulus sonst für die Umschreibung der eschatologischen Zukunft[70] ebenso reserviert wie das unmittelbare Schauen der eschatologischen Wirklichkeit[71]. Man wird deshalb unsere Stelle als bewußte Projektion des eschatologischen Verwandlungsgeschehens in die Gegenwart beurteilen müssen, ein Verfahren, das sachlich mit der streng christologischen Konzeption der eschatologischen Verwandlungsvorstellung zusammenhängen dürfte[72]. Der gegenwärtige Verwandlungs„prozeß" ist die konsequent durchgeführte

69 So Brandenburger, Auferstehung ebd.; die These, daß „die gespannte Naherwartung ... die Konzeption der Auferstehung der Glaubenden zunächst überflüssig (machte)" (20) und daß der Gedanke der gegenwärtigen Auferstehung „mindestens ebenso alt, wenn nicht älter ist" (27), wird indirekt durch B. selbst widerlegt, wenn er für die Aussage künftiger Auferstehung den „Verstehenshorizont des apokalyptischen Weltbildes" als notwendige Voraussetzung anführt, eine Voraussetzung, die – wenn überhaupt – sicher für die erste Gemeinde zu gelten hat und i.ü. die Naherwartung implizierte (keinerlei Anhaltspunkt hat auch die Behauptung von O. Cullmann, daß die Christen „in the earliest days" der Überzeugung gewesen seien, daß „believers ... would no longer die", (Immortality 30). Davon zu unterscheiden ist m.E. die Frage, ob, wann und wie die Auferstehung der Glaubenden mit dem auferstandenen Christus verbunden wurde; jedenfalls ist es ganz natürlich, daß der Gedanke der Auferstehung bei der intensiven Naherwartung zunächst im Hintergrund stand und nur auf die wenigen Toten angewendet wurde, während die Vollendung der Mehrzahl der Christen (ihre Verwandlung?) von der Parusie Christi erwartet wurde, wobei manches dafür spricht, daß auch die Totenauferstehung mit der Ankunft des Herrn von Anfang an verbunden war (vgl. z.B. 1Thess 4,16f). Wenn die Auferstehung bei Paulus teilweise als alleinige Form der Vollendung auftaucht, so geht dies sicher im wesentlichen auf seine radikal christologische Begründung der eschatologischen Ereignisse zurück; i.ü. weiß er durchaus zu differenzieren zwischen Lebenden und Gestorbenen, wenn er diese Frage thematisch angeht, 1Thess 4,13–18; 1Kor 15,51f, obgleich Verwandlung und Auferstehung gerade keine Gegensätze sind (s.u.).

70 S.u. Anm. 180.

71 Vgl. neben der geläufigen Kennzeichnung der eschatologischen Zukunft als einer „unsichtbaren", Röm 8,24f; 2Kor 4,18; auch 1Kor 2,9, vor allem 1Kor 13,12, wo ähnliche Formulierungen wie 2Kor 3,18 begegnen: πρόσωπον πρὸς πρόσωπον; δι᾽ ἐσόπτρου (sachlich freilich genau gegenteilig zu κατοπτρίζεσθαι); vgl. auch 2Kor 5,7 (anders Jervell, Imago Dei 270, der διὰ εἴδους = εἰκών versteht).

72 Die terminologische Entsprechung von Phil 3,10 und 21 spiegelt ebenfalls diesen Tatbestand: γνῶναι – συμμορφιζόμενος ist nicht auf die Taufe zu beziehen (so wiederum Jervell, Imago Dei 274), sondern beschreibt den gegenwärtigen Vollzug dessen, was in der eschatologischen Gleichgestaltung mit dem Herrlichkeitsleib Christi (σύμμορφος) von Christus zum Ziel gebracht wird: der überragenden Erkenntnis Jesu Christi als des Herrn (3,20f:8), vgl. Siber, Mit Christus leben 99–134.121. Ebenso dürfte Paulus den Aor. ἐδόξασεν (Röm 8,30) von der ersehnten Verherrlichung mit Christus her (8,17ff.29) „als Vorwegnahme künftiger Verherrlichung verstanden haben" (Siber, Mit Christus leben 155), zumal der Begriff δόξα in seiner Tauftheologie keine Rolle spielt (s.u. S. 255). Ob auch Gal 4,19 (μέχρις οὗ μορφωθῇ Χριστὸς ἐν ὑμῖν) in den Kontext der Verwandlungsaussagen gehört (so u.a. Jervell, Imago Dei 280; Behm ThWNT IV 761; Oepke, Gal 108f), ist hingegen zweifelhaft, da die eschatologische Perspektive fehlt; es ist wohl eher vom Bild der (abermaligen: πάλιν) Geburt (der Gemeinde durch den Apostel und sein Evangelium zum Leib Christi) her zu interpretieren, vgl. Schlier, Gal 214; Mußner, Gal 312f. Phil 2,15 (ὡς φωστῆρες ἐν κόσμῳ) nimmt zwar apokalyptische Verwandlungsvorstellungen auf, wendet sie aber auf die Bewährung der Gemeinde vor der Welt an, vgl. Conzelmann, ThWNT IX 337; Gnilka, Phil 152f.

225

Projektion der gegenwärtigen Herrschaft des Kyrios im Geist in die Existenz der Glaubenden. In der Person des erhöhten Kyrios ist ja die eschatologische Wesensmacht Gottes endgültig versammelt[73], im πνεῦμα κυρίου eröffnet sie sich jetzt schon als die Freiheit von Gericht und Tod (3,6.7.9), als die Freiheit der δόξα, die sich nach Röm 8,21.23 als die Erlösung unseres Leibes in der künftigen Auferweckung vollenden wird und in der Wesensgestalt des Sohnes Gottes selbst besteht (8,29). Der Geist des Sohnes (Gal 4,6) ist als der Geist der Sohnschaft (Röm 8,15) die eschatologische Freiheit der Auferweckung[74]. Das πνεῦμα hat in 2Kor 3,17f also dieselbe Funktion wie in den oben besprochenen Auferstehungstexten: „Im G(eist) manifestiert sich ... der Auferstandene mit seiner Auferstehungsmacht"[75], manifestiert sich die Wesensmacht Gottes, seine δόξα, die in der Auferweckung eschatologisch-universales Ereignis wird, als die Wesensmacht des Herrn Jesus Christus. Die Identitätsaussage in 2Kor 3,17 bringt diese radikale Konzentration der eschatologischen Wirklichkeit in der Person des erhöhten Christus auf eine prägnante Formel: ὁ δὲ κύριος τὸ πνεῦμά ἐστιν[76]. Was Auferstehung bzw. Verwandlung ist, kann deshalb für Paulus nur vom Kyrios her ausgesagt werden. Die Auferstehung der Toten bzw. die eschatologische Verwandlung ist das eschatologische Ereignis des κύριος Ἰησοῦς Χριστός als des πνεῦμα (ζῳοποιοῦν) (vgl. 3,17:6); ja, man darf hier wohl die

73 In der (An-)Erkenntnis Christi als des Herrn, der im apostolischen Evangelium präsent ist, 2Kor 4,1−5, geht für den Menschen deshalb Gott als das Licht der „neuen Schöpfung" (5,17) auf (vgl. A. Oepke, Art. λάμπω κτλ., in: ThWNT IV 17−28.26) − so wie es Paulus in der (proleptischen) Apokalypse des Sohnes Gottes (Gal 1,12. 15f) widerfuhr, 4,6. V.6 formuliert als unmittelbare Begründung von V.5 zugleich die positive Antithese zu V.4, vgl. Lietzmann, 2Kor 115; Windisch, 2Kor 138; Plummer, 2Kor 119; die apostolische Berufung ist Typos der Bekehrung (3,16) zum Herrn (vgl. Phil 3,7ff, zur (Verbindung von Schöpfungs- und) Bekehrungsterminologie in 4,6 vgl. JosAsn 8,10f; Eph 5,8; 1Petr 2,9, dazu: H. Conzelmann, Art. φῶς κτλ., in: ThWNT IX 302−349.317.337; anders Bultmann, 2Kor 111f, der φωτισμός aktivisch als „Verkündigung" faßt, vgl. 2Kor 2,14; 4,2, und V.6 deshalb allein auf den Apostel bezieht, doch vgl. 111 unten); zum „Erkenntnis"-Begriff in 4,6 vgl. 2,14; 10,5; 1Kor 13,12; Phil 3,8; Röm 1,21; Gal 4,9, dazu: Bultmann, ThWNT I 709f.

74 „πνεῦμα und ἐλευθερία sind ... ebenso Korrelatbegriffe wie πνεῦμα und ζωή" (Gunkel, Wirkungen 106, vgl. 105f), vgl. noch Gal 4,21−31; 5,1.13:16ff; Röm 8,1−11(V.2!); auch der korinthische Enthusiasmus dürfte sich mit dem Etikett „Freiheit" geschmückt haben, vgl. 1Kor 9,1.19; 10,29, sowie die Parolen 6,12; 10,23. Zur Sache vgl. Bultmann, Theologie 332−353. bes. 335ff: „Daß der Glaubende (in der Taufe) das Geschenk des Geistes empfangen hat, besagt nichts anderes als eben dies, daß ihm die Freiheit geschenkt worden ist − die Freiheit von der Macht der Sünde und des Todes" (335). Vgl. weiter E. Käsemann, Der gottesdienstliche Schrei nach der Freiheit, in: ders., Paulinische Perspektiven 211−236; H. Schlier, ThWNT II 495ff; ders., Zur Freiheit gerufen, in: ders., Das Ende der Zeit 216−233.224ff; Hermann, Kyrios und Pneuma 106−113; Niederwimmer, Freiheit 168−200 (= „Die Freiheit im Heiligen Geist (Paulus)"). bes. 188ff. Für Paulus ist die Identität von πνεῦμα und ἐλευθερία christologisch begründet, vgl. 2Kor 3,17; Röm 8,1ff; Gal 5,1; 1Kor 9,1.

75 Käsemann, Geist und Geistesgaben, in: RGG[3] II 1274.

76 Wir verstehen ὁ κύριος also mit der Mehrzahl der neueren Exegeten christologisch; der einzige ernsthafte Einwand, der sich evtl. von V.16 her gegen diese Deutung erheben könnte, scheitert daran, daß dieser Vers nicht als eigentliches Zitat von Ex 34,34 gewertet werden kann (Hermann, Kyrios und Pneuma 38), vielmehr auf V.17a hin konzipiert ist, der dann natürlich mehr ist als eine exegetische Zwischenbemerkung, nämlich die Zentralaussage der pln. Pneumatologie überhaupt (Hermann, Kyrios und Pneuma 132−139).

johanneische Formulierung wagen: der Kyrios ist die Auferstehung und das Leben (Joh 11,25; vgl. Phil 1,21; Gal 2,20).

Daß der christologische Ansatz in jeder Hinsicht maßgebend ist für das Verständnis der Auferstehungswirklichkeit bei Paulus, wird in unserem Zusammenhang schließlich zur Gewißheit erhoben durch die Fortsetzung 2Kor 4,7–5,10. Dieser Passus zeigt vor allem, daß und wie Paulus die im besten Sinn „enthusiastische" Behauptung der Gegenwärtigkeit eschatologischer Verwandlung in 3,18 (–4,6) von seiner Christologie her rechtfertigt und bewähren kann – gerade auch in den Bedrängnissen der gegenwärtigen Weltzeit. Denn Christus ist der Herr als der Gekreuzigte und Auferstandene; seine νέκρωσις und seine ζωή (4,10) machen die δόξα-εἰκών aus, die an uns „offenbart" wird (4,10b.11b) und ihre Macht entfaltet (4,12). In solcher radikal christologischen Konzeption umfaßt die eschatologische δόξα nicht nur „das Leben", sondern auch „das Sterben Jesu", die deshalb „das Leben" und „der Tod" schlechthin sind (4,12:10f). Als Manifestation des eschatologischen Ereignisses von Tod und Auferweckung Jesu unterfängt die δόξα κυρίου die Verlorenheit dieses Äons in Sünde und Tod und bricht sie auf in das eschatologische Leben Gottes hinein; apokalyptisch gesprochen: die gegenwärtige Verwandlung ἀπὸ δόξης εἰς δόξαν ist die existentielle Verwirklichung der in Tod und Auferweckung Jesu ein für allemal verwirklichten Äonenwende[77]; sie vollzieht sich als Abbruch des äußeren Menschen in den Trübsalen, welchem die tägliche Erneuerung des inneren Menschen zu einem unvergleichlichen Gewicht an δόξα korrespondiert (4,16f). Das schließt aber ein, daß der Verwandlungsprozeß in die Wesensgestalt Christi in der Gegenwart, unter den „zeitlichen" (4,18) Bedingungen dieses dem Untergang (3,7.11.13.14; 4,3) und dem Gericht (3,9) geweihten Äons nicht zum Ziel kommen kann. In den Peristasen und ihrer Überwindung erfährt sich der Christ so von Jesus, von seinem Tod und Leben beansprucht, daß er – im „Geist des Glaubens" (4,13; vgl. 5,5)[78] – auf das „Unsichtbare" gerichtet ist (4,18)[79], d.h. hinaussteht in das unverfügbare Machtereignis Gottes, die Auferweckung aus den Toten „mit Jesus" (4,14),

---

77 Von hieraus gilt der Satz Bultmanns (2Kor 84f): „Das Geschenk der δόξα bringt nach Paulus den Einzelnen in die eschatologische Situation, in der das Weltliche grundsätzlich zunichte geworden ist, so daß sich paradoxerweise die δόξα gerade im Tod manifestieren kann: 4,7ff."

78 τὸ αὐτὸ πνεῦμα τῆς πίστεως meint mehr als dieselbe „Art des Glaubens, wie das Psalmwort sie beschreibt" (= Ps 116,10) (Bultmann, 2Kor 123; Kuss, Röm 571), nämlich die Macht, die den Glauben schenkt und ausmacht, von daher dann die Gegenwart der eschatologischen Wirklichkeit Christi (4,10–12.14) im Glauben (vgl. Schweizer, ThWNT VI 423); der Übergang von V.12 zu V.14 wird so zumindest klarer.

79 Daraus ergibt sich 1. die Unanschaulichkeit der δόξα (vgl. Bultmann, 2Kor 84f), 2. die „Nichtobjektivierbarkeit" der gegenwärtigen Verwandlung (ebd. 98f); von „psychophysischen Wirkungen" des göttlichen Geistes kann in 3,18 keine Rede sein (geg. Windisch, 2Kor 130).

das Geschenk eines „ewigen, nicht mit Händen gemachten Hauses" (5,1)[80]. Wenn unser sterbliches Wesen vom Leben verschlungen ist (5,4), sind wir endgültig „zu Hause beim Herrn" (5,8): darauf hat Gott uns ausgerichtet durch das „Angeld des Geistes" (5,5). Nochmals gewinnt die enge Beziehung von Kyrios und Pneuma in Verbindung mit dem Auferstehungsgedanken[81] Profil: was Gott uns mit dem Geist keimhaft geschenkt hat, ist die Gemeinschaft mit dem Herrn in der Ewigkeit der δόξα.

Halten wir fest: Die eschatologische Wirklichkeit Gottes, welche in der künftigen Auferweckung der Toten endgültig offenbar werden wird, ist nach Paulus die Wirklichkeit des gekreuzigten und auferweckten Herrn Jesus Christus. Die eschatologische Herrschaft Gottes bricht herein in der Vollendung des Herrseins Christi. Herr ist Christus im und durch den Geist, d.h. kraft der Selbstmitteilung Gottes an ihn in der Auferweckung von den Toten. Der Geist ist die in der Person des gekreuzigten Herrn an-wesende eschatologische Lebensmacht Gottes. Auferweckung heißt deshalb totale Übermächtigung der Glaubenden durch die „eschatologische Person" Jesus Christus im Geist.

Daraus folgt, daß „Auferstehung" und „Verwandlung" für Paulus nicht als zwei „kontaktlose" eschatologische Vorstellungen nebeneinanderlaufen, sondern ein und denselben Vorgang unter verschiedenem Aspekt beschreiben[82]. 1Kor 15,42—46 meint ja nichts anderes als 15,47—49, und die Auferweckung impliziert nach 15,50—55 eindeutig die Verwandlung in Unverweslichkeit und Unsterblichkeit[83]. In ähnlicher Weise präzisiert 2Kor 5,1—4 die Erwartung der Auferweckung „mit Jesus" (4,14) als Überkleidung mit dem Himmelsleib und Verschlungenwerden des Sterblichen vom Leben. Das Existenzziel der „Auferstehung aus den Toten" (Phil 3,11) wird in Phil 3,20f als Gleichgestaltung des menschlichen Niedrigkeitsleibes mit dem Herrlichkeitsleib des Retters Jesus Christus ausgelegt[84]. Beide „Vorstellungen" sagen jeweils das ganze eschatologische Heil an, markieren also nicht verschiedene Stufen des eschatologischen Rettungsgeschehens (wie sBar 50f) und sind

---

80 Vgl. neben den Kommentaren z.St. bes. Schrage, Leid bes. 160ff, der gegen Güttgemanns (Apostel 94—124) auch die exemplarische Bedeutung der apostolischen Existenz verteidigt (159); nur so wird der Übergang in 4,13f (τὸ αὐτὸ πνεῦμα τῆς πίστεως) überhaupt verständlich.

81 2Kor 5,1—4 bezieht sich nicht auf den „Zwischenzustand" nach dem Tod, sondern spricht in dualistischer Terminologie von der eschatologischen Auferweckung bzw. Verwandlung, vgl. vor allem R. Bultmann, Exegetische Probleme des zweiten Korintherbriefes, in: ders., Exegetica 298—322.298—306; Hoffmann, Die Toten in Christus 253—285; Luz, Geschichtsverständnis 360—367.

82 Schon im apokalyptischen, aber auch im „hellenistischen" Judentum werden beide Vorstellungen miteinander verbunden, vgl. Dan 12,2f; sBar 49—51; 1Hen 51; JosAsn 8,9; 15,5; ApkMos 28; dazu: Brandenburger, Auferstehung 23—27; Fleisch und Geist 78—82. Zum pln. Befund vgl. auch A. Grabner-Haider, in: Conc(D) 5 (1969), 29—35. bes. 30ff.

83 Vgl. bes. V.52: ἐγερθήσονται ἄφθαρτοι.

84 Vgl. Röm 8,11;29.

im allgemeinen, d.h. wo solches nicht ausdrücklich vermerkt ist, auch keineswegs verschiedenen Personengruppen, d.h. Toten und Lebenden, zuzuordnen. Beide Konzeptionen erläutern sich deshalb gegenseitig. Auferweckung ist Verwandlung des im Tod befangenen menschlichen Daseins in die Lebensmacht Gottes; „Verwandlung" vollzieht sich immer nur durch den Tod und den Abbruch des Irdischen hindurch als das unverfügbare Wunder des göttlichen „Lebens aus den Toten". Gewiß mag die Auferweckungserwartung im ganzen stärker theo-logisch, als exklusive Tat des göttlichen Gottes, die Verwandlungsvorstellung hingegen aus soteriologischer Sicht entworfen sein: die Texte lassen keinen Zweifel daran, daß hier wie dort theo-logischer und soteriologischer Aspekt zusammengehören[85] und einander bedingen, weil sie ihre Einheit finden im auferweckten Herrn Jesus Christus, durch den ja die eschatologische, alles Unheil überwindende Macht Gottes, die in seiner Auferweckung Ereignis wurde, endgültig alles in ihren Bann schlagen und so die Glaubenden retten wird. Die Gnadengabe Gottes, das ewige Leben in Christus Jesus, ist eben die endgültige Teilhabe an der Auferstehung Jesu und damit die Vollendung der eschatologischen Heilsmacht seiner Geschichte, seines Todes und seiner Auferweckung, an uns, Röm 6,23:5.8.11–13. Hatten wir oben die künftige Auferweckung aufgrund ihrer spezifisch pln. Zuordnung zur Auferweckung Jesu als Identifikation Gottes mit den Glaubenden in Jesus Christus zu fassen versucht, so können wir nun die „Verwandlung" als konkrete Durchführung dieser Sicht interpretieren: in der künftigen Auferweckung wird menschliches Dasein eingeholt und überwältigt von dem, was in der Auferweckung des gekreuzigten Christus definitiv angebrochen ist: von der absoluten Zukunft, welche die Selbstmitteilung, die Liebe Gottes in seinem für uns dahingegebenen Sohn Jesus Christus ist.

Wir haben deshalb zu untersuchen, ob und wie sich auf der Grundlage der pln. Auferstehungs- und Verwandlungstexte die eschatologische Geschichte Jesu Christi als die Signatur des künftigen Vollendungsgeschehens beschreiben läßt.

---

85 Röm 8,29 ist eingebettet in eine Kette prädestinatianischer Aussagen, 1Kor 15,42ff muß insgesamt im Horizont der Herrschaft Gottes (V.50) gelesen werden (vgl. V.20ff:28), Phil 3,20f versteht die Verwandlung als Ausbruch der (Christus verliehenen, vgl. Ps 8,7; 1Kor 15,27) kosmischen Mächtigkeit Gottes (vgl. den die Unverfügbarkeit und reine Gnadenhaftigkeit des Heils umschreibenden Parusiegedanken); der gegenwärtige Verwandlungs„prozeß" 2Kor 3,18 vollzieht sich durch die Schau der Herrlichkeit des eschatologischen Schöpfergottes auf dem Angesicht Christi (4,6), vgl. auch 5,5:1–4.

3. Die Auferweckung Jesu von den Toten als die Signatur der künftigen Auferweckung der Glaubenden

a) Auferweckung aus den Toten als Leben aus dem Tod Christi

Wir sahen oben, daß die Auferweckung der eschatologische Selbsterweis des göttlichen Gottes genannt werden muß, weil sie das schlechthinnige Wunder endgültiger Überwindung der (Sünden- und) Todesmacht ist, welche die Schöpfung in ihrer versehrenden Gewalt hält. Auferweckung ist etwas anderes als Befreiung des todüberdauernden Selbst aus der Fessel des Irdischen und Vergänglichen, der todverfallenen Leiblichkeit[86]. Auferweckung hat als ihren „Ort", ihren „Angriffspunkt" gerade den Tod selbst und alles, was von ihm gezeichnet ist, betrifft also wesentlich die („sterblichen") Leiber[87]. Auferweckung heißt Schöpfung aus dem Nichts (Röm 4,17). Gerade darin ist sie der unumschränkte Herrschaftsantritt Gottes, nur so stellt sie überhaupt eine Denkmöglichkeit dar: „Du Tor, was du säst, wird nicht lebendiggemacht, wenn es nicht (zuvor) stirbt ... Gott aber[88] gibt ihm einen Leib, wie er will ...", 1Kor 15,36.38. Was für die Korinther jeden Gedanken an (leibliche) Auferweckung ad absurdum führte, macht der Apostel hier als die unumgängliche „Voraussetzung" des künftigen Lebens geltend[89]; sie besteht gerade darin, daß jede Vorgabe und jeder Anknüpfungspunkt und damit jeder Anspruch auf Auferweckung im Tode zunichte werden muß, vgl. 2Kor 1,9. Auferweckung setzt Nichts als Bedingung ihrer Möglichkeit voraus — Nichts als den Tod jeder menschlichen und weltlichen Möglichkeit. In diesem Sinn wendet Paulus jedenfalls das Bild vom Samenkorn[90] auf die Totenauferstehung

86 Einmal, 2Kor 5,6—8, greift Paulus solche dualistisch-gnostisierenden Kategorien auf, korrigiert diese Inkonsequenz (Brandenburger, Fleisch und Geist 177) freilich sofort durch den Gerichtsgedanken (V.9f); vielleicht lagen ähnliche Anschauungen auch der korinthischen Auferstehungsleugnung zugrunde, wofür die Polemik in 1Kor 6,12ff sprechen könnte, doch vgl. Spörlein, Leugnung 171ff. Zur Verwendung des Auferstehungsgedankens in der Gnosis vgl. H.-M. Schenke, Auferstehungsglaube und Gnosis, in: ZNW 59 (1968), 123—126.

87 Vgl. Röm 8,11.23; 1Kor 6,14:13; 15,35ff; 2Kor 4,14:7ff; Phil 3,21.

88 Wiederum das betonte, adversative ὁ δὲ θεός! vgl. 1Kor 6,13.14; es legt den Nerv der gesamten pln. Position in 1Kor schlaglichtartig bloß, vgl. bes. K. Barth, Die Auferstehung der Toten, München 1924, der deshalb 1Kor 15 als die Mitte und den Höhepunkt des Briefes betrachtet; anders R. Bultmann, GuV I 38—64.51.64, der für Kap. 13 optiert.

89 Vgl. zur Bestimmung der korinthischen Position Spörlein, Leugnung 95—121 (mit umfassender Diskussion). 190ff; dazu oben S. 107f.

90 Vgl. dazu H. Braun, Das „Stirb und werde" in der Antike und im Neuen Testament, in: ders. Ges. Studien 136—158. 150—145.

an[91]. Der Tod muß dabei als Index für die gesamte Unheilskonstitution des Menschen und seiner Welt gewertet werden. Die dualistischen Antithesen in V.42ff schneiden jeden Gedanken einer in menschlichem Wesen begründbaren Kontinuität mit der Unverweslichkeit, Herrlichkeit und Kraft des Auferstehungslebens im Geist prinzipiell ab: „Fleisch und Blut *kann* Gottes Herrschaft *nicht* in Besitz nehmen ..." (V.50). Die Verheißung künftiger Auferweckung gründet allein in ihr selbst, in der Wesensmacht Gottes, die allem irdisch-fleischlichen Wesen, aller Vergänglichkeit, Unehre und Schwachheit inkommensurabel gegenübersteht. Auferweckung – als der „Sieg" der Herrschaft Gottes – impliziert deshalb die Vernichtung alles Rein-Irdischen und Gottfeindlichen, 1Kor 6,13:14[92]; 15,24ff; nur so kann „*Gott* alles in allem sein" (1Kor 15,28).

Das bedeutet natürlich nicht, daß Auferweckung reine, objektlose Selbstverwirklichung Gottes ist, der Welt und Mensch nur als negative Folie dienten. Gottes Auferweckungshandeln hat vielmehr die „Rettung" des Menschen aus dem Tode[93] und damit zugleich die Vollendung seines konkretleiblichen Daseins zum Ziel. „Objekt" der Auferweckung sind ja gerade die σώματα. Aber auch die Leiblichkeit und Persönlichkeit des Menschen schlägt keine Brücke von der irdischen zur himmlischen Seinsweise[94]. Die Argumentation von 1Kor 15,39–41, daß Gottes Macht, (verschiedenartige) σώματα zu schaffen, unbegrenzt ist[95], läuft auf das genaue Gegenteil hinaus.

91 Das „nackte Korn" (V.37) wird gerade nicht auf seine, gegenüber der ausgewachsenen Pflanze insuffiziente Körperlichkeit hin betrachtet, so daß es implizit die Kontinuität von irdischer und himmlischer Leiblichkeit sicherte, sondern als solches, das überhaupt erst durch seinen Tod seine Leiblichkeit als Gottes Geschenk erhält. Nur in diesem Fall stellte die Argumentation des Paulus in 1Kor 15,35ff eine überzeugende Antwort auf das Problem der Korinther dar, wie denn trotz des Todes, wo das σώμα vernichtet wird, Auferstehung (des Leibes!) möglich sein soll, vgl. Spörlein, Leugnung 100, der mit seiner gegenteiligen Interpretation von V.36f (101f.114) m.E. seiner eigenen Analyse der korinthischen Fragestellung widerspricht. Vgl. etwa Braun, aaO. 143f; Schweizer, ThWNT VII 1057–1059; Bauer, Leiblichkeit 92–94; Weiß, 1Kor 368f; Käsemann, Leib 134.

92 Vgl. dazu die Wertung der κοιλία im Sinne von σάρξ in Röm 16,18; Phil 3,19, und der βρώματα in Röm 14,15ff; 1Kor 8,7ff; bemerkenswert ist die durchgehend eschatologische Perspektive und Bewertung: „Die Herrschaft Gottes besteht nicht in Speise und Trank ..." (Röm 14,17); „Speise bringt uns nicht vor Gott." (1Kor 8,8; παριστάναι in 2Kor 4,14 Ergebnis der Auferweckung!), vgl. Röm 16,18:20; Phil 3,19:20f.

93 Vgl. 2Kor 1,10; auch Röm 5,9f; 7,24; 11,26:15.

94 Vgl. Anm. 91. Paulus nimmt damit nicht nur eine strikte Gegenposition zur rabbinischen Auferstehungslehre ein, die ja bekanntlich ein körperliches Substrat (Rückenwirbel) postulierte (vgl. Volz 250), sondern radikalisiert auch – durch die entschlossene theo-logische Perspektive – die sonstige frühjüdische Auferweckungsvorstellung, wo „die Identität des Auferstehungsleibes nicht materiell gesichert (ist), sondern ... auf der genauen Entsprechung von Leib und Seele (beruht), derzufolge sich ein Mensch immer nur in derselben Leiblichkeit konkretisieren kann." (Stemberger, Der Leib der Auferstehung 116).

95 Vgl. Weiß, 1Kor 368.370; Spörlein, Leugnung 102 A.3.

Auferweckung bedeutet das Geschenk neuer Leiblichkeit, einer Leiblichkeit, in der Gott sich als Gott offenbar verwirklicht. Wie V.28 zeigt, wird Gott selbst ja „im" auferweckten Menschen eschatologisch herrschen.

Diese Herrschaft ist nach Paulus definiert in Jesus Christus, dem „letzten Adam", der, von den Toten auferweckt, „zum lebenschaffenden Geist" wurde (1Kor 15,45). D.h.: Was ihm widerfuhr, wird uns widerfahren, sein Schicksal wird uns in der Auferweckung zum $\sigma\tilde{\omega}\mu\alpha$ $\pi\nu\epsilon\upsilon\mu\alpha\tau\iota\kappa\acute{o}\nu$ endgültig eingeholt haben – so wie im Sterben unsere irdisch-geschichtliche Wesensbestimmung durch Adam besiegelt wird (1Kor 15,21a.22a; Röm 5,12ff). Christus, „der zweite Anthropos", ist *der* Mensch $\grave{\epsilon}\xi$ $o\grave{\upsilon}\rho\alpha\nu o\tilde{\upsilon}$, der Mensch der Herrschaft Gottes (1Kor 15,47ff): in ihm *hat* Gott sich schon ein für allemal verwirklicht, „so" kommt „durch" ihn „auch die Auferstehung der Toten" (15,21b), „die himmlischen (Menschen)" (15,48b), die neue Menschheit der Herrschaft Gottes[96].

„In Christus" muß deshalb auch die Kontinuität zwischen dem „Leben im Fleisch" (Gal 2,20; 2Kor 10,3; Phil 1,22) und der „himmlischen" Seinsweise der Auferweckten gegeben sein. Das eschatologische Handeln in und an Jesus Christus schafft sich selbst Voraussetzung und Anknüpfungspunkt, die gesuchte Kontinuität ist der Vollzug des eschatologischen Gnadengeschehens Jesu Christi an uns, in dem Gott das Unheilsverhängnis der Welt durchbrochen hat[97]. In den dualistischen Kategorien von 1Kor 15,42ff konnte (und wollte)[98] Paulus dies freilich nicht zum Ausdruck bringen. Sie mußten selbst durchbrochen werden, um das eschatologische Wunder der Überlegenheitstat Christi aussagen zu können. Das läßt sich in unserem Zusammenhang vor allem an der Verwendung der Adam-Christus-Antithese ablesen. 1Kor 15,21f. 45 dient sie dazu, die Wirklichkeit künftiger Totenauferweckung von Christus her zu sichern, wobei der dualistisch-spekulative Ansatz durch die Begründung in der Auferweckung Jesu (V.20.45f) abgebogen bzw. zumindest gemildert wird. Röm 5,12–21 ist die Korrektur dann konsequent durchgeführt von der Geschichte, der Tat Jesu Christi her[99]: der Gehorsam dieses einen Menschen

96 Vgl. Röm 8,29: die vollendeten Christen als „Brüder" Christi. Für die Interpretation der Adam-Christus-Antithese in 1Kor 15 verweise ich neben den Kommentaren und Brandenburger, Adam und Christus 70–77, sonderlich auf Scroggs, The Last Adam 82–112, der Paulus eine „Adamic Christology" zuschreibt, in welcher Christus Verwirklichung und Mittler der wahren, von Gott intendierten Menschheit sei; dabei kommt freilich das theologische Interesse, das diesem Gedanken erst seine eigentliche Schärfe verleiht, zu kurz, was wesentlich mit der religionsgeschichtlichen Einordnung zusammenhängen dürfte, vgl. dazu auch Käsemann, Röm 132–137; Conzelmann, 1Kor 338ff.

97 Vgl. auch Bauer, Leiblichkeit 186: „Die Kontinuität und Identität des Menschen kann ... nur als die im Akt der Identifikation des eschatologischen Schöpfers mit seinem Geschöpf gesetzte Identität im Zeit-Raum Jesu Christi zur Sprache gebracht werden."

98 Es geht hier um den Nachweis der Faktizität des Auferstehungsleibes, den Paulus durch die Hervorhebung der göttlichen Wundermacht erbringt.

99 Vgl. bes. Brandenburger, Adam und Christus 219ff, der „die Unvergleichbarkeit des Adam- und Christusgeschehens" als Skopus von V.15–17 aufweist.

durchbrach das tödliche Verhängnis der ungehorsamen Verfehlung Adams (V.19) und ließ „aus vielen Übertretungen" die Gerechtigkeit erstehen, welche im Geschenk des ewigen Lebens mündet (V.16ff). Die Gerechtigkeitstat (V.18b) des Gehorsams Jesu Christi bildet sozusagen den irdischen Ansatzpunkt, die „weltliche" Voraussetzung für das eschatologische Wunder der allen geltenden Gnade Gottes, d.h. für die Auferstehung der Toten (vgl. V.17.18.21).

Dieser Gehorsam (in welchem Christus sich als der Sohn Gottes erwies) bestand ja in der Übernahme und Aneignung der menschlichen Seinsweise, der Knechtschaft unter der Sünde (und dem Gesetz) bis zur äußersten Konsequenz, bis zum (Fluch-)Tod am Kreuz, vgl. Phil 2,6–8; Röm 8,3; 15,3; 2Kor 5,21; Gal 3,13; 4,4f. Das Unheilsverhängnis des Menschen und seiner Welt, wurde, indem Gottes Sohn in ihm seinen Gehorsam verwirklichte, aufgebrochen und bereitgestellt für die eschatologische Gnadentat Gottes. In der Hingabe Christi ist der Tod zur Möglichkeit des Lebens geworden.

„Gott aber hat den Herrn auferweckt" (1Kor 6,14a): die Möglichkeit ist zur Wirklichkeit des „Lebens aus den Toten" (Röm 11,15) geworden und damit für uns – gerade in unserem leiblich-irdischen Dasein – zu einer von Gott schon wahrgenommenen Möglichkeit: „ ... er wird auch uns auferwecken durch seine Macht." (1Kor 6,14b). Da wir dem Herrn gehören, und an seine Wirklichkeit, den Geist, enteignet sind (1Kor 6,13b.15.17.19), ist die Sterblichkeit und Vergänglichkeit, der wir in unserem Leib unterworfen sind, aufgebrochen und bereitgestellt für die Unsterblichkeit und Unverweslichkeit der Herrschaft Gottes, die sich in der Auferweckung unserer sterblichen Leiber an uns offenbaren wird. Denn „dem Herrn gehören" heißt, teilhaben an seinem Geschick. Wer in der Taufe seinem Tod verbunden und gleichgestaltet ist (Übers. E. Käsemann), dem ist damit zugleich die künftige Auferweckung gewiß (Röm 6,5.8); Christus starb ja in die endgültige Freiheit von der Sünde, in das Leben für Gott hinein (6,7–10). Christi Tod, in welchem die universale Todesherrschaft kumulierte, *ist* das „Einfallstor" des eschatologischen Lebens Gottes für alle Welt. „Leben aus den Toten", „Auferstehung der Toten" heißt also: *Leben aus dem Tod Christi*, oder – mit Paulus zu sprechen –: „mit Christus sterben, um mit ihm zu leben" (Röm 6,8), „gleichgestaltet werden mit seinem Tod, um zur Auferstehung aus den Toten zu gelangen" (Phil 3,10b.11). Die „Leiden der jetzigen Zeit", in denen sich der Tod Christi leibhaftig an uns bekundet, werden für die Glaubenden deshalb geradezu zur tragenden und tröstenden Verheißung der „Erlösung des Leibes" in der unausdenklichen Glorie Gottes: „Wir leiden mit Christus, *um* mit ihm verherrlicht zu werden." (Röm 8,17ff; 5,2ff; 2Kor 1,3–11; 4,7–18; Phil 3,10f; vgl. auch 2Kor 13,4b; Gal 6,14f:17; Phil 1,29:28).

Diese existentielle Gleichgestaltung mit dem Tod Christi, die das ewige Leben (mit Christus) verbürgt, beschränkt sich für Paulus natürlich nicht auf die Erfahrung von

Leid und Bedrängnis[100], sondern macht von der Taufe her das ganze (irdische) Leben des aus Glauben Gerechtfertigten aus. Das läßt sich auch aus dem Kontext der pln. Auferstehungszeugnisse ohne weiteres erheben. So vollzieht sich die überwältigende „Erkenntnis Jesu Christi" nach Phil 3,7ff als Preisgabe jedes eigenen, „fleischlichen" Vertrauens, d.h. als Verlust jeder Möglichkeit, das Leben (vor Gott) aus eigener Kraft zu gewinnen. Nur im radikalen Abschied von sich selbst gibt es das Vertrauen auf den Gott, der die Toten erweckt (2Kor 1,9). Indem der Christ „vergißt, was hinter ihm liegt, und sich ausstreckt nach dem, was vor ihm liegt" (Phil 3,13), wird er gleichgestaltet mit dem Tod Christi und ergreift so die ihm von Gott geschenkte Gerechtigkeit „durch den Glauben an Christus", die sich in der Auferweckung vollendet (3,9—11)[101]. Nach Röm 6 „haben" wir „als Ziel ewiges Leben" (V.22), wenn wir die mit der Taufe gewährte Freiheit von der Sünde im Vollzug der „Heiligung" währen (V.19.22); d.h. aber, wenn wir — „in Christus Jesus" (V.11) — anerkennen, daß wir für die Sünde tot sind (V.11—13), und uns im Dienst des leiblichen Gehorsams Gott bzw. der Gerechtigkeit zur Verfügung stellen (V.13.15ff). Das „Leben aus den Toten" bildet den direkten, ausschließenden Gegensatz zum Dasein unter der Sündenmacht (V.13). Röm 8,13 nennt als die Bedingung des künftigen Lebens, „im Geist die Taten des Leibes zu töten"; Gal 5,22—25 zeigt, daß Paulus damit den christlichen Existenzvollzug als ganzen im Zeichen des Kreuzes beschreibt, weil nur von diesem her das Erbe der Gottesherrschaft (V.21), die neue Schöpfung (6,14f), eröffnet ist[102].

Christliche Existenz steht also in das eschatologische Ereignis der Auferstehung von den Toten hinaus, *weil sie von Jesu Tod herkommt.* Indem sie diesen ihren Ursprung in der Preisgabe aller Eigen-mächtigkeit und jedes Selbst-ruhmes ergreift, ist sie in *allen* ihren Vollzügen Vor-bereitung und Öffnung für das unverfügbare Wunder der künftigen Totenauferweckung durch Gott. Dann wird sich der Mensch ja als ganzer — in seiner Leiblichkeit — neu und endgültig geschenkt, dann wird ihm die Existenz des Glaubens selbst als Wunder der Gnade Gottes enthüllt.

Dieses Verständnis christlicher Existenz im Horizont künftiger Totenauferweckung in Christus Jesus *entspricht* offensichtlich genau dem Zentralgedanken der pln. Verkündigung, *der gnadenhaften Rechtfertigung allein aus Glauben.* Iustificatio impiorum geschieht im Zeichen, ist Inauguration der resurrectio mortuorum. Zwar hat Paulus beide Gedankenreihen nur in Phil 3,9—11 explizit miteinander verknüpft, doch es kann kein Zweifel daran bestehen, daß auch die übrigen Auferstehungszeugnisse allein im Zusammenhang seiner Rechtfertigungslehre voll zu verstehen sind. Für Röm 6,5.7; 8,11.23.29; 11,15 ist dies ja ohnehin durch Thema und Duktus des Briefes gesichert. Entscheidend ist die gemeinsame christologische Begründung. Ist die Gerechtigkeit Gottes in Tod und Auferweckung Christi erschienen für

---

100 Obwohl diese, wie die Peristasen des Apostels zeigen, eine besonders ausgezeichnete Weise der gegenwärtigen Erfahrung und Nachahmung Christi sind, vgl. Schrage, Leid 164: „Peristasen sind der bevorzugte Ort der theologia crucis, in denen die Kreuzestheologie in Welt- und Geschichtserfahrungen verlängert und expliziert wird."

101 Vgl. weiter die Auslegung von Phil 3 oben S. 158ff.

102 Vgl. 2Kor 5,9f, wo die Bewährung vor dem Herrn zur entscheidenden Voraussetzung der Auferweckung (5,1—4) erhoben wird.

jeden, der glaubt, Röm 5,21ff; 2Kor 5,21 usw., so dürfen wir die künftige Auferstehung der Toten im Sinne des Paulus als den endgültigen Sieg der Gerechtigkeit Gottes in Jesus Christus interpretieren, durch welchen dem Glaubenden „umsonst durch seine Gnade" die erhoffte Gerechtigkeit (Gal 5,5) zuteil werden wird. Wir können somit feststellen: Paulus hat die theo-logische Radikalisierung des Auferstehungsgedankens von seiner Rechtfertigungslehre her[103] konsequent in das christliche Existenzverständnis hinein ausgezogen. Denn: Gottes Gerechtigkeit ist der gekreuzigte und auferstandene Christus, der alles — durch den Glauben — in sein Heilsgeschick einbezieht[104]. Was der Glaubende ist und was er tut, steht deshalb unter dem eschatologischen Vorbehalt Gottes, d.h. hat Sinn und Gültigkeit nur *als* Gnade Gottes in Jesus Christus, welche sich endgültig offenbaren wird als die Auferweckung der Toten.

b) Auferweckung des Leibes

Diesen eschatologischen Totalanspruch Gottes und der „Hoffnung auf unseren Herrn Jesus Christus" (1Thess 1,3) hat Paulus vor allem dadurch herausgestellt und gesichert, daß er betont von Auferweckung des *Leibes*[105] spricht. Das Gewicht des σῶμα-Begriffs im Ganzen pln. Theologie macht es unmöglich, darin lediglich eine „weltanschauliche" Vorgabe oder Reminiszenz im Denken des Apostels zu erkennen, für den als Juden ein Leben ohne Leib eben unvorstellbar gewesen sei[106]. Es geht vielmehr um das Zentrum der pln. Auferstehungstheologie.

So ist die Auferweckung der sterblichen Leiber in Röm 8,11 der entscheidende Schlußakt der Rettung „aus diesem Todesleib" (7,24; vgl. 8,23). In 1Kor 15,35ff bildet die Frage der Leiblichkeit offensichtlich den Angelpunkt der Auseinandersetzung zwischen Paulus und seinen Gegnern: was für diese den Auferweckungsgedanken gerade unmöglich machte, erscheint in der pln. Argumentation als sein entscheidendes Kriterium; allein in der neuen Leiblichkeit trägt Gottes Herrschaft den Sieg über Sünde und Tod

103 S.o. S. 214.

104 Vgl. Phil 3,8–11; 1Kor 1,30; 2Kor 5,21; Röm 10,3f.

105 Vgl. zum σῶμα-Begriff und seiner eschatologischen Verwendung: Bultmann, Theologie 193–203; Kümmel, Römer 7 20–24; Käsemann, Leib bes. 118–135; Anthropologie; Abendmahlslehre 29ff; Apokalyptik 125–131; Güttgemanns, Apostel 199–281; Schweizer, ThWNT VII 1024–1091.1057ff; ders., Die Leiblichkeit des Menschen. Leben – Tod – Auferstehung, in: ders., Beiträge zur Theologie des Neuen Testaments 165–182. bes. 176ff; Bauer, Leiblichkeit (dort auch ausführliche Diskussion der neueren Forschung: 13–66).

106 I.ü. eine These, die religionsgeschichtlich nicht unumstritten ist; G.W.E. Nickelsburg glaubt jedenfalls für Jub 23,27–31 und 1Hen 102–104 eine Auferstehung allein der „Geister" der Gerechten wahrscheinlich machen zu können (Resurrection 31–33.123.171f); dagegen betont G. Stemberger, daß die „Geister" bzw. „Seelen" prinzipiell körperlich gedacht seien (Der Leib der Auferstehung 115); immerhin konstatiert auch Nickelsburg „a movement toward resurrection of the body as the standard means and mode for making possible a post mortem judgment" (Resurrection 174).

davon (V.54f). Indem Gott den Toten aus der Souveränität (V.38) seiner Lebensmacht heraus ihren Geist-Leib schenkt, wahrt er sein eschatologisches Schöpferrecht; und umgekehrt kann nur in diesem Fall von einer endgültigen Überwindung der Vergänglichkeit und Schwachheit des Menschen die Rede sein; sonst „stehen wir erbärmlicher da als alle Menschen" (V.19). In ähnliche Richtung zielt Paulus, wenn er sich 1Kor 6,12–20 der Unzucht widersetzt, weil sie schlechterdings unvereinbar ist mit der totalen, leiblichen Enteignung an den Herrn, welche Gott in der künftigen Auferweckung „durch seine Macht" zum Ziel bringt. Entsprechend fordert die (vorläufige) Gegenwart des Auferstehungslebens den leiblichen Gehorsam gegen Gott, Röm 6,12f. Wer von Gott mit dem Himmelsleib überkleidet werden soll, muß in seiner leiblichen Existenz dem Herrn wohlgefällig sein, 2Kor 5,1–5:6–10. Die künftige Auferweckung bringt als Gabe eines neuen Leibes von Gott definitiv zur Geltung, was schon jetzt die christliche Existenz prägt: daß sie leiblich-konkret die eschatologische Übermacht Gottes offenbar werden läßt, 2Kor 4,7ff. Gerade an der konstitutiven Leiblichkeit des Menschen wird klar, daß er das „Ziel" der himmlischen „Vollkommenheit" nicht aus eigener Kraft erreichen kann, Phil 3,12ff, sondern daß es ihm in der „Auferstehung aus den Toten" geschenkt werden muß, 3,11; Christus, der kosmische Herrscher, hat allein die Macht, die Hinfälligkeit und Ausweglosigkeit unseres leiblichen Daseins aufzuheben, nämlich in die Seinsweise seines Herrlichkeitsleibes hinein, Phil 3,20f.

Das σῶμα bildet also bei Paulus das anthropologische Korrelat der eschatologischen Selbstoffenbarung Gottes. Auferweckung ist durch diesen Bezug auf die Leiblichkeit entscheidend definiert; am σῶμα fällt die Entscheidung über Heil und Unheil, über den Sieg Gottes oder des Todes. Dabei bezeichnet σῶμα – wie vor allem 1Kor 6,12–20; Röm 6,12f und 2Kor 5,6ff zeigen – den Menschen in der Ganzheit seiner konkret gelebten Möglichkeiten[107]. Auferweckung zielt also nicht auf die abstrakte „Persönlichkeit", das „Ich" des Menschen jenseits seiner Geschichte, sondern umfaßt und ergreift ihn gerade mitsamt seiner konkret-zeitlich, in der Verantwortung vor dem Herrn verwirklichten Möglichkeiten. In der Auferweckung des Leibes verwirklicht Gott die Ganzheit und Vollkommenheit gläubigen Daseins. Damit weist die Auferweckung der Glaubenden aber dieselbe Struktur auf wie die Auferweckung Jesu Christi[108]. Wegen ihrer konstitutiven Beziehung auf die Leiblichkeit müssen wir auch die künftige Auferweckung als In-begriff menschlicher Existenz kraft der Überwältigung durch die Lebensmacht Gottes interpretieren, und d.h. als das Geschenk der ewigen Gegenwart des zeitlich-verantwortlichen Daseins des Menschen in Vollkommenheit vor Gott[109].

Umgekehrt sichert Paulus durch den σῶμα-Begriff die absolute Unverfügbarkeit, den reinen Gnadencharakter dieser in der Auferweckung eröffneten Ganzheit menschlichen Daseins. Als „Leib" gehört der Mensch nicht

---

107 Vgl. den Wechsel von σῶμα und μέλη in Röm 6,12f.19; 7,5.23f; 12,4f; 1Kor 6,15; 12,12ff, dazu: Bultmann, Theologie 195f (die Interpretation von Schweizer, ThWNT VII 1062,9ff, erscheint mir dagegen zu einseitig).

108 Vgl. oben S. 117ff.

109 Vgl. Grabner-Haider, Conc(D) 5 (1969), 33: „es wird erwartet, daß alles, was im Leben eines Menschen anfanghaft da ist, in das Geheimnis Gottes hinein aufgehoben wird." Vgl. S. 121.

sich selbst, sondern seinem jeweiligen Herrn[110], sei es Gott bzw. Christus oder der Sünde und dem Tod[111]. In seiner Leiblichkeit verfügt der Mensch also gerade nicht über eine Möglichkeit, aus sich selbst das ewige Leben zu erlangen. Nur als θνητὸν σῶμα – als Mensch, der mit Christus (in der Taufe) gestorben ist und die Freiheit von der Sünde in der täglichen Absage an sich selbst und seine eigenen Möglichkeiten vollzieht, Röm 6,12f; 8,10f.13[112] – „hat" er „Anspruch" auf die Vollkommenheit seiner Existenz. Insofern, d.h. in solchem radikalen Verfügtsein an die Unverfügbarkeit göttlichen Handelns, markiert Leiblichkeit den „eschatologischen Vorbehalt"[113]. Die Auferweckung des Leibes erscheint dann als das „Ziel" (τὸ τέλος, Röm 6,22; vgl. 8,6. 27:23.29) und die Vollendung dessen, was dem Glaubenden grundsätzlich schon im Geist geschenkt ist (Röm 8,1–11; 2Kor 5,1–4:5; auch Röm 8,23): des neuen Lebens („aus den Toten"), Röm 6,4.13; Phil 3,10f, in welchem er endgültig die Fremde überwunden und seine Heimat gefunden hat, 2Kor 5,6–9; Phil 3,20f. „Auf Hoffnung hin gerettet" schauen wir nach dem aus, was durch den Geist schon anfanghaft eröffnet ist, nach der Erlösung unseres Leibes, Röm 8,24:23. Damit sind wir aber gerade in unserer Leiblichkeit radikal unter den Anspruch der eschatologischen Zukunft gestellt. Die Erwartung der unverfügbaren Auferweckungstat Gottes, welche auf die sterblichen Leiber zielt, schaltet die Verantwortlichkeit des gerechtfertigten Menschen nicht aus, sondern fordert vielmehr ständige existentielle Bewährung, vgl. Röm 6,12–21; 1Kor 6,12–20; 2Kor 5,6–10; auch Phil 3,20f:17ff. Weil menschliches Dasein allein durch Auferweckung zur Vollendung kommen kann, ist diese sein letztes Kriterium, seine absolute Norm.

Es ist deshalb nur konsequent – und keineswegs ein Bruch der ansonsten rein soteriologisch orientierten Auferweckungserwartung –, wenn Paulus in 2Kor 5,10 auf das *Gericht Christi* verweist, in dem „jeder den Lohn empfängt für das, was er bei Leibesleben getan hat, sei es Gutes oder Böses". In der künftigen Auferweckung des Leibes steht nicht weniger als die Ganzheit menschlicher Existenz auf dem Spiel, geht es um nicht weniger als Bleiben oder Vernichtetwerden (2Kor 3,11; 1Kor 13,13:8; 6,14:13), Leben und Tod. Wo der Mensch mit allem, was er gelebt hat, von der eschatologischen Wirklichkeit Gottes ergriffen wird, wird offenbar, ob (und inwieweit) er dieser in seinem Leibesleben entsprochen hat. Die Auferweckung des Leibes aber ist das definitive, wirksame Urteil Gottes, *daß* er „dem Herrn wohlgefällig ist", 2Kor 5,9. Die Rechtfertigung aus Gnade vollendet sich in der freien Gabe des ewigen Lebens[114]. In der Auferweckung des sterblichen

---

110 Vgl. Bultmann, Theologie 259; Schweizer, ThWNT VII 1062f; Bauer, Leiblichkeit 184f, und vor allem Käsemann, Anthropologie 43ff (54!) u.ö.

111 Röm 6,6.12f; 7,4f.24; 12,1; 1Kor 6,13ff; vgl. auch 2Kor 4,10; Gal 6,17; Phil 1,20.

112 Vgl. 2Kor 4,11; das σῶμα θνητόν ist der Leib des Christen, geg. Osten-Sacken, Römer 8 239ff. Zur Differenzierung und Interpretation von σῶμα τῆς ἁμαρτίας, σῶμα νεκρόν, σῶμα θνητόν und σῶμα πνευματικόν vgl. Käsemann, Leib 123f, und Bauer, Leiblichkeit 154f.162f.183ff.

113 „Die Sterblichkeit des Leibes ist der seiner Versuchlichkeit zugeordnete Zeitcharakter": Käsemann, Leib 124.

114 Vgl. Röm 5,10.17.18.21; 1,17; Gal 3,11 (=Zit. Hab 2,4).

Leibes wird endgültig und offenbar verwirklicht, daß der Glaubende in allem, was er ist und tut, allein aus Gottes gnädigem Freispruch lebt.

Auferweckung des Leibes heißt deshalb bei Paulus grundsätzlich *Gabe des neuen Leibes*, der nicht der „Niedrigkeit" (Phil 3,21), Sterblichkeit (2Kor 5,4; 1Kor 15,53f) und Vergänglichkeit (1Kor 15,42.50.53f) und mit all dem der Versuchlichkeit unterworfen ist[115]. Dieses „nicht mit Händen gemachte, ewige Haus von Gott" (2Kor 5,1), das σῶμα πνευματικόν, ist die Weise, in der das eschatologische Leben, das allein in der Verfügungsmacht Gottes steht, über uns hereinbricht und unser eigen wird. Die unausdenkliche, unverfügbare Wirklichkeit Gottes, seine Unverweslichkeit, Herrlichkeit und Macht, wird in der Auferweckung *als* σῶμα πνευματικόν an uns Ereignis. Gott selbst schenkt sich uns in seiner Wesensmacht als den Sinn und die Ganzheit unseres leiblich-irdischen Daseins. Die neue Leiblichkeit bringt damit eschatologisch den Sinn der leiblichen Konstitution des Menschen zur Geltung: daß der Mensch mit allem, was er lebt, mehr ist als er selbst, nämlich das, was Gott an ihm tut, was Gott ihm schenkt[116]. Die neue Leiblichkeit ist die eschatologische Präsenz des rechtfertigenden Gottes als unser Leben; sie ist die anthropologisch-soteriologische Konkretion der Herrschaft Gottes, Ereignis und Zeichen der endgültigen rückhaltlosen „Identifikation" Gottes mit uns. Auferweckung des Leibes ist das Ereignis des „Gott alles in allem". „Leiblichkeit ist das Ende der Werke Gottes" (F.Chr. Oetinger)[117].

Wir sehen: Die pln. Auferstehungstheologie wird entscheidend bestimmt durch das Interesse an der Leiblichkeit des Menschen. Die Frage drängt sich auf, ob und wie sich dieses Interesse vereinbaren läßt mit unserer Grundthese von der durchgängig christologischen Konzeption der künftigen Auferweckung. Diese Frage erhält dadurch besonderes Gewicht, daß sich die Behauptung eines apokalyptisch-kosmologischen Horizonts der pln. Eschatologie und von daher der pln. Theologie insgesamt wesentlich auf diese zentrale Bedeutung der Leiblichkeit meint stützen zu können. In solchem „apokalyptischen" Horizont meint Leiblichkeit die „Weltlichkeit" des Menschen, ist „Leib" Index der eschatologischen Schöpfung, der neuen *Welt*, auf welche Gott, den Einzelnen und sein Heil übergreifend, letztlich zielt. „Anthropolo-

---

115 Vgl. bes. Käsemann, Leib 134.

116 Man kann also im Sinne des Paulus nicht 2Kor 5,1ff und 1Kor 15,44 gegen Stellen wie Röm 8,11; 1Kor 6,14 ausspielen; erst die spannungsvolle Zusammenschau beider Aussagegruppen läßt den ganzen Sachverhalt erkennen. Der Streit um die Deutung von ἀπολύτρωσις τοῦ σώματος ἡμῶν (Röm 8,23) (gen. sep. oder obj., vgl. etwa Bauer, Leiblichkeit 173f mit A.82) ist deshalb müßig, vgl. Käsemann, Röm 227. Ebensowenig bildet die moderne Frage nach der Identität von irdischem und auferwecktem Menschen (vgl. z.B. Guntermann, Eschatologie 183–191) für den Apostel ein Problem.

117 Zitiert nach Bauer, Leiblichkeit 28f A.124 (vgl. den Titel des Buches). Vgl. die Interpretation des σῶμα als „Geschöpflichkeit" durch Käsemann, Leib 120–125. 133.

gie" ist „konkretisierte Kosmologie"[118]. Auferweckung des Leibes ist Anbruch der kommenden *Welt*, die allein der Herrschaft des eschatologischen Schöpfers entsprechen kann. Spiegelt sich in der Betonung der Leiblichkeit also das apokalyptische Gesamtinteresse pln. Theologie und läßt sich dieses auch als Horizont seiner Christologie verifizieren – oder prägt nicht vielmehr umgekehrt diese die Sicht der leiblichen Auferweckung bei Paulus?

Nun muß sogleich auffallen, daß Paulus den Leib als Objekt der Auferweckung immer in unmittelbare Beziehung zu Person und Wirken Christi setzt, vgl. Röm 8,10.11 (23 = $\upsilon\iota o\vartheta\epsilon\sigma\iota a$); 1Kor 6,13.14; 15,44.45; auch 2Kor 4,14:7–12. Gerade die (nicht nur terminologisch) singuläre Stelle 2Kor 5,1–11 bietet dafür einen eindrucksvollen Beleg, wenn Paulus in V.6–10 die Gabe himmlischer Leiblichkeit (V.1–4) als die endgültige Gemeinschaft mit dem Herrn interpretiert, die eben jetzt die leibliche Bewährung im Glauben fordert. Am prägnantesten hat der Apostel diese Beziehung der (Auferstehungs-)Leiblichkeit zu Christus in *1Kor 6,12ff* zur Sprache gebracht[119]. Das exklusive Zueinander von $\kappa\acute\upsilon\rho\iota o\varsigma$ und $\sigma\tilde\omega\mu a$, wie es V.13 formuliert, gilt ja gerade im Hinblick auf die künftige Auferweckung durch Gottes Macht (V.14) – genauso wie umgekehrt Speise und Bauch aufgrund ihrer künftigen Vernichtung durch Gott als völlig indifferent zu gelten haben. Weil das eschatologische Leben im Herrn begegnet, fordert es schon jetzt den ganzen Menschen für sich an. Der Herr aber ist der, den Gott auferweckt hat; mit der Auferweckung Jesu zum Herrn hat Gott den eschatologischen Anspruch auf unseren Leib, den die künftige Auferweckung einlösen wird, angemeldet. Von der Auferweckung Jesu Christi her muß Paulus die Auferweckung auch unseres Leibes thematisieren.

Man darf also die Interpretation der $\kappa\acute\upsilon\rho\iota o\varsigma$-$\sigma\tilde\omega\mu a$-Relation in V.13 nicht von der Auferweckungsaussage in V.14 isolieren. Damit entfällt aber V.13 als Hauptbeleg für die „kosmologische" Deutung der (Auferstehungs-)Leiblichkeit des Menschen[120]. Die singuläre

---

118 Käsemann, Anthropologie 56; vgl. den ganzen Artikel sowie etwa: Apokalyptik 129; Gottesdienst im Alltag der Welt, in: EVB II 198–204.200; Abendmahlslehre 29.32 (dazu: Bauer, Leiblichkeit 46–49); differenzierter: Bauer, Leiblichkeit 187f.

119 Vgl. Güttemanns, Apostel 226–240; Bauer, Leiblichkeit 72–82; Käsemann, Apokalyptik 129; ders., 1. Korinther 6,19–20, in: ders., EVB I 276–279.

120 Vgl. etwa Käsemann, Apokalyptik 129: Man kann den Nachsatz in 1Kor 6,13 „nur dann verstehen, wenn man sich klar macht, daß 'Leib' für Paulus eben nicht, wie Bultmann meint, das Verhältnis des Menschen zu sich selbst ist, sondern jenes Stück Welt, das wir selber sind und für das wir als die erste uns gegebene Gabe des Schöpfers auch Verantwortung tragen. 'Leib' darf gerade nicht primär von dem Individuum aus gesehen und gedeutet werden. Es ist für den Apostel der Mensch in seiner Weltlichkeit, also in seiner Kommunikationsfähigkeit. Christus ist nicht zuerst und zuletzt zu Individuen gekommen und für sie da. Das wäre Paulus ein unvorstellbarer Gedanke, so oft und lang er in der Kirche gedacht worden ist. Weil Christus in die Welt kam und Welt für sich als den Platzhalter Gottes will, deshalb ist er für den Leib als die Realität unseres Weltseins und die Möglichkeit etwa unserer Mitmenschlichkeit da. Im leiblichen Gehorsam der Christen als dem Gottesdienst im Alltag wird sichtbar, daß Christus Weltherr ist, und nur wenn das über uns sichtbar wird, wird es als Botschaft glaubhaft."

Formulierung in V.13bβ: καὶ ὁ κύριος τῷ σώματι – die m.E. eher rhetorischen Charakter hat, jedenfalls eindeutig als Pendant zu V.13aβ: καὶ ἡ κοιλία τοῖς βρώμασιν, gebildet ist – läßt sich in ihrer Verknüpfung mit V.14 schwerlich anders als soteriologisch verstehen, meint also nicht den Kosmokrator, der sich mit unserer Leiblichkeit ein Stück der rebellierenden Schöpfung unterwirft auf die neue Welt der Gottesherrschaft hin, sondern artikuliert von der eschatologischen Vollendung Christi in der Auferweckung her seine ihm darin verliehene Herrscherstellung als die vorläufige Anwesenheit jenes Heils, das sich eschatologisch für uns in der Auferweckung des Leibes vollenden wird. Das σῶμα wird hier demnach gerade nicht „funktional", als Repräsentanz der Schöpfung verstanden, sondern als das Ziel selbst, um welches es in Christi Herrschaft geht. Dem entspricht die Forderung an den Christen, ungeteilt – als σῶμα – für den Herrn dazusein. Der nähere und weitere Kontext bestätigt diese Auslegung. Paulus begegnet dem enthusiastischen Existenzverständnis (V.12!) der korinthischen Christen bezeichnenderweise nirgends, indem er ihre „Weltverantwortung" im Zeichen der anbrechenden Welt-Herrschaft Gottes beschwört, sondern durchweg so, daß er christliche Existenz gerade durch ihre jede andere Beziehung *ausschließende* Bindung an den Herrn bzw. Gott definiert, und zwar betont in eschatologischer Blickrichtung. Die Anwendung des Grundsatzes von V.13b auf das Problem der Unzucht in V.15ff läßt daran keinen Zweifel. Paulus argumentiert allein mit der totalen Beschlagnahmung des Christen durch Gott bzw. Christus, die keinerlei Kompromiß duldet, sondern als solche in der leiblichen Verherrlichung Gottes wahrgenommen werden will. Ein „kosmologisches" Interesse wird nicht einmal implizit erkennbar und kann auch nicht generell mit der Vorstellung eschatologischer Herrschaft verbunden werden[121]. Die Ausführungen des Apostels in 1Kor 7 schließlich schneiden jeden Gedanken daran von vornherein ab, vgl. bes. 7,17–24.32–35.

Daß Paulus die leibliche Auferweckung *nicht* als Chiffre für den eschatologischen Herrschaftsanspruch Gottes auf die Welt insgesamt gebraucht, wird weiter dadurch erhärtet, daß in dem apokalyptischen Passus 1Kor 15,23–28 der Begriff σῶμα nicht verwendet wird; wo er auftaucht, in V.35ff, kann an der rein soteriologischen Aussagerichtung kein Zweifel bestehen. Selbst in Röm 8,23, wo Paulus die *gemeinsame* Zukunft von Mensch und Welt thematisiert[122], spricht er – ganz im Sinne der leitenden soteriologischen Perspektive – im Blick auf das Schicksal der Christen „individualisierend" von der „Erlösung *unseres* Leibes". Gewiß nimmt der Christ in seinem sterblichen Leib an der Unerlöstheit des Kosmos teil und spiegelt sich in der „Erlösung unseres Leibes" die Befreiung des Kosmos von der Vergänglichkeit; aber es kann hier ebensowenig wie sonst die Rede davon sein, daß den Apostel die Leiblichkeit speziell als Zeichen für die übergeordnete Weltbezogenheit des eschatologischen Schöpfers interessiert. Auferweckung des Leibes umschreibt vielmehr die Totalität und Endgültigkeit des Heils, das Gott dem Menschen in Christus zugedacht hat und das in der Einbeziehung der gesamten menschlichen Wirklichkeit in die göttliche Lebensmacht besteht, welche im auferweckten Herrn bleibend als menschliche Heilsmöglichkeit versammelt ist.

121 Die unmittelbar vorangehende doppelte Warnung 6,9.10, daß Ungerechte die Herrschaft Gottes nicht in Besitz nehmen werden, ist rein soteriologisch orientiert, vgl. Gal 5,21. Auch der Topos der eschatologischen Weltherrschaft der Christen, 1Kor 3,21f; 4,8; 6,1ff (zum apokalyptischen und stoischen Hintergrund vgl. Weiß, 1Kor 89f) wird gegen seinen enthusiastischen Mißbrauch nicht „kosmologisch", durch Betonung der „Weltverantwortung", geschützt, sondern durch die exklusive Bindung an Christus und Gott, vgl. 1Kor 3,23.

122 Wobei die kosmologischen Vv.19–22 dazu dienen, die Größe der δόξα, welche die Christen erwartet, herauszustellen, vgl. unten S. 247f.

Diese Sicht bewährt sich endlich auch an der Verwandlungsaussage Phil 3,21. Allein die Tatsache, daß der Apostel die gesamte vorausgehende antienthusiastische Polemik in Phil 3 ohne jedes apokalyptisch-kosmologische Argument bestreitet, hat fast schon durchschlagende Beweiskraft. In einer Engführung, die in den übrigen Briefen ihresgleichen sucht[123], werden die christlichen Existenz und ihre Vollendung, wird der eschatologische Vorbehalt ausschließlich in der Person Jesu Christi begründet. V.20f rundet den Gedankengang in entsprechender Weise ab. Der Hinweis auf die Macht Christi, „mit der er sich auch das All zu unterwerfen vermag" (V.21b), hat hier keine selbständige Bedeutung, sondern dient, wie die anschließende Mahnung zu eschatologischer Standhaftigkeit „im Herrn" zeigt (4,1), der ermunternden Vergewisserung der Heilszukunft[124], vgl. Röm 8,18:19–21.34ff; 1Kor 15,27[125]. Christus vermag unsere in Niedrigkeit befangene Leiblichkeit deshalb zu verwandeln, weil er als der Herr aller Welt überlegen ist, und d.h.: ihrer Nichtigkeit, ihren Mächten und Gewalten, Phil 2,9–11; Röm 8,34ff; 1Kor 15,24ff. Hier gilt die künftige leibliche Verwandlung geradezu als der Zweck der kosmischen Herrscherstellung Christi, das „kosmologische" Argument ist Funktion des leitenden soteriologischen Interesses. Das καί vor ὑποτάξαι macht jedenfalls eine umgekehrte Gewichtung von V.21a und b (im Sinne einer übergreifenden apokalyptisch-kosmologischen Perspektive) unmöglich. Zudem spiegelt V.21b eine „enthusiastische" Tradition, die im Anschluß an Ps 8,7 Jesu Auferweckung und Erhöhung als Unterwerfung der Weltmächte deutete, in welcher das Heil der Glaubenden beschlossen liegt.[126] ὑποτάσσεσθαι meint in solchem Zusammenhang wahrscheinlich nicht die „Befriedung", sondern die „Vernichtung" der Unheilsmächte[127] — eine Bedeutung, die schlechterdings nicht mit der Verwandlungsaussage in Einklang zu bringen ist, so daß auch eine sachliche Parallelisierung von V.21a und b (καί) nicht in Frage kommt. Das eschatologische Heil erscheint vielmehr radikal in der Person Jesu Christi konzentriert: es ist nichts anderes als das σῶμα τῆς δόξης αὐτοῦ (und seine μορφή)! Die Vollendung ist also prinzipiell leiblich konzipiert, weil sie im Herrn Jesus Christus gegeben ist. D.h.: Paulus begründet die Auferweckung des Leibes exklusiv in der Auferweckung Jesu Christi zum „Leib der Herrlichkeit" (die als solche — wenn überhaupt — Index der endgültigen Überwindung des Alls und seiner Niedrigkeit ist, aber keinesfalls der Anbruch eines neuen Kosmos). Die radikal christologische Durchführung der Polemik gegen das Vollkommenheitsbewußtsein der Gegner[128] gewinnt damit erst ihre letzte Schlüssigkeit. Christus zu gewinnen und in ihm erfunden zu werden (3,8f) heißt entscheidend: zur Auferstehung aus den Toten zu gelangen (3,11) (und umgekehrt); „Erkenntnis Jesu Christi als des Herrn" kann nicht im enthusiastischen Erleben und in Vollkommenheitsdemonstrationen, sondern allein in der leiblichen Verwandlung in

---

123 Sie zeigt sich hier vor allem auch in der Verwendung von Ps 8,7: sonst immer auf Gott bezogen, der Christus alles unterworfen hat (Aorist), vgl. 1Kor 15,17; Eph 1,22; Hebr 2,8, erscheint hier Christus selbst als Subjekt der Unterwerfung (αὐτῷ = reflexiv), die freilich, dem Aussageziel entsprechend, nur als (zukünftige) Möglichkeit seiner Macht genannt wird.

124 Gnilka, Phil 208: „Es geht nur darum, daß seine Allmacht als der Grund erwiesen werden soll, der die endgültige σωτηρία sicherstellt."

125 Vgl. oben S. 155.

126 S. o. S. 146 Anm. 305.

127 S. o. S. 155 Anm. 343.

128 Vgl. zur Einzelbegründung oben S. 158ff.

die Seinsweise Christi zur Vollendung gelangen – weil die eschatologische Herrenstellung Christi, seine δόξα und damit unsere „Vollkommenheit", leiblich definiert ist[129].

Fazit: Die Akzentuierung leiblicher Auferweckung verrät an keiner Stelle ein weitergehendes oder gar primäres kosmologisches Interesse der Eschatologie, speziell der Auferstehungstheologie des Apostels. Sie hat vielmehr durchweg soteriologischen Sinn, der um so deutlicher hervortritt, je stärker die Heilserwartung auf die Person Christi konzentriert ist. Auferweckung des Leibes gründet in der leiblichen Auferweckung Jesu und ist abschließender Nachvollzug seines Heilsgeschicks an den Glaubenden.

In Röm 8 hat Paulus diese Sicht konsequent aus dem Christusereignis heraus entwickelt und in die Mitte seines eschatologischen Heilsverständnisses eingebunden. Grundlage dieser These ist die Beobachtung, daß Paulus die Auferweckungsaussage V.11 durch V.10 explizit auf die christologische Grundaussage V.(1–)3f zurückgeführt und damit auch mit dem weiteren Zusammenhang von Röm 7,13ff verknüpft hat. Sicher scheint mir, daß V.10 auf die Zusage leiblicher Auferweckung in V.11 vorbereiten soll, indem er die V.4ff kennzeichnende Antithetik von σάρξ und πνεῦμα zusammenfaßt, zugleich aber durch die Einführung des σῶμα-Begriffs in den Horizont der eschatologischen Vollendung christlicher Existenz stellt. Das geschieht bezeichnenderweise so, daß die genannte Antithese selbst von der Heilsperson Christi umgriffen – und ihr Dualismus insofern durchbrochen wird. Die Folge von πνεῦμα θεοῦ – πνεῦμα Χριστοῦ – Χριστός leitet geschickt diese Wendung des Gedankens ein, ist also mehr als spielerische Variation des Nomens in einer Folge gleichbedeutender Konditionalsätze[130]. Der Titel Χριστός, vom Apostel meist in Verbindung mit der Heilstat Jesu und z.T. als chiffrenartige Zusammenfassung derselben gebraucht[131], schlägt bewußt die Brücke zu V.3f. D.h.: die christologische Aussage von V.3 wird in V.10 anthropologisch angewendet, V.11 formuliert – durch explizite Bezugnahme auf die Auferweckung Jesu – das eschatologische Ziel der Heilsherrschaft Christi, bestätigt damit die triumphierende These von

---

129 Das ist ziemlich genau das Gegenteil der Deutung der κύριος-σῶμα-Relation durch E. Güttgemanns (Apostel 199–281), wonach das σῶμα gerade die entscheidende Differenz zwischen Erlöser und Erlöstem markiert und der erhöhte Christus deshalb kein (individuelles) haben kann; G. muß dann natürlich Phil 3,20f auf einen vorpln. Hymnus zurückführen (240–247), kann jedoch nicht plausibel machen, wieso Paulus im Rahmen einer Auseinandersetzung, die mit derjenigen von 1/2Kor durchaus vergleichbar ist (vgl. 246 A.38!), als krönenden Abschluß seiner Polemik ausgerechnet die bekämpfte gegnerische Position zu Ehren bringt; überdies scheint mir der Nachweis einer zusammenhängenden Tradition nicht gelungen; zur Kritik vgl. bes. Bauer, Leiblichkeit 57–62.132–140. Daß bei unserer Interpretation Christus und die Christen nicht letztlich ineinander aufgehen, sichert gerade der σῶμα-Begriff (vgl. auch die σὺν Χριστῷ -Aussagen); hier liegt jedoch keineswegs das Zentrum der eschatologischen Vorstellungen des Paulus.

130 So (mit vielen anderen) Hermann, Kyrios und Pneuma 65.

131 Vgl. Kramer, Christos 147f.

7,25a; 8,1f[132] und rundet so die Eingangsverse von Röm 8 zu einem geschlossenen Gedankengang ab.

Trifft diese Analyse zu, dann wird man V.10b „in beiden Gliedern" als „eine Beschreibung des Heilszustandes"[133] verstehen müssen, wie er durch die Taufe auf Christus Jesus (Röm 6,3ff) herbeigeführt wurde[134]. σῶμα ist im Sinne der von Christus gebrochenen Macht der σάρξ zu interpretieren[135] : das σῶμα als ein der Sünde verfallenes ist – durch die Einwohnung Christi in uns – „tot" (νεκρόν), weil Gott durch die Sendung seines Sohnes in die Seinsweise des Sündenfleisches der Sünde im Fleisch das Urteil gesprochen hat (V.3). „Wenn Christus in uns ist", wird an uns nachvollzogen, was Gottes Sohn in seiner „Sendung" übernommen und vollzogen hat. Für jeden, der „zu Christus gehört" (V.9b)[136], ist das Sein „im Fleisch" (V.8.9a) abgetan, „der Leib der Sünde vernichtet" (Röm 6,6), die „Rettung aus diesem Todesleib"[137] eröffnet (Röm 7,24): weil die Sünde im Fleisch dadurch von Gott verurteilt, d.h. vernichtet wurde, daß sein Sohn die Seinsweise des „Sündenfleisches" übernahm (Röm 8,3), d.h. die kosmische Unheilsgewalt der Sünde, die dem Menschen bis in seine leibliche Realität (seine „Glieder") hinein ihr tödliches Gesetz aufzwingt, an seinem Leib bis zur letzten Konsequenz, dem Tod am Kreuz, trug und auskostete[138].

Man kann immerhin fragen, ob Paulus mit dem „bekenntnisartigen" (O. Michel), wohl in der Abendmahlsliturgie verwurzelten Topos[139] τὸ σῶμα τοῦ Χριστοῦ in Röm 7,4 nicht genau diese Dimension des christologischen Befreiungsgeschehens stichwortartig anklingen lassen wollte. In jedem Fall ist hier ja die leibliche Hingabe Jesu in den Kreuzestod, der Kreuzesleib Christi gemeint[140], der in der Taufe sakramental gegenwärtig ist[141], was wie in Röm 8,9f als Befreiung aus der Sphäre des Fleisches und der todbringenden Versklavung an die „Leidenschaften der Sünden ... in unseren Gliedern" (V.5) und als neues

132 8,1 läßt sich anders als 7,25b nicht als Glosse wahrscheinlich machen, da die Aussage sachlich durchaus in den Zusammenhang paßt, vgl. die umfassende Diskussion bei Paulsen, Überlieferung 23–29.

133 Kuss, Röm 503.

134 Kuss, Röm 504; Käsemann, Röm 214; anders etwa Siber, Mit Christus leben 82.

135 Vgl. Bauer, Leiblichkeit 162f; Käsemann, Röm 214.

136 Vgl. Röm 14,8; 1Kor 1,12; 3,23; 2Kor 10,7; Gal 5,24; 1Kor 15,23; auch 1Kor 6,19; 1Thess 5,6.8; Apg 9,2; Hebr 10,39; vgl. Bauer WB s.v. εἰμί IV 1. u. 2. = Sp. 447; Bl.-Debr. § 162,7.

137 Mit Michel, Röm 180; Käsemann, Röm 199, ist τοῦ σώματος τοῦ θανάτου τούτου als geschlossene Wendung aufzufassen; anders z.B. Kümmel, Römer 7 63f; sachlich hat die Frage keine Bedeutung.

138 Schweizer, ThWNT VII 133: „Wenn der Gottessohn daher ἐν ὁμοιώματι σαρκὸς ἁμαρτίας erscheint und Gott die Sünde ἐν τῇ σαρκί verurteilt, dann denkt Paulus an die Leiblichkeit des irdischen Jesus, der gekreuzigt wurde." Vgl. Osten-Sacken, Römer 8 236–242. Zum Verhältnis von σάρξ und σῶμα vgl. die oben Anm. 105 angegebene Literatur.

139 Vgl. 1Kor 11,24.27.29; 10,16, dazu etwa Schweizer, ThWNT VII 1064–1066; Neuenzeit, Herrenmahl 176f.

140 Schweizer, ThWNT VII 1064; Michel, Röm 167.

141 Käsemann, Röm 178.

Leben aus dem Geist (V.6) entfaltet wird. Dann wäre Röm 7,4 zu interpretieren: Christus hat unsere ausweglose Situation − sie wird in 7,7ff näher entfaltet: das Wirken der Sünde mittels des Gesetzes in unseren Gliedern − dadurch überwunden, daß er sie als solche, in seinem Leib, radikal auf sich genommen hat. Sein Tod war (stellvertretende) Übernahme unseres nichtigen Daseins, dieses wurde − durch seinen „leiblichen" Tod − selbst „getötet" (V.4), „vernichtet" (V.6), so daß wir nun „einem anderen gehören, dem von den Toten Erweckten, um Gott Frucht zu bringen" (7,4b). Beachten wir, daß sich die Gegenwart dieses Auferweckungslebens Christi nach Röm 6,12f leiblich, in unseren Gliedern konkretisiert, so ergäbe sich nicht nur, daß hier die leibliche Auferweckung Jesu vorausgesetzt wäre, sondern auch daß in dieser bzw. schon im Tod Jesu, dem eschatologischen Befreiungsgeschehen von der Sünde in den Gliedern, der eschatologische Anspruch auf die Leiblichkeit des Menschen angemeldet wäre, der in der Auferweckung der sterblichen Leiber endgültig eingelöst wird. Mit der traditionellen Wendung διὰ τοῦ σώματος τοῦ Χριστοῦ wäre dann hier im Grunde der Gedanke von 7,24; 8,1−11 schon vorweggenommen.

Für Röm 8,1−11 wird man jedenfalls schwerlich bestreiten können, daß der Apostel die Auferweckung der sterblichen Leiber als Konsequenz der „leiblichen" Dimension und Intention des Christusereignisses versteht. Unter dieser Voraussetzung werden der Gedankenfortschritt von V.10 zu V.11 und die Auferweckungsaussage V.11 erst voll verständlich. Daß Christus unsere Seinsweise, die σὰρξ ἁμαρτίας übernahm, bedeutete ja die Durchbrechung ihres Wesens − mitten in und durch die Entfaltung ihrer äußersten Macht. Zur Seinsweise des Sohnes Gottes geworden, wurde die „Feindschaft gegen Gott" (V.7) zum „Ort" des „Gefallens" vor Gott (V.8), d.h. des Lebens und Friedens (V.6) − und also in ihr Gegenteil verkehrt. Genau das vollzieht sich auch an uns durch die Einwohnung Christi in der Macht des Geistes: Geist, das bedeutet − als Beschlagnahmung menschlichen Daseins durch die eschatologische Wirklichkeit Christi − „Leben" in und aus dem definitiv dem Tod(esurteil Gottes) ausgelieferten menschlichen Dasein, weil Verwandlung der Rebellion und Feindschaft gegen Gott in den Stand des Gehorsams der Gerechtigkeit[142]. Der rhetorisch geschliffene antithetische Parallelismus in V.10b will also gerade nicht dualistisch eine endgültige Überwindung der Leiblichkeit durch den Geist als Heil verkünden, sondern beschreibt die Weise der vorläufigen Anwesenheit des Lebens in Christus Jesus, das gerade auf „diesen Todesleib" zielt (7,24), weil es prinzipiell Leben „aus den Toten" ist. Als solches ist es in der Auferweckung Jesu „aus den Toten" endgültig angebrochen (V.11). Hier hat Gott den Anspruch auf unsere Leiblichkeit schon vorweg eingelöst, den er mit der Sendung seines Sohnes in die Seinsweise des Sündenfleisches erhoben hatte. Der auffällig verdoppelte Hinweis auf die Auferweckung Jesu mit dem jeweils betonten ἐκ νεκρῶν rückt diesen Gedanken pointiert in den Vordergrund. Das ἐκ νεκρῶν markiert für den Apostel offenbar die eigentliche Dimension und das letzte Ziel der Heilstat Gottes in Christus: die Leiblichkeit[143]. Mit dem Geist aber sind die Christen

---

142 Zum Verständnis des doppelten διά c. acc. = „im Hinblick auf", vgl. Käsemann, Röm 214.

143 Das Nebeneinander von Auferweckung Jesu und Auferweckung der Glaubenden spricht i.ü. deutlich dafür, daß der erhöhte Herr nach Paulus ein individuelles σῶμα besitzt, vgl. Bauer, Leiblichkeit 137−140, geg. Güttgemanns, Apostel 247−271.

jetzt schon leiblich (1Kor 6,17ff) in die Dimensionen des Christusgeschehens hineingenommen: ist das σῶμα , durch die Teilhabe an Christi eschatologischem Tod, selbst „tot im Hinblick auf die Sünde" (V.10b), so ist ihm darin die Aussicht auf die künftige Auferweckung eröffnet, weil Gott auch Christus „von den Toten" erweckt hat; „in Christus" ist der Mensch jetzt σῶμα θνητόν (V.11; vgl. 6,6–11:12). Indem Gott auch die sterblichen Leiber lebendigmacht, wird er uns endgültig vom Gesetz der Sünde und des Todes befreit haben in das Leben des Geistes hinein, wie es „in Christus Jesus" verwirklicht ist (V.2).

Wir können nun als gesichertes *Ergebnis* festhalten, daß die besondere Bedeutung der eschatologischen Leiblichkeit des Menschen bei Paulus aus seiner Sicht des Christusereignisses resultiert. Für diese ist aber in Röm 8,1– 11 ebensowenig wie sonst ein spezifisch apokalyptisch-kosmologisches Interesse nachweisbar, das sich in der Leiblichkeit des Menschen spiegelte. Im Gegenteil: dort, wo Paulus den σῶμα-Begriff einführt (V.10f), werden die dualistischen Antithesen (σάρξ – πνεῦμα) gerade ihres ursprünglich kosmologischen Sinnes beraubt und für die Interpretation der Heilswirklichkeit Christi fruchtbar gemacht. Wiederum kommt das σῶμα nur in soteriologischer Hinsicht, als „Gegenstand" des Christusereignisses in Betracht, der angeblichen Frontstellung gegen einen „exaltierten Enthusiasmus" fehlt jede Stütze im Text[144]. Nicht einmal der Aspekt der Heilsbewährung wird hier speziell mit dem σῶμα-Begriff verknüpft (doch vgl. V.13). Mit ihm wird vielmehr das eschatologische Thema angeschlagen, und zwar als die Tiefendimension der Christologie, welche in V.3 durch den Sendungsgedanken artikuliert wird. Die Auferweckung des Leibes ist *das letzte Ziel der Inkarnation des Sohnes Gottes;* sie ist die endgültige und offenbare Verwirklichung des leiblichen Gehorsams des Gottessohnes und seiner Liebe als des eschatologischen Heils an uns.

c) *Die Herrlichkeit des Sohnes Gottes als die eschatologische Seinsweise der Glaubenden*

Die neue Leiblichkeit ist deshalb nichts anderes als die εἰκών Christi, die Seinsweise des Sohnes Gottes; in ihr wird Gott uns einen Sieg über die feindlichen Mächte von Sünde und Tod, den er „durch unseren Herrn Jesus Christus" errungen hat, endgültig zu eigen geben, vgl. Röm 7,25; 1Kor 15,57, wird er sich selbst in seiner Herrlichkeit als unsere und aller Welt Zu-

---

144 Geg. Käsemann, Röm 213; diese die gesamte Paulus-Interpretation K.s beherrschende These einer ständigen Auseinandersetzung mit dem Enthusiasmus der hellenistischen Gemeinden, welche der Apostel im Zeichen der Apokalyptik geführt habe (so daß man fast vom einen auf das andere schließen kann), hält m.E. einer Nachprüfung nicht stand, vgl. die Hinweise bei R. Bultmann, Ist die Apokalyptik die Mutter der christlichen Theologie? , in: ders., Exegetica 476–482.479ff; Luz, Geschichtsverständnis 384–386; J. Becker, Erwägungen zur apokalyptischen Tradition in der paulinischen Theologie, in: EvTh 30 (1970), 593–609.

kunft gewähren. Paulus hat diesen Gedanken auf dem Höhepunkt des Röm, in *8,18–39*, in unüberbietbarer Form zur Sprache gebracht. Als Fortsetzung von Röm 8,1ff bestätigt er unsere bisherige Analyse und ermöglicht uns eine letzte Abrundung unserer Interpretation des pln. Auferstehungsgedankens.

Die Verse Röm 8,18–30[145], die uns im Zusammenhang vornehmlich interessieren, stehen in einer christologischen Klammer. In V.12–17a hat Paulus, in parakletischer Folgerung und Fortführung des Heilszuspruchs von V.1–11, „das Sein im Geist als Stand in der Kindschaft"[146] beschrieben. V.17 greift Paulus die christologische Interpretation des Geistes von V.14–16[147] explizit auf[148] und wendet sie ins Eschatologische, d.h. er deutet die Gotteskindschaft „juristisch" als Anwartschaft des künftigen Erbes Gottes, indem er sie (und damit die Gegenwart des Geistes) unter das Gesetz des Heilsgeschicks Christi, seines Leidens und seiner Verherrlichung stellt[149]. Wird im folgenden die δόξα, die sich an uns offenbaren soll, und ihre absolute Unvergleichlichkeit thematisiert, so ist eben von diesem Erbe die Rede, das Christus schon angetreten hat und als der Sohn Gottes für uns repräsentiert, wie V.29 zeigt[150], der die künftige δόξα, die Offenbarung der Söhne Gottes beschreibt. V.18–30 stellt demnach eine ausführliche Begründung (γάρ, V.18)[151] der These von V.17b dar[152], daß wir „Erben Gottes, aber Miterben Christi sind, da wir ja mit (ihm) leiden, um mit (ihm) verherrlicht zu werden"[153]. V.18 präzisiert, worauf Paulus mit der sentenzartigen Schlußwendung von V.17c abzielt; d.h. „die eschatologische Finalität"

---

145 Vgl. neben den Kommentaren: Schlier, Römer 8,18–30; Balz, Heilsvertrauen; Paulsen, Überlieferung 107ff; Osten-Sacken, Römer 8 260ff; Luz, Geschichtsverständnis 369–386.

146 Käsemann, Röm 215.

147 Vgl. Gal 4,6f; Hermann, Kyrios und Pneuma 94–97. Zur Verbindung von Geistausgießung und eschatologischer Sohnschaft vgl. TestJud 24,2f.

148 Zu 8,17b als „Zielpunkt" von 8,14–17 vgl. Osten-Sacken, Römer 8 134–139. 138f.

149 Das Schema παθήματα – δόξα ist traditionell, vgl. Paulsen, Überlieferung 111f; zu V.17 vgl. oben S. 206ff.

150 V.17 und 29 sind offensichtlich bewußt durch die σύν-Komposita aufeinander bezogen.

151 Vgl. bes. Osten-Sacken, Römer 8 139–142.

152 V.19–22.23–25.26–27 bilden dabei einen einheitlichen Begründungszusammenhang (vgl. das dreifache στενάζειν/στεναγμοί, V.22.23.26), der nicht in „konzentrischen Kreisen" (Käsemann, Röm 221 im Anschluß an T. Zahn, vgl. Balz, Heilsvertrauen 33), sondern in deutlicher Steigerung (Schöpfung – Glaubende – Geist) aufgebaut ist, die dann in der prädestinatianischen Aussage V.28–30 mündet, die ihrerseits den Anknüpfungspunkt für den triumphierenden Lobpreis der Liebe Gottes in Christus bietet (V.29b:32!).

153 Durch μέν – δέ stellt Paulus die strenge christologische Bindung des eschatologischen Erbes unübersehbar heraus (Osten-Sacken, Römer 8 135f) und leitet so zur Thematik „Leiden – Herrlichkeit" über; zu εἴπερ vgl. Bl.-Debr. § 454,2.

($\ddot{\iota}\nu\alpha$) der Leiden auf die Herrlichkeit in V.17c bestimmt gerade *nicht* V.19–30[154], sondern ist umgekehrt durch V.18 auszulegen. Der Skopus ist entsprechend die *absolute Unvergleichlichkeit*[155] *und Überlegenheit der künftigen Glorie gegenüber den Leiden dieser Zeit* (V.18)[156]; diesem Aussageziel dienen auch die apokalyptischen Verse 19–22[157].

154 Geg. Osten-Sacken, Römer 8 138.262ff passim. Auch die Bestimmung von V.18 wirkt recht eigenartig (142: „grundsätzliche Erklärung", nicht Thema von V.18–30).O.-S. wird hier zum Opfer seiner m.E. unhaltbaren traditionsgeschichtlichen Rekonstruktionen (vgl. vor allem 78ff, wo er eine 8,19–22[+].23[+].26[+] umfassende Überlieferung postuliert), die ihm den Blick für die Einheit der pln. Argumentation in V.19–27 verstellen. Abgesehen von der fragwürdigen Beweisführung anhand von Terminologie, Stil und Kontext, die ich hier nicht im einzelnen besprechen kann, scheint mir diese Traditionshypothese wesentlich aus dem prinzipiellen Vorurteil zu resultieren, daß die hier vor allem begrifflich scharf markierte Dialektik von Gegenwart und Zukunft des eschatologischen Heils (V.14–17:18–27) für Paulus nicht möglich gewesen sei (vgl. z.B. 85: „Die Behauptung jedoch, daß sie, sc. die Pneumatiker, noch durch die Vergänglichkeit geknechtet werden, wird man schwerlich dem Apostel zuschreiben wollen ..."), ein Vorurteil, das seinerseits dem einseitig soteriologischen Ansatz der gesamten Interpretation O.-S.s entstammen dürfte (vgl. die Bestimmung des Themas von Röm 8: 56ff.143, den Untertitel sowie die Definition der Soteriologie „als Begriff für die Einheit von Christologie, Pneumatologie und Eschatologie": 12) und deshalb die bleibende Vorordnung der Christologie, in welcher das „Interesse" Gottes als das „Interesse" des Menschen gewahrt ist, nicht in den Blick bekommt (symptomatisch ist, daß die $\delta\delta\xi\alpha$ ohne weitere Diskussion als Heilsgut interpretiert wird). Völlig unverständlich muß dann jedoch bleiben, wieso Paulus eine Tradition aufnehmen kann, die mit wesentlich identischer Begrifflichkeit Konträres zum Ausdruck bringt, ohne daß der diese Begrifflichkeit ($\upsilon\iota o\iota$/$\tau\acute{\epsilon}\kappa\nu\alpha$ $\theta\epsilon o\tilde{\upsilon}$/$\pi\nu\epsilon\tilde{\upsilon}\mu\alpha$) selbst ändert oder wenigstens korrigierend interpretiert. Die eigentliche Auseinandersetzung wäre freilich um die Interpretation der pln. Gesetzeslehre zu führen (zu Röm 5–7: 160–225), da O.-S. Christus nicht als Ende (Röm 10,4), sondern wesentlich als Erfüllung des Gesetzes versteht (167f.189ff.250–260) und das Gesetz als „das Maß der christlichen Existenz" wertet (244).

155 Zu $o\dot{\upsilon}\kappa$ $\ddot{\alpha}\xi\iota\alpha$ $\pi\rho\acute{o}\varsigma$ vgl. Balz, Heilsvertrauen 93–95 (doch vgl. 101, dazu unten Anm. 156).

156 Vgl. vor allem Schlier, Römer 8,18–30 250.252; auch Paulsen, Überlieferung 127–129.
Zumeist wird jedoch das Aussageziel von Röm 8,18ff als die *Gewißheit* der künftigen Herrlichkeit bestimmt: Althaus, Röm 82; Vögtle, Kosmos 183–208.204ff; Luz, Geschichtsverständnis 383.384; Osten-Sacken, Römer 8 139–142.263 (dazu oben Anm. 151). Exemplarisch sei die Darstellung von *H.R. Balz* herausgehoben. Ihm gilt die „Gewißheit" nicht nur als „geheimes Thema" seit 5,1ff (31), sondern sie entspricht s.E. auch dem apokalyptischen (38ff.47.97f) Wirklichkeitsverständnis des Apostels (vgl. den Titel S.93 zu 8,18.28–30: „Das Heil ist die eigentliche Realität"; Osten-Sacken, Römer 8 56 u.ö., sieht darin das Thema von Röm 8 insgesamt (ebenso von 5,6–11: 161): „die Frage nach der Wirklichkeit des Heils im Angesicht von Leiden und Tod": 143) das, christologisch interpretiert (98f), die „Leiden nicht mehr als Bedingung der künftigen Herrlichkeit, sondern" als „Christusleiden" auffaßt, „die den Ort des Kampfes gegen die Welt und ihre Menschen markieren."(98). Die Doxa gilt entsprechend nicht als das unaussprechliche Geheimnis der Zukunft („als etwas Fremdes"), sondern als die durch Christus repräsentierte und im Geist eröffnete Weise der Existenz, in der die „Bedingungen dieser Welt" aufgehoben sind. „Die Gewißheit der künftigen Verherrlichung hängt

Diese δόξα [158] , unser Erbe, ist so überschwenglich groß, daß Paulus selbst die Vergeblichkeit und Versehrung der Schöpfung [159] , welche in den Katastrophen

für die Glaubenden also daran, daß sie sich jetzt schon von dieser Herrlichkeit her verstehen können." (101). Natürlich kann nicht bestritten werden, daß Röm 8,18ff indirekt höchste Heilsgewißheit spiegelt (vgl. schon V.14−17, V.28−30.31−39); doch scheint mir die skizzierte Deutung die unerhörte Kühnheit unseres Textes einzuebnen. Paulus hebt ja − trotz der christologischen und prädestinatianischen Rahmung in V.17 bzw. V.28−30 − gerade die Inkommensurabilität der gesamten gegenwärtigen Wirklichkeit mit der künftigen Doxa hervor. Das wird vor allem in V.23−25 und V.26−27 deutlich, die sich eher dazu eignen, eine auf gegenwärtiger christlicher Existenzerfahrung basierende Heilsgewißheit zu zerschlagen; daß die pln. These der Gewißheit „schlechthin unbeweisbar" sei (102), hat dann als reine Verlegenheitsauskunft zu gelten, wenn zugleich zugestanden wird, daß V.19−27 die These V.18 begründen soll (33; anders 102!). I.ü. widerspricht diese Deutung dem eindeutigen Wortlaut von V.18, den B. deshalb auch umbiegt („in der *Form* eines Vergleichs"! 101; zur Kritik vgl. auch Osten-Sacken, Römer 8 142f A.35).
E. Käsemann (Röm 220−222), der sich gleichfalls gegen diese Interpretationsrichtung wendet, konstatiert wiederum eine Front gegen „die heidenchristliche Schwärmerei der radikal präsentischen Eschatologie" (281; vgl. zu V.17: 219; Osten-Sacken, Römer 8 78−101, kennzeichnet so die angeblich Röm 8,19−27 zugrunde liegende Überlieferung: 100), und läßt in V.18 (apokalyptische) Naherwartung zu Wort kommen (222; so auch Vögtle, Kosmos 198f). Beides scheint mir in den Text eingetragen; gegenüber einem Enthusiasmus wären V.23ff reine Behauptung (K. bestreitet, daß V.19ff Begründung von V.18 sei: 221; vgl. dazu Anm. 157), selbst der apokalyptische Passus V.19−22 spricht nicht von unmittelbarer Nähe des Endes. In beiden Fällen bleibt die m.E. unbestreibare einheitliche Abfolge der pln. Gedankengangs nicht gewahrt, weil die radikale Funktionalisierung der apokalyptischen Fragestellung („Leidenstheologie", vgl. Balz, Heilsvertrauen 95ff), nicht nur die Vv.19−22 in V.18 nicht gesehen wird: es geht Paulus nicht um „Erwählung" oder „Theodizee" angesichts der Leiden dieser Zeit, sondern um die herrliche Zukunft Gottes selbst, auf die *alles* wartend verweist (also nicht nur die Leiden; sie werden ab V.23 nicht mehr eigens genannt!).

157 Vgl. γάρ V.19! Daran scheitert m.E. die antienthusiastische Interpretation Käsemanns, der einen „unverkennbare(n) Bruch zwischen 18 und 19" konstatiert und V.19−27 als „Gegenströmung zu 18 und 28ff" deutet (Röm 221; vgl. ders., Der gottesdienstliche Schrei nach der Freiheit, in: Paulinische Perspektiven 211−236. 233).

158 Vgl. bes. Schlier, Römer 8,18−30 251f: „Sie ist das absolute Mysterium, das als solches dann Ereignis wird. So ist Doxa für Paulus also eigentlich mehr als ein Begriff, sie ist eine ursprüngliche Chiffre für jene Wirklichkeit Gottes, die in Jesus Christus aufglänzte und uns als das Eschaton, als das 'Unsichtbare', auf das wir 'sehen', in sich aufnehmen und aufleben lassen wird." (dagegen Käsemann, Röm 223). Zu δόξα als Chiffre der Wesensmacht Gottes vgl. G. Kittel, ThWNT II 250; J. Schneider, Doxa. Eine bedeutungsgeschichtliche Studie (NTF R.3/3), Gütersloh 1932, 89ff; Jervell, Imago Dei 100−103.173ff. bes. 214−218; Schlier, Doxa 309.

159 Zur κτίσις „gehört ... alles, was durch die Schuld des Menschen der Nichtigkeit unterworfen wurde, alles, was nicht der Sphäre des göttlichen Heils zuzurechnen ist, d.h. letztlich auch der Mensch selbst in seiner somatischen Zuständlichkeit": Balz, Heilsvertrauen 47f; vgl. Schlier, Römer 8,18−30 253, der ausdrücklich die „Geschichte" mit einbezieht, wofür hier vor allem die aktiven Aussagen von V.19 und 22 sprechen; dies korrespondiert auch dem sonstigen Weltbegriff des Apostels (vgl. Thüsing, Per Christum 225−232; W. Foerster, ThWNT III 999−1034.1027ff) und hätte eine zusätzliche Stütze in der Deutung des διὰ τὸν ὑποτάξαντα auf Adam

der Endgeschichte (ὁ νῦν καιρός), den „eschatologischen Wehen"[160], kulminieren, als unbändiges (bzw. ängstliches) Sehnen und Verlangen[161] nach ihrer Offenbarung deuten kann. Mit der Apokalyptik hört der Apostel aus der Nichtigkeit der Schöpfung einen einzigen Hoffnungsschrei nach Befreiung; aber er interpretiert dieses Sehnen und Harren hier nicht (wenigstens nicht in erster Linie) als Vergewisserung des baldigen Eingreifens Gottes zugunsten seiner Erwählten[162], sondern als Zeichen für die absolute Unausdenklichkeit und Unbegreiflichkeit dessen, was den Glaubenden in der Gemeinschaft mit Christus verheißen ist. Wenn die „Sohnschaft" das ist, worauf die ganze Schöpfung in ihrer Bedrängnis wartet[163] und worin selbst ihre Katastrophengeschichte Sinn und Rechtfertigung findet, dann muß sie das schlechthinnige, unausdenkliche Wunder der Herrlichkeit Gottes selbst sein. Angesichts dieser Zukunft, in welche die Christen als die Söhne Gottes hinausstehen, *ist* die Frage nach der endgültigen Erlösung von den Leiden dieser Zeit von vornherein beantwortet.

Aber auch[164] das, was die Christen jetzt in der Gabe des Geistes sind, ist nur die „Erstlingsgabe" dessen, was sie in der eschatologischen Zukunft sein werden, V.23. Die gegenwärtige „Herrlichkeit" der Glaubenden[165] kann selbst keinerlei Vorstellungen von der künftigen Herrlichkeit vermitteln,

(so Schlier, Römer 8,18–30 255; Foerster, aaO. 1030f). Aus diesen Gründen scheint mir die jetzt wieder von Osten-Sacken, Römer 8 83 A.24 und 263 A.12, vertretene Deutung auf die „Natur" bzw. außermenschliche Schöpfung nicht haltbar. Vögtle, Kosmos 195.199, möchte zwischen V.19–21 und V.22 differenzieren.

160 Vgl. das Stichwort συνωδίνειν (V.22) sowie Vögtle, Kosmos 198; G. Bertram, ThWNT IX 668–675.674; die Einwände von Balz, Heilsvertrauen 52f, und Osten-Sacken, Römer 8 98 A.65, basieren auf einem rein chronologisch fixierten Verständnis von Naherwartung, das weder apokalyptisch noch paulinisch ist, vgl. Harnisch, Eschatologische Existenz 75f.

161 Zu ἀποκαραδοκία vgl. Balz, Heilsvertrauen 37 mit A.2–5.

162 Vgl. zur paränetischen Sinnspitze apokalyptischer Leidenstheologie und Geschichtsbetrachtung etwa W. Nauck, Freude im Leiden, in: ZNW 46 (1955), 68–80; Vögtle, Kosmos 59; Harnisch, Verhängnis 318.

163 Vgl. πᾶσα ἡ κτίσις V.22, πάντα V.28.

164 οὐ μόνον δέ, ἀλλὰ καί..., V.23; vgl. Röm 5,3.11; 9,10; 2Kor 8,19; zur Ellipse vgl. Bl.-Debr. § 479,1.

165 Vgl. 8,30: ἐδόξασεν (s.u.); 2Kor 3,7–18 sowie H. Kittel, Die Herrlichkeit Gottes (BZNW 16), Gießen 1934, 191–216, der in der Nähe zu δικαιοσύνη und entsprechend der präsentischen Konzeption der δόξα im spezifisch pln. Verwendung des Begriffs erkennen möchte (aufgenommen von Jervell, Imago Dei 180–183 und passim; Osten-Sacken, Römer 8 277ff. z.B. 284 A.101. 286 A.106). K. übersieht freilich, daß Paulus δόξα ansonsten nicht nur eschatologisch als „Inbegriff aller Heilsgüter" (Schneider, Doxa 105) versteht, sondern in der entscheidenden Parallele zu Röm 8,18ff δικαιοσύνη und δόξα auf Gegenwart und Zukunft verteilt, Röm 5,1:2. Schon deshalb scheint es mir mehr als fraglich, das (Mit-)Leiden (mit Christus) von V.17b her als „die Weise des Mitverherrlichtwerdens in der Zeit" zu deuten (Osten-Sacken, Römer 8 285 u.ö.), zumal wenn dies mit der unhaltbaren Behauptung erkauft wird, „das Leiden (sei) als συμπασχειν (Χριστω) überwundenes Leiden" (ebd.; vgl. 287–308.308f); warum hat Paulus dann überhaupt Röm 8,18ff nach V.17b noch geschrieben? Zur Wertung der Leiden bei Paulus vgl. Schrage, Leid bes. 167–175.

sie ist nichts als die vom Geist getragene, geduldige Hoffnung und Sehnsucht nach dem, „was wir nicht sehen"[166], dem Ereignis Gottes selbst, V.23—25.

Der Geist selbst artikuliert ja nur die sehnsüchtige Klage der bedrängten und leidenden Christen, die nicht einmal wissen, um was sie zu beten haben (V. 26)[167]; in seinem „unsagbaren Stöhnen" wird unsere „Schwachheit" zur Bitte an Gott und seine unsagbare Größe, V.26f[168]. Radikaler läßt sich die Unvergleichlichkeit der eschatologischen Zukunft kaum ins Wort heben. Nicht nur die Leiden der Gegenwart, nicht nur die im Geist eröffnete Existenz, sondern sogar das Pneuma selbst verlangt über sich hinaus nach der Herrlichkeit, die künftig an uns offenbart werden soll![169] Das Pneuma, diese den Christen tragende und treibende Lebensmacht Gottes (V.14ff), ist nichts anderes als das Verfügtsein in das Offene des unverfügbaren Geheimnisses Gottes hinein. Als solches aber ist es die Gegenwart der υἰοθεσία[170]. Sohn-Gottes-Sein heißt: sich selbst ganz aus Gott empfangen auf das Geschenk der unausdenklichen Zukunft hin, welche Gott selbst ist.

Diese „Struktur" der Gottessohnschaft hat Paulus hier dadurch herausgearbeitet, daß er mit der entsprechenden Begrifflichkeit in der Abfolge von V.14—16 und V.18ff zunächst die Gegenwart und sodann die Zukunft des Heils jeweils als solche charakterisiert. In V.14—16 prägnante Beschreibung christlicher Existenz, gelten Gotteskindschaft und Sohn-Gottes-Sein in V.18ff ausschließlich als die unverfügbare Zukunft Gottes selbst. Erst dann treten die Söhne Gottes aus dem Geheimnis Gottes heraus (V.19), das sich selbst an ihnen offenbart (V.18) als die von aller Welt ersehnte Freiheit (V.21). V.23 setzt dies mit der ἀπολύτρωσις[171] τοῦ σώματος ἡμῶν gleich.

---

166 Vgl. 2Kor 4,18; (5,7?).

167 Das φρόνημα τοῦ πνεύματος geht nach Röm 8,6 auf „Leben und Frieden"!

168 ἀλάλητος kennzeichnet also das „Stöhnen" des Geistes als der unverfügbaren Zukunft Gottes entsprechend; an Glossolalie kann deshalb kaum gedacht sein, weil diese prinzipiell als übersetzbar galt, vgl. 1Kor 12,10b.30; 14,5.13.26.27.28; überdies greift V.26 deutlich das στενάζειν der Kreatur und der Christen in V.22.23 auf, läßt sich also auf ein gottesdienstlich-enthusiastisches Phänomen ebensowenig einengen wie der dazu kaum passende Hinweis auf die Richtungslosigkeit christlichen Betens, geg. Käsemann, Der gottesdienstliche Schrei (s. Anm. 157) bes. 219ff; ders., Röm 230 (dort weitere Autoren pro und contra; geg. K. jetzt auch Osten-Sacken, Römer 8 272—275).

169 Vgl. Schlier, Römer 8,18—30 263.265.

170 Zu υἰοθεσία — wie κληρονομία ein juristischer Begriff — vgl. (Wülfing von Martitz) E. Schweizer, ThWNT VIII 400—402; Blank, Paulus und Jesus 271—278. 275: „ ... die christologisch-soteriologische Heilsgabe ..., die 'in Christus' als dem 'erstgeborenen' Sohn und dem eschatologischen Repräsentanten einer in der Auferweckung Christi begründeten 'neuen Ordnung' den Glaubenden Anteil am Segen und an der Verheißung Abrahams gewährt und sie als 'Erben' der dereinstigen vollen Inbesitznahme des Erbes gewiß macht."

171 ἀπολύτρωσις, hier wie Eph 1,14; 4,30; Lk 21,28 (Hebr 11,35) eschatologisch gebraucht, entspricht dem ἐλευθεροῦσθαι der Schöpfung V.21; zum Begriff vgl. F. Büchsel, ThWNT IV 354—359; sonst wird er bei Paulus präsentisch und streng christologisch verwendet, Röm 3,24; 1Kor 1,30.

„Sohnschaft" umgreift also die gesamte, konkret-geschichtliche Wirklichkeit christlichen Daseins; sie ist die Vollendung, die Ganzheit der Existenz, und zwar als Selbstmitteilung des göttlichen Gottes; Gottes Wesensgeheimnis ($\delta\delta\xi a$) ist die leibliche Vollendung des Menschen. Daß Gott sich unsere, jetzt noch in „Schwachheit" befangene Leiblichkeit zum Ort seiner eschatologischen Herrlichkeit einräumt, das macht die absolute Unvergleichlichkeit unserer Zukunft aus, das ist die herrliche Freiheit der Kinder Gottes.

Dieses uns durch die Auferweckung offenbarte leibliche Sein der Herrlichkeit Gottes, auf das alles als auf seine Freiheit wartet, das eschatologische Sohn-Gottes-Sein, ist die Seinsweise Christi, des Sohnes Gottes[172]. Seine $\epsilon i\kappa\dot\omega\nu$ gewinnt (in der Auferweckung) Macht über unser leibliches Dasein und gestaltet es um in sein Wesen, *Röm 8,29*. Schon 5,10 hatte Paulus den Sohn-Gottes-Titel in Verbindung mit der eschatologischen Rettung eingeführt[173], und 1Kor 1,9 spricht er von der $\kappa o\iota\nu\omega\nu i a\ \tau o\tilde{v}\ \upsilon i o\tilde{v}\ a\dot{v}\tau o\tilde{v}$..., zu welcher Gott die Korinther berufen hat[174]. Es ist bezeichnend und bestätigt die Aussage von Röm 8,29, daß das Heil jeweils der Sohn Gottes selbst bzw. „sein Leben" ist – und nicht etwa eine von seiner Person irgendwie zu trennende Heilsgabe. Daß Paulus damit nicht einer eschatologischen Auflösung des Glaubenden in Christusgestalt hinein das Wort redet, sondern die Gleichgestaltung mit Christus als Vollendung der menschlichen Person versteht, zeigt der Finalsatz in Röm 8,29 unmißverständlich. Das Prädikat $\pi\rho\omega\tau\delta\tau o\kappa o\varsigma$ nimmt den verwandten $\epsilon i\kappa\dot\omega\nu$-Begriff auf[175] und sichert wie sonst im NT, vgl. Kol 1,15.18; Hebr 1,6; Apk 1,5; Lk 2,7(?), den bleibenden Vorrang Christi[176]. Auch in 1Kor 1,9 bleibt die Differenz zwischen Erlöser und Erlösten – durch den $\kappa\dot{v}\rho\iota o\varsigma$-Titel – deutlich gewahrt[177].

Andererseits hat Paulus damit jeden Heilsindividualismus abgewehrt[178]. In der eschatologischen Verwandlung schafft sich Gottes Sohn eine Gemein-

---

172 Zum Verhältnis des „Sohnes" zu den „Söhnen" vgl. Blank, Paulus und Jesus 258–278; Thüsing, Per Christum 115–147. bes. 116–125; Schweizer, ThWNT VIII 394f; im Unterschied zur „Sohnschaft" wird die „Kindschaft" nie direkt christologisch, sondern pneumatologisch begründet, vgl. Röm 8,16; Gal 4,27.28.31(:29); dazu: A. Oepke, Art. $\pi a\tilde{\iota}\varsigma\ \kappa\tau\lambda$., in: ThWNT V 636–653.

173 Vgl. neben den Kommentaren bes. Blank, Paulus und Jesus 280–287.

174 Auch in 1Thess 1,10 und 1Kor 15,27 taucht der Sohnes-Titel in eschatologischem Kontext auf.

175 Vgl. Kol 1,15, wo beide Begriffe jedoch kosmologisch gebraucht sind, vgl. Lohse, Kol 85–88; E. Schweizer, Kol 1,15–20, in: ders., Beiträge zur Theologie des Neuen Testaments 113–144.117ff.122f.

176 Vgl. W. Michaelis, ThWNT VI 872–882.878; nach Kol 1,18 und Apk 1,5 wurde Christus diese bleibende Überordnung in der Auferweckung verliehen: er ist $\pi\rho\omega\tau\delta\tau o\kappa o\varsigma\ \tau\tilde{\omega}\nu\ \nu\epsilon\kappa\rho\tilde{\omega}\nu$, vgl. $\dot{a}\pi a\rho\chi\dot\eta\ \tau\tilde{\omega}\nu\ \kappa\epsilon\kappa o\iota\mu\eta\mu\dot\epsilon\nu\omega\nu$, 1Kor 15,20, und $\pi\rho\tilde{\omega}\tau o\varsigma\ \dot{\epsilon}\xi\ \dot{a}\nu a\sigma\tau\dot\alpha\sigma\epsilon\omega\varsigma\ \nu\epsilon\kappa\rho\tilde{\omega}\nu$, Apg 26,23.

177 $\kappa o\iota\nu\omega\nu i a$ meint die mit der „Teilhabe" (Verwandlung) gesetzte „Gemeinschaft" mit dem Sohn Gottes.

178 Bezeichnenderweise argumentiert Paulus wiederum nicht apokalyptisch-kosmologisch, sondern christologisch!

schaft von „vielen Brüdern", den „Söhnen Gottes". Was nach Gal 3,26—28 in der Taufe „auf Christus" grundgelegt wurde, kommt dann zur offenbaren Vollendung: sie, die Söhne Gottes, die alle (in der Taufe) Christus angezogen haben, werden ihr Erbe (mit Christus) endgültig in Besitz nehmen[179]: sie werden „alle einer in Christus Jesus" sein[180]. εἷς ἐν Χριστῷ Ἰησοῦ bedeutet mehr als „der eschatologisch in Christus lebende 'Einheitsmensch', der alle in V.28a genannten Differenzierungen überschritten hat"[181], „nämlich Christus selbst. Dabei ist wohl das Doppelte gemeint: sie sind in Christus alle zusammen Einer, der Leib Christi; sie sind es freilich so, daß jeweils jeder Einzelne im Verhältnis zum Anderen Christus ist, also deutlicher: daß sie nur noch Glieder Christi sind"[182]. Sachlich sieht Paulus also in der eschatologischen Verwandlung zugleich die Vollendung der Gemeinde als des Leibes Christi, Röm 12,4f; 1Kor 12,12f.27; 10,16f. Freilich bleibt diese ekklesiologische Perspektive im Zusammenhang gänzlich unbetont[183]; sie dient der Profilierung der eschatologischen Herrschaft Christi und präzisiert von dieser aus die vorangehende Gleichgestaltungsaussage. „Verherrlichung", „Offenbarung der Söhne Gottes", „Erlösung unseres Leibes" meint genau dies:

179 Vgl. Röm 8,17; Gal 3,29; 4,1ff.

180 Röm 8,29b liegt m.E. keine vorpln. Tauftradition zugrunde, sondern ist genuin paulinisch (vgl. 1Kor 15,49; Phil 3,21) und eschatologisch gemeint, so mit den meisten Auslegern geg. Balz, Heilsvertrauen 112f; Käsemann, Röm 234; Osten-Sacken, Römer 8 280ff. bes. 284 A.102. Dafür spricht (1) die Unterbrechung des Kettenschlusses V.29—30 (dazu unten Anm. 193), die (2) im Kontext nur verständlich wird, wenn Paulus hier vorab das Ziel des göttlichen Erwählungshandelns angibt (vgl. V.18—27.28: ἀγαθόν! = eschatologisches Heil, vgl. Röm 3,8; 10,15; 14,16; 15,2); (3) V.29 entspricht der unverkennbar pln. Verknüpfung des weisheitlichen Satzes V.28a mit dem Kettenschluß in V.28b (vgl. 9,11f; Balz, Heilsvertrauen 107), wobei das οὗσιν „wahrscheinlich prägnant zu nehmen" ist (Schlier, Römer 8,18—30 284) und die in der Kette beschriebene Heilsgegenwart als ein Stehen unter der Berufung interpretiert, die sich erst in dem V.29b beschriebenen Geschehen erfüllt; V.28b und V.29b sichern also das pln. Verständnis von V.28—30; deshalb muß auch der Aorist ἐδόξασεν von dorther ausgelegt werden, nicht umgekehrt. (4) Au ch in 1Kor 2,7 visiert Paulus mit προορίζειν (im Unterschied zu προγινώσκειν) den eigentlichen eschatologischen Inhalt des ewigen Ratschlusses Gottes. (5) V.29b definiert die eschatologische „Sohnschaft" (V.23) vom „Sohn Gottes" her und lenkt damit zum zweifellos eschatologisch gemeinten συνδοξασθῆναι (V.17, vgl. V.18; s.o.) zurück. (6) Die Zielbestimmung εἰς τὸ εἶναι αὐτόν κτλ. hat als präsentische Aussage keinen Sinn.

181 Mußner, Gal 265, der (1) die Antithese zu V.28a m.E. überbewertet, darüber aber (2) die vorstellungsmäßige und wohl auch religionsgeschichtliche Einheit mit V.27 unbeachtet läßt, und (3) V.29 nicht gerecht wird, der betont auf V.16 zurückgreift und die Christen — kraft ihrer Zugehörigkeit zu Christus — als den Samen Abrahams definiert.

182 Schlier, Gal 175; die Parallelen 1Kor 12,12f und Kol 3,9—11 untermauern diese Deutung, vgl. bes. 1Kor 12,12b (οὕτως καὶ ὁ Χριστός) und Kol 3,11b (πάντα καὶ ἐν πᾶσιν Χριστός). Vgl. Blank, Paulus und Jesus 272—274.

183 Sie spielt auch sonst keine wesentliche Rolle im eschatologischen Denken des Apostels; nur in 1Thess ist sie stärker betont, vgl. bes. 4,13—18; auch 2Kor 4,14 und die Kollektenkapitel 8 und 9 (Einheit der Kirche aus Juden und Heiden als Verherrlichung Gottes).

daß der Sohn Gottes sich *als* die eschatologische Wirklichkeit, als Gottes $\delta\acute{o}\xi\alpha$ in Person, offenbar erweist; „Auferweckung" – der endgültige Anbruch des eschatologischen Heils – ist die totale Ein-verleibung unseres leiblichen Daseins durch und in diese eschatologische Wesensgestalt des Sohnes Gottes.[184]

Röm 8,31ff läßt nochmals genauer erkennen, was mit der $\epsilon i\kappa\acute{\omega}\nu$ des Sohnes Gottes gemeint ist[185]: die alle Feindschaft, alles Gericht, alle Bedrängnis tragende und dadurch überwindende Macht der Liebe Gottes. Er hat sie in der Preisgabe seines eigenen, einzigen Sohnes (an das Gericht) „für uns alle" erwiesen; deshalb wird er uns „mit ihm alles schenken" (V.32). „Das Überbietende, Unerhörte, alle menschlichen Vorstellungen und Erwartungen Sprengende, ja geradezu Umstürzende des göttlichen Heilshandelns" und der göttlichen Zukunft, auf die alles wartet, ist nichts anderes als die Liebe Gottes in seinem Sohn Jesus Christus, vgl. Röm 5,5ff[186]. Was Christus in Tod und Auferweckung getan hat und als der zu göttlicher Herrscherstellung Erhöhte für uns tut (V.34), ist die Liebe Gottes, von welcher uns nichts auf der Welt zu trennen vermag, die uns vielmehr in allen Anfeindungen und Gefährdungen ihren unausdenklichen „Sieg" gewährt, V.35–39. Gottes Sohn ist die eschatologische Präsenz des „Für uns" Gottes (V.31:32). Seiner Wesensgestalt gleichgestaltet zu werden bedeutet, daß sein Geschick, seine Hingabe in den Tod und seine Auferweckung uns ganz zum Schicksal geworden sein wird; die eschatologische Heilstat des Sohnes Gottes, in seiner $\epsilon i\kappa\acute{\omega}\nu$ (kraft der Auferweckung, vgl. V.34!) versammelt, wird dann endgültig auch in uns „versammelt" sein und mit ihr das, was unser Dasein in Christus ausmachte, als die Vollkommenheit, der Sinn unserer leiblichen Existenz[187]. Gottes Liebe ist also nicht nur seine weltüberlegene Macht, mit der er uns durch die tödlichen Gefährdungen der Endzeit hindurch der eschatologischen Zukunft entgegenträgt[188], sondern sie konkretisiert sich an uns in der $\epsilon i\kappa\acute{\omega}\nu$ des Sohnes eschatologisch *als* die neue Leiblichkeit. Gott bleibt in seiner eschatologischen Wesensmacht nicht für sich allein. Was er ist, ist er „für uns"; „die Liebe Gottes in Christus Jesus unserem Herrn" ist die $\delta\acute{o}\xi\alpha$, die sich künftig an uns offenbaren wird (V.39:18). Gottes „Für uns"-Sein in seinem

---

184 Zu $\epsilon i\kappa\acute{\omega}\nu$ s.o.; von Gottebenbildlichkeit ist hier nicht die Rede, schon deshalb nicht, weil $\delta\acute{o}\xi\alpha$ im Zusammenhang rein eschatologisch konzipiert ist, geg. Jervell, Imago Dei 276ff; vgl. Eltester, Eikon 165; Osten-Sacken, Römer 8 75.281; zu $\sigma\acute{v}\mu\mu\rho\varphi\varsigma$ vgl. Phil 3,21.10 sowie W. Grundmann, ThWNT VII 787–789.788.

185 Röm 8,31–39 bildet das Resümee von 8,1–30 und darüber hinaus von Kap. 5–8 (vgl. 5,1–11), vgl. Osten-Sacken, Römer 8 53–60.

186 Blank, Paulus und Jesus 281–284. Zitat: 283.

187 Balz, Heilsvertrauen 110.112: „Es geht um die Vorstellung des eschatologischen Hineingenommenwerdens in die Wirklichkeit des Gottessohnes, d.h. letztlich in die Wirklichkeit Gottes selbst." „Das Heil besteht also in der Hineingestaltung der Glaubenden in die Wirklichkeit Christi, die als himmlische Wirklichkeit schon je vorgegeben war und in der Geschichte Jesu als des Christus das Heilshandeln Gottes unmittelbar erschlossen hat."

188 So bes. Käsemann, Röm 126.236.

Sohn kommt dann zum Ziel, wenn es ganz und gar unser Sein geworden ist, d.h. wenn wir uns selbst als die Söhne Gottes und Brüder Christi, des einzigen Sohnes Gottes, offenbart sind.

Weil Gott sich durch seinen Sohn in ihnen verwirklichen wird als der er ist, sind die Söhne Gottes auch die Hoffnung der Schöpfung (V.19); in ihnen wird Gott die Schöpfung von der Knechtschaft der Vergänglichkeit befreien (V.21). Paulus spricht bezeichnenderweise nicht von einer Freiheit, die derjenigen der Christen entspricht oder nur vergleichbar ist, sondern er identifiziert die apokalyptische Erwartung als die Herrlichkeit der Kinder Gottes. Das ist das genaue Gegenteil von anthropologischer Konkretion einer übergreifenden kosmologischen Perspektive: Paulus bezieht auch das Harren der Schöpfung auf die Herrlichkeit der Kinder Gottes, weil diese ihm in Christus als die Zukunft Gottes schlechthin feststand[189]. Gottes Sohn ist „das, worauf alles wartet" (H. Schlier); die Sohnschaft, die die Christen als ihre Zukunft erhoffen dürfen, ist so unvergleichlich groß, daß damit auch der Schöpfung die ihr selbst verschlossene Antwort auf ihre unstillbare Klage gegeben ist. Die Seinsweise des Sohnes Gottes, seine Liebe bis in den Tod, die jede Kategorie sprengt (5,6–8), übersteigt selbst die Nichtigkeit der Schöpfung in die Freiheit Gottes hinein, dessen Herrlichkeit es ist, seine „Kinder", „die ihn lieben" (V.28a)[190], endgültig zu retten.

So enthüllt sich die $\delta\acute{o}\xi\alpha$ der eschatologischen Sohnschaft, welche als Erlösung des Leibes an uns Ereignis wird, schließlich als das Ziel der ewigen „Wahl" Gottes[191] und darin als das Ende seiner Wege mit der Schöpfung. In 1Kor 2,7f spricht Paulus davon, daß Gott uns seine Weisheit „vor den Äonen" zur Herrlichkeit bestimmt habe, womit nach V.9ff Gottes innerstes Wesensgeheimnis gemeint ist, das er „denen bereitet hat, die ihn lieben"; es ist Wirklichkeit im „Herrn der Herrlichkeit", dem gekreuzigten Christus (2,8:2). Auch in Röm 8,29 stellt die Gleichgestaltung mit Christus das Ziel der Zuvorbestimmung Gottes dar; V.30 beschreibt deren Durchführung als Folge von Berufung, Rechtfertigung und Verherrlichung[192]. Die gut

---

189 Umgekehrt geht es nicht an, die kosmologische Dimension aus der pln. Erwartung in Röm 8,18ff zu streichen, da dann V.19–22 für Paulus und seine Leser keinerlei Beweiskraft gehabt hätte, also unsinnig gewesen wäre, geg. Schwantes, Schöpfung der Endzeit 43–52; Vögtle, Kosmos 183–208.

190 Vgl. dazu Balz, Heilsvertrauen 104f; Osten-Sacken, Römer 8 63–65.

191 V.28f; zu Begrifflichkeit und Thematik vgl. Röm 11,2; 1Petr 1,2.20; Apg 2,23 ($\pi\rho\acute{o}\theta\epsilon\sigma\iota\varsigma$) und vor allem Eph 1,3–14 (dazu: Schlier, Eph 37ff); vgl. weiter Luz, Geschichtsverständnis 227–264 (zu Röm 8,29f: 250–255); E. Dinkler, Prädestination bei Paulus. Exegetische Bemerkungen zum Römerbrief, in: ders., Signum Crucis 241–269; Kümmel, Theologie 206–209; Ch. Maurer, Art. $\tau\acute{\iota}\theta\eta\mu\iota$, in: ThWNT VIII 152–158.156ff.

192 Vgl. Röm 9,23f: die Bereitung der Gefäße des Erbarmens „zur Herrlichkeit" (1Kor 2,7!) wird in der Berufung aus Juden und Heiden anfanghaft eingelöst.

pln. Begrifflichkeit[193] verbietet es m.E., den schwierigen Aorist ἐδόξασεν aus einer vorgegebenen Tauftradition zu erklären[194]. Den Schlüssel zum Verständnis wird man deshalb im Kontext zu suchen haben. In V.28a schlägt die bis ins Äußerste gesteigerte Darlegung der Unvergleichlichkeit und Unverfügbarkeit des eschatologischen Heils um und verdichtet sich im Anschluß an V.27[195], der die Heilszukunft ganz in die Freiheit Gottes stellt, zu einer Behauptung höchster Heilsgewißheit. Diese „These" begründet Paulus in V.29f und leitet damit zugleich zum Thema von V.31–39 über (wo V.28–30 christologisch präzisiert wird)[196]. Die stilisierte, kettenartige Aufreihung der Aoriste in V.29f paßt dazu ausgezeichnet. Wer hineingenommen ist in diese ungebrochene, zielstrebige Folge des Heilshandelns Gottes, dem kann auch die eschatologische Erfüllung des ewigen Heilsratschlusses Gottes nicht mehr zweifelhaft sein[197]; ihm „wirkt alles zum Guten mit" (V.28a)[198]. Gott selbst ist unser Heil: da muß jede Gegeninstanz – selbst die Leiden dieser Zeit – nicht nur verstummen, sondern dieser unfaßlichen, göttlichen Zukunft dienstbar werden. „Wenn Gott für uns ist, wer ist gegen uns? " (V. 31b). Die absolute Unvergleichlichkeit und Überschwenglichkeit der eschatologischen δόξα, auf die alles wartet, V.18–27, stürzt die, welche Gott lieben, gerade nicht in „Entfremdung" und Resignation, sondern gewährt ihnen unvergleichliche und überschwengliche Heilsgewißheit, V.28–30. V.31ff begründet und präzisiert Paulus diesen Gedanken christologisch. Die objektive Beschreibung des Heilshandelns Gottes, die im Aorist ἐδόξασεν mündet, wird in der kerygmatischen Fassung des Christusereignisses aufgenommen. Hier *ist* die künftige δόξα schon Ereignis geworden; ihre Unvergleichlichkeit ist die Überschwenglichkeit dieser Liebe Gottes

---

193 Obwohl δοξάζειν in dieser Bedeutung bei Paulus nur noch 2Kor 3,10 begegnet (gleichfalls präterital!), entspricht seine Verwendung formal dem Kettenschluß und thematisch dem Kontext V.17f usw. Die Figur der Klimax ist Paulus durchaus nicht unbekannt, vgl. Röm 5,2–4; 11,14f; auch 1Kor 3,21–23; (11,3?); Gal 3,29 (Bl.-Debr. § 493,3), und die Aoriste besagen als solche gar nichts für oder gegen eine (katechetische Tauf-)Tradition, geg. Osten-Sacken, Römer 8 69–73 (in Zusammenfassung der bisherigen Vorschläge von Schille, Käsemann, Jervell, Luz u.a.); natürlich können diese Motive durchaus schon vorpln. sein, ihre Verwendung in Röm 8,28–30 verrät jedoch die Handschrift des Apostels, vgl. Balz, Heilsvertrauen 102–115.

194 V.28b wird allgemein als pln. Interpretament der traditionellen Sentenz V.28a (vgl. etwa Osten-Sacken, Römer 8 63–67) verstanden, vgl. Röm 9,11f; er leitet zugleich die Kette V.29f ein und faßt ihre durch die Einfügung V.29b markierten „Pole" „Erwählung" (V.29) und „Durchführung" derselben (V.30) vorweg stichwortartig zusammen (κατὰ πρόθεσιν – κλητοί).

195 Geg. Balz, Heilsvertrauen 93.102, wonach V.28 wiederum auf V.18 zurückgreift.

196 Vgl. die resümierenden Fragen in V.31f.

197 Balz, Heilsvertrauen 108: „Paulus benutzt die rhetorischen Mittel des Kettenschlusses, um seinen Lesern die Vorgängigkeit des Handelns Gottes gleichsam einzuhämmern."

198 Sachlich ist – wie der Kontext zeigt – Gott als Subjekt zu συνεργεῖ gedacht (so auch p46AB 81 copsa u.a.).

in seinem Sohn. Entsprechend muß ἐδόξασεν, das in V.29 schon anvisiert wird, als Einbezogensein in die Heilswirklichkeit des Sohnes Gottes interpretiert werden, die ja die künftige δόξα ist; Berufung und Rechtfertigung markieren dann gut paulinisch die Eingliederung in Christus[199]. ἐδόξασεν meint also die Gegenwart der υἱοθεσία, von der Paulus V.14–17 sprach und der er die künftige Sohnschaft in V.18ff schroff gegenüberstellt, wobei V.17b beide christologisch verklammert. Das Etikett „proleptisch"[200] wird diesem Sachverhalt nicht gerecht; denn es beurteilt aus anthropologischer (bzw. apokalyptisch-kosmologischer)[201] Sicht, was Paulus hier im absoluten Zuvor des souveränen Heilsratschlusses Gottes begründet, den er im Sohn schon verwirklicht hat. In seinem Sohn Jesus Christus bleibt Gott sich und seinen Verheißungen ewig treu, 2Kor 1,18–22[202].

Wir sehen: In der überschwenglichen Zukunft der δόξα enthüllt und erfüllt sich das unergründliche Geheimnis des ewigen Ratschlusses Gottes. Diese δόξα ist das, worauf Gott in seiner Göttlichkeit immer schon aus war und auf welche seine Schöpfung in allem zielt. Das „Leben aus den Toten" (Röm 11,15) offenbart „die Tiefe des Reichtums und der Weisheit und der Erkenntnis Gottes" (11,33): daß „aus ihm und durch ihn und auf ihn hin alles ist". Darin besteht seine ewige δόξα (11,36)[203]. Wenn Gott denen, welche er vor aller Zeit erwählt hat, die Seinsweise seines Sohnes zueignet, damit ihre Berufung durch die Leiden dieser Weltzeit hindurch einlöst und so auch die in ihrer Vergänglichkeit gesetzte Hoffnung der ganzen Schöpfung auf Freiheit erfüllt, dann wird „Gott alles in allem sein" (1Kor 15,28). In der künftigen Auferweckung der Toten erwartet der Apostel erstlich und letztlich dies: daß Gott sich als Gott erweist: als das Sein und der Sinn des Menschen und seiner Welt, von Geschichte und Schöpfung, in seinem Sohn Jesus Christus[204].

---

199 Vgl. 1Kor 1,9; 7,22; Gal 1,6 vl; Phil 3,14; auch Kol 3,15; Röm 5,1.9f; 1Kor 1,30; 6,11; 2Kor 5,21; Gal 2,16f.19–21; 5,4; Phil 3,8.10f:9 u.a.

200 Vgl. die Übersicht über die Deutungen bei Jervell, Imago Dei 272f, und Käsemann, Röm 234.

201 Vgl. vor allem Stuhlmacher, Evangelium I 118f.

202 Vgl. 2Kor 1,9; 10,13; 1Thess 5,24.

203 Bedeutsam ist, daß der Gedanke der eschatologischen Verherrlichung Gottes in Verbindung mit der künftigen Totenauferweckung nur in 2Kor 4,14f auftaucht, vgl. auch 1Kor 6,14:20. Der Ton liegt bei Paulus also fast ausschließlich auf der alleinigen Initiative Gottes und seinem Heilshandeln; nur in diesem Sinn wird man die von W. Thüsing (Per Christum 115–150) akzentuierte Theozentrik der Gottessohnschaft bestätigen können; vgl. auch Blank, Paulus und Jesus 301.

204 Die Auslegung K. Barths zu 1Kor 15,44 ist im Sinne des Apostels also nur unter christologischem Vorzeichen gültig: „Ganz unzweifelhaft ist ja das Wort ‚Auferstehung der Toten' für ihn (sc. Paulus) nichts anderes als eine Umschreibung des Wortes ‚Gott'. Was könnte die Osterbotschaft anderes sein als die ganz konkret gewordene Botschaft, daß Gott der Herr ist." (Die Auferstehung der Toten, München 1924, 112).

ZUSAMMENFASSUNG

Wir fassen die theologisch wesentlichen Ergebnisse unserer Untersuchung nochmals zusammen, indem wir versuchen, den eschatologischen Gedanken des Paulus in seiner Beziehung zur Christologie in einem systematischen Überblick darzustellen.

In der pln. Eschatologie geht es — wie im eschatologischen Denken des AT, des Judentums und der vorpln. Gemeinde — um das künftige Ereignis des „Endes" von Welt und Mensch (und seiner Geschichte). Was Paulus mit atl.-jüdischer Begrifflichkeit als „Ende", „Tag" oder „Offenbarung" umschreibt, meint seinem Wesen nach die endgültige und offenbare Durchsetzung Gottes „in seiner ewigen Macht und Gottheit" (Röm 1,20) als der einzigen Wirklichkeit und Wahrheit der (gegen ihn verschlossenen und rebellierenden) Schöpfung: es ist das Ereignis der Herrschaft Gottes, daß „Gott alles in allem ist" (1Kor 15,28). Damit gehören zum Eschaton die endgültige Entscheidung über Wahrheit und Wert allen menschlichen und „weltlichen" Seins (Gericht) sowie die endgültige Einlösung und Bestätigung seiner Heils-Zusagen in der Geschichte: beides geschieht in und als Offenbarung Gottes selbst in seiner unumschränkten Wesensgewalt. Das Eschaton ist definitiver und offenbarer Anbruch des Gottseins Gottes.

Diese eschatologische Wesensoffenbarung Gottes ist für Paulus in dem einen Menschen Jesus Christus und seinem konkret-menschlichen Geschick von Kreuz und Auferweckung Ereignis geworden. „Die Vollendung der Zeit" brach herein mit der Menschwerdung des präexistenten Gottessohnes (Gal 4,4). Die Glaubens-Erfahrung dieser Offenbarung Gottes in Jesus Christus wird deshalb der Ansatz- und Quellpunkt der pln. Eschatologie. Hier liegt auch der Grund, von dem aus Paulus das atl. und jüdisch-apokalyptische Gedankengut aufnimmt und seiner Verkündigung dienstbar macht. Eschatologie ist bei Paulus Auslegung des Christusereignisses in Hinblick auf seine allumfassende Zukunftsmächtigkeit.

Das Christusereignis konzentriert sich für Paulus in Kreuz und Auferweckung Jesu Christi. Das Kreuz ist der Einbruch der Liebe Gottes in diese Welt der Sünde und des Todes. Gottes Liebe ereignete sich in der sich erniedrigenden, selbstlosen, gehorsamen Liebe seines Sohnes im Tod uns zugute. Mit dieser äußersten Wesensoffenbarung Gottes als Liebe im Todesgehorsam Jesu Christi steht die Welt in ihrer Selbst-verfallenheit und äußersten Gottesfeindschaft vor ihrem Ende; die Welt ist selbst in ihrer Sünde von Christus, dem gehorsamen Sohn Gottes, ausgehalten und in den Tod getragen. Das Kreuz muß dabei in seiner ganzen historischen Anstößigkeit und Torheit ernst genommen werden: als solches stellt es für Paulus das unerhörte, allem zuvorkommende, alles menschliche Begreifen übersteigende Rettungshandeln der Liebe Gottes im Fluchtod Christi und ihre eschatologische Mächtigkeit dar. Im Kreuz ist der eschatologische Anspruch Gottes auf die Rettung der Welt erhoben, ein Anspruch, der nur in und durch Gott selbst eingelöst werden kann: seine Liebe im Tod Jesu für uns verweist auf ihre unbegreifliche Erfüllung jenseits der Bedingungen dieser Weltzeit in seiner Herrlichkeit.

Dieser Anspruch ist durch den Tod Jesu am Verbrecherkreuz nicht vereitelt worden; Gott ist nicht an seinem letzten Feind, dem Tod, gescheitert. „Gott hat Jesus von den Toten auferweckt". In dieser geschichtlichen Tat hat Gott sich definitiv als Gott und Herr erwiesen. Denn hier hat er den Erweis seiner Liebe im gekreuzigten Christus vollendet. Christus — auferweckt von den Toten und erhöht in die Macht Gottes — trägt nun Gottes Namen, ist als „der Herr" Repräsentation seines Herrlichkeitswesens und somit für alle Menschen die Wirklichkeit des eschatologischen Heils der Liebe, als welche sich Gott selbst geoffenbart hat. Durch die Auferweckung wurde Jesus mitsamt seiner Geschichte, die im Sterben für uns gipfelte, von Gott bestätigt und vollendet: die Liebe Christi ist Offenbarung der eschatologisch siegreichen Liebe Gottes. Ihr Anspruch auf Rettung des Kosmos ist im erhöhten Herrn eingelöst. Christus, der gekreuzigte Herr, ist in Person das Eschaton, Ende und Vollendung des Menschen und seiner Welt.

Aus dieser Konzentration der eschatologischen Wirklichkeit in dem einen Menschen Jesus Christus und seiner Geschichte, welche Erweis der rettenden Liebe Gottes ist, folgt, daß dieses eschatologische Heil, obgleich in Christus schon voll realisiert, den Menschen geschichtlich angeboten wird zum Glauben. Die vorläufige Gegenwart des Eschatons ist eine Konsequenz seines personal-geschichtlichen, christologischen Charakters, d.h. für Paulus: Folge und Auslegung der konkreten Selbstauslegung Gottes als Liebe in Christus. Vorläufige Gegenwart des eschatologischen Heils bedeutet von daher, daß Christus in seinem Tod und seiner Auferweckung zum Schicksal des aus Glauben gerechtfertigten Menschen wird, der mit seiner Existenz in die Spannung zwischen Tod und Auferweckung Christi, zwischen eschatologischem Anspruch und Erfüllung in der Herrlichkeit Gottes, gestellt ist und darin Christus gleichgestaltet wird.

Die künftige Vollendung dieses jetzt schon im Glauben an Christus als Existenzgeschick eröffneten Heils geschieht durch die offenbare Ankunft Jesu Christi in Herrlichkeit. Im Ereignis der Parusie des Herrn kommt das eschatologische Ereignis seines Todes und seiner Auferweckung als solches zum Ziel: Christus, der in seinem Geschick die Offenbarung der Herrlichkeit Gottes als Liebe ist, wird dann zum endgültigen Gericht und Heil aller Welt.

Das Gericht bildet dabei sozusagen die negative Seite der eschatologisch-offenbaren Präsenz der rettenden Liebe Gottes in Christus, welche die Wahrheit und Wirklichkeit ist, an welcher Welt und Mensch in allen ihren Vollzügen gemessen werden und in welcher sie allein vor Gott gerechtfertigt werden und bestehen können. Diese eschatologische Wirklichkeit ist für Paulus der auferweckte Jesus Christus: er begegnet als der „Geist", die todesüberwindende Wesensmacht Gottes. Rettung und Vollendung der menschlichen Existenz vollzieht sich deshalb so, daß der Mensch leibhaftig von Jesus Christus überwältigt wird und in diesem reinen Gnadengeschehen in die Lebensmacht Gottes, den Geist, geborgen wird: es ist das göttliche Ereignis der Auferweckung der Toten. Die neue leibliche Seinsweise, die uns darin von Gott geschenkt wird, ist die Seinsweise des Sohnes Gottes: in seiner vollendeten Liebe werden wir leibhaftig zu Söhnen Gottes und darin zu seinen Brüdern.

So schenkt sich uns in seinem Sohn Jesus Christus, der im Geist vollendet wurde, Gott selbst als die Vollendung unserer Existenz. Seine Herrlichkeit, sein ewiges Wesensgeheimnis, auf das alles hin geschaffen ist und selbst der durch die Sünde versehrte Kosmos in seinen Katastrophen verweist, ist die letzte, alles Gegenwärtige transzendierende, unausdenkliche Wirklichkeit und Rechtfertigung allen Seins. Es ist die Herrlichkeit seines Sohnes Jesus Christus, der ganz aus Gott für Gott lebt. Sie bricht deshalb mit der Vernichtung des letzten Feindes, des Todes, endgültig herein. Die Vollendung von Welt und Mensch besteht in der Vollendung des Sohnseins Jesu Christi: in der Unterwerfung unter den, der Gott und Vater ist, mit allen, die zu ihm gehören. In der vollendeten Herrschaft Christi steht die Schöpfung vor ihrem Schöpfer als Dank und Verherrlichung da. Darin besteht ihre Herrlichkeit, daß „Gott alles in allem ist".

Das Eschaton ist nach Paulus also die vollendete Einheit von Schöpfer und Geschöpf in der Person des gekreuzigten und auferweckten Jesus Christus.

LITERATURVERZEICHNIS

Abkürzungen nach S. Schwertner, Internationales Abkürzungsverzeichnis für Theologie und Grenzgebiete. Zeitschriften, Serien, Lexika, Quellenwerke mit bibliographischen Angaben, Berlin/New York 1974 (Ausnahmen: NF = Neue Folge, statt: NS = Neue Serie; FS = Festschrift).
Abkürzungen von häufiger zitierter Literatur sind gesperrt bzw. in Klammern angegeben.
Kommentare werden nur mit Verfassernamen und Sigel der jeweiligen Schrift zitiert.

I. Texte und Quellen

Apocalypses apocryphae Mosis, Esdrae, Pauli, Johannis item Mariae dormitio, additis Evangeliorum et actuum Apocryphorum supplementis, ed. K. von Tischendorf, Leipzig 1866, Nachdr. 1966.

Apocalypsis Baruchi Graece, ed. J.-C. Picard, in: PVTG II 61–96.

Apocalypsis Henochi Graece, ed. M. Black, in: PVTG III 1–44.

The Apocrypha and Pseudepigrapha of the Old Testament, ed. by R.H. Charles, 2 Bde., Oxford 1913.

Die Apokalypsen des Esra und Baruch in deutscher Gestalt, hrsg. v. B. Violet (GCS 32), Leipzig 1924.

Die Apokryphen und Pseudepigraphen des Alten Testaments, hrsg. v. E. Kautzsch, 1. Bd.: Die Apokryphen des AT, 2. Bd.: Die Pseudepigraphen des AT, Darmstadt 2., unveränderter Nachdruck 1962 (= 1900).

Die Apostolischen Väter I, hrsg. v. F. X. Funk, K. Bihlmeyer, W. Schneemelcher, Tübingen 2. Auflg. 1956.

Die Apostolischen Väter, griechisch und deutsch I, von J.A. Fischer, München/Darmstadt 1956.

Der babylonische Talmud mit Einschluß der vollständigen Mischna, ed. L. Goldschmidt, 9 Bde., Haag 1933ff.

Biblia hebraica, ed. R. Kittel, Stuttgart 14. Auflg. 1966.

Biblia Sacra iuxta Vulgatam Versionem, ed. R. Weber OSB, 2 Bde., Stuttgart 1969.

Das Buch Henoch, hrsg. v. J. Flemming und L. Radermacher (GCS 5), Leipzig 1901.

Die Bücher der Geheimnisse Henochs. Das sogenannte slavische Henochbuch, hrsg. v. G.N. Bonwetsch (TU 44/2), Leipzig 1922.

Corpus Hermeticum. Texte établi par A.D. Nock et traduit par A.-J. Festugière, 4 Bde., Paris 1945–1954.

Discoveries in the Judaean Desert IV. J.A. Sanders: The Psalm Scroll of Qumran Cave 11 (11QPs), Oxford 1965.

Epictetus. The Discourses as reported by Arrian, the Manual and fragments with an English Translation by W.A. Oldfather, Cambridge Mass. 1946.

Epiktet. Was von ihm erhalten ist nach den Aufzeichnungen Arrians. Neubearbeitung der Übersetzung von J.G. Schulthess von R. Mücke, Heidelberg o.J. (1924).

Fragmenta pseudepigraphorum graeca, collegit A.M. Denis, in: PVTG III 45–238.

The Greek New Testament, ed. by K. Aland, M. Black, C.M. Martini, B.M. Metzger and A. Wikgren, United Bible Societies, Stuttgart 2. Auflg. 1968.

The Greek Versions of the Testaments of the Twelve Patriarchs, ed. by R.H. Charles, Oxford 1908, Neudruck Darmstadt 3. Auflg. 1966.

E. Hennecke/W. Schneemelcher, Neutestamentliche Apokryphen I: Evangelien, II: Apostolisches, Apokalypsen und Verwandtes, Tübingen 3. Auflg. 1959/1964.

Joseph und Asenath, in: Studia Patristica. Etudes d'ancienne littérature chrétienne publ. par L.'Abbé P. Batiffol, Fasc. 1/2, Paris 1889/90.

J. Leipoldt/H.-M. Schenke, Koptisch-gnostische Schriften aus den Papyrus-Codices von Nag-Hammadi (ThF 20), Hamburg-Bergstedt 1960.

Lettre d'Aristée a Philocrate. Introduction, texte critique, traduction et notes, index complet des mots grecs par A. Pelletier (SC 89), Paris 1962.

J. Maier, Die T e x t e vom Toten Meer, I: Übersetzung, II: Anmerkungen, München/ Basel 1960.

Die Mischna, hrsg. v. G. Beer, O. Hotzmann, fortgeführt v. K.H. Rengstorf, L. Rost, Gießen 1912ff, Berlin 1956ff.

Novum Testamentum graece, ed. E. Nestle et K. Aland, Stuttgart 25. Auflg. 1963.

Papyri Graecae Magicae. Hrsg. und übers. v. K. Preisendanz, 2 Bde., Leipzig/Berlin 1928/31.

Philonis Alexandrini opera quae supersunt, ed. L. Cohn et P. Wendland, 6 Bde. u. 2 Indices (H. Leisegang), Berlin 1896ff (1926ff).

Philo von Alexandria. Die Werke in deutscher Übersetzung, hrsg. v. L. Cohn, I. Heinemann, M. Adler und W. Theiler, 7 Bde., Berlin 2. Auflg. 1962–1964.

Pseudo-Philo, Liber Antiquitatum biblicarum, ed. by G. Kisch (PMS X), Notre Dame – Indiana 1949.

Riessler, P., Altjüdisches Schrifttum außerhalb der Bibel, Heidelberg 2. Auflg. 1966.

Septuaginta, ed. A. Rahlfs, 2 Bde., Stuttgart 1935.

R. Smend, Die Weisheit des Jesus Sirach, hebräisch und deutsch, Berlin 1906.

Die Texte aus Qumran. Hebräisch und deutsch, hrsg. v. E. Lohse, Darmstadt 1964.

II. Allgemeine Hilfsmittel

W. Bauer, Griechisch-deutsches Wörterbuch zu den Schriften des Neuen Testaments und der übrigen urchristlichen Literatur, Berlin 5. Auflg. 1963, Nachdr. 1971 (= WB).

P. Billerbeck (H. Strack), Kommentar zum Neuen Testament aus Talmud und Midrasch, 4 Bde., München 1922–28 (= Bill I–IV).

E. Blaß – A. Debrunner, Grammatik des neutestamentlichen Griechisch, Göttingen 12. Auflg. 1965 (= Bl.-Debr.).

W. Genesius – F. Buhl, Hebräisches und Aramäisches Wörterbuch über das Alte Testament, Leipzig 1921.

E. Hatch – H.A. Redpath, A Concordance to the Septuagint I–III, Oxford 1897, Neudr. Graz 1954.

L. Köhler – W. Baumgartner, Lexicon in Veteris Testamenti Libros, Leiden 2. Auflg. 1958.

H. Kraft, Clavis patrum apostolicorum, Darmstadt 1963.

K. G. Kuhn, Konkordanz zu den Qumrantexten, Göttingen 1960.

H.G. Liddell – R. Scott, A Greek-English Lexicon, 2 Bde., Oxford 9. Auflg. 1940.

Lisowsky, G., Konkordanz zum hebräischen Alten Testament, Stuttgart 1958.

W.F. Moulton – A.S. Geden, A Concordance to the Greek Testament according to the texts of Westcott and Hort, Tischendorf and the English revisers, Edinburgh 4. neugedr. Auflg. 1970.

W. Pape (M. Sengebusch), Griechisch-Deutsches Wörterbuch, 2 Bde., Braunschweig 1906.

Radermacher, L., Neutestamentliche Grammatik. Das Griechisch des Neuen Testaments im Zusammenhang mit der Volkssprache (HNT I/1), Tübingen 1911.

Theologisches Handwörterbuch zum Alten Testament, 2 Bde., hrsg. v. E. Jenni unter Mitarbeit v. C. Westermann, München/Zürich 1971/76.

Theologisches Wörterbuch zum Neuen Testament, hrsg. v. G. Kittel und G. Friedrich, Bde. I–IX, Stuttgart 1933ff.

III. Kommentare zu den Paulusbriefen

H. Lietzmann, An die Römer (HNT 8), Tübingen 4. Auflg. 1933.
A. Schlatter, Gottes Gerechtigkeit. Ein Kommentar zum Römerbrief, Calw 1935.
O. Kuss, Der Römerbrief, 1. und 2. Lieferung (1,1–8,19), Regensburg 2. Auflg. 1963.
C.K. Barrett, A Commentary on the Epistle to the Romans, London 1957.
P. Althaus, Der Brief an die Römer (NTD 6), Göttingen 10. Auflg. 1966.
O. Michel, Der Brief an die Römer (KEK 4), Göttingen 4. Auflg. 1966.
E. Käsemann, An die Römer (HNT 8a), Tübingen 1973.
H. Lietzmann, An die Korinther I/II, ergänzt v. W.G. Kümmel (HNT 9), Tübingen 5. Auflg. 1969.
A. Schlatter, Paulus, der Bote Jesu, Calw 2. Auflg. 1956.
H.D. Wendland, Die Briefe an die Korinther (NTD 7), Göttingen 12. Auflg. 1968.
J. Weiß, Der Erste Korintherbrief (KEK 5), Göttingen 1910, Neudr. 1970.
H. Conzelmann, Der erste Brief an die Korinther (KEK 5), Göttingen 1969.
C.K. Barrett, The First Epistle to the Corinthians (BNTC), London 2. Auflg. 1971.
Ph. Bachmann, Der zweite Brief des Paulus an die Korinther (KNT 8), Leipzig 1909.
A. Plummer, A Critical and Exegetical Commentary on the Second Epistle of St. Paul to the Corinthians (ICC), Edinburgh 1915, Neudr. 1960.
H. Windisch, Der Zweite Korintherbrief (KEK 6), Göttingen 1924, Neudr. 1970.
R. Bultmann, Der zweite Brief an die Korinther, hrsg. v. E. Dinkler (KEK Sonderband), Göttingen 1976.
A. Oepke, Der Brief des Paulus an die Galater (ThHK 9), Berlin 2. Auflg. 1957, Nachdr. 1964.
H. Schlier, Der Brief an die Galater (KEK 7), Göttingen 4. Auflg. 1965.
F. Mußner, Der Galaterbrief (HThK 9), Freiburg 1974.
E. Lohmeyer, Die Briefe an die Philipper, an die Kolosser und an Philemon. Nach dem Handexemplar des Verfassers durchgesehene Ausgabe von W. Schmauch (KEK 9), Göttingen 6. Auflg. 1964.
K. Barth, Erklärung des Philipperbriefes, Zollikon/Zürich 5. Auflg. 1947.
G. Friedrich, Der Brief an die Philipper (NTD 8), Göttingen 9. Auflg. 1969, 92–129.
J. Gnilka, Der Philipperbrief (HThK 10/3), Freiburg 1968.
W. Bornemann, Die Thessalonicherbriefe (KEK 10), Göttingen 1894.
E. von Dobschütz, Die Thessalonicher-Briefe (KEK 10), Göttingen 1909.
M. Dibelius, An die Thessalonicher I.II. – An die Philipper (HNT 11), Tübingen 3. Auflg. 1937.
B. Rigaux, Saint Paul. Les Epitres aux Thessaloniciens (EtB), Paris/Gembloux 1956.
H. Schlier, Der Apostel und seine Gemeinde. Auslegung des ersten Briefes an die Thessalonicher, Freiburg 1972.

IV. Sonstige Literatur

P. Althaus, Art. Eschatologie. VI. Religionsphilosophisch und dogmatisch, in: RGG (3. Auflg.) II 680–689.
S. Arai, Die Gegner des Paulus im 1. Korintherbrief und das Problem der Gnosis, in: NTS 19 (1972/73), 430–437.
J.W. Bailey, Gospel for Mankind. The Death of Christ in the Thinking of Paul, in: Interp. 7 (1953), 163–174.
H.R. Balz, Eschatologie und Christologie. Modelle apokalyptischer und urchristlicher Heilserwartung, in: Das Wort und die Wörter (FS G. Friedrich), Stuttgart 1973, 101–112.

H.R. Balz, *Heilsvertrauen* und Welterfahrung. Strukturen der paulinischen Eschatologie nach Römer 8,18–39 (BEvTh 59), München 1971.

– Methodische Probleme der neutestamentlichen Christologie (WMANT 25), Neukirchen 1967.

– Art. φοβέω κτλ., in: ThWNT IX 186–216.

E. Bammel, Judenverfolgung und Naherwartung. Zur Eschatologie des Ersten Thessalonicherbriefs, in: ZThK 56 (1959), 294–315.

C.K. Barrett, New Testament Eschatology. I. Jewish and Pauline Eschatology, II. The Gospels, in: SJTh 6 (1953), 136–155.225–243.

Ch. Barth, Diesseits und Jenseits im Glauben des späten Israel (SBS 72), Stuttgart 1974.

G. Barth, Erwägungen zu 1. Korinther 15,20–28, in: EvTh 30 (1970), 515–527.

K. Barth, Die Auferstehung der Toten. Eine akademische Vorlesung über I. Kor. 15, München 1924.

K.-A. Bauer, *Leiblichkeit* – Das Ende aller Werke Gottes. Die Bedeutung der Leiblichkeit des Menschen bei Paulus (StNT 4), Gütersloh 1971.

R. Baumann, *Mitte* und Norm des Christlichen. Eine Auslegung von 1. Korinther 1,1–3,4 (NTA NF 5), Münster 1968.

J. Becker, Erwägungen zur apokalyptischen Tradition in der paulinischen Theologie, in: EvTh 30 (1970), 593–609.

– Erwägungen zu Phil. 3,20–21, in: ThZ 27 (1971), 16–29.

J. Behm, Art. αἷμα κτλ., in: ThWNT I 171–176.

– Art. ἀρραβών, in: ThWNT I 474.

– Art. καινός κτλ., in: ThWNT III 450–456.

– (F. Baumgärtel), Art. καρδία κτλ., in: ThWNT III 609–616.

– Art. κοιλία, in: ThWNT III 786–789.

– Art. μορφή κτλ., in: ThWNT IV 750–767.

– Art. νοέω κτλ., in: ThWNT IV 947–1016.

K. Berger, Die königlichen Messiastraditionen des Neuen Testaments, in: NTS 20 (1973/74), 1–44.

– Zu den sogenannten Sätzen heiligen Rechts, in: NTS 17 (1970/71), 10–40.

– Zum Problem der Messianität Jesu, in: ZThK 71 (1974), 1–30.

– Zum traditionsgeschichtlichen Hintergrund christologischer Hoheitstitel, in: NTS 17 (1970/71), 391–425.

G. Bertram, Art. Auferstehung I (des Kultgottes), in: RAC I 919–930.

– Art. ἔργον κτλ., in: ThWNT II 631–653.

– Art. κατεργάζομαι, in: ThWNT III 635–637.

– Art. ὕψος κτλ., in: ThWNT VIII 600–619.

H.W. Beyer, Art. εὐλογέω κτλ., in: ThWNT II 751–763.

H. Bietenhardt, Die himmlische Welt im Urchristentum und Spätjudentum (WUNT 2), Tübingen 1951.

– Art. ὄνομα κτλ., in: ThWNT V 242–283.

J.Blank, *Paulus und Jesus.* Eine theologische Grundlegung (StANT 18), München 1968.

– Warum sagt Paulus: „Aus Werken des Gesetzes wird niemand gerecht? ", in: EKK.V 1, 79–95.

P.Ch. Böttger, Die eschatologische Existenz der Christen. Erwägungen zu Phil 3,20, in: ZNW 60 (1969), 244–263.

G.H. Boobyer, „Thanksgiving" and the „Glory of God" in Paul (Diss. Heidelberg 1928), Borna/Leipzig 1929.

G. Bornkamm, Das Ende des Gesetzes. Paulusstudien. Gesammelte Aufsätze Bd. I (BEvTh 16), München 5. Auflg. 1966 (= *Ges. Aufsätze I*).

– Geschichte und Glaube. Zweiter Teil. Gesammelte Aufsätze Bd. IV. (BEvTh 53), München 1971 (= *Ges. Aufsätze IV*).

G. Bornkamm, *Herrenmahl* und Kirche bei Paulus, in: ders., Ges. Aufsätze II 138–176.
- Der köstlichere Weg (1. Kor. 13), in: ders., Ges. Aufsätze I 93–112.
- Der Lohngedanke im Neuen Testament, in: ders., Ges. Aufsätze II 69–92.
- Die Offenbarung des Zornes Gottes (Röm 1–3), in: ders., Ges. Aufsätze I 9–33.
- Paulinische Anakoluthe im Römerbrief, in: ders., Ges. Aufsätze I 76–92.
- Art. Paulus, in: RGG (3. Auflg.) V 166–190.
- Paulus (UB 119), Stuttgart 1969.
- Studien zu Antike und Urchristentum. Gesammelte Aufsätze Bd. II (BEvTh 28), München 3. Auflg. 1970 (= *Ges. Aufsätze II*).
- Taufe und neues Leben bei Paulus, in: ders. Ges. Aufsätze I 34–50.
- Theologie als Teufelskunst. Römer 3,1–9, in: ders., Ges. Aufsätze IV 140–148.
- Zum Verständnis des Christus-Hymnus Phil 2,6–11, in: ders., Ges. Aufsätze II 177–187.
- Zum Verständnis des Gottesdienstes bei Paulus, in: ders., Ges. Aufsätze I 113–132.
- Art. μυστήριον, in: ThWNT IV 809–834.
W. Bousset, *Kyrios Christos*. Geschichte des Christusglaubens von den Anfängen des Christentums bis Irenaeus (FRLANT 21), Göttingen 2. Auflg. 1921.
- Die Religion des Judentums im späthellenistischen Zeitalter (HNT 21). In 3., verbesserter Auflg. hrsg. v. H. Greßmann. 4.nachgedr. Auflg. mit einem Vorwort v. E. Lohse, Tübingen 1966 (= *Bousset/Greßmann*).
E. Brandenburger, *Adam und Christus*. Exegetisch-religionsgeschichtliche Untersuchung zu Röm 5,12–21 (1. Kor 15) (WMANT 7), Neukirchen 1962.
- Die *Auferstehung* der Glaubenden als historisches und theologisches Problem, in: WuD NF 9 (1967), 16–33.
- *Fleisch und Geist*. Paulus und die dualistische Weisheit (WMANT 29), Neukirchen 1968.
H. Braun, *Gerichtsgedanke* und Rechtfertigungslehre bei Paulus (UNT 19), Leipzig 1930.
- Gesammelte Studien zum Neuen Testament und seiner Umwelt, Tübingen 3. Auflg. 1971 (= *Ges. Studien)*.
- Exegetische Randglossen zum 1. Korintherbrief, in: ders., Ges. Studien 178–204.
- Die Indifferenz gegenüber der Welt bei Paulus und bei Epiktet, in: ders., Ges. Studien 159–167.
- Spätjüdisch-häretischer und frühchristlicher Radikalismus. Jesus von Nazareth und die essenische Qumransekte, 2 Bde (BHTh 24,1–2), Tübingen 1957.
- Das „Stirb und werde" in der Antike und im Neuen Testament, in: ders., Ges. Studien 136–158.
- Vom Erbarmen Gottes über den Gerechten. Zur Theologie der Psalmen Salomos, in: ders., Ges. Studien 8–69.
- Art. πλανάω κτλ., in: ThWNT VI 230–254.
- Art. ποιέω κτλ., in: ThWNT VI 456–483.
B. Brinkmann, Die Lehre von der Parusie beim hl.Paulus in ihrem Verhältnis zu den Anschauungen des Buches Henoch, in: Bibl. 13 (1932), 315–334.418–434.
N. Brox, ΑΝΑΘΕΜΑ ΙΗΣΟΥΣ (1Kor 12,3), in: BZ NF 12 (1968), 103–111.
- Die Pastoralbriefe (RNT 7/2), Regensburg 1969.
L. Brun, Segen und Fluch im Urchristentum (SNVAO.HF 1932, No. 1), Oslo 1932.
F. Büchsel, Der Geist Gotes im Neuen Testament, Gütersloh 1926.
- „In Christus" bei Paulus, in: ZNW 42 (1949), 141–158.
- Art. ἀγοράζω κτλ., in: ThWNT I 125–128.
- Art. καταλλάσσω, in: ThWNT I 254–257.
- Art. ἀρά κτλ., in: ThWNT I 449–452.
- Art. δίδωμι κτλ., in: ThWNT II 168–175.

F. Büchsel, Art. εἰλικρινής κτλ., in: ThWNT II 396.
-   Art. ἐλέγχω κτλ., in: ThWNT II 470–474.
-   Art. θυμός κτλ., in: ThWNT III 167–173.
-   (V. Herntrich), Art. κρίνω κτλ., in: ThWNT III 920–955.
-   (O. Procksch), Art. λύω κτλ., in: ThWNT IV 329–359.
R. Bultmann, ΔΙΚΑΙΟΣΥΝΗ ΘΕΟΥ, in: ders., Exegetica 470–475.
-   Das Evangelium des Johannes (KEK 2), Göttingen 10. Auflg. 1968 (mit Ergän-
    zungsheft).
-   *Exegetica.* Aufsätze zur Erforschung des Neuen Testaments, ausgewählt, eingeleitet
    und herausgegeben von E. Dinkler, Tübingen 1967.
-   Exegetische Probleme des zweiten Korintherbriefes, in: ders., Exegetica 298–322.
-   Geschichte und Eschatologie, Tübingen 2. Auflg. 1964.
-   Glauben und Verstehen. Gesammelte Aufsätze I, Tübingen 6. Auflg. 1966 (= *GuV*).
-   Glossen im Römerbrief, in: ders., Exegetica 278–284.
-   Jesus und Paulus, in: ders., Exegetica 210–229.
-   Ist die Apokalyptik die Mutter der christlichen Theologie? , in: ders., Exegetica
    476–482.
-   Karl Barth, „Die Auferstehung der Toten" (Rezension), in: ders., GuV I 38–64.
-   Art. Paulus, in: RGG (2. Auflg.) IV 1019–1045.
-   Das religiöse Moment in der ethischen Unterweisung des Epiktet und das Neue
    Testament, in: ZNW 13 (1912), 97–110.177–191.
-   Der *Stil* der paulinischen Predigt und die kynisch-stoische Diatribe (FRLANT 13),
    Göttingen 1910.
-   *Theologie* des Neuen Testaments (NTG), Tübingen 6. Auflg. 1968.
-   Das Verhältnis der urchristlichen Christusbotschaft zum historischen Jesus, in:
    ders., Exegetica 445–470.
-   Art. ἀγνοέω κτλ., in: ThWNT I 116–122.
-   Art. αἰσχύνω κτλ., in: ThWNT I 188–190.
-   (G. Quell/G. Kittel), Art. ἀλήθεια κτλ., in: ThWNT I 233–251.
-   Art. ἀφίημι κτλ., in: ThWNT I 506–509.
-   Art. γινώσκω κτλ., in: ThWNT I 688–719.
-   Art. δηλόω, in: ThWNT II 60–61.
-   Art. ἔλεος κτλ., in: ThWNT II 474–483.
-   Art. ἐλπίς κτλ., in: ThWNT II 515–531.
-   (G. von Rad/G. Bertram), Art. ζάω κτλ., in: ThWNT II 833–877.
-   Art. θάνατος κτλ., in: ThWNT III 7–25.
-   Art. καυχάομαι κτλ., in: ThWNT III 646–654.
-   Art. νεκρός κτλ., in: ThWNT IV 896–899.
-   Art. μεριμνάω κτλ., in: ThWNT IV 593–598.
-   Art. πείθω κτλ., in: ThWNT VI 1–12.
-   Art. πιστεύω κτλ., in: ThWNT VI 174–230.
-   (D. Lührmann), Art. φαίνω κτλ., in: ThWNT IX 1–11.
C. Burchard, Untersuchungen zu Joseph und Aseneth. Überlieferung – Ortsbestimmung
    (WUNT 8), Tübingen 1965.
C. Bussmann, Themen der paulinischen *Missionspredigt* auf dem Hintergrund der spätjü-
    disch-hellenistischen Missionsliteratur (EHS.T 3), Bern/Frankfurt 1971.
H. Frhr. von Campenhausen, Der Herrentitel Jesu und das urchristliche Bekenntnis, in:
    ZNW 66 (1975), 127–129.
-   Das Bekenntnis im Urchristentum, in: ZNW 63 (1972), 210–253.
L. Cerfaux, *Christus* in der paulinischen Theologie, Düsseldorf 1964.

H. Conzelmann, Zur *Analyse* der Bekenntnisformel I. Kor. 15,3–5, in: EvTh 25 (1965), 1–11.
–   Die Mutter der Weisheit, in: Zeit und Geschichte (FS R. Bultmann), Tübingen 1964, 225–234.
–   Paulus und die Weisheit, in: NTS 12 (1965/66), 231–244.
–   Art. σκότος κτλ., in: ThWNT VII 424–446.
–   Art. φῶς κτλ., in: ThWNT IX 302–349.
–   Art. χαίρω κτλ., in: ThWNT IX 349–405.
F. Crüsemann, Studien zur Formgeschichte von Hymnus und Danklied in Israel (WMANT 32), Neukirchen 1969.
O. Cullmann, Die *Christologie* des Neuen Testaments, Tübingen 3. Auflg. 1963.
–   *Christus und die Zeit.* Die urchristliche Zeit- und Geschichtsauffassung, Zürich 3. Auflg. 1962.
–   *Heil als Geschichte.* Heilsgeschichtliche Existenz im Neuen Testament, Tübingen 1965.
–   *Immortality* of the Soul or Resurrection of the Dead? The Witness of the New Testament, in: K. Stendahl (Hrsg.), Immortality and Resurrection, New York 2. Auflg.1968, 9–53.
M.E. Dahl, The Resurrection of the Body. A Study of I Corinthians 15 (SBT 36), London 1962.
N.A. Dahl, Eschatologie und Geschichte im Lichte der Qumrantexte, in: Zeit und Geschichte (FS R. Bultmann), Tübingen 1964, 3–18.
–   Formgeschichtliche Beobachtungen zur *Christusverkündigung* in der Gemeindepredigt, in: Neutestamentliche Studien für R. Bultmann (BZNW 21), Berlin 1954, 3–9.
–   Die Messianität Jesu bei Paulus, in: Studia Paulina in honorem Joh. de Zwaan, Haarlem 1953, 83–95.
–   Paul and the Church at Corinth according to 1Corinthians 1:10–4:21, in: Christian History and Interpretation (FS J. Knox), Cambridge 1967, 313–335.
P. Dalbert, Die Theologie der hellenistisch-jüdischen Missionsliteratur unter Ausschluß von Philo und Josephus (ThF 4), Hamburg-Bergstedt 1954.
G. Dalman, Die Worte Jesu. Mit Berücksichtigung des nachkanonischen jüdischen Schrifttums und der aramäischen Sprache. Bd. I: Einleitung und wichtige Begriffe, Leipzig 1898.
W.D. Davies, Christian Origins and Judaism. A Collection of New Testament Studies, London 1962.
R. Deichgräber, Gotteshymnus und Christushymnus in der frühen Christenheit. Untersuchungen zu Form, Sprache und Stil der frühchristlichen Hymnen (StUNT 5), Göttingen 1967.
A. Deissmann, *Licht vom Osten.* Das Neue Testament und die neuentdeckten Texte der hellenistisch-römischen Welt, Tübingen 4. Auflg. 1923.
–   Paulus. Eine kultur- und religionsgeschichtliche Skizze, Tübingen 2. Auflg. 1925.
G. Delling, Der *Kreuzestod* Jesu in der urchristlichen Verkündigung, Berlin 1971.
–   Der *Tod Jesu* in der Verkündigung des Paulus, in: Apophoreta (FS E. Haenchen) (BZNW 30), Berlin 1964, 85–96.
–   Partizipiale Gottesprädikationen in den Briefen des Neuen Testaments, in: StTh 17 (1963), 1–59.
–   *Zeit und Endzeit.* Zwei Vorlesungen zur Theologie des Neuen Testaments (BSt 58), Neukirchen 1970.
–   Zur eschatologischen Bestimmtheit der Paulinischen Theologie, in: ders., Zeit und Endzeit 57–101.
–   Art. ἀποκαραδοκία, in: ThWNT I 392–393.
–   Art. καταργέω, in: ThWNT I 453–455.
–   Art. ἀπαρχή, in: ThWNT I 483–484.

G. Delling, (G. von Rad), Art. ἡμέρα, in: ThWNT II 945–956.
- Art. καιρός κτλ., in: ThWNT III 456–465.
- Art. λαμβάνω κτλ., in: ThWNT IV 5–16.
- Art. νύξ, in: ThWNT IV 1117–1120.
- Art. τάσσω κτλ., in: ThWNT VIII 27–49.
- Art. τέλος κτλ., in: ThWNT VIII 50–88.
M. Dibelius, Die Geisterwelt im Glauben des Paulus, Göttingen 1909.
- Die Isisweihe bei Apuleius und verwandte Initiations-Riten (SHAW.PH 1917 Bd. 4), Heidelberg 1917.
- Die Pastoralbriefe, neu bearbeitet v. H. Conzelmann (HNT 13). Tübingen 3. Auflg. 1955.
E. Dinkler, Prädestination bei Paulus. Exegetische Bemerkungen zum Römerbrief, in: ders., Signum Crucis. Aufsätze zum Neuen Testament und zur christlichen Archäologie, Tübingen 1967, 241–269.
- Die Taufterminologie in 2 Kor. I 21f, in: Neotestamentica et Patristica (FS O. Cullmann) (NT.S 6), Leiden 1962, 173–191.
J. Dupont, ΣΥΝ ΧΡΙΣΤΩΙ. L'union avec le Christ suivant Saint Paul. Première Partie: ,,Avec le Christ" dans la vie future, 1952.
G. Eichholz, Die Theologie des Paulus im Umriß, Neukirchen 1972.
O. Eißfeldt, Einleitung in das Alte Testament unter Einschluß der Apokryphen und Pseudepigraphen sowie der apokryphen- und pseudepigraphenartigen Qumran-Schriften, Tübingen 3. Auflg. 1964.
E.E. Ellis, Paul's Use of the Old Testament, Edinburgh/London 1957.
- ,,Weisheit" und ,,Erkenntnis" im 1. Korintherbrief, in: Jesus und Paulus (FS W.G. Kümmel), Göttingen 1975, 109–128.
F.-W. Eltester, Eikon im Neuen Testament (BZNW 23), Berlin 1958.
O. Everling. Die paulinische Angelologie. Ein biblisch-theologischer Versuch, Göttingen 1888.
E. Fascher, Anastasis – Resurrectio – Auferstehung. Eine programmatische Studie zum Thema ,,Sprache und Offenbarung", in: ZNW 40 (1941), 166–229.
N. Flanagan, A Note on Philippians 3,20–21, in: CBQ 18 (1956), 8–9.
W. Foerster, Der Heilige Geist im Spätjudentum, in: NTS 8 (1961/62), 117–134.
- Art. ἀρέσκω κτλ., in: ThWNT I 455–457.
- (G. von Rad), Art. εἰρήνη κτλ., in: ThWNT II 398–418.
- Art. ἔξεστιν κτλ., in: ThWNT II 557–572.
- Art. ἐχθρός κτλ., in: ThWNT II 810–815.
- (J. Herrmann), Art. κλῆρος κτλ., in: ThWNT III 757–786.
- Art. κτίζω κτλ., in: ThWNT III 999–1034.
- (G. Quell), Art. κύριος, in: ThWNT III 1038–1094.
- (G. Fohrer), Art. σῴζω κτλ., in: ThWNT VII 966–1024.
J.T. Forestell, Christian Perfection and Gnosis in Philippians 3,7–16, in: CBQ 18 (1956), 123–136.
G. Friedrich, Die Bedeutung der Auferweckung Jesu nach Aussagen des Neuen Testaments, in: ThZ 27 (1971), 305–324.
- Christus, Einheit und Norm der Christen. Das Grundmotiv des 1. Korintherbriefes, in: KuD 9 (1963), 235–258.
- Ein Tauflied hellenistischer Judenchristen, 1. Thess. 1,9f., in: ThZ 21 (1965), 502–516.
- 1. Thessalonischer 5,1–11, der apologetische Einschub eines Späteren, in: TZhK 70 (1973), 288–315.
- Art. εὐαγγελίζομαι κτλ., in: ThWNT II 705–735.

E. Fuchs, Christus und der Geist bei Paulus. Eine biblisch-theologische Untersuchung (UNT 23), Leipzig 1932.

D. Georgi, Die *Gegner* des Paulus im 2. Korintherbrief.Studien zur religiösen Propaganda in der Spätantike (WMANT 11), Neukirchen 1964.

– Die Geschichte der *Kollekte* des Paulus für Jerusalem (ThF 38), Hamburg-Bergstedt 1965.

– Der vorpaulinische Hymnus Phil 2,6–11, in: Zeit und Geschichte (FS R. Bultmann), Tübingen 1964, 263–293.

J. Gnilka, Die antipaulinische Mission in Philippi, in: BZ NF 9 (1965), 258–276.

A. Grabner-Haider, Auferstehung und Verherrlichung. Biblische Beobachtungen, in: Conc(D) 5 (1969), 29–35.

– Paraklese und Eschatologie bei Paulus. Mensch und Welt im Anspruch der Zukunft Gottes (NTA NF 4), Münster 1968.

H. Greeven, Art. ζητέω κτλ., in: ThWNT II 894–898.

– Art. προσκυνέω κτλ., in: ThWNT VI 759–767.

W. Grundmann, Das Angebot der eröffneten Freiheit. Zugleich eine Studie zur Frage nach der Rechtfertigungslehre, in: Cath(M) 28 (1974), 304–333.

– Überlieferung und Eigenaussage im eschatologischen Denken des Apostels Paulus, in: NTS 8 (1961/62), 12–26.

– Die Übermacht der Gnade. Eine Studie zur Theologie des Paulus, in: NT 2 (1958), 50–72.

– (J. Leipoldt) Hrsg.), Umwelt des Urchristentums, I. Darstellung des neutestamentlichen Zeitalters, Berlin 2. Auflg. 1967.

– Art. ἀγαθός κτλ., in: ThWNT I 10–18.

– (G. Quell/G. Bertram/G. Stählin), Art. ἁμαρτάνω κτλ., in: ThWNT I 267–320.

– Art. ἀναγκάζω κτλ., in: ThWNT I 347–350.

– Art. ἀνέγκλητος, in: ThWNT I 358–359.

– Art. δεῖ κτλ., in: ThWNT II 21–25.

– Art. δέχομαι κτλ., in: ThWNT II 49–59.

– Art. δῆμος κτλ., in: ThWNT II 62–64.

– Art. δόκιμος κτλ., in: ThWNT II 258–264.

– Art. δύναμαι κτλ., in: ThWNT II 286–318.

– Art. ἰσχύω κτλ., in: ThWNT III 400–405.

– Art. κακός κτλ., in: ThWNT III 470–487.

– Art. μέγας κτλ., in: ThWNT IV 535–550.

– Art. μέμφομαι κτλ., in: ThWNT IV 576–578.

– Art. στήκω, ἵστημι, in: ThWNT VII 635–652.

– Art. σύν – μετά κτλ., in: ThWNT VII 766–798.

– Art. ταπεινός κτλ., in: ThWNT VIII 1–27.

– (F. Hesse/M. de Jonge/A.S. van der Woude) Art. χρίω κτλ., in: ThWNT IX 482–576.

E. Güttgemanns, Der leidende *Apostel* und sein Herr. Studien zur paulinischen Christologie (FRLANT 90), Göttingen 1966.

H. Gunkel, Schöpfung und Chaos in Urzeit und Endzeit. Eine religionsgeschichtliche Untersuchung über Gen 1 und Ap Joh 12, Göttingen 1895.

– Die *Wirkungen* des heiligen Geistes nach der populären Anschauung der apostolischen Zeit und nach der Lehre des Apostels Paulus. Eine biblisch-theologische Studie, Göttingen 1888.

F. Guntermann, Die *Eschatologie* des Hl. Paulus (NTA XIII 4/5), Münster 1932.

F. Hahn, Die alttestamentlichen Motive in der urchristlichen Abendmahlsüberlieferung, in: EvTh 27 (1967), 337–374.

— Christologische *Hoheitstitel*. Ihre Geschichte im frühen Christentum (FRLANT 83), Göttingen 3. Auflg. 1966.

— Genesis 15,6 im Neuen Testament, in: Probleme biblischer Theologie (FS G. von Rad), München 1971, 90–107.

— Methodenprobleme einer Christologie des Neuen Testaments, in: VF 15 (1970) Heft 2, 3–41.

— Das Verständnis der *Mission* im Neuen Testament (WMANT 13), Neukirchen 1963.

— „Siehe, jetzt ist der Tag des Heils". Neuschöpfung und Versöhnung nach 2. Korinther 5,14–6,2, in: EvTh 33 (1973), 244–253.

H. Hanse, Art. ἔχω κτλ., in: ThWNT II 816–832.

G. Harder, Paulus und das Gebet (NTF 1/10), Gütersloh 1936.

— Art. φθείρω κτλ., in: ThWNT IX 94–106.

W. Harnisch, *Eschatologische Existenz*. Ein exegetischer Beitrag zum Sachanliegen von 1. Thessalonischer 4,13–5,11 (FRLANT 110), Göttingen 1973.

— *Verhängnis* und Verheißung der Geschichte. Untersuchungen zum Zeit- und Geschichtsverständnis im 4. Buch Esra und in der syr. Baruchapokalypse (FRLANT 97), Göttingen 1969.

F. Hauck, Art. θερίζω κτλ., in: ThWNT III 132–133.

— Art. καρπός κτλ., in: ThWNT III 617–619.

— Art. κοινός κτλ., in: ThWNT III 789–810.

— Art. μένω κτλ., in: ThWNT IV 578–593.

— Art. μῶμος κτλ., in: ThWNT IV 835–836.

H. Hegermann, Die Vorstellung vom Schöpfungsmittler im hellenistischen Judentum und Urchristentum (TU 82), Berlin 1961.

M. Hengel, Christologie und neutestamentliche *Chronologie*. Zu einer Aporie in der Geschichte des Urchristentums, in: Neues Testament und Geschichte (FS O. Cullmann), Zürich 1972, 43–67.

— *Judentum und Hellenismus*. Studien zu ihrer Begegnung unter besonderer Berücksichtigung Palästinas bis zur Mitte des 2. Jh. v. Chr. (WUNT 10), Tübingen 2. Auflg. 1973.

— *Der Sohn Gottes*. Die Entstehung der Christologie und die jüdisch-hellenistische Religionsgeschichte, Tübingen 1975.

— Die Zeloten. Untersuchungen zur jüdischen Freiheitsbewegung in der Zeit von Herodes I. bis 70 n. Chr. (AGSU I), Leiden/Köln 1961.

I. Hermann, *Kyrios und Pneuma*. Studien zur Christologie der paulinischen Hauptbriefe (StANT 2), München 1961.

G. Hierzenberger, Weltbewertung bei Paulus nach 1Kor 7,29–31. Eine exegetisch-kerygmatische Studie, Düsseldorf 1967.

P. Hoffmann, *Die Toten in Christus*. Eine religionsgeschichtliche und exegetische Untersuchung zur paulinischen Eschatologie (NTA NF 2), Münster 1966.

O. Hofius, Der Christushymnus Philipper 2,6–11. Untersuchungen zu Gestalt und Aussage eines urchristlichen Psalms (WUNT 17), Tübingen 1976.

T. Holtz, Das Kennzeichen des Geistes (1Kor. XII. 1–3), in: NTS 18 (1971/72), 365–376.

E. Jenni, „Kommen" im theologischen Sprachgebrauch des Alten Testaments, in: Wort – Gebot – Glaube (FS W. Eichrodt) (AThANT 59), Zürich 1970, 251–261.

E. Jenni, Das Wort olam im Alten Testament, in: ZAW 64 (1952), 197–248; 65 (1953), 1–35.
- Art. bo', in: THAT I 264–269.
G. Jeremias, Der Lehrer der Gerechtigkeit (StUNT 2), Göttingen 1963.
J. Jeremias, *Abba*. Studien zur neutestamentlichen Theologie und Zeitgeschichte, Göttingen 1966.
- Abba, in: ders., Abba 15–67.
- Die Abendmahlsworte Jesu, Göttingen 4. Auflg. 1967.
- Chiasmus in den Paulusbriefen, in: ders., Abba 276–290.
- „Flesh and Blood cannot inherit the Kingdom of God" (I Cor. XV. 50), in: ders., Abba 298–307.
- Jesu Verheißung für die Völker. Franz Delitzsch-Vorlesungen 1953, Stuttgart 2. Auflg. 1959.
- Die missionarische Aufgabe in der Mischehe, in: ders., Abba 292–298.
- Der Schlüssel zur Theologie des Apostels Paulus (Calwer Hefte 115), Stuttgart 1971.
- Zu Römer 1,22–32, in: ders., Abba 290–292.
- Zur Gedankenführung in den paulinischen Briefen, in: ders., Abba 269–276.
- Art. Ἀδάμ, in: ThWNT I 141–143.
- Art. ᾅδης, in: ThWNT I 146–150.
- Art. ἄνθρωπος κτλ., in: ThWNT I 365–367.
- (W. Zimmerli), Art. παῖς θεοῦ, in: ThWNT V 653–713.
- παῖς (θεοῦ) im Neuen Testament, in: ders., Abba 191–216.
J. Jervell, *Imago Dei*. Gen 1,26f. im Spätjudentum, in der Gnosis und in den paulinischen Briefen (FRLANT 76), Göttingen 1960 .
H. Jonas, Gnosis und spätantiker Geist. Erster Teil: Die mythologische Gnosis (FRLANT 51), Göttingen 2. Auflg. 1954.
M. de Jonge, The Use of the Word „Anointed" in the Time of Jesus, in: NT 8 (1966), 132–148.
- The Role of Intermediaries in God's Final Intervention in the Future according to the Qumran Scrolls, in: Studies on the Jewish Background of the New Testament, Assen 1969, 44–63.
R. Kabisch, Die *Eschatologie* des Paulus in ihren Zusammenhängen mit dem Gesamtbegriff des Paulinismus, Göttingen 1893.
E. Käsemann, Anliegen und Eigenart der paulinischen *Abendmahlslehre*, in: ders., EVB I 11–34.
- Die Anfänge christlicher Theologie, in: ders., EVB II 82–104.
- Eine paulinische Variation des „amor fati", in: ders., EVB II 223–239.
- Erwägungen zum Stichwort „Versöhnungslehre" im Neuen Testament, in: Zeit und Geschichte (FS R. Bultmann), Tübingen 1964, 47–59.
- Exegetische Versuche und Besinnungen, Bd. I und II, Göttingen 1964/3. Auflg. 1968 (= *EVB*).
- Art. Geist IV.Geist und Geistesgaben im NT, in: RGG (3. Auflg.) II 1272–1279.
- Gottesdienst im Alltag der Welt, in: ders., EVB II 198–204.
- Der gottesdienstliche Schrei nach der Freiheit, in: ders., Paulinische Perspektiven 211–236.
- Gottesgerechtigkeit bei Paulus,in: ders., EVB II 181–193.
- Die *Heilsbedeutung* des Todes Jesu bei Paulus, in: ders., Paulinische Perspektiven 61–107.

E. Käsemann, Konsequente Traditionsgeschichte? , in: ZThK 62 (1965), 137–152.
– 1. Korinther 2,6–16, in: ders., EVB I 267–276.
– 1. Korinther 6,19–20, in: ders., EVB I 276–279.
– Kritische *Analyse* von Phil. 2,5–11, in: ders., EVB I 51–95.
– *Leib* und Leib Christi. Eine Untersuchung zur paulinischen Begrifflichkeit (BHTh 9), Tübingen 1933.
– *Paulinische Perspektiven*, Tübingen 1969.
– Sätze heiligen Rechtes im Neuen Testament, in: ders., EVB II 69–82.
– Zum Thema der urchristlichen *Apokalyptik*, in: ders., EVB II 105–131.
– Zum Verständnis von Röm 3,24–26, in: ders., EVB I 96–100.
– Zur paulinischen *Anthropologie*, in: Paulinische Perspektiven 9–60.
W. Kasch, Art. ῥύομαι, in: ThWNT VI 999–1004.
G. Kegel, *Auferstehung* Jesu – Auferstehung der Toten. Eine traditionsgeschichtliche Untersuchung zum Neuen Testament, Gütersloh 1970.
U. Kellermann, Die politische Messias-Hoffnung zwischen den Testamenten, in: PTh 56 (1967), 362–377.436–448.
K. Kertelge, *Apokalypsis* Jesou Christou (Gal 1,12), in: Neues Testament und Kirche (FS R. Schnackenburg), Freiburg 1974, 266–281
– „*Rechtfertigung"* bei Paulus. Studien zur Struktur und zum Bedeutungsgehalt des paulinischen Rechtfertigungsbegriffs (NTA NF 3), Münster 1967.
G. Kittel, Art. αὐγάζω κτλ., in: ThWNT I 505.
– Art. ἀκούω κτλ., in: ThWNT I 216–225.
– (G. von Rad), Art. δοκέω κτλ., in: ThWNT II 235–258.
– Art. εἰκών, in: ThWNT II 378–396.
– Art. ἔσοπτρον κτλ., in: ThWNT II 693–694.
– Art. ἔσχατος, in: ThWNT II 694–695.
H. Kittel, Die Herrlichkeit Gottes. Studien zu Geschichte und Wesen eines Neutestamentlichen Begriffs (BWNW 16), Gießen 1934.
G. Klein, Apokalyptische Naherwartung bei Paulus, in: Neues Testament und christliche Existenz (FS H. Braun), Tübingen 1973, 241–262.
E. Klostermann, Die adäquate Vergeltung in Rm 1,22–31,in: ZNW 32 (1933), 1–6.
H. Koester, The Purpose of the Polemic of a Pauline Fragment (Philippians III), in: NTS 8 (1961/62), 317–332.
K. Koch, Gibt es ein Vergeltungsdogma im Alten Testament? , in: ZThK 52 (1955), 1–42.
W. Kramer, *Christos* – Kyrios – Gottessohn. Untersuchungen zu Gebrauch und Bedeutung der christologischen Bezeichnungen bei Paulus und in den vorpaulinischen Gemeinden (AThANT 44), Zürich 1963.
J. Kremer, Das älteste Zeugnis von der Auferstehung Christi. Eine bibeltheologische Studie zur Aussage und Bedeutung von 1Kor 15,1–11 (SBS 17), Stuttgart 2. Auflg.1967.
– Entstehung und Inhalt des Osterglaubens. Zur neuesten Diskussion, in: ThRv 72 (1976), 1–14.
Das Kreuz Jesu Christi als Grund des Heils, hrsg. v. F. Viering, Gütersloh 3. Auflg. 1969.
W.G. Kümmel, Die Bedeutung der Enderwartung für die Lehre des Paulus, in: ders., Heilsgeschehen und Geschichte 36–47.
– (P. Feine/J. Behm), *Einleitung* in das Neue Testament, Heidelberg 17. Auflg. 1973.
– Futurische und präsentische Eschatologie im ältesten Urchristentum, in: ders., Heilsgeschehen und Geschichte 351–363.

W.G. Kümmel, *Heilsgeschehen und Geschichte.* Gesammelte Aufsätze 1933–1964 (MThSt 3), Marburg 1965.

– Das Neue Testament. Geschichte der Erforschung seiner Probleme (OA), Freiburg/ München 2. Auflg. 1970.

– Das Neue Testament im 20. Jahrhundert. Ein Forschungsbericht (SBS 50), Stuttgart 1970.

– *Römer 7* und das Bild des Menschen im Neuen Testament. Zwei Studien (TB 53), München 1974.

– Die *Theologie* des Neuen Testaments nach seinen Hauptzeugen. Jesus – Paulus – Johannes (NTD Ergänzungsreihe 3), Göttingen 1969.

– Verlobung und Heirat bei Paulus (1. Kor. 7,36–38), in: ders., Heilsgeschehen und Geschichte 310–327.

– Πάρεσις und ἔνδειξις. Ein Beitrag zum Verständnis der paulinischen Rechtfertigungslehre, in: ders., Heilsgeschehen und Geschichte 260–270.

H.-W. Kuhn, Enderwartung und gegenwärtiges Heil. Untersuchungen zu den Gemeindeliedern von Qumran mit einem Anhang über Eschatologie und Gegenwart in der Verkündigung Jesu (StUNT 4), Göttingen 1966.

– Der irdische Jesus bei Paulus als traditionsgeschichtliches und theologisches Problem, in: ZThK 67 (1970), 295–320.

– *Jesus als Gekreuzigter* in der frühchristlichen Verkündigung bis zur Mitte des 2. Jahrhunderts, in: ZThK 72 (1975), 1–46.

K. G. Kuhn, Art. *μαραναθά*, in: ThWNT IV 470–475.

F. Lang, Art. *πῦρ κτλ.*, in: ThWNT VI 927–953.

K. Lehmann, *Auferweckt* am dritten Tag nach der Schrift. Früheste Christologie, Bekenntnisbildung und Schriftauslegung im Lichte von 1Kor 15,3–5 (QD 38), Freiburg 1968.

M. Limbeck, Die Ordnung des Heils. Untersuchungen zum Gesetzesverständnis des Frühjudentums, Düsseldorf 1971.

E. Linnemann, Tradition und Interpretation in Röm 1,3f., in: EvTh 31 (1971), 264–275.

Literatur und Religion des Frühjudentums. Eine Einführung, hrsg. v. J. Maier und J. Schreiner, Würzburg 1973.

G. Lohfink, Gab es im Gottesdienst der neutestamentlichen Gemeinden eine Anbetung Christi? , in: BZ NF 18 (1974), 161–179.

N. Lohfink, Eschatologie im Alten Testament, in: ders., Bibelauslegung im Wandel, Frankfurt 1967, 158–184.

E. Lohmeyer, ,,Gesetzeswerke", in: ders., Probleme paulinischer Theologie, Stuttgart o.J., 31–74.

– Kyrios Jesus. Eine Untersuchung zu Phil 2,5–11 (SHAW.PH 1927/28,4), Nachdr. Darmstadt 1961.

– ΣΥΝ ΧΡΙΣΤΩΙ, in: Festgabe für A. Deissmann, Tübingen 1927, 218–257.

E. Lohse, Apokalyptik und Christologie, in: ZNW 62 (1971), 48–67.

– Die Briefe an die Kolosser und an Philemon (KEK 9/2), Göttingen 1968.

– Imago Dei bei Paulus, in: Libertas christiana (FS F. Delekat) (BEvTh 26), München 1957, 122–135

– *Märtyrer* und Gottesknecht. Untersuchungen zur urchristlichen Verkündigung vom Sühntod Jesu Christi (FRLANT 64), Göttingen 1955.

– Art. *πρόσωπον κτλ.*, in: ThWNT VI 769–781.

– Art. *υἱὸς Δαυίδ*, in: ThWNT VIII 482–492

D. Lührmann, Das *Offenbarungsverständnis* bei Paulus und in paulinischen Gemeinden (WMANT 16), Neukirchen 1965.
- Rechtfertigung und Versöhnung. Zur Geschichte der paulinischen Tradition, in: ZRhK 67 (1970), 437–452.
U. Luz, Das *Geschichtsverständnis* des Paulus (BEvTh 49), München 1968.
- Der alte und der neue Bund bei Paulus und im Hebräerbrief, in: EvTh 27 (1967), 318–336.
F.W. Maier, Ps 110,1 (LXX 109,1) im Zusammenhang von 1Kor 15,24–26, in: BZ 20 (1932), 139–156.
K. Maly, 1Kor 12,1–3, eine Regel zur Unterscheidung der Geister? , in: BZ NF 10 (1966), 82–95.
W. Marxsen, *Einleitung* in das Neue Testament, Gütersloh 3. Auflg. 1964.
- Auslegung von 1Thess 4,13–18, in: ZThK 66 (1969), 22–37.
L. Mattern, Das *Verständnis* des Gerichtes bei Paulus (AThANT 47), Zürich/Stuttgart 1966.
Ch. Maurer, Ehe und Unzucht nach 1. Korinther 6,12–7,7, in: WuD NF 6 (1959), 159–169.
- Art. πράσσω κτλ., in: ThWNT VI 641–645.
- Art. τίθημι κτλ., in: ThWNT VIII 152–170.
M. McDermott, The Biblical Doctrine of KOINΩNIA, in: BZ NF 19 (1975), 64–77.219–233.
O. Merk, Handeln aus Glauben. Die Motivierungen der paulinischen Ethik (MThSt 5), Marburg 1968.
W. Michaelis, Art. πάσχω κτλ., in: ThWNT V 903–939.
- Art. πίπτω κτλ., in: ThWNT VI 161–174.
- Art. πρωτότοκος, in: ThWNT VI 872–882.
O. Michel, Paulus und seine Bibel (BFchTh 2/18), Gütersloh 1929, Nachdr. Darmstadt 1972.
- Die Entstehung der paulinischen Christologie, in: ZNW 28 (1929), 324–333.
- Der Christus des Paulus, in: ZNW 32 (1933), 6–31.
- Art. οἶκος κτλ., in: ThWNT Vi 122–161.
- Art. ἀνθομολογεῖσθαι und ἐξομολογεῖσθαι τῷ θεῷ, in: ThWNT V 213–215.
H. Molitor, Die Auferstehung der Christen und Nichtchristen nach dem Apostel Paulus (NTA 16/1), Münster 1933.
A.L. Moore, The Parousia in the New Testament (NT.S 13), Leiden 1966.
C.F.D. Moule, St. Paul and Dualism : The Pauline Conception of Resurrection, in: NTS 13 (1965/66), 106–123.
K. Müller, Die Ansätze der Apokalyptik, in: Literatur und Religion des Frühjudentums, Würzburg 1973, 31–42.
- *Anstoß und Gericht.* Eine Studie zum jüdischen Hintergrund des paulinischen Skandalon-Begriffs (StANT 19), München 1969.
- Geschichte, Heilsgeschichte und Gesetz, in: Literatur und Religion des Frühjudentums, Würzburg 1973, 73–105.
- 1Kor 1,18–25. Die eschatologisch-kritische Funktion der Verkündigung des Kreuzes, in: BZ NF 10 (1966), 246–272.
- Rezension von H.–W. Kuhn, Enderwartung und gegenwärtiges Heil, in: BZ NF 12 (1968), 303–306.

U.B. Müller, Prophetie und Predigt im Neues Testament. Formgeschichtliche Untersuchungen zur urchristlichen Prophetie (StNT 10), Gütersloh 1975.

F. Mußner, Die Auferstehung Jesu (BiH 7), München 1969.

W. Nauck, Freude im Leiden. Zum Problem einer urchristlichen Verfolgungstradition, in: ZNW 46 (1955), 68–80.

– Das οὖν-paraeneticum, in: ZNW 49 (1958), 134–135.

P. Neuenzeit, *Das Herrenmahl* Studien zur paulinischen Eucharistieauffassung (StANT 1), München 1960.

V.H. Neufeld, The Earliest Christian Confessions (NTTS 5), Leiden 1963.

F. Neugebauer, *In Christus*. Eine Untersuchung zum paulinischen Glaubensverständnis, Göttingen 1961.

G.W.E. Nickelsburg, *Resurrection,* Immortality, and Eternal Life in Intertestamental Judaism (HThS 26), Cambridge 1972.

K. Niederwimmer, Der Begriff der *Freiheit* im Neues Testament (TBT 11), Berlin 1966.

A.T. Nikolainen, Der *Auferstehungsglauben* in der Bibel und ihrer Umwelt, Bd. I und II (AASF 49,3 und 59,3), Helsinki 1944 und 1946.

M.P. Nilsson, Geschichte der griechischen Religion. Zweiter Band: Die hellenistische und römische Zeit (HAW 5/2), München 2. Auflg. 1961.

A. Nissen, Tora und Geschichte im Spätjudentum. Zu Thesen Dietrich Rösslers, in: NT 9 (1967), 241–277.

F. Nötscher, Altorientalischer und alttestamentlicher *Auferstehungsglauben*, Neudr. Darmstadt 1970.

– Zur theologischen *Terminologie* der Qumrantexte (BBB 10), Bonn 1956.

E. Norden, Agnostos Theos. Untersuchungen zur Formgeschichte religiöser Rede, Darmstadt 5. Auflg. 1971.

M. Noth, Das Geschichtsverständnis der alttestamentlichen Apokalyptik, in: ders., Gesammelte Studien zum Alten Testament (TB 6), München 3. Auflg. 1966, 248–273.

J.M. Nützel, Zum Schicksal der eschatologischen Propheten, in: BZ NF 20 (1976), 59–94.

A. Oepke, Art. ἀνίστημι κτλ., in: ThWNT I 368–372.

– Art. ἀπόλλυμι κτλ., in: ThWNT I 393–396.

– Art. διώκω, in: ThWNT II 232–233.

– Art. δύω κτλ., in: ThWNT II 318–321.

– Art. ἐγείρω κτλ., in: ThWNT II 332–338.

– Art. ἐν, in: ThWNT II 534–539.

– Art. ἐνίστημι, in: ThWNT II 540.

– Art. καθεύδω, in: ThWNT III 434–440.

– Art. καλύπτω κτλ., in: ThWNT III 558–597.

– Art. λάμπω κτλ., in: ThWNT IV 17–28.

– (K.G. Kuhn), Art. ὅπλον κτλ., in: ThWNT V 292–315.

– Art. παῖς κτλ ., in: ThWNT V 636–653.

– Art. παρουσία κτλ., in: ThWNT V 856–869.

– Art. Auferstehung II (des Menschen), in: RAC I 930–938.

F.-J. Ortkemper, Das Kreuz in der Verkündigung des Apostels Paulus. Dargestellt an den Texten der paulinischen Hauptbriefe (SBS 24), Stuttgart 1967.

P. von der Osten-Sacken, *Römer 8* als Beispiel paulinischer Soteriologie (FRLANT 112), Göttingen 1975.

H. Paulsen, *Überlieferung* und Auslegung in Römer 8 (WMANT 43), Neukirchen 1974.

E. Pax, Der Loskauf. Zur Geschichte eines neutestamentlichen Begriffes, in: Anton. 37 (1962), 239–278.

B.A. Pearson, Did the Gnostics Curse Jesus?, in: JBL 86 (1967), 301–305.

R. Pesch, Naherwartungen. Tradition und Redaktion in Mk 13, Düsseldorf 1968.

— Zur Entstehung des Glaubens an die Auferstehung Jesu. Ein Vorschlag zur Diskussion, in: ThQ 153 (1973), 201–228.

E. Peterson, Das Amulett von Acre, in: ders., Frühkirche, Judentum und Gnosis, Freiburg 1959, 346–354.

— Die Einholung des Kyrios, in: ZSTh 7 (1930), 682–702.

— Art. ἀπάντησις, in: ThWNT I 380.

O. Plöger, Theokratie und Eschatologie (WMANT 2), Neukirchen 1959.

W. Popkes, *Christus traditus*. Eine Untersuchung zum Begriff der Dahingabe im Neuen Testament (AThANT 49), Zürich/Stuttgart 1967.

H. Preisker, Art. ἐγγύς κτλ., in: ThWNT II 329–332.

— Art. ἔπαινος, in: ThWNT II 583–585.

— Art. ἐπιείκεια κτλ., in: ThWNT II 585–587.

— (E. Würthwein), Art. μισθός κτλ., in: ThWNT IV 699–736.

G. von Rad, Gesammelte Studien zum Alten Testament (TB 8), München 3. Auflg. 1965 (= *Ges. Studien*).

— *Theologie des Alten Testaments*, 2 Bde., München 5. Auflg. 1966/1968.

— Das theologische Problem des alttestamentlichen Schöpfungsglaubens, in: ders., Ges. Studien 136–147.

— Weisheit in Israel, Neukirchen 1970.

B. Reicke (G. Bertram), Art. πᾶς, ἅπας, in: ThWNT V 885–895.

R. Reitzenstein, Die hellenistischen Mysterienreligionen. Nach ihren Grundgedanken und Wirkungen, Darmstadt 1966 (= *HMR*).

— Poimandres. Studien zur griechisch-ägyptischen und frühchristlichen Literatur, Stuttgart 1904.

K.H. Rengstorf, Art. δοῦλος κτλ., in: ThWNT II 264–283.

— Art. στέλλω κτλ., in: ThWNT VII 588–599.

M. Rese, Überprüfung einiger Thesen von Joachim Jeremias zum Thema des Gottesknechtes im Judentum, in: ZThK 60 (1963), 21–41.

H. Riesenfeld, Art. ὑπέρ, in: ThWNT VIII 510–518.

B. Rigaux, Paulus und seine Briefe. Der Stand der Forschung (BiH 2), München 1964.

D. Rössler, Gesetz und Geschichte. Untersuchungen zur Theologie der jüdischen Apokalyptik und der pharisäischen Orthodoxie (WMANT 3), Neukirchen 1960.

L. Rost, Einleitung in die alsttestamentlichen Apokryphen und Pseudepigraphen einschließlich der großen Qumran-Handschriften, Heidelberg 1971.

H.H. Rowley, Apokalyptik. Ihre Form und Bedeutung zur biblischen Zeit, Einsiedeln 3. Auflg. 1965.

L. Ruppert, Der leidende Gerechte. Eine motivgeschichtliche Untersuchung zum Alten Testament und zwischentestamentlichen Judentum (fzb 5), Würzburg 1972.

A. Sand, Der Begriff „Fleisch" in den paulinischen Hauptbriefen (BU 2), Regensburg 1967.

H. Sasse, Art. αἰών κτλ., in: ThWNT I 197–209.

— Art. κοσμέω κτλ., in: ThWNT III 867–898.

P. Schäfer, Der synagogale Gottesdienst, in: Literatur und Religion des Frühjudentums, Würzburg 1973, 391–413.

H.-M. Schenke, Auferstehungsglaube und Gnosis, in: ZNW 59 (1968), 123–126.

A. Schlatter, Der Evangelist Johannes, Stuttgart 1930, Nachdr. 1948.

– Die *Theologie* des Neuen Testaments. Zweiter Teil: Die Lehre der Apostel, Calw und Stuttgart 1910.

H. Schlier, Die *Anfänge* des christologischen Credo, in: Zur Frühgeschichte der Christologie (hrsg. v. B. Welte) (QD 51), Freiburg 1970, 13–58.

– Über die *Auferstehung* Jesu Christi (Kriterien 10), Einsiedeln 1968.

– Die *Bedeutung* der Auferstehung Jesu Christi nach dem Apostel Paulus, in: ders., Das Ende der Zeit 136–150.

– *Besinnung* auf das Neue Testament. Exegetische Aufsätze und Vorträge II, Freiburg 1964.

– Der Brief an die Epheser. Ein Kommentar, Düsseldorf 5. Auflg. 1965.

– Das, worauf alles wartet. Eine Auslegung von *Römer 8,18–30*, in: ders., Das Ende der Zeit 250–270.

– *Doxa* bei Paulus als heilsgeschichtlicher Begriff, in: ders., Besinnung 307–318.

– *Das Ende der Zeit.* Exegetische Aufsätze und Vorträge III, Freiburg 1971.

– Das *Ende* der Zeit, in: ders., Das Ende der Zeit 67–84.

– Die *Erkenntnis Gottes* nach den Briefen des Apostels Paulus, in: ders., Besinnung 319–339.

– Zur Freiheit gerufen. Das paulinische Freiheitsverständnis, in: ders., Das Ende der Zeit 216–233.

– *Kerygma und Sophia.* Zur neutestamentlichen Grundlegung des Dogmas, in: ders., Die Zeit der Kirche 206–232.

– Mächte und Gewalten im Neuen Testament (QD 3), Freiburg 3. Auflg. 1963.

– Das Menschenherz nach dem Apostel Paulus, in: ders., Das Ende der Zeit 184–200.

– Nun aber bleiben diese Drei. Grundriß des christlichen Lebensvollzuges (Kriterien 25), Einsiedeln 1971.

– Religionsgeschichtliche Untersuchungen zu den Ignatiusbriefen (BZNW 8), Gießen 1929.

– Die Stiftung des Wortes Gottes nach dem Apostel Paulus, in: ders., Das Ende der Zeit 151–168.

– Über das *Hauptanliegen* des 1. Briefes an die Korinther, in: ders., Die Zeit der Kirche 147–159.

– Über die Herrschaft Christi, in: ders., Das Ende der Zeit 52–66.

– Über die Liebe. 1Kor. 13, in: ders., Die Zeit der Kirche 186–193.

– *Die Zeit der Kirche.* Exegetische Aufsätze und Vorträge, Freiburg 4. Auflg. 1966.

– Zu Röm 1,3f, in: Neues Testament und Geschichte (FS O. Cullmann), Zürich 1972, 207–218.

– Art. ἀνέχω κτλ., in: ThWNT I 360–361.

– Art. βάθος, in: ThWNT I 515–516.

– Art. βέβαιος κτλ., in: ThWNT I 600–603.

– Art. ἐλεύθερος κτλ., in: ThWNT II 484–500.

– Art. θλίβω κτλ., in: ThWNT III 139–148.

– Art. κέρδος κτλ., in: ThWNT III 671–672.

H.H. Schmid, Schöpfung, Gerechtigkeit und Heil. „Schöpfungstheologie" als Gesamthorizont biblischer Theologie, in: ZThK 70 (1973), 1–19.

J. Schmid (A. Wikenhauser), *Einleitung* in das Neue Testament, 6., völlig neu bearbeitete Auflg., Freiburg 1973.

H.W. Schmidt, Das Kreuz Christi bei Paulus, in: ZSTh 21 (1950/52), 145–159.

K.L. Schmidt (H. Kleinknecht/G. von Rad/K.-G. Kuhn), Art. βασιλεύς κτλ., in: ThWNT I 562–595.
- (G. Bertram), Art. ἔθνος κτλ., in: ThWNT II 362–370.
- Art. καλέω κτλ., in: ThWNT III 488–502.
- Art. κολλάω κτλ., in: ThWNT III 822–823.
W. Schmithals, Die Apokalyptik. Einführung und Deutung, Göttingen 1973.
- Die Gnosis in Korinth. Eine Untersuchung zu den Korintherbriefen (FRLANT 66), Göttingen 1956, 3. Auflg. 1969.
- Die Irrlehrer des Philipperbriefes, in: ders., Paulus und die Gnostiker. Untersuchungen zu den kleinen Paulusbriefen (ThF 35), Hamburg-Bergstedt 1965, 47–87.
- Paulus und der historische Jesus, in: ZNW 53 (1962), 145–160.
O. Schmitz, Der Begriff ΔΥΝΑΜΙΣ bei Paulus. Ein Beitrag zum Wesen urchristlicher Begriffsbildung, in: Festgabe für A. Deissmann zum 60. Geburtstag, Tübingen 1927, 139–167.
R. Schnackenburg, Christologie des Neuen Testaments, in: MySal III/1 227–388.
- Gottes Herrschaft und Reich. Eine biblisch-theologische Studie, Freiburg 4. Auflg. 1965.
- Das Heilsgeschehen bei der Taufe nach dem Apostel Paulus. Eine Studie zur paulinischen Theologie (MThS.H 1), München 1950.
- Das Johannesevangelium, I. Teil (HThK 4/1), Freiburg 2. Auflg. 1967.
- Todes- und Lebensgemeinschaft mit Christus. Neue Studien zu Röm 6,1–11, in: ders., Schriften zum Neuen Testament. Exegese in Fortschritt und Wandel, München 1971, 361–391.
- Zur Aussageweise „Jesus ist (von den Toten) auferstanden", in: BZ NF 13 (1969), 1–17.
G. Schneider, Neuschöpfung oder Wiederkehr? Eine Untersuchung zum Geschichtsbild der Bibel, Düsseldorf 1961.
- Präexistenz Christi. Der Ursprung einer neutestamentlichen Vorstellung und das Problem ihrer Auslegung, in: Neues Testament und Kirche (FS R. Schnackenburg), Freiburg 1974, 399–412.
J. Schneider, Doxa. Eine bedeutungsgeschichtliche Studie (NTF 3/3), Gütersloh 1932.
- Art. ἔρχομαι κτλ., in: ThWNT II 662–682.
- Art. ἥκω, in: ThWNT II 929–930.
- Art. ὀλεθρεύω κτλ., in: ThWNT V 168–171.
- Art. ὁμοίωμα, in: ThWNT V 191–197.
- Art. σταυρός κτλ., in: ThWNT VII 572–584.
- Art. σχῆμα κτλ., in: ThWNT VII 954–959.
J. Schniewind, Die Leugner der Auferstehung in Korinth, in: ders., Nachgelassene Reden und Aufsätze (TBT 1), Berlin 1952, 110–139.
- (G. Friedrich), Art. ἐπαγγέλλω κτλ., in: ThWNT II 573–583.
W. Schrage, Die konkreten Einzelgebote in der paulinischen Paränese. Ein Beitrag zur neutestamentlichen Ethik, Gütersloh 1961.
- Leid, Kreuz und Eschaton. Die Peristasenkataloge als Merkmale paulinischer theologia crucis und Eschatologie, in: EvTh 34 (1974), 141–175.
- Die Stellung zur Welt bei Paulus, Epiktet und in der Apokalyptik. Ein Beitrag zu 1Kor 7,29–31, in: ZThK 61 (1964), 125–154.
- Das Verständnis des Todes Jesu Christi im Neuen Testament, in: Das Kreuz Jesu Christi als Grund des Heils, hrsg. v. F. Viering, Gütersloh 3. Auflg. 1969, 49–90.

J. Schreiner, Alttestamentlich-jüdische Apokalyptik. Eine Einführung (BiH 6), München 1969.

G. Schrenk, Art. ἄδικος κτλ., in: ThWNT I 150–163.

—   Art. βούλομαι κτλ., in: ThWNT I 628–636.

—   (G. Quell), Art. δίκη κτλ., in: ThWNT II 176–229.

—   Art. ἐκδικέω κτλ., in: ThWNT II 440–444.

—   Art. εὐδοκέω κτλ., in: ThWNT II 736–748.

—   Art. θέλω κτλ., in: ThWNT III 43–63.

—   Art. πατήρ, in: ThWNT V 946–1016.

K. Schubert, „Auferstehung Jesu" im Lichte der Religionsgeschichte des Judentums, in: BiLi 1970, H.1, 25–37.

—   Die Entwicklung der Auferstehungslehre von der nachexilischen bis zur frührabbinischen Zeit, in: BZ NF 6 (1962), 177–214.

—   Die Entwicklung der eschatologischen Naherwartung im Frühjudentum, in: Vom Messias zum Christus, Wien 1964, 1–54.

S. Schulz, Die Decke des Moses, in: ZNW 49 (1958), 1–30.

—   Maranatha und Kyrios Jesus, in: ZNW 53 (1962),125–144.

—   (G. Quell), Art. σπέρμα κτλ., in: ThWNT VII 537–547.

H. Schürmann, „Das Gesetz des Christus" (Gal 6,2). Jesu Verhalten und Wort als letztgültige sittliche Norm nach Paulus, in: Neues Testament und Kirche (FS R. Schnackenburg), Freiburg 1974, 282–300.

H. Schwantes, Schöpfung der Endzeit. Ein Beitrag zum Verständnis der Auferweckung bei Paulus (AzTh I/12), Stuttgart 1963.

A. Schweitzer, Die Mystik des Apostels Paulus, Tübingen 2. Auflg. 1954.

E. Schweizer, Beiträge zur Theologie des Neuen Testaments. Neutestamentliche Aufsätze (1955–1970), Zürich 1970.

—   Die „Elemente der Welt". Gal 4,3.9; Kol 2,8.20, in: ders., Beiträge zur Theologie des Neuen Testaments 147–163.

—   Erniedrigung und Erhöhung bei Jesus und seinen Nachfolgern (AThANT 39), Zürich 2. Auflg. 1962.

—   Gegenwart des Geistes und eschatologische Hoffnung bei Zarathustra, spätjüdischen Gruppen, Gnostikern und den Zeugen des Neuen Testaments, in: ders., Neotestamentica 153–179.

—   Jesus Christus im vielfältigen Zeugnis des Neuen Testaments, München/Hamburg 1968.

—   Die Kirche als der Leib Christi in den paulinischen Homologumena, in: ders., Neotestamentica 272–292.

—   1. Korinther 15,20–28 als Zeugnis paulinischer Eschatologie und ihrer Verwandtschaft mit der Verkündigung Jesu, in: Jesus und Paulus (FS W.G. Kümmel, Göttingen 1975, 301–314.

—   Kolosser 1,15–20, in: ders., Beiträge zur Theologie des Neuen Testaments 113–144.

—   Die Leiblichkeit des Menschen: Leben – Tod – Auferstehung, in: ders., Beiträge zur Theologie des Neuen Testaments 165–182.

—   Die „Mystik" des Sterbens und Auferstehens mit Christus bei Paulus, in: ders., Beiträge zur Theologie des Neuen Testaments 183–203.

—   Neotestamentica. Deutsche und englische Aufsätze 1951–1963, Zürich/Stuttgart 1963.

E. Schweizer, Röm 1,3f, und der Gegensatz von Fleisch und Geist vor und bei Paulus, in: ders., Neotestamentica 180–189.

- Zur Herkunft der Präexistenzvorstellung bei Paulus, in: ders., Neotestamentica 105–109.

- (H. Kleinknecht/F. Baumgärtel/W. Bieder/E. Sjöberg), Art. πνεῦμα κτλ., in: ThWNT VI 330–453.

- (F. Baumgärtel/R. Meyer), Art. σάρξ κτλ., in: ThWNT VII 98–151.

- (F. Baumgärtel), Art. σῶμα κτλ., in: ThWNT VII 1024–1091.

- (P. Wülfing von Martitz/ G. Fohrer/ E. Lohse/ W. Schneemelcher), Art. υἱός κτλ., in: ThWNT VIII 334–402.

R. Scroggs, *The Last Adam*. A Study in Pauline Anthropology, Philadelphia 1966.

A. Seeberg, Der Katechismus der Urchristenheit (TB 26), München 1966.

H. Seesemann, Der Begriff KOINΩNIA im Neuen Testament (BZNW 14), Gießen 1933 (= *Koinonia*).

- Art. πεῖρα κτλ., in: ThWNT VI 23–37.

P. Siber, *Mit Christus leben*. Eine Studie zur paulinischen Auferstehungshoffnung (AThANT 61), Zürich 1971.

B. Spörlein, Die *Leugnung* der Auferstehung. Eine historisch-kritische Untersuchung zu 1Kor 15 (BU 7), Regensburg 1971.

L.R. Stachowiak, Die Antithese Licht – Finsternis – ein Thema der paulinischen Paränese, in: ThQ 143 (1963), 385–421.

G. Stählin, „Um mitzusterben und mitzuleben". Bemerkungen zu 2Kor 7,3, in: Neues Testament und christliche Existenz (FS H. Braun), Tübingen 1973, 503–521.

- Art. ἀσθενής κτλ., in: ThWNT I 488–492.

- (H. Kleinknecht/O. Grether/O. Procksch/J. Fichtner/E. Sjöberg), Art. ὀργή κτλ., in: ThWNT V 382–448.

- Art. σκάνδαλον κτλ., in: ThWNT VII 338–358.

D.M. Stanley, Christ's *Resurrection* in Pauline Soteriology (AnBib 13), Rom 1961.

E. Stauffer, Vom λόγος τοῦ σταυροῦ und seiner Logik, in: ThStKr 103 (1931), 179–188.

- (G. Quell), Art. ἀγαπάω κτλ., in: ThWNT I 20–55.

- Art. ἀγών κτλ., in: ThWNT I 134–140.

- Art. ἀθλέω κτλ., in: ThWNT I 166–167.

- Art. βραβεῖον, in: ThWNT I 636–637.

G. Stemberger, *Der Leib der Auferstehung*. Studien zur Anthropologie und Eschatologie des palästinischen Judentums im neutestamentlichen Zeitalter (ca. 170 v. Chr. – 100 n Chr.) AnBib 56), Rom 1972.

F. Stolz, Art. bosch, in: THAT I 269–272.

H. Strathmann, Art. πόλις κτλ., in: ThWNT VI 516–535.

G. Strecker, Redaktion und Tradition im Christushymnus Phil 2,6–11, in: ZNW 55 (1964), 63–78.

Studies on the Jewish Background of the New Testament (mit Beiträgen v. O. Michel, S. Safrai, R. le Déaut, M. de Jonge, J. van Goudoever), Assen 1969.

Studiorum Paulinorum Congressus Internationalis Catholicus 1961, 2 Bde. (AnBib 17–18), Rom 1963.

P. Stuhlmacher, Das *Bekenntnis* zur Auferweckung Jesu von den Toten und die Biblische Theologie,in: ZThK 70 (1973), 365–403.

P. Stuhlmacher, „Das Ende des Gesetzes". Über Ursprung und Ansatz der paulinischen Theologie, in: ZThK 67 (1970), 14−39.

− *Erwägungen* zum ontologischen Charakter der καινὴ κτίσις bei Paulus, in: EvTh 27(1967),1−3

− *Gerechtigkeit Gottes* bei Paulus (FRLANT 87), Göttingen 2. Auflg. 1966.

− *Gegenwart und Zukunft* in der paulinischen Eschatologie, in: ZThK 64 (1967), 423− 450.

− Glauben und Verstehen bei Paulus, in: EvTh 26 (1966), 337−348.

− Das paulinische *Evangelium*. I. Vorgeschichte (FRLANT 95), Göttingen 1968.

− Theologische Probleme des Römerbriefpräskripts, in: EvTh 27 (1967), 374−389.

− Zur neueren Exegese von Röm 3,24−26, in: Jesus und Paulus (FS W.G. Kümmel) Göttingen 1975, 315−333.

A. Stumpff, Art. ζημία κτλ., in: ThWNT II 890−894.

G. Theißen, Soziale Schichtung in der korinthischen Gemeinde. Ein Beitrag zur Soziologie des hellenistischen Urchristentums, in: ZNW 65 (1974), 232−272.

W. Thüsing, Erhöhungsvorstellung und Parusieerwartung in der ältesten nachösterlichen Christologie (SBS 42), Stuttgart o.J. (1969).

− *Per Christum* in Deum. Studien zum Verhältnis von Christozentrik und Theozentrik in den paulinischen Hauptbriefen (NTA NF 1), Münster 2. Auflg. 1969.

− Rechtfertigungsgedanke und Christologie in den Korintherbriefen, in: Neues Testament und Kirche (FS R. Schnackenburg), Freiburg 1974, 301−324.

H. Thyen, Der Stil der Jüdisch-Hellenistischen Homilie (FRLANT 65), Göttingen 1955.

F. Tillmann, Die *Wiederkunft* Christi nach den paulinischen Briefen (BSt(F) 14,1.2), Freiburg 1909.

H. Traub (G. von Rad), Art. οὐρανός κτλ., in: ThWNT V 496−543.

W. Trilling, Untersuchungen zum Zweiten Thessalonicherbrief (EThS 27), Leipzig 1972.

W.C. van Unnik, Jesus the Christ, in: NTS 8 (1961/62), 101−116.

− Reisepläne und Amen-Sagen, Zusammenhang und Gedankenfolge in 2. Korinther 1:15−24, in: Studia Paulina in honorem J. de Zwaan, Haarlem 1953, 215−234.

P. Vielhauer, Die Apokalyptik, in: Hennecke-Schneemelcher II 408−421.

− Ein Weg zur neutestamentlichen Christologie? Prüfung der Thesen Ferdinand Hahns, in: ders., Aufsätze zum Neuen Testament (TB 31), München 1965, 141− 198.

E. Vogt, „Mysteria" in textibus Qumran, in: Bib 37 (1956), 247−257.

A. Vögtle, „Der Menschensohn" und die paulinische Christologie, in: Studiorum Paulinorum Congressus Internationalis Catholicus I 1999−218.

− Das Neue Testament und die Zukunft des *Kosmos*, Düsseldorf 1970.

− (R. Pesch), Wie kam es zum *Osterglauben?*, Düsseldorf 1975.

P. Volz, Die Eschatologie der jüdischen Gemeinde im neutestamentlichen Zeitalter. Nach den Quellen der rabbinischen, apokalyptischen und apokryphen Literatur, Tübingen/Leipzig 1934, Nachdr. Hildesheim 1966 (= *Volz*).

Vom Messias zum Christus. Die Fülle der Zeit in religionsgeschichtlicher und theologischer Sicht, hrsg. v. K. Schubert, Wien 1964.

J.S. Vos, Traditionsgeschichtliche Untersuchungen zur paulinischen Pneumatologie, Assen 1973.

G. Wagner, Das religionsgeschichtliche Problem von Römer 6,1−11 (AThANT 39), Zürich 1962.

K. Wegenast, Das Verständnis der *Tradition* bei Paulus und in den Deuteropaulinen (WMANT 8), Neukirchen 1962.

Zur Frühgeschichte der Christologie. Ihre biblischen Anfänge und die Lehrformel von Nikaia, hrsg. v. B. Welte (QD 51), Freiburg 1970.

H.-D. Wendland, Die Mitte der paulinischen Botschaft. Die Rechtfertigungslehre des Paulus im Zusammenhange seiner Theologie, Göttingen 1935.

— Das Wirken des Heiligen Geistes in den Gläubigen nach Paulus, in: ThLZ 77 (1952), 457–470.

P. Wendland, Die hellenistisch-römische Kultur in ihren Beziehungen zu Judentum und Christentum (HNT I/2), Tübingen 1912.

K. Wengst, Christologische *Formeln* und Lieder des Urchristentums (StNT 7), Gütersloh 1972.

— Der Apostel und die Tradition. Zur theologischen Bedeutung urchristlicher Formeln bei Paulus, in: ZThK 69 (1972), 145–162.

H. Wenschkewitz, Die Spiritualisierung der Kultusbegriffe Tempel, Priester und Opfer im Neuen Testament, in: Angelos 4, Leipzig 1932, 70–230.

G.P. Wetter, Charis. Ein Beitrag zur Geschichte des ältesten Christentums (UNT 5), Leipzig 1913.

G. Wiencke, Paulus über *Jesu Tod*. Die Deutung des Todes Jesu bei Paulus und ihre Herkunft (BFChTh.M 42), Gütersloh 1939.

H.-A. Wilcke, Das Problem eines messianischen Zwischenreichs bei Paulus (AThANT 51), Zürich/Stuttgart 1967.

U. Wilckens, Die Bekehrung des Paulus als religionsgeschichtliches Problem, in: ZThK 56 (1959), 273–293.

— Die Missionsreden der Apostelgeschichte. Form- und traditionsgeschichtliche Untersuchungen (WMANT 5), Neukirchen 2. Auflg. 1963, 3. Auflg. 1974.

— *Weisheit und Torheit*. Eine exegetisch-religionsgeschichtliche Untersuchung zu 1.Kor. 1 und 2 (BHTh 26), Tübingen 1959.

— Was heißt bei Paulus: „Aus Werken des Gesetzes wird niemand gerecht"? , in: EKK.V 1, 51–77.

— (G. Fohrer), Art. σοφία κτλ., in: ThWNT VII 465–529.

J.H. Wilson, The Corinthians who Say There Is No Resurrection of the Dead, in: ZNW 59 (1968), 90–107.

R. McL. Wilson, How Gnostic were the Corinthians? , in: NTS 19 (1972/73), 65–74.

H. Windisch, Die göttliche Weisheit der Juden und die paulinische Christologie, in: Neutestamentliche Studien f. G. Heinrici (1914), 220–234.

J. Wobbe, Der Charis-Gedanke bei Paulus. Ein Beitrag zur ntl. Theologie (NTA 13/3), Münster 1932.

H.W. Wolff, Dodekapropheton 2. Joel und Amos (BK XIV/2), Neukirchen 1969.

D. Zeller, Juden und Heiden in der Mission des Paulus. Studien zum Römerbrief (fzb 1), Würzburg 1972.

— Das Logion Mt 8,11f/Lk 13,28f und das Motiv der „Völkerwallfahrt", in: BZ NF 15 (1971), 222–237; 16 (1972), 84–93.

Stellenregister

Philipperbrief

1,6	14ff
1,10	14ff
1,23	207f
2,6–11	98ff
2,12–16	185ff
2,16	14ff
3	158ff
3,8	161f
3,20f	169
3,21	241f

1. Thessalonicherbrief

1,9f	133ff
1,10	79ff
4,13–18	148f.212f
4,14	90f.196f
4,16f	217
4,17	194ff
5,1–11	11ff
5,10	31ff.198f